DEORAITHE

Dónall Mac Amhlaigh

An Clóchomhar Tta
Baile Átha Cliath

An Chéad Chló 1986
© An Clóchomhar Tta

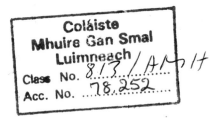
Leabhair eile leis an údar céanna:

Dialann Deoraí

Saol Saighdiúra

An tÓirchiste Mallaithe

An Diaphéist

Diarmaid Ó Dónaill

Sweeney

Schnitzer Ó Sé

Beoir Bhaile

Dundalgan Press a chlóbhuail

A hAON

Ar a bhealach síos chun na traenach dó chas an t-iarshaighdiúir Niall Ó Conaill isteach san *Philadelphia Bar* ag cúinne na Faiche Móire i nGaillimh. Leag sé uaidh a chás beag taistil, d'ordaigh sé pionta pórtair agus bhearnaigh sé an scór *Afton* a cheannaigh sé thuas ar an Rinn Mhór ar ball beag. Chúns bhí an t-óstóir ag tarraingt a phionta dó bhreathnaigh Niall ina thimpeall mar ba chuid suntais aige gach dá raibh thart air—na custaiméirí eile a raibh ball éigin bagáiste ag a mórchuid, na seanfhógraí óil is tobac, na sraitheanna buidéal a raibh solas lag uaigneach na gréine fómhair ag baint loinnreach astu ar na seilfeanna, an mhin sáibh thais ruabhuí a bhí foircthe le bunanna toitíní agus le smugairlí gránna. Bhí sé ráithe go láidir ó sheas Niall Ó Conaill i dteach tábhairne cheana.

Ach oiread leis an ól de ba mhór an díth céille dó casadh ar ais ar na feaigs, b'fhéidir, ach ní raibh maolú ar bith ar a dhúil iontu i ndiaidh a thréanais; go fiú nuair a cheannaigh sé an paicéad seo sa cheaintín in am lóin bhí sé idir dhá chomhairle an gcaithfeadh sé ar chor ar bith iad—nó ba shin é a cheap sé ar aon chaoi nó gur thosaigh siad á ghriogadh thíos ina phóca faoi mar a ghriogfadh mála milseán gasúr a mbeadh toirmeasc air blaiseadh díobh go fóill. Ach ní raibh call ar bith dó leis an troscadh seo feasta cibé scéal é; b'acmhainn dó anois iad mar ghal is mar dheoch, ba lá dá shaol é inniu agus bhí údar ceiliúrtha aige.

Más ea féin bhí an t-aiféaltas ag snámh tríd an ngliondar aige ar maidin nuair a leag sé a threalamh saighdiúra isteach i stór an chomplachta, é réidh leis go deo, agus nuair a dhún geata mór iarainn na beairice de phlimp ina dhiaidh d'imigh driog tríd mar a rachadh trí sheanchime a bheadh á ligean saor arís tar éis na blianta ab fhearr dá shaol a chaitheamh i bpríosún. Bhuail tocht obann uaignis é agus tháinig meall ina scornach.

Rug Niall ar a phionta agus theann siar as bealach na dtaistealaithe eile a bhí ag brú ar an gcuntar anois, ag glaoch is ag fógairt ar fhear an tí agus ar a ghiolla a bhí ar a mbionda ag dícheannadh buidéal agus ag tál piontaí pórtair. Níor chuimhin le Niall an *Philly* a fheiceáil chomh plódaithe riamh cheana muran in aimsir Rásaí na Gaillimhe é agus b'as Conamara an comhluadar uile is gan amach as a mbéal acu ach Gaeilge, Gaeilge, Gaeilge. An Ghaeilge thíriúil bhinn, chronódh sé í faoi mar a chronódh sé an t-arm féin

agus ba shuarach an cúiteamh ar líofacht ghlan bhlasta na Gael-
tachta an bhriotaireacht bhacach a bheadh ag fíréin na Cúise leis
cois Feoire. Anois féin nuair a rinne sé cúrsa den bhaile mór síos
chomh fada leis an droichead adhmaid bhí idir ionadh agus alltacht
air ag an slua mór Gaeilgeoirí a bhí thart ar na sráideanna, agus
iad ar fad, ba dhóigh leis, ar a mbealach go Sasana. Níor rud
neamhghnách ar bith é muintir Chonamara agus Árann a bheith
ag tabhairt aghaidh anonn (nach ann a chuaigh a chomrádaithe
féin uile ar a dtéarma airm a bheith thuas acu?) ach an Satharn
seo i bhFómhar na bliana 1950 níor thógtha ort a cheapadh go
raibh daonra na Gaeltachta á n-aistriú anonn scun scan go Seán
Buí. Mar bhíodar ina scuainí ag máinneáil timpeall an bhaile,
bhíodar i dtithe óil agus i siopaí, ina seasamh i ndoirse nó amuigh
i lár an chosáin gan chead do lucht ghabháil thairis mar is béas
le tuathánaigh nuair a chastar ar a chéile i gcathair iad, cuid acu
go neamhchúiseach, éadána mar a d'aireoidís cuideáin ina dtír
féin cheana, cuid eile go spleodrach, aerach mar nach mbeadh
drogall imeachta ar bith orthu. Fir agus mná inphósta a bhí ina
bhformhór, scafairí luaithe láidre nach raibh a sárú in Éirinn i mbun
oibre agus cailíní caorshnóch súilghléineacha ar mhealltaí i bhfad
ag Niall Ó Conaill iad ná bunadh mílítheach an bhaile mhóir.
B'údar díomá ag Niall an líon mór Gaeilgeoirí seo a bheith ag
déanamh imirce, ba mheasa leis a n-imeacht ná imeacht aicme ar
bith eile sa tír agus dar leis dá mbeadh ceart nó cothrom le fáil
nach iad seo, oidhrí dlisteanacha an Náisiúin Ghaelaigh, a bheadh
á ligean chun siúil. D'eile ba bheag ná go gcoinneodh Niall ag
baile dá mbuíochas féin iad ar mhaithe le caomhnú na Gaeilge:
nó céard ab fhiú, dar leis, gach dar airíodar riamh faoi thír is faoi
theanga má bhí fíorthobar na Gaeilge lena ligean i ndísc mar seo,
má bhí muintir na Gaeltachta le bheith ag triall ina mílte ar an
mBád Bán. Ba loiceadh agus ba fhealladh é ar an aisling úd ar
dhoirt laochra na hÉireann a bhfuil ar a son leis na céadta bliain.
    Bhí an comhluadar ag leagan ar an ól go trom anois faoi mar
ba i gcoinne an aistir a bhí rompu é agus bhí cuid acu sách súgach
cheana féin, gaisce agus mustar ar bun acu agus lámha acu ar
ghuaillí a chéile go muinteartha ach go leathbhagrach san am
céanna mar dhream a dtiocfadh an cairdeas nó an clampar chomh
réidh lena chéile dóibh agus ar bheag ná go mba chuma leo eatarthu.
Tréith Ghaelach a bhí braite aige go mion minic cheana a bhí
anseo, thuig Niall; ba bhaileach a d'aithin sé gothaí na muintire
seo agus mhothaigh sé coibhneas leo nár mhothaigh leis an dara
dream in Éirinn. D'fhreagair a dhual féin go smior a chnámha
istigh dá dtíriúlacht Ghaelach seo, dá ndaonnacht is dá n-aigean-
tacht, agus shantaigh sé gach uile fhocal dá gcomhrá rábach Gaelach
a bhreith leis i dtaisce a chuimhne faoi mar a bhí oiread dá n-éirim

súite chuige cheana. Dhéanfadh sé gléas taifeadta de féin le grá don Ghaeilge agus don chine breá gnaíúil seo a thug leo í ón seansaol slán.

Ar thaobh na citeoige de Niall bhí fear leathbhogtha, bunaosta a raibh fonn ceoil air dá dtabharfaí cluas dó. Bhí a cheann ligthe siar aige, a dhá shúil dúnta agus na lámha á n-oibriú aige de réir gnáis; ach bhí sé le feiceáil air, seachas sin, go raibh daol éigin á phriocadh i dtreo is gurbh fhánach an rud a shaigheadfadh chun achrainn é.

'*Neós, an chéad lá den mhí is den Fhómhar, sea chrochamar na seó- ólta . . .*' a chan sé i seanard a chinn ar chuma is go ndéarfá nárbh fhearr leis a tharlódh ná go bhfaigheadh duine éigin caidéis de chun go mbeadh leithscéal aige le hiompú gránna.

' Nár laga Dia thú! ' a dúirt glór éigin go magúil ach bhreath- naigh cúpla fear go míchéatach ar an amhránaí faoi mar ba scorn leo gamalacht seo an tseansaoil. B'fhir iad seo go raibh téarma caite thall acu, mheas Niall, mar ba mhinic a leithéid ar bheagán foighne leis an dream nár fhág an chlúid riamh—agus ba chosúil le fear é an t-amhránaí a bheadh ag dul ar imirce den chéad uair. Scoir sé den cheol i dtobainne agus d'fhéach ina thimpeall nó gur lonnaigh a shúil ar Niall agus ansin, mar a bhraithfeadh sé cuideáin é, chuir sé goic air féin leis, go dúshlánach.

' *Up* Muicineach! ' arsa an fear bunaosta de ghlam.

' *Up Down!* ' a d'fhreagair Niall agus rinne duine éigin sciotar gáire. Ach bhí Niall in aiféala ar a thráthúlacht cheana mar ba mhaith ab fheasach dó chomh réidh is a tharraingeodh smeartáil- teacht den sórt sin aighneas i dteach ósta agus ní raibh luiteamas aon lá riamh aige le clampar. D'fhan an fear bunaosta meandar nó dhó á bheachtaíocht agus ansin, mar is béas leis an duine ólta go minic, d'imigh a intinn ar chonair eile ar fad agus thosaigh sé ag portaireacht ríl. Fonn rince a bhí anois air dá bhfeidhmeodh na cosa dó, bhuail sé a dhá láimh síos lena thaobh, d'iompaigh a ordóga amach agus dhírigh a shúil ar bhall éigin i bhfad suas uaidh gur thug amas faoin ríl. Dhruid Niall síos thairis go fáillí agus chuir cluas air féin leis an gcaint a bhí thart air, comhrá a bhfuair sé seanbhlas air, a oiread is a bhain sé le saol na tíre thall. . . . *Ní hea, a dhiabhail, athróidh tú i mBirmingham, níl aon ghnó faoin spéir agat go Rugby. . . . Ar an mbít, a mhac, go Peterborough. Bhí an t-uafás as Maigh Eo ann, tá na diabhail sin ag dul ann leis na cianta. . . . A níl aon chall domsa é rá leat, a Bheartla, b'fhearr duit go mór ag contractor Sasanach. McAlpine nó Wimpey nó ceann acu sin, tá na seacht ndiabhail ar na hÉireannaigh, mharódh na bastaird thú ag obair. . . . Bhí, a dhiabhail, bhí a ndá phunt sa ló acu, seacht lá na seachtaine. Obair ghabhairmint, a mhac. . . .*

Nár mhéanar dó féin go raibh stócáil déanta aige i gcoinne an lae seo agus nach anonn go Seán Buí a bhí air a dhul a bhfearacht seo uile ina thimpeall! Díogha gach díogha a bheadh ansin, díol an diabhail mar a deiridís féin, agus b'fhearr leis an chuid eile dá shaol a chaitheamh faoi éide saighdiúra dá laghad a bheadh aige dá bharr ná dul i gcleithiúnas an tSasanaigh. Agus ní folair nó bhí fíor na maitheasa ann, a rá is nár loic sé, a rá is gur chuir sé a bheart i gcrích in ainneoin cathú is eile. An t*Entrepreneur* a thugadh an Ceannaire Ó Dúláinne air le corp fonóide—le corp formaid chomh maith, gan dabht, nuair ab eol dó tuarastal Néill a bheith ag tiomsú in aghaidh na seachtaine in oifig an chomplachta agus gan pingin rua á cur i dtaisce aige féin! Dhá phunt dá phá a fhágáil sa leabhar gach uile Chéadaoin agus teacht leis an bhfuíoll beag go ceann seachtaine, níor bheag an gaisce ag fear ar bith é sin nuair a d'fheicfeá do chomrádaithe ag bualadh amach an baile mór ar thóir spóirt agus scléipe agus gan agat féin ach a bheith ag falróid timpeall an dúna nó sínte ar do leaba chaol iarainn ag féach-aint suas ar an tsíleáil. Fuair sé cnámh le crinneadh ach dá thréine an cathú níor lagaigh ná níor loic sé bíodh is go mba mhinic i gcaitheamh na linne sin é ar maos le cantal, bréan de féin is dá shaol agus é i ndeireadh na péice ag a dhúil dóite in aon phionta amháin den bhainne dubh. Gan trácht ar chíocras tobac! Ach choinnigh sé a sprioc roimhe agus de réir mar a bhí lá a scaoilte ag teannadh leis bhí ag maolú ar a anshó agus bhí meanma an bhua ag teacht chuige chomh caithréimeach le hollghairdeas lucht buachana cluiche. Agus nach raibh a shliocht air anois, a mháimín deas airgid curtha ag obair dó cheana agus é beag beann ar fhostóirí Gaelacha nó Gallda níorbh ionann agus na díthreabhaigh eile seo arbh éigin dóibh a dtír féin a fhágáil le greim a bhaint amach. Tugadh Paidí Ó Dúláinne a rogha rud anois air, níor mhór leis dó é mar shásamh!

Chríochnaigh Niall a dheoch agus thug spléachadh ar an gclog Faller a bhí mar bhall mullaigh os cionn an bheáir; thiocfadh leis ceann eile a ól gan é féin a thachtadh, bheadh sé luath go leor ag an stáisiún go fóill. B'ionadh leis anois agus blas an phórtair ar a bhéal gur éirigh leis staonadh an fad is a rinne, go raibh oiread sin den diongbháil ann. Agus an gal! Ba gheall le híocshláinte é an tobac ag dul síos go dtí barraicíní a chos, leorchúiteamh fial ar a throsc-adh céasta. Bhuail Niall a ghloine buille mursanta ar an gcuntar agus ghlaoigh ar phionta eile. Idir an toitín agus t-ól bhí meisce bheag bhréige ag teacht air agus mar ba ghnách leis ar ócáidí pléisiúrtha mar seo d'imigh tonnáin bheaga aoibhnis síos tríd agus thosaigh sé ag ligean gothaí air féin, i ngan fhios, le barr meidhre. Theann sé siar as an mbealach arís, a phionta ina ghlac aige, fonn caidrimh air dá bhfaigheadh sé aon uchtach. Ba dhream iad, an mhuintir seo ina thimpeall, a dtabharfá suntas dóibh in áit ar bith. dá dteanga, dá bhfeisteas, dá mbealaí. Bhí spleodar agus fiántas leathshrianta iontu a dhealaigh glan amach iad ó mhuintir na hAchréidhe, sin agus flosc rábach saothraithe a phromhfadh féin ar thalamh scópúil Shasana. Bhí a mianach agus a sinsearacht Ghaelach le sonrú ar a gceannaithe, ar a snua is ar a súile géara gléineacha ar an gcuma cheannann chéanna agus mar a bhíodh a mianach Gall-Ghaelach le sonrú ar chumraíocht na ndaoine thíos ina dhúiche féin. Lena chois sin ba dhíol suime feisteas na bhfear don té a mbeadh súil aige do na rudaí seo, arae bíodh is gur éadach siopa a bhí ar gach uile dhuine acu (mar nach gcaithfeadh duine ar bith an bréidín ná an ceannasna ag dul go Sasana anois, níorbh ionann is fadó) bhí stíl nó gáifeacht éigin ag baint lena gcultacha thar is mar a bhainfeadh leis an earra a cheannófá anuas den phionna. An scorach ba chábógaí ag éirí aníos i gConamara ní chuirfeadh sé an t-earra réamhdhéanta, an chulaith shiopa, suas ar a dhroim dá mbeadh fáil aige ar chulaith táilliúra—an t-ábhar a roghnú dó féin agus a mhiosúr a fhágáil ag Mac Oireachtaigh an Mhargaidh nó ag an táilliúirín bacach thíos ag an mBalla Fada a dhéanfadh óganach Conamara, is é sin i gcás nach mbeadh aon mhuinín aige as an táilliúir baile agus ní bhíodh go hiondúil. Faisean a bhí ag imeacht as in áiteacha eile anois ba rogha leis na fir seo, an treabhsar leathan, an cába fada, na guaillí crochta chomh maith le sondaí beaga feiceálacha eile—locaí giall, fáinní móra spiagaí, carbhait ildaite agus geansaithe muineálard, sipeáilte. Bhí caipíní á gcaitheamh ag riar acu cé go raibh an caipín féin ag imeacht as faisean ag an dream óg anois agus bhí ráca nó peann tobair i bpócaí brollach a mbunáite—gnás eile a bhí bunoscionn le cleachtas fear na hAchréidhe ar bhanúlacht aige péacógacht den chineál seo! Culaith bhréidín a bhí ar Niall féin agus fáinne na Gaeilge sactha sa chába aige go mórálach: ba leo a ndéantús féin a cheannach is a chaitheamh, chreid sé, ba leagan den tírghrá é sin chomh maith le rud. Ach ní raibh a fháinne ag tarraingt aird dhuine ar bith air agus d'airigh sé sceiteadh beag den chumha sin a tháinig ar ball air ag snámh chuige arís; dá mbuailfeadh saighdiúir éigin ón mbeairic féin isteach nár bhreá an rud píosa comhrá a dhéanamh leis? Ní mórán ligean a gheobhadh sé ar an nGaeilge feasta, ba bhaolach, agus ba leimhede sin a shaol.

Bhí bean óg ina suí aisti féin in aice an dorais, í ag méirínteacht go hanacair a fáinne pósta, á chasadh thart ar a méar faoi mar ba é a bheadh ann buachloch a bhéarfadh fios nó sólás éigin di; agus ar an tsúil ghrámhar a bhí á tabhairt aici air ba é a fear céile an scafaire ard, meirgrua, seabhacshúileach, droimdhíreach a raibh a chaipín seic caite buille réiciúil ar a cheann aige agus snaidhm a charbhait fáiscthe chomh dlúth sin is go ndéarfá nach scaoilfeadh

na hingne ba láidre é. Bhí sé ar fhear chomh breá is mar a bh
istigh san *Philadelphia Bar* an lá sin, barrshamhail an fhir aniar ar
a stiúir, ar a ghothaí is ar a chumraíocht—an tsrón ghéar, na
gruanna arda, na súile glasa scéiniúla, an ghruaig chas dhonnrua
agus na doirne móra cnámhacha. Bhí fáinne dalba mór ar as
píosa coirnéalach trí pingne a rinneadh ar lúidín a dheasóige aige
agus bhí striopa leathair ar a rosta . . . amhas fir a dúirt Niall ina
intinn féin agus ní le drochmheas é ach a mhalairt.

Ach ar scáth a raibh d'aird ag an bhfear rua uirthi d'fhéadfadh
a bhean a bheith céad míle bealaigh uaidh; bhí braon istigh aige,
ba léir, agus bhí sé ag conspóid go teasaí le beirt eile, beirt bhodach
chumasacha faoi chótaí gorma gabairdín agus caipíní a raibh an
speic ligthe siar iontu, á ngiorrú, ar mhaithe le slacht mar ba dhóigh
leo. Ag cur síos ar sheanfhaltanas nó *spite* feamainne a thug dream
éigin darb ainm dóibh na Faoitíní anonn leo go Sasana agus gur
dhóbair go marofaí fear dá bharr a bhí an triúr seo. Bhí an fear
rua ag maíomh as cumas troda fir éigin ar ar thug sé Pete Willie
agus bhí an bheirt eile ag cur ina choinne go tréan.

' Óra go gcuirfe Dia an t-ádh ort,' a dúirt an fear rua, ' ní
sheasfadh an fear ab fhearr de na Faoitíní dhá tic go Phete Willie,
'ndeamhan a dhá tic, a deirim! '

' M'anam muise go mb'fhéidir go bhfuil dul amú ort ansin,
a Threabhair. Is diabhlaí an píosa fir é Colm Pheaits a' Faoite tá
mise a rá leat! '

' Dá mbeadh sé chomh maith eile! Tá iarraidh ag Peteen is
measa ná *pile-driver*—a dhiabhail nach ndeir siad gur thug sé lán a
dhóthain don Droighneánach féin thiar i nDoire Nia, lá? '

' Thug má thug.'

' Chuala mise gur thug, a Choimín! '

' Is dona a chreidfinn é,' a dúirt an tríú fear. ' Tá dhá inseacht
ar na scéalta seo uilig.'

' Tá agus seacht n-inseacht! Tá fear ar bith de na Faoitíní ina
mheaits ag Pete Willie, níl mé a rá dada faoi Mháirtín Droighneáin.
Tá mise a rá leat anois, a Threabhair, a bhuachaill, tá aicsean sa
dream sin nach bhfuil i mórán.'

' Is a dhiabhail, an bhfuil mise a rá nach bhfuil aicsean iontu?
Tá aicsean iontu *all right*, is iomaí fear a bhfuil aicsean ann, ach ní
shin é le rá go bhfuil fear ar bith acu in ann ag Pete Willie.'

Nár bheag é a gcumha i ndiaidh an bhaile, a dúirt Niall ina
intinn féin, nó cén chaoi gur ar rud chomh míthráthúil a bheadh
aon duine ag caint agus é ag fágáil slán ag a thír dhúchais? Ba
gheall le dream iad, chonacthas do Niall, a bheadh dall ar an
gcinniúint, ní raibh a samhail aige ach triúr a bheadh ag imirt
cluiche cártaí maidin a gcrochta agus gan bheann ar a mbás acu
le méid a saint chun na himeartha. Agus má ba í bean an fhir

mhóir rua an bhean bhocht a raibh cuma chaointe uirthi cheana cad chuige nach ina cuideachta a chaithfeadh sé an beagán ama a bhí fágtha acu le chéile in áit a bheith ag sárú mar seo faoi lucht clampair?

Rith an smaoineamh céanna leis thuas ag an stáisiún níba fhaide anonn nuair a chonaic sé an fear rua ag fágáil slán ag a bhean, mar ba í a bhean í ceart go leor. Bhí sise ag caoineadh go croíbhriste agus nuair a lig an t-inneall seitreach garg as mar rabhadh imeachta shnaidhm sí í féin san fhear rua mar nach scarfadh sí go brách leis. Ach ba mhó de chorrbhuais ná a dhath eile a chuir dílseacht seo na mná ar a fear mar chuir sé de í buille garbh gur imigh leis de sciotán isteach sa traein. Níorbh shin í an t-aon bhean amháin a bhí ag sileadh deor, áfach, mar bhí mná óga agus an mhuintir a tháinig chun na traenach leo ag caoineadh freisin, agus bhí seanfhear ina sheasamh as féin ar an ardán, binn a bháinín ghil Dhomhnaigh lena shúil aige agus é ag gol go fras. Bhí cailín agus a srón le fuinneog an charráiste aici, dólás an tsaoil ina súile móra deorúla agus naipcín póca á fháscadh idir a méara aici faoi mar ba mhian léi a hanshó a ídiú air, a dreas caointe curtha di aici go fóill, seans; i gcarráistí eile bhí mná ag déanamh gáire a bhí gaolmhar don ghol, ag iarraidh gan géilleadh don uaigneas. Bhí fir chiúine staidéartha a raibh mná agus páistí fágtha ina ndiaidh thiar sa bhaile acu ag plódú isteach ar an traein, fir a raibh blasta acu de leacht goirt an riachtanais agus nach n-iarrfadh teach is teaghlach a fhágáil dá mbeadh an dara rogha acu. Bhí fir ar mhalairt aigne, freisin, dream súgach nach raibh fuadar ar bith fúthu ach iad ag dul i gceannas ar a chéile mar nár ní leo rud ar bith ar dhroim an domhain ach a gcomhrá meisciúil féin. Ba mhéanar dóibh ar bhealach, dar le Niall Ó Conaill, a laghad is a ghoill a n-imeacht orthu, arae ó b'éigean dóibh imeacht níor thairbhe ar bith dóibh a bheith faoi smúit is faoi bhrón dá bharr. Ba é an t-aistear céanna a bheadh roimhe féin murach an réiteach a bhí déanta aige, bhí fir ab fhearr i bhfad ná é díomhaoin i ngach baile fearainn in Éirinn agus gan aon chosúlacht bhisigh a bheith ag teacht ar chúrsaí ach oiread.

An Buitléarach, lena cheart féin a thabhairt dó, ba chiontach le Niall a bheith chomh teann is mar a bhí anois, ba é a cheap an tseift a d'fhág neamhspleách iad ar fhostóirí agus a d'fhágfadh measartha deisiúil iad amach anseo le cúnamh Dé. Bhí Niall agus Ciarán Buitléar ar scoil le chéile. Fuair Niall suíochán sa charráiste céanna a raibh an fear rua agus a bheirt chompánach ann, amach ar aghaidh cailín donnrua a bhí ag taisteal aisti féin de réir cosúlachta. Bhí an fear rua ina shuí leis an bhfuinneog, é ag seanchas leis an mbeirt eile i gcónaí agus gan aird ar bith aige ar a bhean a bhí ag foluain thart amuigh ar an ardán, barr a méar lena béal aici agus í ag slogadh a fir lena súile. Bhí beirt bhan óg ar deirfiúracha iad go follasach ina suí idir an fear rua agus an cailín aonair agus iad ag coinneáil dea-chainte le forránach storrúil a raibh locaí dubha síos go cnámh a ghéill agus uaireadóir óir ar chaol a láimhe. Dubh catach a bhí an bheirt deirfiúr freisin agus súile acu ar dhath na hairne; má bhíodar seacht mbliana déag agus ocht mbliana déag faoi seach ba é a mbuaic é. Bhí stríoca beag salachair faoina súil ag bean acu mar a bheadh sí tar éis dreas goil a dhéanamh ach bhí sí aerach a dóthain anois agus í ag spallaíocht go deisbhéalach leis an bhforránach gruaigdhubh; níor tháinig an cineál sin nathaíochta go réidh do Niall aon lá riamh agus bhí sé in éad leo ar a solabharthacht raidhsiúil. Ach ba pheaca marfach, dar leis, an tíolacadh seodmhar seo a bheith á thabhairt san áit nach mbeadh aon tuiscint dá luach; dá mbeadh cúram ceart á dhéanamh acu dá ndualgas náisiúnta ag lucht rialaithe na tíre chinnfidís ar bheart éigin leis na daoine seo a choinneáil sa bhaile.

Lig an duine ab óige den bheirt deirfiúr osna nuair a shleamhnaigh an traein chun siúil agus thit tost beag gearrshaolach ar an gcomhluadar. Thug an fear rua amharc i ndiaidh a leicinn agus rinne comhartha beag fánach lena bhean agus ansin ar iompú boise bhí sé ag caibidil leis an mbeirt eile arís, gan blas suime ag aon duine den triúr acu i bheith ag imeacht ach chomh beag is dá mba go Baile Átha Cliath ar thuras lae a bheidís ag dul. Níorbh amhlaidh do Niall mar bhuail freang obann uaignis é nuair a dhúisigh rothaí na traenach macalla toll glórach as cláracha Dhroichid Loch an tSáile; bhain sé lán na súl go grámhar den léinseach liathghorm agus de Mhóinín na gCiseach ar a ceann thuaidh, de bhallaí daingne na Rinne Móire agus den sciorta cladaigh ó dheas, de thithe beaga gormdhaite ceanntuí Bhaile Locháin, agus de na bailte eile sin máguaird ar mhinic ar ling a shúil orthu le trí bliana siar; Ard Fraoigh, Tamhain, Baile Uí Bheacháin agus Cinn Mhara. Má ba dá dheoin féin a bhí sé ag imeacht, le cor nua fónta a chur ina chinniúint, d'imigh an t-uaigneas mar shiorradh fuar gaoithe isteach ina chroí: ní raibh áit ar bith faoin ngréin ab ansa leis ná Gaillimh.

Ach bhraith sé coimhthíos beag éigin leis an dúiche ach ar scoitheadar Baile Átha an Rí agus bhí sé ag dul rite air na súile a choinneáil den chailín donnrua a bhí ar a aghaidh amach. Ba mhealltach an bhean í ag fear ar bith, bean, dar leis, arbh fhurasta titim i ngrá léi, bean a dtabharfadh sé féin gean di go réidh murach a chroí a bheith faoi ghéillsine cheana. Ag breathnú uaithi go marbhshúileach mar nár mhian léi aon chaidreamh a dhéanamh leis na paisinéirí eile a bhí sí ach go dtagadh meathgháire beag, dá buíochas féin déarfá, ó am go ham uirthi ag cabaireacht an dreama eile. Cás léi a bheith sa bhealach ar dhuine de lucht na gcótaí gabairdín agus é ag gabháil amach tharstu a thug ionú do Niall labhairt léi mar leag sé a cás suas ar an raca os a cionn agus ghabh sise buíochas leis go múinte. Ní raibh sé deacair cleite cainte a aimsiú ansin. Anonn go baile Norwold a bhí cóngarach go maith do Londain de réir mar ab eol di a bhí an cailín donnrua ag dul. Bhí post faighte aici in ospidéal ann agus bhainfeadh sí triail as go bhfeicfeadh sí; ba le gairid féin a chinn sí ar imeacht, ní raibh luiteamas ar bith aici le Sasana go nuige sin. Ná anois féin gach uile sheans, mheas Niall, mar bhí aiféaltas éigin le brath uirthi, ba gheall le bean í, muran mór é a dhearmad, a bheadh ag déanamh áil den éigean, gur in aghaidh a tola a bheadh sí ag imeacht. Agus in éiric an eolais sin a thug sí dó d'inis Niall don chailín donnrua gur síos abhaile go Cill Chainnigh a bhí sé féin ag dul i ndiaidh dó a théarma saighdiúireachta a chríochnú sa Chéad Chath Gaelach; d'fhiafraigh an cailín ansin de, buille ceasnach, cén tslí bheatha a bheadh ag baile aige agus dúirt Niall léi go raibh sé féin agus cara leis ag dul i bpáirt i ngnó a choinneodh snáth faoin bhfiacail acu le cúnamh Dé. *Snáth faoin bhfiacail*—bhí sin go deas, ní thiocfadh léi mór-is-fiú ná postúlacht a shamhlú leis ní hé fearacht an Cheannaire Uí Dhúláinne ar nós leis dul thar cailc ar fad leis an tarcaisne, ag déanamh amach go siúlfadh Niall is a mhacasamhail eile ar na daoine dá mbeadh mír ar bith de mhaoin an tsaoil acu. Ag ligean umhlaíochta air féin a bhíodh Ó Dúláinne, mar dhóighde nach raibh uabhar ná leithead ar bith ann féin, rud a bhí is go barra bachaill. Ba dhual dó, go deimhin, slis de sheanbhuirgéisigh mhórtasacha Chathair Chorcaí agus bhí drochmheas na haicme dar díobh é ar na bochtáin in ainneoin a chuid cainte go léir. Má bhí ciseach á dhéanamh dá shaol ag Paidí Ó Dúláinne is gan aige tar éis a oideachais ollscoile ach céim shuarach cheannaire b'air féin a bhí an locht agus ní ar aon duine eile, a dhúilí is a bhí sé san ól.

Ach ba é Ciarán Buitléar, lena cheart féin a thabhairt dó, faoi deara do Niall guais na héidreorach a sheachaint agus stiúir stuama a chur air féin tar éis a dhíchéillí, míbharrainneach is a bhíodh sé ó chianaibh. Bhí Niall agus an Buitléarach ar aon rang ar scoil, chomh fada is a chuadar, agus ba le linn do Niall a bheith sa bhaile ar saoire i dtús an tsamhraidh a bheartaigh siad dul i bpáirt le chéile mar a chuaigh. Ag obair i reilig na cathrach a bhí Ciarán an uair sin: ní raibh cailleadh ar bith air mar jab, ar seisean le Niall, ach os a choinne sin—agus falrach tobann gáire air—bheadh duine fada go leor san áit sin i ndiaidh a bháis is gan a bheith ann i gcaitheamh a shaoil. Bhí bealaí eile le maireachtáil, ar seisean, seachas bheith faoi shrathair ag fear éigin eile i gcónaí, an té a mbeadh misneach agus ruainne beag dul chun cinn ann; bhí leithéid an ruda *gnó* ann agus sháraigh an gnó an obair gach uile lá riamh, nó cé a chonaic aon cheo riamh ag an bhfear a bhí taobh lena phá seachtaine? Easpa caipitil a bhí ag cur bac air féin, a dúirt sé: brobh a bhaileodh beart agus dá mbeadh laibín airgid aige ba ghearr an mhoill air á iolrú.

I dTigh an Droichid a bhíodar an tráthnóna sin, amharc amach an fhuinneog a bhí lena dtaobh acu ar an bhFeoir agus ar an gCaisleán agus ar na crainn ghlasa nuasceite, agus chorraigh rud éigin i Niall, fonn neamhghnách éigin chun filleadh ar a chathair dhúchais agus crot éigin a chur ar a shaol. D'iarr sé ar an mBuitléarach ligean don nathaíocht agus pé rud a bhí ar aigne aige a scaoileadh amach agus níor do Chiarán ab fhaillí. Ba é a bhí i gceist aige dá bhfaigheadh sé fear a bheadh sásta dul san fhiontar agus glaicín airgid a infheistiú i gcomhar leis féin, carr is capall agus trealamh bainte adhmaid—sábh beirte, tua, ding agus a mbeadh uait—a cheannach agus tosú ag díol ábhar tine ar fud an bhaile mhóir. Gheofá crainn le ceannach ar ardaigh orm, dhearbhaigh Ciarán, bhí feirmeoirí máguaird ar bheag bídeach nach n-íocfaidís tú le crainn tite a ghlanadh dá dtalamh, agus bhí barúil mhaith aige féin cá bhfaighidís capall is carr le ceannach go saor. Níor chaill fear an mhisnigh riamh é, a dúirt an Buitléarach, agus an té nach gcuirfeadh ní fhéadfadh sé baint—nach raibh sin fíor anois?

Ní raibh baol ar bith nár thaitin an beart le Niall agus ba é a fhad is a ghiorracht go ndearnadar margadh sula raibh an oíche thart, nó sularbh éigean do Chiarán imeacht uaidh le casadh le Máire Fitz. Choiglídís leo chomh tréan is a d'fhéadfadh as sin nó go mbeadh Niall i ngar do bheith réidh leis an arm agus rachaidís i mbun gnó dóibh féin ansin. Bhí gach tús lag, a d'admhaigh Ciarán, ach os a choinne sin an fear a bhí thíos ní raibh aige ach dul suas—agus cé a chonaic saighdiúir ná fear reilige saibhir riamh?

Bhí ciall ina leithéid, a dúirt an cailín donnrua go cneasta agus ghuigh sí rath orthu i mbun a ngnó. Rud ar bith, a dúirt sí, ach imeacht le sruth, ba le duine cor éigin a chur de is gan a bheith ag imeacht ar nós cipín ar bharr toinne. Gan amhras ar bith bhí aiféaltas éigin uirthi, cheap Niall, agus gan mórán achair thug sí tuilleadh faisnéise dó fúithi féin. Bhí lámh is focal idir í féin agus fear comharsanach thiar sa bhaile agus dá bhrí sin b'fhéidir nach bhfanfadh sí rófhada thall. Ach d'fheicfeadh sí roimpi, ar ndóigh, ní bheadh a fhios ag duine, b'ait an mac an saol nuair a bhí gach uile shórt ráite. An rud ba mheasa leat ná do bhás b'fhéidir gurbh é lomlár do leasa é—nó b'shin é a deireadh an seandream cibé scéal é!

Dá mba aige féin a bheadh sí ní a scaoileadh uaidh mar sin sall go Sasana a dhéanfadh Niall, diabhal baol air ach chomh beag is a ligfeadh sé Peig Ní Dhuinnín féin uaidh dá mbeadh oiread den rath air is go mbeadh éileamh aige uirthi. Peig. Ba í Peig, cuid mhór, a bhí á thabhairt abhaile freisin dá mbeadh a fhios aici é;

anois féin ag cuimhneamh dó uirthi ba gheall le ráig fiabhrais ag gabháil trína chorp an tnúthán géar dóite seo a raibh a cumraíocht á spreagadh ann. Ach bhí an cailín donnrua á cheistiú anois mar nár le fiosracht amháin é ach le grá an chaidrimh agus ní raibh leisce ar bith ar Niall gach ceist dá cuid a fhreagairt. Bhí an Buitléarach i mbun oibre cheana agus dóchas aige go ndéanfadh siad bun, giorrán cneasta dromfhada ceannaithe aige chomh maith leis na ciútraimintí uile; ba ghairid, le cúnamh Dé, a dúirt sé ina litir, go mbeadh clós dá gcuid acu agus fógra ar an ngeata ann chomh hard le do cheann, *O'Connell & Butler, Fuel Merchants*. B'éigean do Niall draothadh gáire a dhéanamh faoi shoirbhíochas a pháirtí ach dar leis go mba lách an mhaise dó tús áite a thabhairt d'ainm a chéile gnó mar sin.

Thairg Niall toitín, pas leithscéalach, don chailín donnrua nárbh fhios aige a hainm ná a sloinne fós agus chuir sise suas dó go múinte: níor thriail sí riamh iad, ná aon chuimhne air, a dúirt sí. Ní raibh an bheirt deirfiúr ag caitheamh ach oiread ach thóg fear na locaí dubha ceann agus duine de na cótaí gabairdín, agus de dhorta dharta bhíodar uile ar a socracht le chéile. Ba go Huddersfield a bhí na deirfiúracha ag dul agus an forránach dubh chomh maith; ba é an chéad gheábh anonn ag na mná é ach bhí dhá bhliain caite ag an bhfear óg ann agus dar leis nach raibh cailleadh ar bith ar an áit, neart saothraithe agus oiread de mhuintir Chonamara thart ann is a d'iarrfá. Scaití ní chaithfeá focal Béarla ar bith a labhairt, sa phub ná sa halla rince, scaití ní bheadh a fhios agat nach thiar a bhí tú. B'iontach an tír í, dáiríre, a rá is go raibh obair le fáil ann ag gach uile mhac an pheata, dá fheabhas nó dá dhonacht é. Obair ospidéil a bheadh ar bun ag na cailíní, dúradar, ach bhí faoin gceann ba shine post a fháil mar chlipí ar na busanna ach a bhfaigheadh sí na cosa fúithi thall, bhí cailín as an mbaile seo acu féin ina clipí i mBradford agus níorbh fhios céard a shaothraíodh sí má b'fhíor an scéal. Ó níor bhréag ar bith é, ach d'oibrídís uaireanta diabhalta, mná Mhaigh Eo agus Dhún na nGall ach go háirithe, ní raibh ríochan ar bith leo in éadan *overtime*, a dhearbhaigh an fear óg; bhí cuid acu, ar seisean, nach n-iarrfadh lá saoire ná scíth ó Luan go Domhnach, cibé saint an diabhail a bhí iontu ar chor ar bith. Ach nár bhreá an rud é ligean a fháil air mar shaothrú, a dúirt an deirfiúr ab óige, i leaba a bheith ar aimsir ag raicleach de mháistreás ar leathdhada i mBóthar na Trá ná i nGaillimh? Bhí na daoine ag fáil seansanna anois nach bhfuaireadar riamh cheana agus ba mhairg a d'fhanfadh sa luaithreach nuair a d'fhéadfá corraí amach as saol agus rud éigin a bheith agat dá bharr. . . .

Leanadar i bhfad den chaint seo ach le crónú an lae d'imigh a gcomhrá i ndísc agus bhí sé mar a bheadh an t-uaigneas ag teacht aniar aduaidh arís orthu dá míle buíochas. Bhí an fear mór rua ag breathnú amach an fhuinneog is gan smid as le scaitheamh, cibé cé na smaointe a bhí tailte neamhshuntasacha na hIarmhí ag múscailt ann. Bhí a chairde ina dtost freisin, fear acu ag féachaint síos ar bharr a bhróg agus a chomráda ag cuimilt a bhosa crua gágacha ar nós mar a bheadh anacair nó míshuaimhneas á phriocadh. Níor shona dóibh ina gcónaí, bhíodar rófhuinniúil, róbheathach le nach ngoillfeadh orthu bheith ina suí mar seo píosa fada; dream floscach nár ghéill don leisce ná don rístíocht riamh a bhí iontu, smaoinigh Niall—maoin agus acmhainn na hÉireann go fírinneach, an mhuintir ghnaíúil chéanna sin ar chan Goldsmith a bhfeartlaoi sa dúiche seo fadó. Agus, dar le Niall, cé a déarfadh nach raibh smál éigin ar Chlanna Gael go rabhadar á ndíbirt is á ndíbirt mar seo in ainneoin saoirse a bheith bainte amach acu le beagnach tríocha bliain? I dtobainne, agus gan coinne ar bith aige féin leis i ndáiríre, d'fhiafraigh Niall den chailín donnrua ar chuir sé as di, aon bhlas, oiread sin de mhuintir na háite thiar a fheiceáil ag fágáil an bhaile. Ar feadh meandairín bhreathnaigh sí air mar nach dtuigfeadh sí go barainneach céard a bhí faoi thrácht aige ach ansin dúirt sí gurbh é an feall é, cinnte, ach nár dhóigh go raibh neart air. Ná ní raibh, b'fhéidir, ach mar sin féin mhearaigh an easpa nirt seo Niall, chuir sé sórt cantail air lena thír is lena chine féin go rabhadar ar laghad sin cumais. Níorbh fhéidir, dar leis, gur ordaigh Dia mar sin é, gurbh iad na Gaeil a chaithfeadh deoraíocht a dhéanamh i gcónaí go dtí nach mbeadh oidhre ina bhfarra amach anseo ina dtír féin. . . .

Anois is arís stopadh an traein ag stáisiún beag tuaithe éigin agus thagadh glórtha aniar as na carráistí eile chucu, scairt obann gáire nó streancán ceoil. Bhí ógánaigh suas is anuas an pasáiste amuigh ar feadh na faide, fleascánaigh ligthe scaoinsiúla a bhí cortha den taisteal cheana féin agus a raibh fonn orthu a bhfuinneamh a scaoileadh, gothaí orthu lena chéile mar ba thiar ar an gcrosbhóthar a bheidís go fóill ag tomhas nirt agus cruais a chéile; níor dhóichí rud ná go rabhadar uile ar bheagán Béarla, agus a Chríost, arsa Niall ina intinn féin, cad chuige gurbh iad sin a chaithfeadh dul ar imirce nuair a bhí a liacht sin boicín beag gallda ina shuí go te sa tír? Ba leor é le gearradh fiacaile a chur ar dhuine, leis an domlas a scaoileadh ina ghoile. 'Sea,' ar seisean go tur leis an gcailín donnrua a bhí ar a bealach go baile Norwold cibé cá raibh sé sin, 'is dóigh nach bhfuil neart air.' I gceann tamaillín eile bhí sé ina oíche agus bhí a gcuid scáileanna á bhfoilsiú dóibh go trédhearcach míllítheach lastall den fhuinneog mar a bheadh cóisir thaibhsí ann á dtionlacan go ceann scríbe. Mhothaigh Niall an ghruaim ag fáil an lámh in uachtar air agus b'fhada leis go mbeadh an chuid seo den aistear déanta aige agus é ag tabhairt aghaidh ó dheas as Droichead an Rí.

'Tá muid gar do bheith landáilte, déarfainn,' a dúirt an cailín donnrua agus b'fhíor di. Bhí breo deargbhuí ina luan os cionn na cathrach agus bhí na soilse sráide ag drithliú go lonrach ar an Life gualdubh nuair a bhailigh siad trasna an droichid ag déanamh isteach ar Shraith an Iarthair. Níor tháinig mórán den traein anseo mar is ag déanamh ar Dhún Laoghaire a bhí a bhformhór, agus ar feadh ala bhig tháinig an smaoineamh aduain chuig Niall gurbh é féin an t-éan corr nach ag seoladh an loch amach a bhí in éindí le muintir Chonamara. 'Bhuel go n-éirí an saol thall leat, a dheirfiúir,' a dúirt sé agus chroith lámh leis an gcailín donnrua cé nach raibh rún ar bith aige go dtí an pointe sin an teanntás sin a dhéanamh; rug sise fonnmhar go leor ar a láimhsean agus ar údar éigin nár thuig sé tháinig iarracht de thocht ar Niall, uaigneas nach raibh mórán de bhunús leis tar éis an tsaoil.

D'fhliuch Niall Ó Conaill a bhéal arís Tigh Uí Mheára ar Ché Aston sular chuaigh sé ar an mbus a thabharfadh go Droichead an Rí é agus faoi mar a tharlaíodh dó cois Life i gcónaí chuir coimhthíocht na cathrach móire agus líonmhaireacht na ndaoine ann lionn dubh éigin air nár thuig sé a chúis. Na seanfhoirgnimh arda ársa féin lena ndóirse móra agus a hallaí dorcha, líonadar le gruaim nó le sanas dubhaiseach éigin é agus chuir na haghaidheanna doaitheanta go léir a bhí ag snámh thairis sa tsráid scáth ar a chroí. Níor bhraith sé gaol ná coibhneas a bheith aige leo mar a bhí aige le muintir na Gaeltachta, ba bheag nach rabhadar chomh hiasachta aige leis na Sasanaigh féin, agus ba é ba mhó a ghoill air, dá dtuigfeadh sé ceart a intinn féin, ná gurbh é a nÉiresan an Éire a bhí den chuid ba mhó anois ann, Éire nárbh Éire in aon chor í de réir a shlat tomhais seisean. . . .

Ach ar an traein eile ag dul ó dheas d'ardaigh a mheanma arís. Ní raibh aon fhocal Gaeilge le cloisteáil aige anois ná níor bhraith sé an muintearas tíriúil céanna sna paisinéirí eile a bhí in aon charráiste leis ach ar a laghad ar bith bhí buaine éigin ag baint leo, ní ag tréigean a dtíre féin a bhí. Áil den éigean a bheadh aige feasta ach cá bhfios nach bhféadfadh sé a chion beag féin a dhéanamh leis an tír a mhúnlú de réir a mhéine féin. Ba ghníomh beag ann féin ar son na tíre fanacht ann, bhí an rud ar a dtugadh cuid de na polaiteoirí 'tírghrá praiticiúil' ann chomh maith leis an gcineál eile agus ba leis féin agus a leithéid maireachtáil ar son na hÉireann anois faoi mar ba le glúnta eile bás a fháil ar a son. Ag tabhairt spléachadh tríd an gcóip den *Evening Mail* a cheannaigh sé ó ghioblachán beag dearóil ar Dhroichead Uí Chonaill a bhí sé nuair a chuir seanfhear beag giobanta, súilbheo caint air agus as sin nó gur shroicheadar Ceatharlach, mar ar tháinig an seanfhear den traein, bhí comhluadar a dhóthain aige. Iarlaoch de chuid

Chogadh na Saoirse a bhí san fhirín agus dar leis go raibh an-tír anois acu; bhí an saol ag feabhsú in aghaidh an lae, a dhearbhaigh sé, bhí tithe breátha nua anois ann in áit na gcábán bréana a bhí in aimsir Shasana, bhí a gcuid aibhléise féin acu agus a gcuid tionscail, bhí a n-arm féin agus a rialtas féin acu (sa chuid ba mhó den tír pé scéal é agus bheadh sí ar fad fúthu amach anseo), bhí meas orthu sna Náisiúin Aontaithe agus sna tíortha i gcéin. . . . Go hiondúil ní rachadh Niall ag sárú ar sheanduine ach ba bhearrán leis sástacht an fhir eile mar bhí sé ag cuimhneamh go fóill ar an muintir bhreá Ghaelach úd a bheadh ag treabhadh na farraige soir anocht cheal deis saothraithe a bheith le fáil ina dtír féin acu. Céard faoin imirce, a d'fhiafraigh sé go teasaí den seanfhear, céard faoin easpa oibre, céard faoi bhánú na tuaithe? Ar chomhartha bisigh é plúr geal na hÉireann a bheith ag imeacht ina sluaite gach lá? Rinne an seanfhear gáire beag tuisceanach agus las na súile aige mar ba bhreá leis dul ag conspóid leis an ógánach trealúsach seo; sméid sé a cheann agus leag sé lámh go cineálta ar ghlúin Néill. Ní raibh a oidhre beo ach gréasaí beag leipreacháin agus é ina shuí ansin faoi sheanphictiúr doiléir de Chéim an Fhia. Gan dabht ar bith bhí imirce agus easpa oibre go fóill ann, ach ní bheadh i gcónaí. Nár de réir a chéile a tógadh na caisleáin? Ba thúisce siúl ná sodar agus tugaimís seans don tír go fóill. Bhíomar faoi chrúb na nGall leis na cianta cairbreacha, muid cnagtha, millte acu—nó i ndáil a bheith ba chóir dó a rá arae ní bhfuair na diabhail an ceann is fearr i gceart riamh orainn tar éis a ndícheall. Féach gur fhan díol ár slánaithe den sponc ionainn tar éis na géarleanúna go léir—agus inniu féin; ní raibh rud ar bith nach ndéanfadh seisean leis an tsaoirse sin a bhí acu a chosaint, ní leagfadh aon amhas de shaighdiúir gallda cos ar thalamh na tíre arís nó chaillfeadh seisean leagan leis! Agus, a dúirt sé, níor dhaorbhasctha dúinn i ndáiríre a rá is nach raibh fear ná bean sa tír a bhí os cionn na ndeich mbliana fichead nach faoi bhratach Shasana a tháinig ar an saol. Chonaic sé féin athruithe ó bhí sé amuigh leis an ngunna, athruithe maithe uile nach mór, Ard na Croise, Bord na Móna, na monarchana biatais—ní raibh caint ná cuimhne ar na rudaí sin nuair a bhí Sasana i réim ná ní bheadh go fóill dá mbeadh sí ann i gcónaí. Agus féach mar a d'fhanamar neodrach i rith an chogaidh! Ba é an Fear Fada, Dev, bail ó Dhia anuas air, an t-aon duine amháin a bheadh ábalta muid a thabhairt slán tríd an ngábh sin gan bheann ar Churchill ná ar Hitler féin. Bheadh an náisiún faoi chomaoin aige go deo, bhí sé ar dhuine de na hÉireannaigh ba mhó dar rugadh riamh. Bíodh foighne againn mar sin, a dúirt an fear beag giobanta mar chríoch lena aitheasc, agus d'fheicfeadh muid an tír uile faoi bhláth go fóill ó Oileán Rachlainn síos go na Blascaodaí.

Níor fhan sé de dhásacht i Niall tuilleadh trasnála a dhéanamh leis an seanfhear; ní air sin ná ar a leithéid a bhí an milleán le cur faoi dhrochstaid na hÉireann sa lá a bhí anois ann, cibé cé a bhí faoi deara é; rinneadar sin a gcion féin nuair ba leo é a dhéanamh agus ba leor sin.

'Sea,' a dúirt Niall leis an seanlaoch, 'tá cuid mhaith den cheart agat gan amhras.'

Ceatharlach, Muine Bheag agus Bealach Gabhráin ansin, agus de réir mar a bhí sé ag teannadh le ceann cúrsa mhothaigh Niall iomrall éigin istigh ann, an tnúthán a bhí aige leis an mbaile, le dul i mbun an tsaoil mar a bhí curtha roimhe aige anois, le bualadh le Peig Ní Dhuinnín arís eile dá mbeadh sí faoi na bólaí i gcónaí— na mianta sin ar fad, bhraith sé in aimhréidhe iad le faitíos éigin nár fhéad sé a mhinú go beacht. Dhiúl sé go tréan ar thoitín agus é ag iarraidh blaiseadh go hiomlán de thábhacht na hócáide mar bhí mír dá shaol thart anois agus mír eile amach roimhe: níor den chuibhiúlacht, chonacthas dó, gliondáil rósciobtha as an eadarthráth chinniúnach seo, ba é ab áil leis ná fad a bhaint as, seal eile, le go gcuirfeadh sé féin in oiriúint dá raibh amach roimhe, don todhchaí a bhí ag sméideadh air mar a sméidfeadh bean a mbeadh caille ar a héadan.

Ach bhíodar ag greadadh trasna Dhroichead Achaidh Molaga cheana féin agus bhí na soilse bóthair ar cholbha na cathrach chucu anois, ceann ar cheann. Mhoilligh ar shiúl na traenach agus bhíodar ag stadadh sa stáisiún ansin, gach rud mar ba chuimhin le Niall gach lá riamh é i dtreo agus go bhfacthas dó go raibh an clog curtha siar air agus nár imigh sé riamh. Sheas sé ar feadh nóiméid ag doras an stáisiúin ag breathnú síos uaidh agus threisigh, dar leis, ar neamhathraitheacht na háite: bhí an scata céanna fear ag déan-amh droim le balla Thigh Ritsí Uí Ghormáin faoi sholas lag buí an lóchrainn sráide, an stiúir leisciúil chéanna fúthu ar nós agus dá mbeidís gan bogadh as ó chonaic Niall iad go deireanach. Thall uathu sin bhí fuinneoga Eaglais Naomh Eoin ina ranna laomtha solais, an lucht faoistine ag teacht is ag imeacht gan driopás gan fuadar, seanfhir ag deargadh a bpíopaí ag geata an tséipéil, mná ina mbaiclí ag cabaireacht le chéile; thíos ar an tSráid Ard bhí buillí laga binne Chlog na Cathrach ag fógairt an ama agus bhí boladh tinte móna mar chumhrán ar fhionnuaire fholláin na hoíche. Thug súil agus cluas Néill aithne agus taithneamh do na rudaí seo go léir agus an cian sin a bhí ar ball air d'imigh sí de mar a leádh bréid beag ceo faoi theas na gréine. Luasc sé a chás beag taistil agus thosaigh air go lúthchosach i dtreo na sráide síos, ag siosfheadaíl os íseal go haerach.

Bhí sé tagtha abhaile.

A DÓ

Amuigh ar chluais an bhaile mhóir a bhí Ospidéal Norwold suite. Bhí giodán deas talún ag gabháil leis, crainn arda shíorghlasa ina sciath chosanta ina thimpeall agus aibhinne gairbhéil ag síneadh isteach ón mbóthar chuige. Seanfhoirgneamh trístór bríce a raibh an t-eidhneán ina mhothall tiubh ar an dá bhinn ann a bhí san ospidéal, rud a bhí bunoscionn ar fad leis an bpictiúr a bhí ag Nano Ní Chatháin den áit ó chianaibh. Áras mór lomghránna, smúiteach mar a bheadh oileán i lár sruth síoraí tráchta a thagadh os comhair a hintinne uair ar bith dá gcuimhníodh sí ar Ospidéal Norwold ó chuir sí litir anonn ag iarraidh post ann . . . *Leasbhanaltraí neamhoilte ag teastáil láithreach, iostas agus tuarastal maith. Eaglais C. R. cóngarach, Scríobh chuig An Mátrún, Ospidéal Norwold, Norwold, Sasana* a dúirt an fógra sa *Churadh Connachtach* agus chaith Nano seachtain ag gor ar an scéal sular chuir sí peann le páipéar in aon chor. An uair sin féin ní raibh sí ach ag giolamas leis an rud, ag longadán anonn is anall idir dhá chomhairle—nó ba shin é a cheap sí ar aon chuma. Ach ag cuimhneamh siar di ina dhiaidh sin air tuigeadh do Nano gur ar an bpointe boise a léigh sí an fógra sin a bheartaigh sí imeacht ina croí istigh. Ná ní raibh aici i ndáiríre ach rogha an dá dhíogha, fuireach ag baile agus í sa bhealach ar a dheartháir go raibh sé thar am aige pósadh nó bailiú léi le súil go spreagfadh a himeacht Máirtín Bhid Antaine le cor éigin a chur de. Ach cén cor é féin? Ní raibh aon neart ar a gcás ag Máirtín bocht ach chomh beag is a bhí aici féin, bhí sé ar adharca an chochaill má bhí aon fhear beo.

Ba tar éis Céilí an Spidéil san oíche Dé Domhnaigh agus iad ag rothaíocht siar abhaile a tharraing Nano Mháire Choilm an t-ospidéal anuas do Mháirtín den chéad uair. Bhí an litir curtha chun bealaigh aici agus ba shin é ba chiontach, mheas sí, leis an meanma neamhghnách a bhí uirthi i gcaitheamh na hoíche—maoithneas nó aistíl éigin nár léir di a thrúig murab é go raibh an cinneadh déanta aici cheana i gcúl a cinn, i ngan fhios di féin, d'fhéadfá a rá. Bhí sé mar a bheadh seanhalla an choláiste agus gach dá raibh istigh ann á fheiceáil di i gceart den chéad uair riamh, nó muran é sin go baileach é á fheiceáil di le súile nár léi féin iad. Shonraigh sí nithe nár shonraigh i gceart go nuige sin, claochlú éigin a bheith tagtha ar an áit i ngan fhios di, nach mór. Bhí cliobóga gaimseacha ag sceitheadh amach ina mbruinnealla cumasacha os comhair a dhá súil agus scoracha géagfhada ag iompú amach ina bhfir; agus—rud a bhain geit aisti beagnach—

an dream sin a bhí aníos léi féin bhíodar ag críonadh cheana, sciamh na hóige á dtréigean mar a thréigeann an úire an duilliúr le teacht an fhómhair. Nó ba shin í an leagan intinne a tháinig chuici cibé ar bith é, agus mar a bheadh tuilleadh den lionn dubh nó pé rud é féin ann bhuail aithreachas éigin í a thug uirthi a bheith níba láiche le daoine áirithe ná mar ba dhual di bheith. Bhrúigh sí caidreamh ar Julie Phádraig Pheicse, staic bhorb nár labhair smid léi ó d'éirigh eatarthu sa mhonarcha stocaí nuair ba ann dó agus chuaigh sí amach ar an Staicín Eornan le grabairín beag ólta as baile éigin i bhfad siar nár tháinig iamh ar a chlab ar feadh an ama ach ag iarraidh í a fhágáil sa bhaile. Bhí sé mar nárbh fhiú léi a bheith in earraid le duine ar bith feasta, mar nár chuid den chomhluadar i ndáiríre í níba mhó, agus ghreamaigh an mheanma seo di an chuid eile den oíche gur tháinig chun buaice nuair a sheasadar do Amhrán na bhFian ag deireadh an chéilí.

Ba nuair a bhí Cnoc na hAille scoite acu agus iad ag seoladh le fána arís a bhain Nano an ceann den scéal do Mháirtín Bhid Antaine, scéal an ospidéil. Bhí laom bánbhuí na gealaí fhómhair ag cur gile draíochta neamhshaolta ar na garraithe beaga clochacha, ag glinniúint ina imir órga ar chlár mín na farraige, agus bhí boinn a dhá rothar ag siosarnach go rúnda ar an mbóthar tearra; chuir áilleacht na huaire leis an tallann a bhí ar Nano i gcaitheamh na hoíche, ag meabhrú di go raibh an saol ag gabháil tharstu go mear. Ní ag teacht ón gcéilí ba chóir dóibh a bheith, dar léi, ach gafa i mbun an tsaoil dóibh féin, i mbun tí is teaghlaigh.

'Tomhais céard a rinne mé an lá cheana, a Mheáirt?' ar sise, cotadh éigin uirthi nár dhual.

'Dar m'anam nach bhfuil a fhios agam, a Nano!'

Tháinig iarracht den mhúisiam uirthi ansin leis, laghad dar bhraith sé den éirim seo a bhí anocht uirthi, agus shantaigh sí a shochmaíocht a agairt air, é a phriocadh nó a ghoineadh, fiú.

'Scríobh mé anonn go Sasana, go Norwold cibé cá bhfuil sé sin, ag iarraidh jab—jab oispidéil, bhí sé san *Connacht* an tseachtain seo caite.' Ní dúirt Máirtín a dhath leis sin; ba mhinic ar smideanna beaga é ach go hiondúil ní chuirfeadh a thost clóic ar bith ar Nano— a mhalairt, d'eile, nó ba bheag é a meas aon lá riamh ar ghlincín fir ná ar lucht síorchainte. Níor tháinig mórán focal ó Mháirtín Bhid Antaine riamh nach raibh tomhaiste, meáite aige; fear muiníneach, cneasta a bhí ann agus murach an bac a bhí orthu bheidís pósta ag a chéile le fada.

'Ag iarraidh jab?' Bhí sé deacair a rá, ar leimhe a ghlóir, cé mar a chuaigh an fhaisnéis sin i bhfeidhm air agus ní raibh fuaim ar bith ar an saol, ba chosúil, ar feadh tamaill, ach cogarnach na mbonn rothar ar an mbothar greanach. Ba ar ball beag, agus iad ina seasamh amuigh ag geata a tí féin a d'iarr Máirtín ar Nano gan imeacht go fóill, go bhfeicfidís rompu. ' B'fhearr duit fanacht scaithín eile go bhfeicfidh muid romhainn, a Nano,' ar seisean agus dá ceartainneoin féin tháinig iarracht den chantal ar Nano leis. ' Go bhfeicfidh muid romhainn, a Mheáirt? M'anam muise go bhfuil muid sách fada ag feiceáil romhainn—is gan muid ag feiceáil dada! '

Ba dhóbair di ' ag breathnú ar a chéile ' a rá leis, le méid a cantail, ach bheadh sé sin iomarcach, bheadh sé éagórach féin, ní ar Mháirtín a bhí milleán le cur faoina gcás ach oiread léi féin. Bhí na sé bliana fichead scoite ag Nano Mháire Choilm anois agus bhí Máirtín Ó Spealáin tríocha bliain d'aois, bhí sé in am acu stiúir éigin a chur orthu féin seachas seo, ach cén chaoi? *Bean mhic agus máthair chéile.* Ní fháilteodh Bid Antaine roimh aon bhanchliamhain isteach ar a hurlár féin, dá fheabhas nó dá shochomhairlí a bheadh sí, agus ní mó bhí fonn ar Nano dul ag brú ar an doicheall. Bhí beirt bhan sa teach sin cheana ar aon nós cé nach raibh Máire Bhid Antaine ach ag comhaireamh na laethanta go gcuirfeadh a deirfiúr Anna i mBoston fios uirthi; ní doicheall a bheadh ag Máire roimpi isteach, ar scáth ab fhiú sin, ba mhinic é ráite le Nano aici gurbh fhearr léi ná go leor Máirtín a fheiceáil pósta. Ach ba í Mama an *problem* a deireadh Máire, ag tarraingt an focal Béarla chuici mar ba ghnách di, le teann móiréise; ba í Mama an mháistreás. Níor mhór le Nano di an leitheadas seo, bhí Máire óg i ndiaidh an tsaoil agus bhí a cion féin súáilcí aici lena ceart a thabhairt di, agus ar aon chuma níor mheáigh a tuairim sise brobh. Ná ní bheadh sé fíor a rá go raibh Máirtín faoi bhois an chait ag a mháthair fiú má ba í a bhí faoi deara dó gan pósadh go fóill; ní raibh an scéal chomh simplí sin, baileach, mar bhí buntáiste ag Bid Antaine ar a mac ar dhoiligh a shárú: bhí croí fabhtach aici rud a d'fhág nár fhan sé de dhalbacht i Máirtín cur ina haghaidh rómhór. Ba mhaith ab eol do Nano go ngabhfadh Máirtín go Sasana nó áit ar bith eile léi ar maidin amárach de rogha ar a bheith ag cur a saol amú uirthi mar seo dá mbeadh cead a chos aige; ach ní raibh, bhí sé i sáinn, teanntaithe, gan teannadh ar a chúl ná ar a aghaidh aige. Agus an tsláinte a bheith chomh dona sin ag a mháthair níorbh ealaí do Mháirtín í a thástáil ná a chur thar fulaingt rómhór.

Ba bhean í nach bhfuair an saol go réidh mar a mhínigh Máirtín go minic do Nano agus ní fhéadfadh sé í a fhágáil i gcléith na gcomharsan anois i ndeireadh a ré is a maitheasa. Ach ar ndóigh níor chall dó í a fhágáil dá ngéillfeadh sí orlach, dá mbeadh candam ar bith den chomhréiteach ag gabháil léi, rud nach raibh: ní raibh aon uair dár labhair Máirtín léi faoi phósadh agus bean a thabhairt isteach nach ndúirt Bid Antaine nárbh fhiú dó é go fóillín, nárbh fhada eile a bheadh sí féin sa bhealach orthu. Ag déanamh leithscéil dá croí a bhí Bid Antaine, dar le Nano, agus—ní dá maíomh uirthi—

píosa maith den saol i ndán di go fóill; má ba faoi mháthair Mháirtín é ba bhaolach nach bhfeicfeadh an Inid a bhí chucu ná Inid ar bith eile as sin go ceann deich mbliana pósta iad. Ag críonadh go haimrid a bheidís fearacht a liacht eile sin lánúin a lig do na blianta gabháil aniar aduaidh orthu go dtí nach raibh iontu, nuair a tharraingíodar ar an altóir i ndeireadh thiar ach údar gáire. Ba mhinic gurbh é a deirtí le hógánaigh a mbíodh fíbín pósta fúthu sa ruta sin tíre dul agus ' seomra a fháil ar an mBóthar Mór '—an ceantar tithíochta i nGaillimh—mar gurbh fhada eile go mbeadh an sealúchas le fáil acu ag baile; ba shin é go díreach an chuid ba spleodraí nó ba dhíchéillí díobh, cibé cé acu é, agus ba thúisce le Nano Ní Chatháin an socrú sin dá dhonacht féin é ná an tSúil Uí Dhubhda seo le hArd na Rí a bhí aici féin is ag Máirtín. Ach féach go raibh an réiteach sin, fiú, crosta orthu!

' Dá bhféadfainn Peadar seo againne a thabhairt abhaile, a Nano, i ndeamhan an lá féin a d'fhanfainn anseo dá laghad dá bhfuil d'fhonn imeachta orm,' a dúirt Máirtín ach ba shalann i gcréacht ag Nano an chaint sin, a laghad dealraimh a bhí leis.

' Peadar? Is maith tá a fhios agat nach dtabharfaidh tú Peadar abhaile, a Mheáirt! Tá sé chomh maith duit é sin a chur as do cheann.'

Thall i Sheffield ag bruíon is ag rancás a bhí Peadar Bhid Antaine an tuairisc dheireanach a fuarthas ina thaobh agus ba é ba mhóide go raibh sé i gclúid éigin eile den tír faoi seo mar go raibh tochas taistil ina bhonnaí, fearacht go leor eile de mhuintir Chonamara thall, agus gan ar a chumas socrú síos in áit ar bith. Chuir Máirtín scéala chuige á iarraidh abhaile bhí bliain ó shin go réidh ach níor chuir Peadar de stró air féin an litir a fhreagairt, fiú, is é sin i gcás go bhfuair sé riamh é. Ba d'fhear as Bochúna, a casadh thall air, a d'inis Peadar Ó Spealáin cén meas a bhí aige ar an mbaile, ná ar ghabháltas beag scaipthe a mhuintire. Diabhal siar go brách, a dúirt sé, fuair sé a dhóthain den áit sin, mórán saothair ar bheagán tairbhe agus an paróiste ag faire ort, gach uile chor dá gcuirfeá díot. Má bhí obair chrua i Sasana bhí cúiteamh maith air agus bhí compord ag duine seachas sin, d'fhéadfadh fear síneadh le bean nó ráig mhaith óil a dhéanamh d'oíche gan é a bheith ina scéal chailleach an uafáis ag na daoine. Réiteodh Máirtín a chás féin dá bhféadfadh sé, a dúirt Peadar, ach má ba ag súil abhaile leis-sean a bhí a dheartháir bheadh fuireach fada ar chosa fuara aige, bheadh *by dad!*

' Ach nach gceapfá,' a dúirt Máirtín go mallchainteach, mar ba ar a chruachúis dó easpa soilís an fhir thall a thuiscint, ' nach gceapfá ó tharla nach bhfuil ceangal ar bith air ach é ag imeacht roimhe mar sin go mbeadh sé chomh maith dó teacht abhaile agus seans a thabhairt do dhuine a bheadh ag iarraidh rud éigin fónta a dhéanamh? Chúns bheadh an *seanlady* beo ar aon chaoi agus cead aige a rogha rud a dhéanamh ansin.' Scléip agus ardshaol nach raibh riamh acu féin a shantaigh Nano a rá leis ba chiontach le Peadar fanacht thall. Ach cén mhaith bheith ag caint? De réir mar a chonaic sise ba cham in aghaidh an chirt ag leath na ndaoine é agus gan an comhar á dhíol i gceart ach go hannamh. Beartla seo acu féin, bhí seisean thíos leis na cúrsaí seo freisin, d'fhéadfadh sé pósadh dá n-imeodh sise—ach ar ghnóthú nó cailleadh a dhéanfadh sí le himeacht? Nárbh é an trua, dar léi, nach bhfoilseofaí fios a leasa do dhuine in am éigin ar an saol seo is gan a bheith ag crúbáil romhat, mar ba sa dorchacht é, i gcónaí?

' Ní bheadh a fhios agat, a Nano,' bhí Máirtín a rá le dóchas bréige, 'is gearr anois go mbeidh Máire ag bualadh anonn go Boston agus cá bhfios cén cuimhneamh a dhéanfadh mo mháthair uirthi féin ansin.'

Ghoin an bharúil sin Nano, ní ar a son féin ach de bharr nár léir do Mháirtín nárbh é an rud ceart a bhí á rá aige; ach choinnigh sí guaim uirthi féin agus ar sise:

' Tá do mhama mar tá agus ní dóigh liom go n-athróidh sí, a Mheáirt, agus ar aon nós ní móide go mbainfeadh mé féin is í féin aon cheart dá chéile.' Lig sí osna bheag agus chroith sí a ceann. ' Tá a fhios ag Dia, a Mheáirt, dá mhéad dá smaoiním anois air is ea is léire dom go mb'fhearr dom imeacht, go ceann scaithimh pé brí é. Agus feicfidh muid romhainn mar a deir tú féin ansin.' Chaith Máirtín tamaillín ag meabhrú ar an méid sin agus nuair a labhair sé ba léir ar thámáilteacht a ghlóir nár chreid sé go mba mhórán de réiteach ar a gcruachás an rud a bhí le áiteamh aige uirthi.

' B'fhéidir dá mbeifeá gan a dhul níba fhaide ná Gaillimh . . . rud éigin a fháil ansin go ceann scaithimh? '

' I mo scibhí i mBóthar na Trá, ab ea? ' Dá buíochas spréach sí an iarraidh seo agus ba chuma léi dá ngoinfeadh sí féin é anois mar bhí a mhí-éifeacht á mearadh agus dá saighdeadh chun binbe. ' Má bhogaim ar chor ar bith, a Mháirtín, agus ní dóighde beirthe thú ná bogfad, is anonn go Sasana, go Norwold, a ghabhfaidh mé agus ní ag obair ag boicíní Bhóthar na Trá ar ardaigh orm é. Agus,' ar sise, an searbhas ag brúchtaíl aníos inti, ' faraoir géar deacrach nach anonn go Meiriceá a chuaigh mé nuair a bhí Baibín seo againne dem iarraidh amach ann.'

Bhí sí ag bogchaoineadh ansin is gan neart aici air agus chuir Máirtín lámh ina timpeall, á suaimhniú. Ar ala na haimsire sin, leis an suaitheadh seo anama agus intinne a bhí uirthi, ba chuma le Nanó Mháire Choilm eatarthu, bás nó beatha, mar bhí sé á fheiceáil di nach mbeadh i ndán dóibh anseo ag baile go deo ach an bhacainn chráite seo, seanbhean a raibh leathchos léi san uaigh (má b'fhíor di féin) ag cur a saol ó mhaith orthu. B'ainnis an scéal é agus bhí sí i ndeireadh na péice aige anois i dtobainne. Shuaimhnigh Máirtín í de réir a chéile agus chochlaigh sí isteach chuige mar a dhéanfadh gearrchaile a mbeadh a racht caointe ligthe aici; sámhas éigin a tháinig ansin uirthi sa chaoi agus go ngéillfeadh sí do Mháirtín, agus dá mianta leathmhúchta féin, dá n-iarrfadh sé a gcumann a chur chun críche ar an nóiméad sin. Rud nach ndearna ná nach ndéanfadh, nó go mba le beannacht na hEaglaise é . . . thuig Nano a intinn chomh maith is mar a thuig sí a hintinn féin: bhí an iomarca ómóis aige di le go bhféachfadh sé le buntáiste a bhreith uirthi ar an gcuma sin. Ba mhinic, d'eile, a ritheadh sé le Nano gurbh é córtas seo Mháirtín, agus an gean a bhí aige uirthi féin, a d'fhág thiar orthu arae b'iomaí sin lanúin gur thapaigh a bpráinn chun na haltóra iad agus nár mheasaide a dhath a gcleamhnas i ndeireadh báire. Ach bhí Máirtín ag caint léi arís agus bhí daingne ina ghlór aige an iarraidh seo nár chuimhin léi a bheith riamh cheana ann.

' Ceart mar sin, a chuid, níl de leigheas ar an scéal ach a labhairt le mo mháthair amárach, tá sí sách fada ag spochadh linn pé brí é agus tá sé in am an scéal a shocrú suas nó síos. Seo, ná cuireadh sé buaireamh ar bith níos mó ort, a stóir, agus feicfidh muid cén scéal a bhéas amárach ann.'

B'shin coicís sa lá inniu, go díreach.

A TRÍ

Tháinig Treabhar Ó Nia, Treabhar Bheartla Bhillí, den *Irish Mail* le moch na maidine i stáisiún mór díonsúicheach Euston i dteannta na gcéadta eile a bhí tar éis an aistear a dhéanamh anall as Éirinn thar oíche agus a bhí ag plódú rompu lena gcuid bagáiste anois suas an ardáin i dtreo na gcolún arda Doric ag an bpríomhbhealach amach. D'fhág Treabhar Bheartla Bhillí slán ag an mbeirt a bhí an bealach uile as Doire Leathan leis agus nach raibh ceann scríbe sroichte go fóill acu, agus bhuail sé a sheanchás batráilte suas ar a ghualainn gur imigh leis de thruslóga fada an fhir tuaithe ag tarraingt ar Chamden Town. Chas sé suas Sráid Eversholt agus stad ná cónaí ní dhearna gur tháinig sé chomh fada le stáisiún fothalamh Mornington Crescent áit ar leag sé uaidh a chás le toitín a dheargadh.

Ba shuntasach an píosa fir é Treabhar Ó Nia agus é ina sheasamh ansin ag gabhal an dá bhóthar, scafaire ligthe gualainnleathan faoina chulaith ghorm Dhomhnaigh agus a chaipín spíce caite ar sceabha ar a mhullach rua gruaige—fear eile den treabh fuinneamhach spleodrach sin a raibh éileamh chomh mór orthu ar na saolta seo le tochailt agus cartadh a dhéanamh, ag cur caoi arís ar chathracha na Breataine Móire tar éis na smísteála a thug an *Luftwaffe* dóibh i gcaitheamh an chogaidh mhóir dheireanaigh. Ré bhórrtha agus atógála a bhí anois ann, foirgnimh arda nua mar a bheadh muisiriúin ag éirí as na poill phléasctha, féitheoga agus cuislí na mbailte móra á athnuachan, gleo agus fuadar oibre i ngach ball treo agus na hÉireannaigh go líonmhar i gcónaí san áit a mbíodh an phingin ab airde le fáil. Ach má ba dheoraí é Treabhar Bheartla Bhillí ní raibh aon bhlas cumha ná caitheamh i ndiaidh an bhaile air—a mhalairt ghlan. Mhothaigh Treabhar mar a bheadh ualach bainte de cheana, mhothaigh sé saor arís, buarach teallaigh is clainne caite de aige, gan aon cheangal anois air níos mó. Ní suairceas, baileach, a bhí ar Threabhar mar nár dhuine suairc aon lá riamh é, ach bhí sé sásta. D'airigh sé ar a shuaimhneas sa chathair mhór scaipthe seo nárbh eol dó go fóill di ach giodáin áirithe thall is abhus, na tearmainn Ghaelacha sin a thaobhaíodh sé féin agus an aicme dar díobh é, ceantair mar Finsbury Park, Kilburn, Cricklewood, an Elephant & Castle agus ar ndóigh Camden Town a bhí amach roimhe anois agus ar ann a bhí a thriall. Tír iontach ba ea Sasana dar le Treabhar Ó Nia, tír a raibh scóip agus saoirse ann nach raibh riamh thiar sa bhaile; bhí mí caite aige thiar an iarraidh seo agus ba bhuíoch mar a thug sé na cosa leis anonn go Londain arís. Bhí laghad sin luiteamais ag Treabhar leis an áit inar rugadh is ar tógadh é agus nach gcuirfeadh sé a dhath aiféaltais air dá mbeadh sé gan cos a leagan thiar ann arís go deo. Ach go gcaithfeadh, ar ndóigh: ní raibh sé chomh saor sin ar fad, thuig sé, ná ní raibh uaidh a fhreagracht a shéanadh uile.

Chaith Treabhar fuíoll a thoitín uaidh agus d'ardaigh a chás suas ar a ghualainn arís. Bhí cuma thréigthe ar na sráideanna go fóill, baiclí beaga banaltraí ag déanamh ar an Aifreann moch in Arlington Road, fear scuaibe sráide agus póilín aonair, ach ar ball bheadh na sluaite ag corraí thart, na tábhairní pacáilte le hÉireannaigh, le fir tuaithe faoina gcultacha gorma is dubha agus a léinte geala bána, lucht saothraithe airgid mhóir, ag comhrá, ag gaisce is ag gáire go meidhreach, iad ag baint ceoil as an saol nár bhaineadar riamh ina dtír féin nuair ba mhinic ar an Domhnach iad gan cling ina bpócaí. Ní iarrfadh Treabhar Bheartla Bhillí ach mar a bhí anois aige, é i mbláth is i mbarr a mhaitheasa anseo san áit a raibh deis agus fairsinge, san áit nach raibh fear ar bith ar uireasa puint ach an cúl-le-rath nach gcuirfeadh dua a shaothraithe air féin— leithéid na *townies* leisciúla sin a d'fheiceadh sé ag déanamh droim le balla ansin thuas ag an gcrosbhothar agus obair le fáil ach í a iarraidh. Bhí fir ar an saol, dar le Treabhar, nárbh fhiú bia a chur amú leo.

Tá sé ráite gurb é Camden Town an t-achar is faide a d'fhéadfadh an taistealaí bocht traochta a chuid bagáiste a iompar as Euston i ndiaidh teacht aniar as Éirinn thar oíche, agus gurbh é sin faoi deara dá liacht sin Éireannach a bheith ag cur fúthu sa cheantar—scéal agus a thóin leis, a déarfadh muintir na Gaeltachta. Bhí údair eile ba dhóichí ar fad leis, a fheiliúnaí is a bhí an áit don lucht oibre, flúirse na dtithe lóistín agus na dtithe itheacháin ann, gan trácht ar na tábhairní agus an comhluadar mór Éireannach a bhíodh ina mbunáite i gcónaí. Ba ann, freisin, a thagadh cuid lorraithe na bhfostóirí Éireannacha ina bhflít go moch ar maidin ag breith leo na rúscairí láidre arbh iad féin amháin, ba chosúil, a bhí sásta tabhairt faoin obair shalach throm, faoin mbaint is faoin gcartadh is faoin streachailt a ghabh le scéimeanna leagan píopaí agus cáblaí móra aibhléise. Arae i gcathair mhór ilghnéitheach seo Londain chuaigh na ciníocha difriúla ar fad leis na gairmeacha beatha sin a d'fheil dá dtréithe nó dá dtíolachthaí dúchais...chuaigh Gréigigh le hiostas agus chuaigh Giúdaigh le gnó, chuaigh pór cneasghorm na nIndiacha Thiar le giollacht traenacha is busanna, chuaigh an Sasanach féin tríd is tríd leis an obair ba ghlaine is b'éasca dá raibh le fáil agus chuaigh an tuata Éireannach leis an tslí bheatha ba throime, ba ghairbhe agus ba chrua amuigh, le ceird an náibhí. Ar maidin amárach bheadh Treabhar ina measc seo ag an gcrosbhóthar amhail na gcéadta eile dá chomhthírigh agus ní

raibh comhlacht ar bith de na comhlachtaí Gaelacha seo uile—
Ó Murchú, Ó Meachair, Mac Donncha, Ó Cinnéide, Mac Niocláis,
Mac Gearailt ná Mac Alastair—nach bhfostódh é agus míle fáilte.
Bhí sé de cháil ar Threabhar Bheartla Bhillí i measc an lucht
sclábhaíochta go raibh sé ar ghaiscíoch oibre chomh maith is mar a
tháinig aniar ar an mBád Bán riamh—agus níor bheag de theist é sin!
    Teach caol ard a bhí in 147 Arlington Road agus Éireannaigh
ar fad a bhí ar lóistín ann. Bean Chocnaí de bhunadh Gaelach a
bhí i mbun uimhir 147 agus í an fad sin ag déileáil leis na *Paddies*
(mar a thugadh sí féin orthu) agus nár airigh sí puinn coimhthís
leo, go fiú leo siúd a bhí ar bheagán Béarla agus bhí riar acu sin ina
teach aici. Ní chuirtí glas ar bith ar uimhir 147 d'oíche agus ní
raibh le déanamh ag Treabhar ach an eochair a chasadh agus
bualadh isteach ann, rud a rinne sé lán chomh teanntásach agus dá
mba thiar ina theach féin i nDoire Leathan a bheadh sé. Faoi
leibhéal an bhóthair a bhí an chistin agus an proinnseomra; bhí
an chistin rud beag pulctha le fearas cócaireachta agus eile ach bhí
dóthain spáis sa phroinnseomra in ainneoin trí bhord a bheith ann
a raibh áit suite ag seisear ag gach bord acu. Murab ionann agus
tithe go leor eile máguaird a raibh cillíní beaga de *bed-sits* déanta
de na seomraí iontu bhí uimhir 147 mórán mar a bhí san am fadó
nuair ba lucht rachmais a bhí ag cur fúthu sa tsraith ach an snas
a bheith imithe de ar ndóigh mar aon leis an tseanghalántacht.
Ba é a rinne Madge, Bean Uí Chonaola, na seomraí a fhágáil mar
a bhíodar agus oiread leapacha agus ab fhéidir a chur i ngach
seomra díobh, leapacha singil nó dúbailte de réir mar a d'fheil agus
dhá phunt cíosa a bhaint dá cuid lóistéirí. An té go n-éireodh
leaba dó féin leis ní bhainfí pingin ar bith de de bhreis ar a bhainfí
den fhear a chaithfeadh leaba dhúbailte a roinnt le fear eile, ná ní
dheintí blas ar bith iontais den pháirtíocht chodlata seo ach an
oiread: ba bheag fear de cuid tionóntaí Mhadge a raibh leaba dó
féin aige sular fhág sé an baile. Murab ionann is lóistíní eile, freisin,
thabharfadh Madge Bean Uí Chonaola lán a ndóthain le n-ithe dá
cuid fear i gcónaí, riar maith feola, fiú, in ainneoin cantáil a bheith
air i gcónaí; bhí a shliocht uirthi, bhí cosán dearg déanta go doras
uimhir 147 ag lucht iarrtha iostais agus é d'acmhainn aici, dá réir,
an fear nach dtaitneodh léi a chur ó dhoras.
    Ag fliuchadh braon tae dó féin sa chistin a bhí Treabhar
Bheartla Bhillí nuair a tháinig bean an lóistín anuas óna seomra
féin, fallaing oíche leath scaoilte uirthi agus a gruaig anuas ina
súile, cóip den *News of the World* ina láimh agus toitín ina béal.
Ar a cosúlacht, dar le Treabhar, bhí oíche mhór aréir aici san
Brighton Castle nó san *Hawley Arms* ach bíodh is go raibh sí sách
tugtha don ól, ag deireadh na seachtaine ach go háirithe, níor loic
Madge riamh ar a cuid lóistéirí ná níor lig aon fhear acu amach gan

a bhricfeasta ar maidin de thoradh póit na hoíche roimhe. Breac-
bhaintreach ar imigh a fear ar throigh gan tuairisc uaithi na blianta
fada roimhe sin a bhí i Madge Bean Uí Chonaola; ní raibh cathú
ar bith uirthi ach oiread, de réir mar a chreideadh, ná níor measadh
go mbeadh sí ina haonar ó shin dá mba é a mhalairt saoil ba rogha
léi. Bean measartha cumasach a bhí go fóill inti, í gan a bheith
mórán leis an leathchéad, agus b'iomaí sin fear ab óige ná í féin
nach bhfaigheadh lá lochta ar a bheith mar chéile aici gan bhuíochas
don Eaglais.

'Tá tú tagtha, a Threabhair,' arsa Madge, ag cur lámh lena
béal leis an méanfach a bhuail í a chosc. 'Ar ámharaí an tsaoil tá
leaba agam duit, leaba shingil, d'imigh duine de na *lads* suas faoin
tír inné ag obair in áit éigin. Cuir m'ainm sa bpota mar a dhéan-
fadh fear maith.'

D'oscail sí bosca *Players* agus shín sí chuig Treabhar é.

'Thuas in éindí leis an Suibhneach Rua agus Tomás Seoighe a
bheidh tú, tá a fhios agat féin é, chodail tú cheana ann sílim,
uimhir a seacht.'

Ghlac sí an cupán tae a shín Treabhar chuici agus shuigh sí de
phlimp.

'Caithfidh mé rothaí a chur fúm féin, beidh cúpla duine de na
buachaillí anuas gan mórán achair, tádar ag dul amach go Stone-
bridge Park ar maidin ag obair ar na ráillí, sílim.'

Bhlais sí den tae agus dhiúg sí a toitín; thug sí spléachadh ar
Threabhar ansin.

'Cén sórt saoire a bhí agat?' Neamhchúiseach go leor a chuir sí an
cheist air agus d'fhreagair Treabhar í chomh neamhchúiseach céanna.

'Bhí sé ceart go leor.'

Níor fhear cainteach i láthair mná riamh a bhí i dTreabhar
Bheartla Bhillí ná ní thionscnódh sé comhrá le bean, gan údar maith
éigin a bheith aige leis, ach chomh beag is a labhródh sé le cat ná
le madra. Ná ní mórán meabhrach a bhain Treabhar as an bhfocal
'saoire' ach oiread, ní dheachaigh Treabhar ar saoire riamh ina
shaol ná ní raibh puinn tóra aige ar an rud ba shaoire ann. Siar
abhaile mar dhualgas nár fhéad sé a sheachaint a chuaigh Treabhar
agus ní ag ligean scíthe a bhí sé thiar ann, baol air! Múinteoirí
scoile, lucht monarchan agus a leithéid sin uile a théadh ar saoire,
ní raibh de thuiscint ag Treabhar Ó Nia ar shaoire ach píosa de lá
a chaitheamh ag ól leanna amhail a mhacasamhail féin de dhaoine
agus b'fhéidir an cóta a chaitheamh de i ndeireadh thiar le dul ag
troid. Ná níor chuir Madge an dara ceist air ina thaobh; ba bheag
é a spéis in Éirinn, dáiríre, agus cé gur le hÉireannaigh a chaith sí
formhór a saoil ba mhinic a d'admhaigh sí go gcinnfeadh glan uirthi
tír a sinsir a thabhairt chun samhlaíochta aon uair go mbeadh
trácht uirthi.

[29]

'Réiteoidh mé greim bricfeasta duit, a Threabhair, ní foláir nó tá ocras ort tar éis an aistir,' a dúirt Madge ach a raibh a cupán tae ólta aici agus a toitín caite. Charnaigh sí a cúl dubh gruaige suas go hard agus shac cúpla biorán ann lena coinneáil; nigh sí a lámha faoin sconna ansin agus leag uirthi ag giollacht bricfeasta. Bhí Treabhar á faire go neamhshuimiúil i rith an ama gan 'sea' ná 'ní hea' a chur ina cuid cainte agus í ag dáileadh eolas imeachtaí na háite air ó d'imigh sé. Fuair óstóir an *Bedford Arms* greadadh maith arú aréir nuair a shíl sé Ó Muirthile Chiarraí (é siúd a raibh fiarshúil ann, rud ba thrua do *lad* chomh dathúil leis) a chur amach ar an tsráid, agus bhí sé ina ruaille buaille oíche eile nuair a d'éirigh idir dhá fhaicsean nár chuimhin léi cérbh iad féin anois ach gur aníos as Southwark a tháinig dream acu ag tóraíocht achrainn. Ba san *Elephant's Head* a tharla seo agus sádh *lad* óg a bhí istigh i lár an scliúchais, lad as Cor na Móna má bhí a leithéid d'áit ann agus ba dhóigh léi go raibh; chuaigh seacht ngreim déag ina láimh de réir mar a d'airigh sí agus bhí an t-ádh air nach i mball éigin níba ghoilliúnaí ná sin a gearradh é, cibé cén sórt dream an diabhail iad féin ar chor ar bith. De réir mar a chuala sí (mar nach dtaobhaíodh sí féin teach pobail ná teampall mar ab eol dó féin go maith) thug duine de na sagairt ansin thíos seanmóir uafásach an Domhnach seo a chuaigh tharainn mar gheall ar an mbligeardaíocht seo go léir; bhí scabhaitéirí óga ag teacht aniar as Éirinn ar na saolta seo, a dúirt sé, agus ba mhór an náire dá dtír is dá gcreideamh iad. Ó sea, ba dhóbair di é a dhearmad, bhí míle murdar sa *Ghaillimheach* oíche eile agus gortaíodh cailín bocht éigin ann lena linn—de thaisme, ar ndóigh, ach ba é an dá mhar a chéile di siúd é, an ceann a gortaíodh, de thaisme nó d'aon turas—bhí sí ag úscadh fola, an créatúr, nuair a tugadh don ospidéal í agus an dream ba chiontach leis an drochobair seo bhíodar bailithe leo nuair a tháinig na póilíní ar an ionad. Bhí an-cháil ar an doirseoir ann, ar an mBullaí Breathnach mar a thugaidís air, ach féach nár éirigh leis na diabhail a smachtú ina dhiaidh sin. Cibé scéal é, arsa Madge, agus a bhricfeasta á leagan síos chuig Treabhar ar bhord na cistine, ba mhór an trua a bheith ag soláthar ábhar biadáin mar sin do mhuintir Londain, ní raibh uathu ach leithscéal ar aon chuma, go leor acu, le tosú ag sciolladh ar an Éireannach. . . .

Bhí tuairim i bhfad níba chruinne ag Treabhar cérbh iad na daoine a bhí faoi thrácht ag an mbean lóistín, an lucht clampair ar fad, ná mar a lig sé air; gheobhadh sé a fhios fátha i gceart ar ball thuas san *Mother Black Cap* nó cibé áit a gcasfaí isteach ann é, ní taobh lena cuid bladair a bhí sé, agus thug sé faoin mbricfeasta le fonn—ubh, ispín agus sliseog bagúin agus oiread aráin is a d'iarrfadh sé le n-ithe. Ní gach uile theach lóistín Sasanach a bhfaighfeá a leithéid ann, a gainne is a bhí na rudaí sin go fóill.

' Tá sé chomh maith agam dul suas ag codladh, níl aon ghnó i mo shuí agam,' adúirt Treabhar nuair a bhí toitín eile caite aige féin agus ag Madge, agus rug sé leis a chás suas staighre.

Bhí Tomás Seoighe agus an Suibhneach Rua ina gcodladh sa leaba dhúbailte agus bhí an leaba aonair cóirithe ón lá roimhe; chaith Treabhar a chás ar an leaba seo agus chuaigh caol díreach go dtí an fhuinneog gur scaoil an greamán ann is gur ísligh cúpla orlach í.

' Is cosúil nach n-iarrfadh sibh go deo ach an bréantas,' a dúirt sé go múisiamach siar thar a ghualainn. Bhí Tomás Seoighe ag srannadh leis i gcónaí, codladh trom na póite chomh dóíchí le rud, ach bhí an Suibhneach Rua ina dhúiseacht agus leathshúil leis amach os cionn na n-éidí ag faire ar Threabhar. Thosaigh Treabhar ag caitheamh de go réidh, neamhdhriopásach agus sular chroch sé a chulaith éadaigh sa várdrús caol scathánbhriste—an t-aon bhall troscáin a bhí sa seomra diomaite den dá leaba—bhain sé a raibh d'airgead fágtha aige, trí nóta punt agus glac sóinseála, as a phócaí gur leag go cúramach faoina philiúr é. Ag dul isteach ag codladh dó thug sé faoi deara go raibh an Suibhneach Rua á ghrinneadh, an tsúil a bhí le feiceáil de chomh dúilmhear, gortach, le súil madra fiáin. Chorraigh an Suibhneach agus labhair sé go tuineanta, ag tapú a dheise.

' Do chéad fáilte, a Threabhair! Cén sórt *time* a bhí thiar agat? '

' Bhí sé *all right*,' a d'fhreagair Treabhar go giorraisc. Thuig Treabhar go feillbhinn céard a bhí ar an bhfear eile agus ach chomh beag le comhrá na mná thíos ní raibh iarraidh ar bith aige ar a chuid clabaireachta.

' Cén bhail a bhí ar an áit thiar? ' a d'fhiafraigh an Suibhneach ansin, iarracht den phráinn ar a ghlór mar ab eagal leis go dtitfeadh an fear eile ina chodladh sula mbeadh sé d'uain aige féin a achainí a dhéanamh.

' Mar a bhí is mar a bhéas, bail an diabhail,' a dúirt Treabhar go grod. Dheasaigh sé an bráillín suas ar a smut agus shín sé na cosa uaidh go sámhánta. Lig sé méanfach fada mall mar a dhéanfadh píle mór cait a bheadh amuigh ar feadh na hoíche agus dhún sé na súile ansin. Sa leaba thall dhírigh an Suibhneach Rua suas ar leathuillinn go beophianta.

' Cogar, a Threabhair, a dhearthráir, bhí drochlá ar na capaill inné agam . . . ní fhéadfá cúpla scilling a spáráil, an bhféadfá? '

Chlis Treabhar as a chodladh mar is de phreab a thitfeadh sé ina chodladh i gcónaí, lig sé cnead as le cantal agus d'iompaigh sé isteach le balla. ' Fucáil thú féin is do chuid capall, a Shuibhne! Ba leat do chuid airgid a choinneáil nuair a bhí sé agat,' ar seisean agus thit néal air ar an toirt.

A CEATHAIR

D'fhonn an cúram aimléiseach a chur de chomh tapaidh agus ab fhéidir chuaigh Niall Ó Conaill chun an Mhalartáin Oibre breá luath ar maidin Dé Luain. Má chuaigh féin bhíothas chun tosaigh air cheana, bhí lucht an dóil ina scuaine fhada ghiobach ag síneadh siar ó dhoras na hoifige, cuma fhoighneach, chloíte orthu agus a bhformhór go drochghléasta. Lig Niall a mhallacht le méid an chiú agus dhearg sé toitín—an toitín deireanach dár fhan aige agus an ceann deireanach a bheadh aige freisin nó go bhfaigheadh sé cúpla scilling in áit éigin. Ní raibh de leigheas ar an mbuaireamh, a deireadh na *lads* sa Chéad Chathlán, ach éirí suas air: ach cén chaoi a ndéanfá in ainm Chríost agus an cantal ag teacht ina dhomlas nimhe aníos ionat gach uile uair dá gcuimhneofá ar an scéal? Dá mba fhear maide a bheadh i nduine nach gcaithfeadh sé spréachadh, nach gcaithfeadh sé pléascadh le fíoch is le fearg? Nó cén smál, cén mí-ádh, cén crann smola a bhí air in aon chor seachas fear ar bith?

Lig Niall osna chráite agus d'fhéach roimhe go marbhshúileach. Bhí a intinn faoi bhráca ón oíche Dé Sathairn, ba gheall le neach í a bheadh ar téad i dtreo is nach raibh éalú ar bith aici óna anshó, ba chuma cén cor ná casadh a chuirfeadh sí di. Nár mheidhreach an mac é ag teacht den traein dó arú aréir, nár shultmhar aerach an buachaill a bhí ann, a laghad dár chuimhnigh sé ar an bhfeainc a bhí i ndán dó. Cara leis a bhí i nduine den scata a bhí ag ligean a dtaca le binn Thigh Uí Ghormáin agus ar fheiceáil Niall chuige anuas lena chás beag dhealaigh Nioclás Ó Maonaigh amach ón gcomhluadar, aoibh air le tnúthán agus na lámha á bhfuinneadh ina chéile aige mar is béas leis an lúitéisí i gcónaí nuair a chuireann sé boladh na héadála. Ba lena aghaidh sin a bhíodh Ó Maonaigh ar an ionad seo tráthnónta, ag súil le fámaire éigin anuas den traein a dhéanfadh grá Dé air, a mhúchfadh a thart. Bhí Nioclás Ó Maonaigh ar fhear chomh maith is a rug i ngreim sluaiste riamh lá dá shaol ach d'fhág a dhúil dhoshásta san ól ina bhaileabhair as a dheireadh thiar é agus b'annamh a thagadh lá oibre ar bith ina bhealach anois muran corrlá stócála sa Ghaslann é nuair a bhíodh fear dá gcuid féin as láthair, nó práinn éigin eile mar sin a bheith orthu. Béinneach mór tromdhéanta, a chaipín ligthe anuas ar a shúile aige, ciarsúr snaidhmthe faoina mhuineál agus a ordóga sactha i bpócaí a bhríste ar an gcuma a shamhlaítear leis an mbligeard nó leis an stocaire coirnéil i gcónaí, ba é sin Nioclás

Ó Maonaigh. Bhí na blianta ab fhearr dá shaol caite ag Ó Maonaigh thall i Sasana, ag obair, agus é ina sheamsán aige gur ann a bheadh sé anois arís dá mbeadh oiread aige is a thabharfadh anonn ann é.

' Do chéad fáilte, a Néill! Táir sa mbaile? '

' Tá, a Nic, táim sa mbaile uilig anois, tá mé réidh leis an arm.'

Dáiríre ní raibh, chuimhnigh Niall, ní go fóill é ar aon nós, bhí cairde míosa aige i gcás go dtiocfadh aiféaltas nó athrú aigne chuige agus go mbeadh fonn air téarma eile a thógáil air féin gan a sheirbhís a bhriseadh. A choinbhéarta sin d'fhéadfaí glaoch ar ais chun an airm air taobh istigh den mhí dá mba ghá sin, dá dtarlódh éigeandáil eile ann nó rud ar bith mar sin. Níorbh annamh iarshaighdiúirí ag filleadh ar a n-aonaid laistigh den sprioclá go maolchluasach faoi mar ba bhéim síos dóibh nár éirigh an saol amuigh leo, mar ba chomhartha donais é gur theip orthu a mbealach a dhéanamh sa saol sibhialta; dheintí magadh faoina leithéid agus chastaí a n-easpa cumais leo, mar a dhéanfadh an Ceannaire Ó Dúláinne magadh faoi Niall féin dá dtéadh sé ar ais ann arís. Bhuel b'shin rud nach mbeadh airsean a dhéanamh, a bhuí le Dia!

' Ní fheicfidh tú mórán bisigh anseo tá faitíos orm,' a dúirt Nioclás Ó Maonaigh. ' Ag dul chun donacht atá rudaí, a Néill, ní raibh sé chomh sleacáilte riamh. Diabhal buille le fáil in áit ar bith.'

' Ní bheadh aon chur suas agat do dheoch, is dóigh? ' D'aon-ghnó rinne Niall neamhaird de chnáimhseáil Uí Mhaonaigh. Bhí sé ráite riamh nár thuig sách seang ach, mheabhraigh Niall dó féin, níor thairbhe ar bith é do cheachtar acu géilleadh don bhanrán anois; ba é cionsiocair Uí Mhaonaigh féin é a bheith gan tóin ina bhríste ach ar éigean, bhí cuid acu seo agus ní chuirfeadh siad stiúir orthu féin go brách.

' Is tú corp an duine uasail,' a dúirt Nioclás Ó Maonaigh go beannachtach. ' Níor theastaigh pionta uaim chomh géar ón lá rugadh mé. Sciútaí, a bhuachaill! '

' Fág seo síos mar sin, beidh deoch againn Tigh an Droichid sul ngabhfaidh mé abhaile,' arsa Niall agus d'imíodar leo síos Sráid Eoin, formad an lucht coirnéil leis an bhfear a chuir a chrúba chomh prap sin sa taistealaí mar bheadh nimh ina ndiaidh aniar.

Má ba í an oíche Shathairn féin í ní raibh mórán broide in aon bhall bíodh is go raibh na siopaí ar oscailt go fóill ar mhaithe le cibé rud a bheadh le gnóthú, ar mhuintir na tuaithe ach go háirithe mar ba nós le go leor díobh an tsiopadóireacht a fhágáil go dtí an nóiméad deireanach. Ní raibh puinn athraithe ar an mbaile mór ach an oiread, an dream ceannann céanna ag falróid go neamh-chúiseach timpeall, nó ina mbaiclí cois cúinne go foighneach socair amhail mar ba bheatha shíoraí a bhí cheana acu agus gan le déanamh acu ach taitneamh a thabhairt do mharthanacht shíochánta na huaire. Arbh á'fheiceáil dó é, a d'fhiafraigh Niall de féin, nó an raibh aeráid ar leith anseo i gCill Chainnigh nach raibh i mbaile ar bith eile dár sheas sé riamh ann? Ba mhinic le linn na dtrí bliana a bhí caite aige san arm go gcuimhníodh sé ar na hoícheanta fada suaimhneacha seo cois Feoire, oícheanta spéir-ghlana réaltgheala mar í seo, oícheanta ciúine draíochta go gcuir-feadh a ngintlíocht i gcéill duit go mairfeá go brách; an ciúnas, an tsíocháin, an cháilíocht-éigin-eile seo a bhí chomh buan láidir le sean-Chaisleán Oirmhumhan féin agus chomh síodúil le haisling san am céanna, ba rud ionmhain ag Niall Ó Conaill é, rud seodmhar, caithiseach. . . . Bhailíodar leo síos thar na siopaí beaga bochta nach ndeachaigh maisiú ná athrú ar aon cheann acu ó ba chuimhin le Niall iad, síos thar na tábhairní iomadúla nach mó ná glac beag custaiméirí a bheadh in aon cheann díobh, thar an teampall uaig-neach Protastúnach agus an coláiste ciúin dorcha a raibh Berkeley agus Swift ann lá den saol, thar an teach gill fuinneogsmúiteach a raibh casóg le Niall ann go fóill mura raibh an cairde ídithe agus ba ag casadh isteach i dTigh an Droichid a bhíodar nuair a d'airíodar an glaoch agus an truptrap ag teacht de rúid ina ndiaidh.

'Á, a Chríost,' arsa Nioclás Ó Maonaigh go múisiamach, ' níl tú in ann cor a chur díot san áit seo! '

' Rinne sibh siúl,' arsa an fear chucu ach ar tháinig a anáil leis, ' ag teacht aníos Sráid Mhaidlin a bhí mé nuair a chonaiceas sibh. Cén scéal agat, a Néill? '

Scafaire crua aclaí a raibh a shaol caite aige go nuige seo ag geáitsíocht timpeall ba ea Bosco Ó Súilleabháin; ba chomharsa bhéal dorais ag Nioclás Ó Maonaigh é agus cónaí orthu beirt i bPáirc Oirmhumhan, bruachbhaile bocht dearóil ar cholbha thiar na cathrach. Bhí a léine oscailte síos go himleacán ag an Súill-eabhánach, seanchrios gasóige thart ar a bhríste agus péire bróg air a bhí ag titim as a chéile.

' Ní chuirfinn tharat é nó b'annamh leat gan do shoc a bheith sáite sa trach,' a dúirt Nioclás Ó Maonaigh go míchéatach lena chomharsa. Ní aithneodh aon fhear beo gur amhail a chéile a bhídís beirt i gcónaí a dúirt Niall leis féin, Ó Maonaigh ag ídiú a chantail ar an Súilleabhánach agus eisean ag fáil sult éigin ar shíor-mhíshásamh Uí Mhaonaigh.

' Cuir méar i mo phiod, a Mhaonaigh! Ní chosnóidh sé dada ortsa ar aon nós mar nach bhfuil dada agat! '

' Ó seo, fág seo isteach, ní taobh le luach pionta tá muid,' a dúirt Niall go móiréiseach agus chuadar isteach san ósta. Gnáth-thábhairne Éireannach a bhí i dTeach an Droichid, urlár cláir faoi screamh gann de mhin sháibh, cúláisean beag rúnda laistigh den doras, cúpla stól ard le cuntar agus forma adhmaid le balla, clár fáinní ar an mballa agus tinteán caoch faoina bhun. Ní raibh istigh ann ach triúr—beirt fheirmeoir a raibh sé thar am dóibh a bheith imithe abhaile ar a gcruth is ar a gcaint agus aonarán a bhí ina shuí go duairc os cionn pionta ag ceann thíos an chuntair. Bhí aithne mhaith ag Niall Ó Conaill ar an bhfear seo, ar Shiomón Mac Cárthaigh; seanchuireata nach raibh teora faoin spéir lena abhaillí le linn ráigeanna óil a bhí ann agus cáil air dá réir. Dheineadh Siomón rudaí gan chiall gan chuibheas, ag maslú daoine cneasta nach mbíodh ag cur chuige ná uaidh, ag séideadh faoi bhligeairdí, ag tarraingt achrainn san áit ab eagal le fear ab fhearr go mór ná é achrann a tharraingt, ag soláthar scannail agus suilt do mhuintir na cathrach agus—scaití—ag cumadh nathanna smeartáilte a mbíodh athrá á dhéanamh orthu, go gliondrach, go ceann i bhfad ina dhiaidh. Ba de sheanbhunadh na cathrach é Siomón agus cuimhne chomh fada siar lena ghinealach féin aige i dtreo agus nár mhór don té a rachadh ag spairn leis a dhintiúirí a bheith go beacht aige agus clú a shinsir féin saor ó smál nó ba ghearr an mhoill ar Shiomón Mac Cárthaigh an liodán a léamh dó. D'fhoighníodh muintir na háite le Siomón de bharr go mba charachtar baile é, duine ar leith, ach chastaí strainséir leis ó am go chéile nach mbíodh chomh foighneach céanna. Ba é an dá mhar a chéile ag Siomón é, áfach, buailte ná slán, mar nach gcoscfadh rud ar bith a theanga ó bhuaileadh an fonn cocaireachta é. Táilliúracht an ghairm bheatha a bhí aige (an uair a dhéanadh sé aon obair) agus bhí peiríocha a hanama á chur di ag deirfiúr leis ag iarraidh a bheith ag tabhairt aire dó.

Ag breathnú go neamhairdeallach amach an fhuinneog a bhí fear an ósta nó go bhfaca sé chuige an triúr isteach agus ní túisce chonaic ná chuir sé aoibh air féin leo. Fear barainneach a bhí i bPáid Ó Neáraigh agus níor bhaol dó gan a thomhas cé aige den triúr a bhí ag iompar airgid.

' Ó tá fáilte romhat, a Néill! Tá tú linn arís go ceann scaithimh? '

' Tá mé libh uilig anois, a Pháid,' arsa Niall agus chaith sé páipéar puint go mórluachach ar an gcuntar—chomh mórluachach sin agus nach gceapfadh aon duine gurbh é sin leath dar fhan aige anois tar éis a thríocha punt a infheistiú ina ghnó beag. ' Trí phionta, a Pháid, le do thoil.'

' Trí phionta duitse, a Néill! ' a dúirt Páid Ó Neáraigh, ag bleán steall dubh pórtair as an luamhán práisfhonsaithe, agus cheapfá ar phlámásacht a ghlóir gur saor in aisce dó, le barr ómóis, a bhí an t-ól á dháileadh ar Niall aige.

' Agus tá tú réidh leo ar fad anois, a Néill? ' Thug Páid a chuid sóinseála do Niall, seacht déag agus sé phingne, agus d'fhéach sé ar Niall go cásmhar. Bhí beirt eile isteach an doras anois chuige ach ní raibh fuadar ar bith ar Pháid ina gcoinne go fóill, níor ghá dó peataireacht a dhéanamh orthu siúd, gach uile sheans, níor mhór ab fhiú a gcustaiméireacht, lucht chaitheamh ama níos mó ná airgid a bhí iontu ar a ndreach. Bhí sé amuigh ar Pháid Ó Neáraigh go dtomhaisfeadh sé go dtí an scilling céard a bhí agat i do phóca ach ba dhuine ghnaíúil é ar a shon sin, dar le Niall. Scaití, nuair a bhíodh an doras dúnta aige agus na comhlaí fuinneog curtha suas le haghaidh na hoíche, agus gan istigh ach comhluadar beag aitheanta, thagadh Páid taobh amuigh den chuntar go n-óladh gaileoigín leo ar mhaithe le muintearas. Ba mhór ag Niall comaoin seo an fhir ag a bhfágfadh sé a chuid airgid, bhí meas aige ar Pháid agus b'fhada leis go n-inseodh sé dó faoina raibh beartaithe aige féin agus ag an mBuitléarach, gur beag beann ar jabanna a bhí sé anois, neamhspleách.

'Tá rudaí go dona anois, a Néill, ní bheidh sé furasta jab a fháil.' Bhí cás Néill ag déanamh níba mhó scime do Pháid ná an bheirt chustaiméir a bhí tar éis teacht isteach agus a raibh duine díobh ag éirí míshoighneach cheana agus dá ngeallfaí Banc na hÉireann dó ar an bpointe sin ní fhéadfadh sé fios fátha a scéil a cheilt ar Pháid a thuilleadh.

'Ní bheidh mé ag iarraidh aon jab, a Pháid. Ag obair dom féin a bheidh mé feasta, mé féin agus fear eile—gnóín beag dár gcuid féin, an dtuigeann tú.'

'Go gcuirfe Dia an t-ádh ort!' a dúirt Páid le teann ionaidh. Ach cé go raibh sé ar bís le fiosracht níorbh ealaí dó neamhaird a dhéanamh den bheirt thíos níos faide. Thug sé fáscadh beag comhcheilgeach do rosta Néill agus chaoch súil air go rúnda; b'fhir gnó iad beirt anois, fir ghaoiseacha.

'Beidh mé leat ar an bpointe, a Néill!' D'imigh Páid i gcoinne na beirte thíos agus d'ardaigh Nioclás Ó Maonaigh a phionta lán chomh hurramach agus dá mba rud naofa a bheadh ina ghlac aige; go sacraiméideach, beagnach, chuir sé lena bhéal é agus bhain bolgam fada as. Chuimil sé droim a láimhe dá bhéal ansin agus lig osna le sástacht.

'A Chríost, a Néill, is géar a theastaigh sé sin uaim!'

'Ó caith siar uilig é má tá tart ort, is maol gualainn gan bhráthair,' a dúirt Niall leis go maíteach. Níor chuimhin leis cén uair a raibh sé chomh sásta cheana, bhí an saol ar deil anois aige, ag sméideadh go beannachtach air. Thóg sé an dara paicéad toitíní a bhí ceannaithe aige ó mhaidin amach as a phóca agus thairg do Nioclás Ó Maonaigh é. Ní chaithfeadh Bosco Ó Súilleabháin in aon chor.

'Ná raibh an fhaid sin de luí bliana ort!' a dúirt Ó Maonaigh, ag glacadh toitín.

Bhí claochlú dulta cheana air, mar dhuine, é ar a shocracht, lánsásta, níor leatrom ar bith air, dar le Niall, a rá faoi (rud a deirtí go minic) go n-ólfadh sé pórtar as bróg bacaigh; dá dtarlódh go deo go mbeadh dóthain airgid aige lena chaitheamh níor dhóichí rud ná go mbeadh sé marbh aige féin taobh istigh de ráithe. Ba chosúil nach gcuirfeadh rud ar bith eile ar an saol cás ná cathú ar Nioclás Ó Maonaigh ach an tart síoraí doshásta seo. Níor airigh Niall é ag caint ar mhná, fiú, riamh.

Duine ar mhalairt claonta a bhí i mBosco Ó Súilleabháin, ní raibh dósan san ól ach mar bheadh anlann don chomhluadar, leithscéal le teacht isteach den tsráid. Ag cruinniú na bhfonsaí ruibéir den chlár fáinní a bhí Boscó anois, á mbaint de na crúcaí is gan aon aird aige ar a dheoch go fóill. Theann sé siar i ndiaidh a chúil ón gclár gan a shúile a bhaint de go dtí go raibh barra a bhróg leis an slaitín a bhí greamaithe don urlár mar sprioc; d'fhan sé nóiméidín ag braiteoireacht ansin, leadhb a theanga amuigh aige le barr dúthrachta agus é i ngreim ar bhinn a chasóige lena chiotóg chun nach dtiocfadh sí sa tslí air. Sheas sé ar a bharraicíní ansin, chlaon chun tosaigh ar nós reathaí a bheadh ag fuirtheach leis an urchar, agus raid uaidh na fonsaí ansin ceann i ndiaidh a chéile le luas lasrach. Nuair a bhí caite aige ní raibh fáinne de na cúig cinn nach raibh crochta aige, gach ceann acu ar a chrúca féin.

' Cad deir sibh leis sin anois, a fheara? ' arsa Bosco go bródúil.

Chaoch Nioclás Ó Maonaigh súil ar Niall agus rinne sclogaíl gáire.

' Céard tá le rá faoi ach an fhírinne? Tá sí agat go barra bachaill, ceird an leadaí! '

Bhíog Siomón Mac Cárthaigh thuas ar a stól agus sméid sé a chloigeann go sultmhar.

' Ceird an leadaí,' ar seisean go ríméadach, ' ceird an leadaí ag leadaí! '

Bhí na fáinní a mbaint den chlár arís ag Bosco agus i leaba iompú thart ba é a rinne sé labhairt siar thar a ghualainn, ar nós cuma liom.

' D'fhoghlaim daoine ceird agus ní fheicim mórán dá bharr acu,' ar seisean agus lig duine den bheirt ba dheireanaí a tháinig isteach sciotar beag gáire as. Thóg an bheirt fheirmeoir a gceann agus bhreathnaigh ina dtimpeall mar a bheadh amhras orthu gur chucu féin a bhíothas. Chorraigh an táilliúir arís agus mar ba ag caint le duine éigin nach raibh sa láthair ar chor ar bith a bheadh sé, ar seisean:

' Ná ní bheadh an méid sin féin againn dá mba ag brath ar Pháirc Oirmhumhan a bheadh muid le culaith a chur á dhéanamh! Ní dheacaigh culaith nua éadaigh ar dhuine ar bith agaibh thuas ansin le cuimhne na ndaoine ach Naomh Uinsean de Pól ag riaradh giobal oraibh! '

Lig duine éigin seitgháire beag faiteach ach múchadh chomh tobann céanna é agus bhí an áit go léir ar tinneall ansin ar feadh nóiméid. Chúlaigh Boscó Ó Súilleabháin siar ón gclár fáinní arís, sheas leis an sprioc, chlaon sé ar aghaidh agus theilg uaigh na fonsaí arís gur chroch sé gach ceann acu.

'Sea, a Shiomóin,' ar seisean, 'agus ní dheachaigh an dara culaith dod chuidse ar aon duine riamh mar is leor teist amháin den drochearra!'

Lig an comhluadar uile glam astu an iarraidh seo agus chuir Siomón a cheann faoina sciathán ó nach raibh freagra don chiúta seo aige. Thosaigh sé ag mungailt cainte ach b'shin a raibh de theacht aniar ann go fóill.

'Ól siar é sin,' a dúirt Niall le Nioclás Ó Maonaigh, leathshúil aige ar an óstóir a bhí ag sioscadh leis na feirmeoirí anois.

Ní do Nioclás Ó Maonaigh ab fhaillí, d'fholmhaigh sé a ghloine de shlogóg amháin agus leag sé uaidh ansin é.

'Mo chuimhne,' ar seisean le Niall, 'céard é sin a bhí á rá agat le Páid anois beag? Faoi go mbeifeá ag obair duit féin má thuig mé i gceart thú.' Chríochnaigh Niall a dheoch féin sular thug sé freagra ar Ó Maonaigh. Bhí aoibh air anois, bhí meanma na hócáide á líonadh mar bheadh sé ag éirí ólta cheana. B'fhéidir go bhfanfadh sé go ham dúnta ina dhiaidh sin, go ndéanfadh sé oíche de.

'Ó muise raicit bheag dár gcuid féin, a Nic. Tá beirt againn ann, cibé cé mar éireoidh linn—mé féin agus Ciarán Buitléar má tá aithne agat air. Ag díol blocanna agus cipíní.'

'B'é Buitléar na reilige é, mac le Saidhcí Buitléar, an t-amadán sin a cheannaigh capall an tincéara?'

'An fear céanna,' a d'fhreagair Niall. Tháinig sé chun a bhéil a rá nárbh ealaí don Mhaonach amadán a thabhairt ar dhuine ar bith, ní ar Chiarán Buitléar ach go háirithe é, ach scaoil sé thairis é. Bhí Bosco chucu anois ar aon nós, ag baint súimín as a phionta féin.

'Céard é féin, a *lads?*' ar seisean ach níor thug Ó Maonaigh aird ar bith air, is ag féachaint ar Niall a bhí sé ar chuma aisteach.

'Tá faitíos orm nach mbeidh tú ag díol adhmaid leis sin,' ar seisean go tur, agus ag cuimhneamh siar dó anois air b'ait le Niall nár bhraith sé a dhath, nár shroich sanas dá laghad chuige.

'Tuige nach mbeinn, a Nic?' ar seisean, ag sméideadh ar Pháid Ó Neáraigh. A dheasóg mhór gharbh a chuimilt go míshocair dá aghaidh a rinne Nioclás Ó Maonaigh agus réitigh sé a scornach.

'Mar chuaigh sé go Sasana arú inné,' a dúirt sé, 'é féin agus iníon le Taimí Fitz, nach bhfaca mé thuas ag an stáisiún iad?'

'Chuaigh,' arsa Bosco Ó Súilleabháin, 'tá sé ráite go bhfuil sí leagtha suas aige.'

Dhiúg Niall a thoitín go dtí nach raibh fágtha de ach bun beag taisfhliuch a theilg sé uaidh go binbeach. Níorbh fhiú dhá leath a dhéanamh de mar chaithfeadh sé éirí astu anois arís, ba chosúil. Bhí sé á fheiceáil dó go raibh an clog casta siar air ar bhealach duaiseach éigin, nach raibh dubh na fríde de bharr a imirce aige, go mbeadh sé chomh maith dó gan imeacht in aon chor. Ba le n-éalú ón díomhaointeas nuair a chlis na muilte olla a raibh sé ag obair iontu a chuaigh sé san arm agus ba bheag dá cheapadh a bhí riamh aige gur ina sheasamh sa chiú taobh amuigh den Mhalartán Oibre a bheadh sé arís go deo. Ba bheag a bhéarfadh air filleadh ar an arm anois féin dá tháire leis mar ghéilleadh é—murach an réiteach sin a bheith crosta air ag a bhéalscaoilteacht leibideach féin mar ní thabharfadh Ó Dúláinne scíth ná suaimhnis dó ach ag fonóid faoi, ag baint grinn as a chás. ' Chugainn an t*Entrepreneur*, chugainn an fear gaimbín agus a dhá láimh chomh fada lena chéile. Bancbhriste, an ea, a Neamhní Seacht? Nár ghearr é do réim mar fhear gnó! ' B'fhearr le Ó Dúláinne ná punt isteach ina ghlac an sásamh sin, a bheith in ann Neamhní Seacht Ó Conaill a ghlaoch air arís. Níor dhomlas go dtí sin, chaithfeá a bheith chomh tur le fód móna lena fhulaingt.

' Hello, a Néill! Tá tú linn arís! '

Bhí Niall chomh sáite ina ghruaim féin is nár airigh sé Neilí Moffat ag fógairt air ar dtús. Seanbhean bheag liath a raibh dronn uirthi ó bheith cromtha os cionn seoil i gcaitheamh a saoil ba ea Neilí Moffat, sclamhaire de sheanmhaighdean a mbíodh cainteanna míchuibhiúla as a béal aici i gcónaí ar mhaithe le spraoi; bhí cuimhne mhaith ag Niall ar theanga Neilí agus chreathnaigh sé anois roimpi.

' Tá, a Neilí,' arsa Niall, ag deargadh.

' Tá tú críochnaithe leis an arm, an bhfuil? ' Bhí daoine ag iompú a gcloigne anois, ag féachaint air agus chuir Niall a mhallacht leis an seanchlabaire mná nach dtabharfadh aire dá gnóthaí féin.

' Tá, a Neilí,' a dúirt sé agus é ag guí istigh ina chroí go n-éist-feadh sí leis. Ach bhí baol uirthi mar Neilí, bhí lucht éisteachta aici anois agus ní raibh rud ar bith ab fhearr léi.

' Má tá níor mhór do na cailíní breathnú amach dóibh féin, a bhuachaill: deir siad nach bhfuil ríochan ar bith leis an saighdiúir nuair a sheasann an bata aige! '

Dá sáfaí biorán i Niall ar an ala sin ní shilfeadh sé deoir fola; chuir sé a mhallacht arís ar an raicleach agus lig sé leamhgháire beag air féin léi san am céanna, ag súil le í a cheansú. Ach is ag géarú uirthi a bhí Neilí anois réidh chun feannta. Bhí cailín ciúin pusach lena taobh, staic dhodach nár chuimhin le Niall a hainm cé go raibh sí ag obair sna muilte leis féin agus le Neilí agus le go leor eile dá raibh ag freastal ar an Malartán anois; thug Neilí bosóg sa slinneán don chailín, agus ar sise os ard:

'Féach anois, a Bhidí, tá sé anseo agam duit, an rud a bhí tú á iarraidh—buachaill maith teaspúil a bhfuil eolas na gcleas uilig aige! Céard faoi sin anois, a chailín?'

Bhain Bidí searradh aisti féin le mífhonn agus theann amach ó Neilí Moffat. Bhí gach uile dhuine dá raibh sa chiú ag baint spraoi as an rud anois, ag streillireacht le Niall faoi mar bheadh dhá chloigeann air. As ucht Dé ort, a shiopaigh, agus dún do shean-chlab brocach, a d'impigh Niall uirthi ina intinn féin, ach bhí fuar aige.

'Tá sí buille beag cúthail, a Néill, ach ní bhacfá leis sin. Ar ndóigh is minic ciúin ciontach!'

Go dtachtar thú, a ruibhsigh, a dúirt Niall os íseal ach bhí Neilí faoi lánseol anois.

'M'anam muise go mb'fhéidir go bhféachfadh sí seo thú, a Néill, dá mbeifeá chomh fuinniúil eile! Seachain nach mbeadh bean do dhiongbhála sa cheann seo, a bhuachaill. Siad na muca ciúine a itheann na fataí agus cuirfidh mé geall leat go bhfágfadh Bidí anseo ar shlat do dhroma thú le haicsean!'

Dhruid Bidí amach tuilleadh ón seanfhíodóir agus lig sise scairt aisti. Arbh é an chaoi, a d'fhiafraigh Niall de féin, gur craiceáilte a bhí an scubaid, gurbh easpa an ruda a mbíodh sí de shíor ag stealladh gráiscínteacht ina thaobh a d'iompaigh a cloigeann.

'Ní thiocfaidh sí leat, a Néill,' a scread Neilí, 'deir sí nach féidir an saighdiúir a thrust, deir sí go mbíonn an maide milis corraithe i gcónaí agaibh. Dar priosta, a Bhidí, nach féidir, ná fear ar bith go mbeidh sé lá os cionn cláir!'

Bhí gruanna Néill ar lasadh anois agus ba dhris i bhfeoil aige an sceamh gáire a lig an comhluadar astu. Ach bhí sé ar shlí a tharrthála mar b'shiúd Nioclás Ó Maonaigh agus Bosco Ó Súilleabháin sa láthair agus d'iompaigh Niall chucu mar fhaoiseamh ó spochadóireacht Neilí. Bhí drochaoibh ar Nioclás Ó Maonaigh mar ba dhual dó agus é feidheartha ach bhí Bosco Ó Súilleabháin chomh gliondrach agus dá mbeadh Crannchur na hÉireann buaite aige; deireadh Nioclás Ó Maonaigh i gcónaí gurbh fhurasta don Súilleabhánach a bheith lán riméide ó tharla gan aon splaincín céille istigh ina bhlaosc, mar a deireadh an Sasanach an áit nach mbíonn ciall ní bhíonn cúram. Ach nárbh fhearr a bheith sona simplí ná cliste cráite, a deireadh an Súilleabhánach ar ais leis.

'Ní hé go bhfuil tusa cliste, a Mhaonaigh,' a chuireadh sé mar aguisín leis, 'ach dar Dia bíonn tú cráite!'

Bheannaigh Bosco Ó Súilleabháin do Niall ach ní dhearna Nioclás Ó Maonaigh ach ceann a sméideadh go tur. Thug sé spléachadh múisiamach ar na daoine a bhí sa chiú amach roimhe agus lig grainc air féin le déistin; shac sé méara a dheasóige síos i bpóca a bhrollaigh mar ba theanchair a bheadh aige agus thosaigh ag póirseáil timpeall nó gur thug aníos leis bun beag feoite de *Woodbine*. Chuir sé meill air féin leis an nuta scáinte agus leag ar a bhéal é ansin chomh támáilte is dá mba neach bréan a bheadh ann. Thug sé cipín aonair aníos as clupaidí a chasóige gur phléasc idir ingne a ordóige is a chorrmhéar é.

'Nach deas an striapach de thír í nuair nach bhfuil an gal féin ag duine ar maidin Dé Luain?'

'Tá an tír ceart go leor, níl locht ar bith ar an tír agus mura dtaitníonn sí leat níl glas ar bith ar an stáisiún,' a dúirt Bosco Ó Súilleabháin, sult á fháil aige ar mhícheansacht a chomrádaí. Níor thug Ó Maonaigh de fhreagra air ach gramhas a ligean air féin leis agus thosaigh Bosco ag cuimilt a bhos go meidhreach.

'B'fhearr duit eirí astu mar feaigs ar aon nós ó tharla nach acmhainn duit a gcaitheamh. Ní fheiceann tú an mac seo ag caitheamh, an bhfeiceann?'

'Ní fheiceann, a Bhosco,' a dúirt Nioclás Ó Maonaigh mar a bheadh greann ceilte éigin á bhaint aige as an scéal. 'Is iomaí rud nach bhfeiceann muid tusa a dhéanamh!'

'Is amhlaidh is folláine duit,' arsa Bosco ag ligean gothaí dornálaí air féin le Ó Maonaigh. Thug sé amas bréige faoi agus lig Ó Maonaigh mionn as.

'Fainic anois, a bhuachaill, nach ndéanfainn citil díot!'

Chuir an Súilleabhánach clab éisc air féin leis sin, le fonóid, ach níor tháinig sé i ngiorracht láimhe don fhear eile: ba chonróideach an diúlach é Nioclás Ó Maonaigh ar ócáidí agus bhí cáil air mar fhear troda lá dá shaol. Ach bhí doras an Mhalartáin ar oscailt anois agus bhí na dífhostaithe ag brú isteach ann mar bheadh driopás éigin orthu; bhreathnaigh Neilí Moffat siar thar a gualainn ar Niall, fonn spairne uirthi go fóill dá bhfaigheadh sí aon uchtach; ach ní raibh aon aird anois uirthi, bhí a cnaipí caite.

Má bhí cuma dhoicheallach ar an Malartán Oibre lasmuigh ba dhúire, loime fós taobh istigh é—ballaí arda faoi chraiceann gann leamhaoil is gan de mhaisiú orthu, má ba mhaisiú é, ach fógraí na Roinne Leasa Shóisialaigh agus na Roinne Talmhaíochta greamaithe díobh, urlár salach cláir agus cuntar ard mar bheadh claí cosanta in aghaidh an lucht dóil ar eagla go dtréigfeadh a bhfoighne iad lá breá éigin is go n-ionsóidís na cléirigh ar a chúl. Beirt chléireach a bhí ar diúite san oifig, ainle mheánaosta d'fhear a mbíodh drochghiúmar éigin de shíor air agus forránach mór dathúil—imreoir rugbaí ar a dhéanamh, déarfá—ar léir ar a stiúir is ar a dhreach nár luar leis ná an sioc na trúáin dhearóile a bhí ag teacht chuige lena n-ainm a shíniú anois. Is air is mó a bhí tarraingt mar sin féin, nó b'air a bheadh ba chirte a rá ach ba ea gur dhíbir sé siar don fhear eile a leath de gheáitse beag postúil gan a bhéal a oscailt leo, fiú. Bhí domheanma éigin san áit, chonacthas do Niall, doicheall nó doichte croí éigin a mhúchfadh an sprid i nduine; chuimhnigh sé ar an mBuitléarach arís agus dhíosc sé na fiacla le bacainn. Nár ba fearr a bheadh sé, an caimiléir bradach! Bhí umhlaíocht nó spleáchas éigin ag baint le formhór an lucht dóil a chuir gearradh fiacla ar Niall agus nuair a tháinig ar a sheal féin chlaon sé isteach thar chuntar d'fhonn agus go mbeadh príomh-áideacht éigin aige; ba bhéim mhór síos dó, bhraith sé, a bheith ag teacht anseo ag lorg oibre nó i gcás go dteipfeadh sin air (agus ar ndóigh níor dhóichí rud ná theipfeadh) ag cur isteach ar an dól. Ní raibh sa dól céanna ach déirc dá mbeadh an saol ag caint, ní raibh ann ach baois a bheith ag iarraidh a chur i gcéill duit féin gurbh é do dhleacht é, an rud a bhí ag dul duit de cheart mar bhall den Stát. Dá mbeadh sé gan a bhéal mór a oscailt san oíche Dé Sathairn ní bheadh fios a scéil ag duine ar bith, seans, agus ní chuirfeadh dada as a cheann é anois go raibh an baile mór is a raibh ann sna lagracha ag gáire faoi.

' Bhuel, a dhuine? ' Ní cáil an tsoilís a bhí aon lá riamh ar Mhac Uí Lionáin, an cléireach sinsir, ná ní raibh aon bhlas den suáilce sin sa tsúil a bhí á tabhairt aige ar Niall anois.

' Tá mé go díreach i ndiaidh teacht amach as an arm,' arsa Niall mar a bheadh na focail á thachtadh, ' is dóigh go bhfuil orm tosú ag síniú anois? ' Bhí bior a phinn luaidhe á bhualadh ar chlár an chuntair ag Mac Uí Líonáin ar chuma a mheabhraigh gob circe ag piocadh gráinní arbhair d'urlár cloiche i dteach tuaithe do Niall.

' Tá sé sin suas duit féin, ní chaithfidh tú dada a dhéanamh mura dtogróidh tú féin é—tá an tír seo saor i gcónaí, an dtuigeann tú,' a dúirt Mac Uí Lionáin agus cé nárbh údar ionaidh ar bith ag Niall a ghoibéaltacht chuaigh an gonc go smior ann agus baineadh siar de ar feadh ala. Ach chuir sé foighne ar a stuaim agus bhrúigh faoi an t-aisfhreagra a tháinig go prap chun a bhéil, is é sin má bhí an tír saor i gcónaí gur dá leithéid féin a chaith seal faoi éide na tíre a bhí an buíochas ag dul agus ní do lucht post bog. . . .

' Bhuel tá mé díomhaoin ar chaoi ar bith agus creidim go bhfuil oiread seo sa tseachtain dlite dom. 'Sé sin, ar ndóigh, mura bhfuil post agat le tairiscint dom.'

' Post, a deir tú, *post?* ' Ba chríonna an té a déarfadh cé acu ar mhó an t-ionadh ná an cantal a tháinig ar Mhac Uí Lionáin; cinnte, dar le Niall, ní fhéadfadh sé a bheith aon phioc níba mhí-shásta dá mba é a phost féin a bheifí á lorg air. Ach níorbh é an cléireach ba mheasa le Niall anois ach an bheirt eile, Ó Maonaigh agus Ó Súilleabháin a bhí lena uillinn, mar bhí an chéad fhear ag sclogaíl gáire agus bhí an fear eile ag cuimilt a lámha go gliondrach mar ba phléaráca greannmhar éigin a bheadh ar bun os a chomhair. Nár mhairg nach bhféadfadh a chúrsaí a ionramháil gan cluasa na háite a bheith biortha ag éisteacht le gach uile fhocal?

' Cén sórt poist a bhí ar intinn agat? ' Bhí Mac Uí Lionáin tagtha chuige féin arís agus mar a mheasfadh sé gamal a bheith anseo anois aige go bhféadfadh sé staicín áiféise a dhéanamh de ar mhaithe le spórt leag sé uillinn go foighneach ar an gcuntar. Níorbh aithne nach dáiríre a bhí sé ach níor bhaol do Niall a mheallta agus bhuail stuacacht anois é, stuacacht righin smachtaithe nach ngéillfeadh do dhada.

' Post ar bith dá bhfuil le fáil, a Mhic Uí Lionáin, níl sé deacair mé a shásamh,' a d'fhreagair Niall gan súil a chaochadh. B'shin é an tseift ab fhearr, leanúint céim ar chéim leis an bpleidhcíocht chomh fada is a rachadh an cléireach, tomhas a láimhe féin a thabhairt don bhastún, rófhada a bhí sé ag spochadh le daoine nach raibh ábalta iad féin a chosaint air.

' Chaithfeadh sé,' a dúirt an cléireach de ghlór a raibh géire bheag éigin le sonrú ann cheana, ' go gceapann tú go bhfuil poist an-fhairsing? '

' Tú féin a d'fhiafraigh díom cén cineál poist a bhí mé ag iarraidh a Mhic Uí Lionáin, agus deirim arís leat nach mbeidh sé deacair mé a shásamh. Post ar bith, a dhuine! '

Dá mba é a dhéanfadh sé an cléireach a bhualadh ar an mbéal ní bheadh sé aon bhlas níba mhaslaithe, thuig Niall; bhí giall an chléirigh teanntaithe le barr feirge is ba gheall le dhá speig neanta a rachadh ag lámhacán suas ar a bhaithis nóiméad ar bith na malaí aige a chorraithe is a bhíodar. Ba dhroch-chomhartha, a deireadh an lucht dóil, malaí Mhic Uí Lionáin a bheith á lúbadh féin mar sin ach choinnigh sé guaim air féin má ba ar ín ar éigean féin é.

' Is saonta an mac thú má cheapann tú go bhféadfaidh tú siúl isteach anseo agus jab a fháil nuair atá leath na tíre as obair,' ar seisean. Dhearc sé go géar ar Niall agus bhuail sé a pheann luaidhe faoin gcuntar go ceannasach. ' Féadfair t'ainm a chur síos le haghaidh Bord na Móna, tá seans go mbeidh fir ag teastáil uathu thuas i gCill Dara san Earrach! '

' Mair a chapaill . . . i gcead duit a Mhic Uí Lionáin sílim go dtuigeann tú céard a fhéadfas tú a dhéanamh le Cill Dara! ' Ní raibh lá dá rún ag Niall teacht amach le lán béil chomh mímhúinte sin ach chlis ar a fhoighne aige dá mhíle buíochas. Bhí Bosco Ó Súilleabháin ag lúbadh ansin lena thaobh agus bhí a ghialltracha á slíocadh idir corrmhéar agus ordóg ag Nioclás Ó Maonaigh d'fhonn a gháire seisean a cheilt. Uafás a bhí ar chuid eile den lucht éisteachta, ba chosúil, agus maidir leis an gcléireach féin fágadh balbh é le corp feirge.

'D'fheilfeadh sé duit teanga shibhialta a choinneáil id' phluic ag teacht isteach anseo, a bhuachaill—ní chun a bheith maslaithe ag do leithéid atá mise anseo bíodh a fhios agat!'

'Ná ní taise dom féin é,' a dúirt Niall ar ais leis. 'Agus mura bhfuil obair le fáil anseo bheinn faoi chomaoin agat ach cibé foirm a chaithfeas mé a shíniú a thabhairt dom.'

Bhreathnaigh Mac Uí Lionáin ar feadh ala bhig ar Niall sular iompaigh sé go ndeachaigh anonn go dtí seilf a raibh na foirmeacha éilithe air; thóg sé ceann agus bhuail síos ar an gcuntar go taghdach é.

'Líon é sin ar dtús! An bhfuil do theastas scortha agat?'

'Níl sé agam go fóill, cuirfear tríd an bpost chugam é,' a d'fhreagair Niall, ag scrúdú na foirme. Ach sular fhéad sé peann luaidhe a chur leis sciob an cléireach an bileoigín arís de shnap.

'Ionann sin is a rá nach bhfuilir scortha de líon an airm in aon chor go fóill—ar ag iarraidh éileamh bréige a dhéanamh a bhí tú, a ghiolla? Tar ar ais anseo le do theastas nuair a bheidh sé agat, féadfaidh tú tosú ag síniú ansin agus ní go dtí sin. A leithéid!'

Chas Niall ón gcuntar agus thug aghaidh ar an doras, go scólta, treascartha, agus ní raibh ann ach gur sheas sé ar an tsráid amuigh nuair a bhí an bheirt eile sna sála aige arís.

'Á, *Jazez,*' a dúirt Bosco Ó Súilleabháin agus é sna trithí go fóill, 'b'fhearr é ná siorcas! An t-amharc a tháinig ar éadan mo dhuine, is beag nár snaidhmeadh na malaí aige. Jab, dar priosta—bheadh sé chomh maith duit bheith ag lorg Grásta Dé i sparán striapaí!'

'Ach an dáiríre a bhí tú?' a d'fhiafraigh Ó Maonaigh de. 'Ní féidir gur cheap tú go bhfaighfeá jab ach é a iarraidh mar sin?'

'Iarr agus gheobhair,' arsa Ó Súilleabháin, racht nua gáire á bhualadh.

Bhíodar ag gabháil thar gheata Dhún Mhic Stiofáin anois, amharc isteach acu ar an gcearnóg mhór thréigthe agus ar an trídhathach a bhí ag foluain go támhach amuigh ina lár. Ní raibh sa bheairic anois ach ionad traenála an F.C.A., ní hionann is in aimsir na hÉigeandála nuair a bhí na céadta saighdiúir ann agus sráideanna na cathrach dubh leo san oíche ag falróid timpeall ina mbróga tairní agus a loirgníní snasta. . . . Anois féin, chuimhnigh Niall, ní raibh air ach a chur in iúl ag an Seomra Gnó agus thabharfaí barántas taistil dó a bhéarfadh ar ais go dtína aonad féin é i nGaillimh; ach chuimhnigh sé ar Phaidí Ó Dúláinne ar an bpointe céanna agus dhíbir sé an cathú uaidh.

' Ní féidir, a fheara, nach bhfuil jab le fáil ach a iarraidh,' ar seisean de ghlór a bhí chomh réasúnta agus mar a ligfeadh a chantal dó é a bheith.

' Cá bhfuil sé?' a d'fhiafraigh Nioclás Ó Maonaigh de go dúshlánach.

' Céard faoi na tithe nua sin atá á ndéanamh thuas ar an Dromán Féarach, níl an scéim sin críochnaithe go fóill, an bhfuil?'

' Ionann is a bheith! Á ligean chun bóthair thuas ansin anois agus ní á lorg.'

' Ní bhfaighfeá jab ansin agus litir ón bPápa agat,' a dúirt Bosco Ó Súilleabháin go heolach.

' Ó muise ní bhfaighfeása jab dá mbeadh litir ó Mhac Dé agat,' a dúirt Nioclás Ó Maonaigh leis go míchéatach.

' Ní fheicim duine ar bith ag sodar in do dhiaidhsa, a Mhaonaigh, ag iarraidh obair a thabhairt duit. Ach is fíor dom, a Néill: ligeadh Tiucs Faoláin agus Dónaí Comarthúin chun bealaigh Dé hAoine seo caite agus tá tuilleadh le sacáil an tseachtain seo freisin,' a dúirt Bosco Ó Súilleabháin faoi mar bheadh sásamh éigin dó sa scéal.

' Tá an-chur amach ag Bosco i gcúrsaí oibre,' arsa Nioclás Ó Maonaigh go tur.

' Chaithfeadh sé go bhfuil jabannaí eile in áit éigin,' arsa Niall go ceanndána.

' Téirigh á dtóraíocht go bhfeicfidh tú,' a dúirt Ó Maonaigh leis agus ní raibh a thuilleadh cainte faoin ábhar ansin.

D'imíodar síos Sráid Eoin, ag siúl rompu gan chúis gan chuspóir, dar le Niall, agus ag teannadh le Teach an Droichid dóibh bhí Páid Ó Neáraigh ag baint anuas na gcomhlaí fuinneog i gcomhair an lae. Lig Niall mionn as os íseal, gach uile tharcaisne i mullach a chéile, ba chosúil, ní cheadódh sé ar rud ar bith go dtógfadh Páid aon cheann dó anois ag teacht ón Malartán amhail na beirte seo tar éis mórtas na hoíche cheana, gnóín beag dá gcuid féin, dar Dia! Breá nach mbeadh sé de chaolchúis ann a chlab a choinneáil dúnta nó go mbeadh ábhar gaisce aige go fírinneach . . . b'fhíor, chaith-feadh sé, an rud a deireadh a mháthair i gcónaí—dúirt sí ar maidin féin é gan amhras, fág fúithi é!—go raibh díth céille an fhir ab athair dóibh tugtha leo go huile is go hiomlán aige féin is ag a bheirt dhearthráir, an chaint mhór agus an beart bídeach, gaois agus ní gaois. Ach tráthúil Dé bhí Páid imithe isteach leis na comhlaí faoin am a rabhadar ag gabháil thar an teach agus lig Niall osna bheag fhaoisimh. Nár mhór idir seo agus buacacht na hoíche Sathairn? Ba shnáth faoin bhfiacail i ndáiríre anois é agus é taobh leis an leathchoróin is punt sa tseachtain a bheadh aige de bharr na hoilithreachta laethúla seo chun an Mhalartáin Oibre, á ísliú féin os comhair Uí Lionáin agus an bhoic eile úd, ag fulaingt maslaí agus díspeagadh—ar scáth punt is leathchoróin. Bhí a dhá oiread sin san arm aige agus iostas le cois! Ba mhairg a thrustfadh bastard ar bith ar an saol seo ach cé a cheapfadh go mbeadh Ciarán Buitléar ina bhithiúnach chomh mór sin? A thríocha punt álainn arbh fhearr dó gach uile phingin de a shileadh le balla ná scaradh leis ar bhealach chomh hamaideach, gan trácht ar an bpurgadóir ráithe a chuir sé de á chnuasach! Fear ba staidéartha go mór ná é féin nach gcognódh sé clocha, nach stiallfadh sé leathar, nach réabfadh sé faoi agus thairis? Tríocha punt . . . trí nóta deich bpunt (earra nár leag sé súil riamh air gurbh fhios do Niall), sé nóta chúig phunt, deith nóta punt agus fiche, trí scór de pháipéir deich scillinge; leathchoróineacha, flóiríní, réalacha, píosaí trí phingne, pingní rua—chuaigh an t-airgead ina chith os comhair súile a aigne chomh raidhsiúil le duilliúir fhómhair agus ba bheag bídeach nár lig sé sceamh as le neart feirge.

Ar scáth a bhfuair sé de shásamh ó mhuintir Bhuitléir nuair a chuaigh sé ag fiosrú an scéil tar éis an Aifrinn Dé Domhnaigh bheadh sé chomh maith dó a thóin a thochas mar a deireadh an Ceannaire Ó Dúláinne. Tosú ag caoineadh is ea rinne an tseanbhean a tháinig chun an dorais chuige nuair a luaigh sé ainm Chiaráin léi agus in ionad ise a bheith ag tabhairt eolais do Niall b'amhlaidh go raibh sí ag agairt a cráiteacht féin air faoi mar b'eisean faoi deara dá mac imeacht go Sasana. Cén smál a tháinig ar Chiaráinín bocht in aon chor, a d'fhiafraigh sí go deorach de Niall, nó in ainm dílis Dé céard a thug air imeacht chomh tobann sin? Nach raibh jaibín beag deas aige sa reilig is gan bacadh le carr is capall a cheannach nó cé a chuir ina cheann in aon chor é, an díthreabhach? Cén tuiscint a bhí aige do chapaill, buachaill nach raibh aon phlé aige le capaill riamh? Bhí sé ar mhaicín chomh muirneach is a bhí ag aon mháthair riamh agus bhí an saol ar a thoil aige anseo sa bhaile, bhíodh sí féin ag giollacht a rogha bia dó, ruainne ae caorach dá dhinnéar agus putóga bána dá bhricfeasta, bhíodh a léinte nite dó agus a bhróga glanta, gach uile shórt mar a d'iarrfadh do chroí é, níor cheap sí riamh go mbaileodh sé leis mar sin, an créatúr. Mar ba le tarcaisne i gceann na héagóra ar Niall é tháinig athair Chiaráin, Saidhcí Buitléar, chun an dorais ag an bpointe sin gur fhiafraigh de go giorraisc céard a bhí uaidh agus nuair a thosaigh Niall ag iarraidh a chás a mhíniú dó lig sé gnúsacht go drochmhúinte. Ba chosúil go n-aithneodh na hamadáin uile a chéile dála na gciaróg, ar seisean, agus má bhí Niall díchéillí go leor lena chuid airgid a thabhairt don amadán eile chomh bog sin ba bheag an scéal é. Ná ná labhraíodh sé ar chúiteamh ach oiread muran le Ciarán féin é mar bhí an carr is an capall díolta ar leathdhada ag an bpleota le 'Puins' Nugent, fear na gcleití, thall ar Bhóthar Sion. Ba é a fhad is a ghiorracht de nach raibh dubh na fríde ag Niall de bharr na cuairte; ach, a dúirt Saidhcí, ag casadh isteach ón doras arís gan aird ar bith a thabhairt ar a bhean chéile a bhí ag snugaíl go cráite i gcónaí, dá n-éireodh seoladh an bhuachalla le Niall agus dá dtarlódh dó a bheith ag scríobh chuige níor mhiste a rá leis an leibide go mbrisfeadh Taimí Fitz gach uile chnámh ina chorp dá leagfadh sé lámh air as ucht a iníon a chrochadh leis mar sin as an tír. Máire Fitz, a dúirt Saidhcí, de chuach fonóide, a bhí chomh gránna le cúl bus agus nach raibh fear ar bith eile sa chontae a bhreathnódh faoi dhó uirthi ná bac len í a fhuadach go Sasana!

Ar theacht go lár an droichid dóibh sheas an triúr acu mar ba aon duine amháin iad le breathnú síos ar an bhFeoir agus ar Chaisleán Oirmhumhan ina shuí go maorga os a cionn. Bhí áilleacht ar leith i gcrónshnua na nduilliúr fómhair go raibh corrcheann á chaitheamh cheana féin ag na crainn arda ar bhruach na habhann, ach b'áilleacht an bháis í ar nós luisne ar ghruanna mná óige a bheadh á goid as ag an eitinn; gan mórán achair anois bheadh na crainn á lomadh agus na duilliúir ag imeacht ina gceathanna ruabhuí le gach siorradh den ghaoth. Bhí teimhneacht an gheimhridh san Fheoir cheana, í ata de thoradh na báistí go léir a thit le mí nó mar sin agus cnapáin mhóra chúir ar a barr ag guairneáil timpeall, ag táthú is ag cónascadh le chéile ina gcrobhaingí ramhra buí agus ag leá is ag dealú ó chéile ansin arís mar ba chaileideascóp a bheadh iontu ag síorathrú crutha. D'imríodh sruth slitheánta na Feoire asarlaíocht dá cuid féin ar mheabhair is ar shúile Néill i gcónaí ó tháinig cuimhne chuige, bhí sé mar bheadh hiopnóis éigin—cumhacht thaibhseach éigin a d'fhastaíodh a chéadfaí is a chuireadh faoi gheis iad—san fheacht doimhin scanrúil, chomh mealltach le suantraí sí. D'fheictí do Niall dá ngéillfeadh sé go hiomlán do dhraíocht seo na Feoire, téad a mheabhrach a scaoileadh mar ba le meisce é, go dtiocfadh sé ar eolas nó ar thuiscint éigin go mbraithfeadh sé mar léaspáin roimhe é, á bhréagadh is á ghriogadh . . . . Ba mhinic a mhoilligh sé mar sin os cionn na habhann ag toiliú don aistíocht seo le súil go bhféadfadh sé an mheanma dhoghabhála a thabhairt chun cruinnis; ach theipeadh i gcónaí riamh air mar go n-éalaíodh an rud uaidh i ndiaidh a dhíchill mar a dhéanfadh an tine ghealáin ar mhóinteach i ndubh na hoíche. Agus anois féin, dá chorraithe dá raibh a aigne, d'fhanfadh Niall ag beachtaíocht ar an bhFeoir ach bhí Nioclás Ó Maonaigh ag bogadh leis cheana.

' Fág seo suas ag an gcoirnéal, ní bheadh a fhios agat cé d'fheicfeadh muid,' ar seisean, agus ba ghráin le Niall é ar an ala sin, a laghad dá raibh de chuspóir ná de bheartaíocht ann: nárbh ainnis an mhaise dó é, ag lámhacán timpeall na cathrach gach lá le súil go gcasfaí déirceach éigin air a shínfeadh luach pionta chuige?

[47]

D'imíodar leo arís trasna an droichid agus suas Sráid an Róisín nó gur thángadar go dtí cúinne na Paráide mar ar ghnás le luchı an díomhaointis an lá a chaitheamh ag tabhairt droim do bhalla. Bhíodar seo ag a bpost cheana féin, Khyber Ó Braonáin, Maidhcó Lionáin, an Smaoiseach Deniffe, Moscó de Barra agus spreanglachán caol ard darb ainm Peaicí Pugh; bhí Khyber Ó Braonáin agus Maidhcó Lionáin in arm Shasana lá dá saol cé nár san am céanna é mar bhí an Braonánach ag dul in aois anois agus gan Maidhcó Lionáin mórán leis an deich mbliana fichead fós; bhí stiúir mhíleata ar an mbeirt acu, go fiú gur bríste marcaí agus loirgníní fada leathair a bhí á chaitheamh ag Khyber agus *dickey* crua stairseáilte air in áit léine. Bhí aithne ag seanuaisle an chontae uile ar Khyber, iaroifigigh airm Shasana is a leithéid, agus níor bhaol d'aon duine díobh a scaoileadh thairis gan cúirtéis saighdiúra a dhéanamh agus i gcás nár leor é sin mar nod níor scorn leis a mheabhrú dóibh nach mbeadh aon chur suas aige do luach pionta. Bhí logainmneacha na hIndia chomh pras ar a theanga ag Khyber Ó Braonáin le logainmneacha a chontae dhúchais féin agus bhíodh plubar plabar Hindustani (má ba Hindustani dáiríre é agus ní gibrisce éigin dá chuid féin) as a bhéal aige go minic, go háirithe agus bolgam faoin gcrios aige. Fear beag brocach nár éagóir ar bith air a leasainm a bhí sa Smaoiseach Deniffe agus cumannach leathbhruite a bhí i Moscó de Barra; slusaí gan náire a mholfadh go hard na spéire cibé duine a thabharfadh an éadáil ba lú amuigh dó ba ea Peaicí Pugh— luach gloine pórtair, toitín, ná pingin rua féin—agus bhí drochmheas air ag lucht an choirnéil féin dá laghad dár fhan den náire iontu.

Sheas Niall agus a bheirt chompánach agus chuir Khyber Ó Braonáin racht Hindustani uaidh le Niall faoi mar ba ag fearadh fáilte roimhe a bheadh sé do chuallacht dhearóil seo na ndífhostaithe. Shac Nioclás Ó Maonaigh a ordóga i bpócaí a bhríste agus theilg smugairle tirm uaidh amach ar an mbóthar.

' A Chríost,' a dúirt sé, ' nach mé a mharódh pionta! '

Ní pionta a bhí ag déanamh tinnis do Bhosco Ó Súilleabháin ach fonn abhlóireachta, bhí sé mar a bheadh beach ina bhríste dar le Niall, ag dul ó chois go cois, ag cuimilt a bhos ar a chéile agus ag cur araoid, os ard nó os íseal, ar gach uile dhuine dár imigh thart. Ná níor dó ab fhaillí nuair a chuaigh ógbhean dhathúil ghléasta thairis, a srón san aer aici agus í chomh teann aisti féin le banphrionsa; chuir Bosco méar lena bhaithis, go bréagumhal, agus bheannaigh sé don chailín de ghlór a raibh an spleáchas agus an sotal fite fuaite ina chéile ann.

' Iníon Uí Bhróithe! '

Níor lig Iníon Uí Bhróithe uirthi féin go bhfaca ná gur chuala sí é agus ní mó ná gur scaoil Bosco as raon éisteachta í gur sheol sé dairt ina diaidh. ' Ní bhainfinn aon táille di,' ar seisean go graosta agus rinne cuid de na stocairí gáire faoin nath. Corrú go múisiamach is ea rinne Nioclás Ó Maonaigh, áfach; níor thaitin an obair sin leis-sean in aon chor.

'Níl a fhios agam cén fáth a labhraíonn tú le bitseacha beaga leitheadacha mar í sin,' ar seisean go colgach, ag baint sracadh as an gcrios dalba leathair a bhí timpeall ar a lár.

'Mar dhóighde nach mbainfeása sclamh di chomh maith le fear dá bhfaighfeá seans! Dar m'anam a Mhaonaigh nár mhaith liom í a fhágáil i lár coille leat—ba ghairid an mhoill ort tosú ag smúrthacht thart ansin, a mhic!' a d'fhreagair an Súilleabhánach ag fuinneadh a lámha ina chéile.

'Ní ligfinn di neamhaird a dhéanamh díom mar sin ar an tsráid, ní thabharfainn an oiread sin sásaimh di,' arsa Nioclás Ó Maonaigh.

'Ó tá míle fáilte roimpi, ní mór liom di mar shásamh é,' a dúirt Bosco go haerach. Agus mar a dheineadh rudaí fánacha go minic mhúscail briathra an tSúilleabhánaigh macnas tobann i Niall . . . Áine Ní Bhróithe gan chosaint, ina haonar san iargúil, a héirí in airde mar anlann dá mhiangas seisean. Bhí an tsamhail chomh soiléir sin os comhair súile a intinne agus dá mba lena shúile cinn a bheadh sé á feiceáil—go fiú gur tháinig claochlú ar bhéascna na mná óige is gur iompaigh sí ina raibiléir ar an toirt, ag sméideadh air go mealltach. Dhíbir Niall an pictiúr as a cheann agus chuir mallacht leis an tsamhlaíocht aibí sin a dheineadh údar cathaithe den rud nach spreagfadh fear eile chun teaspaigh in aon chor; ba chóir go mbeadh nithe eile ar a aire aige ar aon nós, obair a fháil dá mb'fhéidir é nó tuairisc an Bhuitléirigh a lorg i mball éigin go bhfeicfeadh sé an mbeadh fáil ar aon bhlas uaidh. Mhothaigh sé anois mar bheadh slabhraí air, slabhraí gnáis agus caidrimh ar láidre iad ar bhealach ná na cinn a d'fhéadfá uirlis a fháil lena ngearradh. Ba anseo a chaithfeadh na fir eile an lá agus bhraith Niall gur ann a mheasadar go mba chóir dósan an lá a chaitheamh freisin, go neamhchúiseach, cloíte. Chuir sé stiúir imeachta air féin i dtobainne agus labhair sé le Nioclás Ó Maonaigh.

'Tá mise ag dul ag tóraíocht oibre, a Nic. I dtigh diabhail dó caithfidh sé go bhfuil rud éigin le fáil ach a lorg.'

'D'fhéach Nioclás Ó Maonaigh air mar ba shimpleoir a bheadh ann agus chaith sé seile uaidh ansin le bar déistine.

'Diabhail buille dá gcuirfeá do bhundún amach á iarraidh!'

'Féach ar an mbleitheach sin thall, an tsúil atá ag an mbastard orainn,' a dúirt Bosco Ó Súilleabháin; agus le corp ionaidh ba ar Bhosco féin a bhreathnaigh Niall.

'Cé aige a bhfuil súil orainn, a dhiabhail?'

'An cunús sin de gharda, an Muircheartach—cé eile?' a d'fhreagair Bosco mar ba bhearrán leis maolaigeantacht Néill.

Is olc an buachaill é sin, tá mise a rá leat. Sin é an buachaill nach mbeadh i bhfad ag bualadh bleaist de dhorn ort dá bhfaigheadh sé an deis! '

Bhreathnaigh Niall anonn ar an ngarda a bhí ar diúité tráchta ar an gcrosbhóthar; fear mór cumasach tuaithe a bhí ann, Ciarraíoch muran mór é a dhearmad, agus gan aon chosúlacht faoin spéir air a bheith ag féachaint go míchéatach ar lucht an choirnéil. Nach gcaithfeadh sé súil a thabhairt ina dtreo uair éigin? Ach bheadh sé fánach dó, thuig Niall, a bheith ag iarraidh é sin a mhíniú don Súilleabhánach ná do dhuine ar bith eile de na leiciméirí seo go fiú do Mhoscó de Barra féin, fear a raibh éirim aige agus a léadh go leor—cibé speabhraídí a bhí in aon chor orthu chomh fada is mar a bhain le lucht an dlí. Níorbh aithne, ar a gcaintsan, nach le bheith ag satailt ar na bochtáin a cuireadh na Gardaí Síochána ar an saol.

D'imigh tarracóir agus trucail faoi ualach mór biatais thairis ar an mbealach anonn go dtí an stáisiún agus thosaigh clog na cathrach ag fannbhualadh thuas ar an tSráid Ard, uaigneas an tsaoil, chonacthas do Niall, i ngach buille beag ceolmhar de. Thall faoi bhallaí an Chaisleáin bhí saithe duilleog ag imeacht le cuaifeach beag gaoithe, ag guairneáin go talamh agus ag éirí arís ar an bpointe mar ba ealta druid a bheadh ann. Bhí an spéir ar fad faoi dhath liath lachtna i dtreo agus go gceapfá nach dtiocfadh gile ná goirme arís ann go deo; agus an bhuaine, an mharthanacht sin dár thug Niall taitneamh dó ó chianaibh ba gheall le rud naimhdeach aige anois é, á theanntú agus á ghaibhniú cois coirnéil.

A Chríost, ar seisean, nach mé a rinne ciseach de!

A CÚIG

Bhí Nano Mháire Choilm piocúil paiteanta i mbun na hoibre ospidéil agus ní chaithfí dada a mhíniú faoi dhó di; bhí flosc chun oibre uirthi, flosc nach raibh in aon chor ar fhormhór na gcailíní Sasanacha arbh ionadh le Nano chomh siléigeach, neamhfhonnmhar is a bhídís i mbun gnó. Ba mhór ab fhiú do Ospidéal Norwold, a deireadh Nano léi féin, nach taobh leo ar fad a bhí mar Shasanaigh arae bhí a chuma ar go leor acu, na mná óga ach go háirithe, nach n-iarrfaidís buille ar bith a dhéanamh murach a dtuarastal a bheith uathu. Flúirse na hoibre féin, níorbh fholáir, ba chiontach leo a bheith chomh beag beann orthu siúd a bhí ina gceannas: murab ionann agus an *Curadh Connachtach* chuirfeadh páipéar Norwold iontas ort lena raibh de phoist á bhfógairt ann gach uile oíche den tseachtain, is beag ná go raibh a chuma ar an scéal go ngabhfadh fostóirí na háite amach ar na sráideanna ag tathaint oibre ar dhaoine. Ní raibh aon mhonarcha dá ngabhfá thairis (agus bhí Norwold, chomh fada is ba léir di, breac ballach le monarchana beaga bróg) nach mbíodh clár in airde ar an ngeata ann agus liosta folúntas air, agus níor thaise do na stórais mhóra freisin é—ní raibh ort, de réir dealraimh, ach bualadh isteach iontu le jab cuntair a fháil. Chuir fairsinge seo na hoibre sceiteadh den tsaint ar Nano Mháire Choilm agus ba thrua léi nach raibh ar a cumas an dara trá fostaíochta a fhreastal: dá mbeadh na huaireanta diúité gan a bheith chomh scartha, sínte agus chomh hachrannach sin san ospidéal ba bheag an mhoill uirthi post eile a lorg de bhreis ar an gceann a bhí aici. Nár mhór idir seo agus Éire mar a mbeadh ar chailín iarlais a íoc i gcuid de na siopaí sula ligfí ar chúl an chuntair ar chor ar bith í agus an uair sin féin gan cothú spideoige de phá ag gabháil leis mar jab. Bhí poist ag imeacht ar ardaigh orm sna busanna chomh maith agus airgead millteach le fáil ach na huaireanta fada a chur isteach, suas le deich bpunt sa tseachtain go sábhála Dia sinn a chuala sí a bheith ag go leor de na *clippies* Éireannacha sin a d'fheiceadh sí thart faoi lár an bhaile agus iad chomh bródúil as a bpoist agus as a n-éide ghorm go cnaipí airgid is mar a bheadh céimithe ollscoile as a bhfeisteas acadúil lá bronnta na ngradam. Cailíní tuaithe ba ea formhór na nÉireannach seo, aicme a raibh deis cheart saothraithe á fáil acu den chéad uair ina saol agus a bhí teann astu féin dá réir, cuid acu chomh postúil i mbun a ndualgas agus dá mba leo féin na busanna a bhí faoina gcúram, cuid eile de shíor san airdeall le faitíos go ndéarfaí aon bhlas fúthu féin ná faoina dtír. Ba mhinic Síle Ní Dhuibhir, an cailín Corcaíoch a bhí mar chéile seomra ag Nano, ag fonóid i dtaobh na mban busanna. Staiceanna tuaithe nár sheas a leath in aon chathair riamh nó gur thángadar anall anseo, dar le Síle: bhí an t-airgead mór éirithe sa cheann acu agus iad chomh ríméideach sin as a gcultacha oibre is go bhfágfaidís orthu iad ag dul chun an rince i Halla Naomh Bríde, an Club Caitliceach, ag deireadh na seachtaine. Ach cibé faoi sin uile b'iontach an tír í, dar le Nano, agus dá mbeadh an sclábhaíocht chéanna ar na cliobóga eile seo ina timpeall is a bhí ar mhná Chonamara ag saothrú portaigh is cladaigh ní ag sárú ar a chéile faoi cé air a bhí sé na crúiscíní uisce a líonadh anois a bheidís, ná faoi cé a chaithfeadh an leithreas a ghlanadh. Ní hé nach mbídís crúógach go leor mar bhanaltraí cúnta, ag cóiriú leapacha, ag scuabadh is ag snasadh, ag ní gréithre agus sceanra gan trácht ar chor ar bith ar an mbanaltracht féin, tindeáil na n-othar a raibh go leor acu chomh lag, craplaithe sin agus gurbh ionadh leat gur fhanadar beo an fad seo—ach bhí sé sách éadrom mar obair le hais na hoibre a rinne sí sa bhaile agus ina theannta sin níor mhór duit a bheith conróideach nó faillíoch go maith sula mbeadh caint ar bith ar tú a bhriseadh. Ba mhór, freisin, idir sin agus ospidéal na Gaillimhe mar a bheadh bata is bóthar le fáil agat, de réir mar a chuala sí cailíní Chonamara a rá, dá mbreathnófá contráilte ar an té a bheadh i gceannas ort.

Ní raibh sa chuid sin den ospidéal a chonaic Nano ón mbóthar an chéad lá ach ceathrúna codlata na mbanaltraí agus na foirne oibre. Bhí na haireagail ar a chúl sin, deich gcinn díobh ar fad, mar aon le foirgnimh eile, oifigí, stórais, cistin, teach coire, teach níocháin agus eile. Foirgneamh ar leith a bhí i ngach aireagal, faiche ghlas mhín idir gach uile phéire acu agus cosáin chaola tharramhacadam á nascadh le chéile. Áit thaitneamhach a bhí ann tríd is tríd, dar le Nano, an tír i mbéal an dorais agat agus an baile mór chomh cóngarach céanna.

Ba iad na hÉireannaigh an aicme ba líonmhaire in Ospidéal Norwold, ba líonmhaire iad ná na Sasanaigh féin, ach bhí go leor eachtrannach eile fostaithe ann chomh maith, Iodálaigh agus Polannaigh agus Gearmánaigh féin maille le ciníocha eile as ceann thoir na hEorpa nár airigh Nano aon chaint orthu riamh roimhe seo. Bhí a leagan amach ag Síle Ní Dhuibhir orthu seo freisin, ní bhfaighfeá fios a n-aigne go deo, dar léi, bhíodar chomh mór sin ar maos sa ghliceas agus iad crua, tíosach lena chois. Ní raibh meas madra ag na Sasanaigh ar na dílaithrigh seo (mar a thugtaí orthu) a deireadh Síle agus ba é a fhearacht sin ag na hÉireannaigh féin é cé nárbh shin ab ealaí dóibh ó tharla gan teideal ar bith acu ar Shasana ach oiread leis na hEorpaigh. Níorbh aithne ar Shíle, scaití, nár Shasanach ise í féin, an chaoi a ndealaíodh sí í féin amach

ó na hÉireannaigh eile san ospidéal, ach ar chuma ar bith, dar le
Nano, ní raibh iomlán na fírinne aici mar gheall ar na cailíní
Eorpacha arae ba léir do dhuine dall nach i mbotháin a tógadh iad,
bhíodar chomh béasach, múinte sin agus fios a labhartha acu i
gcónaí. Le dream nár chaith aon lá riamh ag crúbáil fataí ar
iomaire chré ná go másaí sa sáile ag cruinniú feamainne ba shamhail
le Nano Mháire Choilm iad, ba chosúla go mór iad le dream a raibh
sciar de mhaoin an tsaoil acu lá den saol cibé bhail a d'fhág an
cogadh orthu. Go deimhin, dar le Nano, ba shéimhe i bhfad iad
ná formhór na mban Éireannach san ospidéal a raibh drisíneacht
áirithe iontu agus iad ag iompar a nÉireannachais thart leo go
dúshlánach faoi mar ba mheirge i mórshiúl eaglaise é.

Ach ba iad na mná Sasanacha ab aite ar fad le Nano, chomh
leanbaí béalscaoilte is a bhídís, ag plabaireacht leo go díchéillí faoi
rud éigin i gcónaí. Ba chosúil nach raibh bean díobh nach raibh
splanctha i ndiaidh fir éigin agus murab ionann agus an cailín
Éireannach a ligfeadh neamhshuim uirthi féin i dtaobh an bhuach-
alla ar mhó a gean air bhíodh a gcroí ar a muinchille acu seo i láthair
an tsaoil. Ní raibh ag déanamh imní dóibh ach cúrsaí grá ach ar a
shon sin agus uile (agus ba é seo a mharaigh Nano ar fad) bhí sé
thar a bheith furasta a gceann a chasadh agus ba bheag an tsuim a
bheadh acu mídhílseacht a dhéanamh ach an t-áiméar a theacht ina
dtreo. Ba chúis uafáis ag Nano mná pósta a thagadh isteach ar obair
lae a chloisteáil ag cur síos ar an gcumann a bhí acu le fir nár leo
féin iad agus cé go raibh barúil éigin aici ó chianaibh de nósanna
Shasana ní raibh aon súil aici leis an dínáire seo. Chaithfeadh sé
gurbh é an neamhspleáchas uile ba chiontach leis, ba bhearnú claí,
trúig bhradaíola, a laghad agus a bhí mná Sasana i gcléith na bhfear
agus tuarastal dá gcuid féin á shaothrú acu. Ach cén chaoi a
mbreathnódh lánúin phósta sa tsúil ar a chéile (mar nach raibh na
fir a dhath níba fhearr de réir mar a chuala sí) agus an peaca sin
ar a gcoinsias? Ba rud é nach dtiocfadh léi féin meabhair ar bith
a bhaint de, rud a bhí dothuigthe agus doshamhalta nach mór aici.
Bhí oiread iontaoibhe aici féin is ag Máirtín Ó Spealáin as a chéile
agus go mba tháir léi an t-amhras féin, fiú; ba bhocht an cumann é,
dar léi, d'uireasa muiníne. Ní ag caitheamh clocha leo ná ag
tabhairt breithiúnais orthu, go dearfa: ní raibh lá lochta ag Nano
orthu, dáiríre, ba dhaoine réidhchúiseacha gan bhoirbe ná doicheall
iad gach dár casadh de Shasanaigh uirthi go nuige seo cé gurbh
fheasach í nach n-aontódh go leor dá comhthírigh féin san ospidéal
léi sa tuairim sin. Ba é a neamhbhailbhe, mar a d'fhiafraídís ceist
díot gan frapa gan taca an tréith ab aistí le Nano dá gcuid agus
thóg sé tamaillín uirthi dul ina chleachtadh. An chéad lá di ag
obair in aireagal na seandaoine bhí sí féin agus cailín Sasanach
nach dtugtaí uirthi ach a sloinne—Jackson—ag ní gréithre tar éis

an dinnéir agus i dtobainne chuir Jackson ceist uirthi an raibh fear aici in Éirinn.

' Ó, tá,' a d'fhreagair Nano agus las na súile ag Jackson le teann spéise. ' Cén t-ainm atá air? ' an cheist a chuir sí ar Nano ansin, chomh beophianta agus dá mbeadh tairbhe mhór éigin le baint aici as an eolas. Cailín mór mísciamhach gan aon slacht uirthi féin ná ar a feisteas ba ea Hilda Jackson, a gruaig gearrtha go mantach aici, fáinní saora agus braisléad ar láimh amháin léi agus croisín airgid thart ar a muineál ar shlabhra. Straoille mhór d'óinseach ar cheart di na hailleagáin Woolworth a bhaint di agus an phéint a ní dá héadan, b'shin í an bhreith a thug cailín as Maigh Eo ar Jackson an tráthnóna céanna sin istigh sa phroinn-seomra—breith mhíchneasta, éagórach dar le Nano cé nár mhór é a haithne ar Jackson go fóill.

' Máirtín a ainm,' a d'inis Nano di agus ' Máirtín ' a dúirt Jackson ina diaidh mar a bheadh sí ag iarraidh an té ar leis an t-ainm a thabhairt chun cruinnis.

' Agus a shloinne? ' a d'fhiafraigh sí de Nano ansin.

' Ó Spealáin,' a dúirt Nano, ag baint an lán glaice sceanra a bhí go dearmadta ina láimh aici de Jackson agus á dtriomú. Ba mhó de bhac uirthi ná dada eile an cailín Sasanach ó bhuail an chaidéis í.

' Máirtín Ó Spealáin,' arsa Jackson go haislingeach, ' bíonn ainmneacha deasa ag Éireannaigh, nach mbíonn? '

' Ó muise diabhail a fhios agam an mbíonn nó nach mbíonn, a dheirfiúir. Seo, cuir séip ort féin nó ní bheidh dada déanta againn! '

' 'Bhfuil sé dathúil, a Nano—d'fhearsa? ' Ba í an obair an rud ba lú a bhí ag déanamh scime do Jackson, ba léir.

' Dathúil? ' B'ait le Nano Mháire Choilm mar cheist í ar bhealach arae níor rud é dathúlacht ná a mhalairt a shamhlaíodh sí le Máirtín Bhid Antaine riamh. Dúchas an duine féin agus a thréithe ba thábhachtaí léi agus dá mbeadh sé ar an bhfear ba dhathúla dá bhfaca sí riamh níor leor é sin ann féin di.

' Ó níl a fhios agam, a chailín. Molann an obair an fear, adeirtear! Fear maith é agus ní beag sin.'

' Céard tá sé—fionn nó dubh, a Nano? '

' Ó, éist liom, a dheirfiúir,' a dúirt Nano, ag gáire, ' tá sé idir eatarthu. Seo, an bhfuil tú ag iarraidh buille ar bith a dhéanamh, beidh sí siúd isteach inár mullach is gan dada déanta againn.'

Ach ba mhó é spéis Jackson i gcumraíocht an fhir seo nach bhfaca sí riamh ná san obair a bhí le déanamh aici.

' Is maith liomsa fir dhathúla, an maith leatsa? Is maith liom fir a mbíonn gruaig dhubh orthu, tá mo Ronsa an-dathúil, tá sé cosúil le Rock Hudson.'

' Cé hé Rock Hudson? '

Dá bhfiafródh Nano di cérbh é Winston Churchill ní fhéadfadh níba mhó iontais teacht ar Hilda Jackson; leath an béal aici agus bhreathnaigh sí ar Nano mar ba den chéad uair a bheadh sí á feiceáil.

'Níl a fhios agat Rock Hudson?'

'Dar m'anam nach bhfuil, a stóir.'

'An t-aisteoir. Ceal nach dtéann tú ag pictiúirí?'

'Corruair é,' a dúirt Nano ach níor chorruair féin é dáiríre, ba chrua má bhí sí ag na pictiúirí trí huaire ina saol, babhta amháin i nGaillimh agus cúpla geábh i gColáiste an Spidéil nuair a tháinig muintir Mhic Pháidín thart á léiriú; bhris an scannán an dara cuairt agus níorbh fhéidir a dheisiú. Ná ní raibh tóir ar bith aici orthu mar scannáin—daoine gan dealramh ag déanamh rudaí gan dealramh, níor thuig sí cén dúil a bhíodh iontu ar chor ar bith.

'Agus an bhfuilir i ngrá leis, a Nano?' a d'fhiafraigh Jackson di, ag leagan pláta uaithi nach raibh leathnite.

'Níl an pláta sin nite, a Hilda.'

'Ach an bhfuil, dáiríre?'

'Ó stop, a chailleach, níl dada déanta againn!'

'Tá tú luaite leis, an bhfuil?'

'Tá lámh is focal eadrainn.'

'Táir i ngrá leis mar sin ar ndóigh!' Chuimhnigh Jackson ar feadh ala agus ansin: 'Ach má tá tú i ngrá leis cén fáth ar imigh tú uaidh?'

'Níor imíos uaidh, baileach.'

'D'fhág tú i do dhiaidh é in Éirinn.'

'Ní hionann sin, a chailín. Féadfaidh mé dul abhaile aige am ar bith is mian liom.'

Ach dáiríre ní raibh a fhios ag Nano arbh shin í an fhírinne nó nárbh ea. Cén gnó a bheadh abhaile anois aici ó d'imigh sí? Bheadh cúrsaí mar a bhí ó chianaibh, ba dheacra filleadh ná mar a mheas sí, gach uile sheans.

'Ní fhágfainnse Ron ar ór ná ar airgead,' a dúirt Jackson mar nach bhféadfadh sí an bhean eile a thuiscint.

'Ní bhíonn dlí ar an riachtanas,' arsa Nano agus tháinig seanbhlas ina glór ag cuimhneamh siar di.

Ní a loiceadh uirthi a rinne Máirtín Bhid Antaine lena cheart a thabhairt dó cé gurbh é an dá mhar a chéile as a dheireadh thiar aici féin é. Faoi mar a gheall sé di an oíche úd tar éis chéilí an Spidéil tharraing Máirtín an scéal anuas ag a mháthair an mhaidin dár gcionn ach i leaba cúrsaí a réiteach b'amhlaidh gur chuir sé an bailséire ar fad orthu. Ag baint an claibín den bhácús leis an tlú le breathnú ar an gcáca a bhí thíos aici is ea bhí Nano nuair a tháinig a hathair isteach agus scéala aige: bhí údramáil éigin sa teach thall, a dúirt sé, bhí Máire amach is isteach ar gach uile phointe ar nós mar a bheadh sí ag súil le duine éigin agus ar ball beag nuair a bhí sé féin ag cur caoi ar an gclaí teorann thíos ag an nGarraí Báite chuaigh Máirtín síos thairis ar an rothar agus fuadar chomh mór sin faoi agus nár bheannaigh sé dó ach ar éigean. Bhí rud éigin suas chuirfeadh sé geall, a dúirt athair Nano, drochsheans nó bhí an sean*lady* go dona. Ba cheart di féin bualadh soir acu, ar seisean le Nano ansin, le grá an mhuintearais, ní bheadh a fhios ag duine céard a bheadh suas. Ach ba bheag dá fhonn sin a bhí ar Nano féin, go háirithe ó bhí faitíos uirthi anois gur i ngeall ar rud éigin a bhí ráite lena mháthair ag Máirtín a bualadh breoite í más é sin a bhí uirthi agus ba bhaolach gurbh ea; bhí an ceart aici, d'eile, mar ba ghearr go bhfacthas carr an dochtúra ag déanamh aníos an bóithrín agus ag stadadh ag geata tí Bhid Antaine. Leath-uair go réidh a bhí an dochtúir istigh agus bhí Nano ar cipíní nó gur imigh sé, í sáite san fhuinneog ag faire ar an teach thall agus an cáca dóite aici le neamhairdeall ann; ansin, a luaithe in Éirinn is a chonaic sí carr an dochtúra ag imeacht arís chaith sí di a naprún, chuir lámh lena gruaig agus bhailigh léi soir. Máirtín a d'oscail di agus ba léir ar a dhreach céard a bhí suas, bhí a mháthair thiar sa leaba anois a dúirt sé de chogar le Nano agus í lagbhríoch go leor, bhí Máire thiar ag tabhairt aire di agus dúirt an Dochtúir Ó Cuanaigh go dtiocfadh sí as an iarraidh seo ach an saol a thógáil go réidh agus gan duine ar bith a chur as di dá mb'fhéidir. É féin ba chiontach léi, ba dhóigh; ba nuair a thosaigh sé féin ag áiteamh uirthi ar maidin nach raibh sé lena chur ar athló níba fhaide, gur theastaigh uaidh pósadh anois, a bhuail an taom í. Agus a Dhia, a Nano, ar seisean agus deoir faoina shúil aige, shíl mé go raibh sí scuabtha.

Ba ar an ala céanna sin, le linn di a bheith ag cásamh a mháthar leis, a bheartaigh Nano Ní Chatháin imeacht, ba chuma scéala a theacht ó Ospidéal Norwold chuici nó gan a theacht. Agus an lá ina dhiaidh sin tháinig.

'Cén riachtanas?' a d'fhiafraigh Jackson di agus i dtobainne bhí Nano sách den chomhrá.

'Ó muise éist liom, a dheirfiúir, dán fada é.' Ach chonaic sí an díomá a tháinig i súile na mná eile ansin agus d'inis sí an scéal di in achomair. Ba é a bhun is a bharr, a dúirt sí, nach raibh teach ar bith mór a dhóthain ag aon bheirt bhan.

'*Blimey*, a Nano, níl ansin ach an fhírinne! Chuaigh Diane, an deirfiúr is sine liomsa isteach ag a máthair céile nuair a phós sí agus ní raibh saol an ghadhair aici. Raicleach ceart a bhí i máthair Bhert, níor stop sí nó go rabhadar curtha in aghaidh a chéile aici, Diane agus Bert.'

'Is trua liom sin,' a dúirt Nano, ag scaoileadh an uisce as an dabhach agus a chuimilt thart leis an gceirt ghlanta, ach chroith Jackson a ceann.

' Uh-uh! Ba é an lá ab fhearr dá saol é, a Nano. Thosaigh sí
ag dul le saighdiúir Meiriceánach ansin—fear geal—agus tádar
pósta amuigh i Michigan anois. Tá gach uile shórt acu amuigh
ansin, a Nano, teach mór breá agus carr mór agus bosca reoite agus
linn snámha ar chúl an tí, tá neart airgid ag na Meiriceánaigh sin,
a Nano, sin é an fáth a mbíonn na cailíní ag rith ina ndiaidh i
gcónaí.' Mheabhraigh sí ar feadh nóiméid agus ar sise ansin:
' Ach ní thabharfainnse mo Ron ar an Meiriceánach is saibhre ar
an saol.'

' Meas tú an nglanfaidh muid na leithris anois? ' a dúirt Nano
léi mar bhí a gcuid oibre leagtha amach dóibh cheana ag an tsiúr
a bhí i gceannas an aireagail.

' Cinnte,' arsa Jackson go mí-airdiúil. ' Ach a Nano,' ar sise
ansin, ' shílfeá nach ngabhfá chomh fada sin uaidh, nach bhféadfá
obair a fháil in áit éigin in Éirinn? '

' Ó níl sé éasca aon obair a fháil in Éirinn,' a dúirt Nano, ' ní
hionann agus an tír seo í.'

Ní raibh ceapadh ar bith ag Nano Mháire Choilm go raibh aon
rud contráilte á rá aici leis an méid seo, ná go bhféadfadh duine ar
bith aon bhrabach a fháil ar na briathra gan dochar sin—ach bhí
breall uirthi. Bhí Máire Nic Dhiarmada, an tríú duine den
fhoireann aireagail, ag teacht isteach sa chistin ar an ala sin agus
lán trádaire crúiscíní aici le ní; bhí aoibh uirthi mar bheadh rud
éigin barrúil aici le hinsint dóibh ach ar chloisteáil di céard a bhí
Nano a rá faoi theirce na hoibre in Éirinn theann sí na beola go
dlúth ar a chéile, bhuail na crúiscíní síos ar an mbord agus scuab
léi amach arís gan smid a labhairt le ceachtar acu bíodh is gur
fhógair Jackson uirthi go rabhadar le braon caife a ól anois dá
bhfanfadh sí. Ní raibh Jackson caolchúiseach go leor le go mbeadh
a fhios aici céard ba thrúig mhíshásaimh do Mháire Nic Dhiarmada
ná níor bhain Nano féin aon mheabhair dá treall nó gur thug an
cailín Éireannach fúithi níba mhoille sa lá. Ba i stór an línéadaigh é,
ag ceann thíos an aireagail, mar a rabhadar beirt ag stuáil bráillíní
ar na seilfeanna, gan smid astu le chéile cé nárbh fheasach do Nano
go fóill céard ba bhun leis an tost anacair seo; de phreab, mar nach
dtiocfadh léi a chosc a thuilleadh, scaoil Máire Nic Dhiarmada
fúithi.

' Ba mhaith liom ceist a chur ortsa,' ar sise go grod.

' Ceist? ' arsa Nano agus mearbhall uirthi. ' Cén cheist í féin? '

' Ar airigh mé tusa a rá leis an mbómán sin thíos ansin ar ball
nach raibh aon obair in Éirinn? '

' Cén bómán tá i gceist agat? ' a d'fhiafraigh Nano di mar nach
raibh an scéal tugtha chun cuimhne go fóill aici ná ní raibh a fhios
aici cé air a raibh an t-ainm seo á thabhairt ag an gceann eile.

'Is maith tá a fhios agat cé tá i gceist agam! Jackson, an clabaire mór sin. Nár dhúirt tú léi nach raibh obair le fáil in Éirinn?' Bhí Máire Nic Dhiarmada chomh frithir, chomh feargach sin is gur cheap Nano ar feadh nóiméidín gur údar eile ba bhailí go mór ná seo a bhí aici lena corraíl.

'Dúirt, sílim. Tuige?'

'Tuige? Tuige, ab ea? Gach uile thuige!' Dá gceapfadh Máire Nic Dhiarmada gur ag magadh fúithi a bhí Nano ní fhéadfadh sí a bheith puinn níba chorraithe.

'Ar ndóigh ní rud é sin ar cheart duit a rá leo siúd?'

'Cé leo, nó céard faoi a bhfuil tú ag caint?' Ní raibh Nano siúráilte go fóill nach ealaín de chineál éigin a bhí ar bun ag an mbean eile, fonn éigin spraoi, b'fhéidir, nár léir di féin é. Bhíodh a mbealaí féin ag daoine, ní bheadh a fhios agat cén chaoi a nglacfá leo. Ach ní fonn spraoi ná grinn a bhí ar Mháire Nic Dhiarmada, a mhalairt uile. 'Sasanaigh atá i gceist agam, níl tú chomh dúr sin, an bhfuil?'

Ba bheag nár bhain an dásacht seo a hanáil de Nano agus bhuail olc í. 'Cé leis a bhfuil tusa ag caint, a chailín, nó cé a thug cead duit labhairt mar sin liom?'

'Tá a fhios agam go maith cé leis a bhfuilim ag caint agus tá mé ag fiafraí díot cé le haghaidh ar thug tú de shásamh don cheann sin a rá léi nach bhfuil aon obair in Éirinn?'

'Sásamh, cén sásamh, a dhuine?' Bhí Nano ina bambairne i gcónaí ag an scéal ach ní raibh maolú ar bith ag teacht ar fhearg na mná eile léi.

'A rá leo nach bhfuil obair in Éirinn, sin é an sásamh! Nó an bhfuil meas ar bith ar do thír féin agat?'

'Ó agus a óinsigh, nach bhfuil a fhios acu féin nach bhfuil aon obair in Éirinn, nach shin é an t-údar a bhfuil muide abhus anseo ag obair?' Bhí briste i gceart ar a foighne ag Nano anois ach níor bhaol don bhean eile cúbadh uaithi.

'Sea, ach cén fáth a ndéarfása leo é, cén fáth a dtabharfá oiread sin de shásamh do na diabhail? Is éard a dhéanfainnse a shéanadh go bhfuil easpa oibre in Éirinn dá mbeadh oiread eile againn abhus anseo ina measc. Nó an Éireannach tú ar chor ar bith?'

'M'anam muise go sílim go bhfuilim i m'Éireannach chomh maith leatsa ar chaoi ar bith—tá Gaeilge agam níos fearr ná mar tá Béarla, rud nach bhfuil agatsa cuirfidh mé geall!'

Bhain an freagra seo feainc as Máire Nic Dhiarmada agus níor fhan focal aici ar feadh meandair, ach tháinig sí chuici féin ansin arís ar an toirt.

'Bhuel is amhlaidh is mó is cúis náire duit é mar sin, is amhlaidh is mó ba cheart duit clú do thíre a choinneáil slán.'

' Seafóid,' a dúirt Nano go briosc. Bhí sí chomh cinnte sin anois go raibh an bhean eile in earráid ar fad agus nárbh fhiú léi leanúint den argóint níba fhaide.

' Tá go leor le foghlaim agat, a chailín,' a dúirt Máire Nic Dhiarmada ansin, go díreach mar a bheadh trua aici do Nano. ' Fan go mbeidh tú scaitheamh eile anseo agus beidh a fhios agat an tseafóid é. Is saonta an iníon tú, tá faitíos orm.'

' Má tá saontacht ormsa tá speabhraídí ortsa, a Mháire! Ní raibh suim soip ag Jackson bocht sa rud atá i gceist agatsa, rud eile ar fad a bhí faoi thrácht aici. Agus cuirim fainic ort anois, éist liomsa feasta nó duit féin is measa é mar ní ribín réidh ar bith agat mise le bheith ag spochadh asam! '

D'oscail Máire Nic Dhiarmada a béal ach dhún sí ansin arís é gan smid a rá agus chríochnaíodar a raibh le déanamh acu gan labhairt le chéile arís. Níor oibríodar le chéile an chuid eile den tráthnóna ach an oiread agus ab éigean dóibh agus bhí an doicheall go tinneallach eatarthu nó gur scoireadar i ndeireadh an lae. Níor ligeadh don scéal fuarú an uair sin féin, áfach, mar nuair a chuaigh Nano isteach chun a suipéir sa phroinnseomra bhíothas ullamh ina coinne, scata cailíní Éireannacha, agus iad réidh chun feannta. Mar leid di chuaigh an comhrá i ndísc d'aonghnó nuair a shuigh sí ag an mbord mór fada ar nós le formhór na nÉireannach suí ann agus ansin gan mórán achair bhí na ciútaí á seoladh suas síos thairsti mar ba shleánna nimhe iad go bhféadfadh lucht a gcaite a chur go croí inti uair ar bith a thogróidís féin é nó nuair a thuirseoidís den spídiúchán. Stuif aisteach éigin nach bhfaca Nano riamh roimhe, meascán domlasta cáise agus oinniúin, a bhí don suipéar acu agus le linn do Nano a bheith á cruachan féin in aghaidh na n-ionsaithe mioscaiseach seo a bhí ag dul uirthi bhí an prácás gallda seo ar an bpláta ina mhír Mhichil aici. Ní thabharfá don mhadra thiar sa bhaile é, dar le Nano tar éis di blaisínteacht air go faicheallach; níor dhuine éiseallach í dáiríre ach cé go raibh ocras uirthi ó am dinnéir (uiscealach anraith agus daibín feola a rachadh ar chroí do bhoise a bhí don dinnéar acu) ní raibh goile dá laghad aici chun an liothraigh seo roimpi. Bhíodh sealanna éagsúla diúité ar an bhfoireann bhanaltrachta ach bhí suas le deichniúr ban ag an mbord céanna le Nano agus Éireannaigh uile a bhí iontu cé is moite de chailín amháin, Eorpach a mheas Nano, a shleamhnaigh ó láthair nuair a bhraith sí an chaismirt a bheith á seadú os a comhair. Chonacthas do Nano agus í ag leadrán os cionn an bhracháin do-ite go mba gheall le dord é torann an dorais á dhúnadh i ndiaidh na mná amach agus chruinnigh sí a misneach ansin. Bhíothas chuici i ndáiríre an iarraidh seo agus Máire Nic Dhiarmada ina gceann.

' Féadfaidh sibh a bheith ag caitheamh anuas ar bhur dtír féin feasta, a chailíní, is é an faisean anois é, is cosúil,' ar sise ag breathnú i dtreo Nano.

' Mar sin é? ' Nuallóigín beag catach nárbh eol do Nano fós cérbh í féin a labhair; leathadh súl uirthi le hionadh mar dhóighde.

'Agus a Mháire, cé a chuir tús leis an bhfaisean seo muran miste liom an cheist a chur? '' a d'fhiafraigh cailín eile, a glór go tinneasnach le fonn sclamhainte. B'as Maigh Eo di seo, b'fheasach do Nano; bhí guth mín ceolmhar aici agus cuntanós álainn ach bhí sé inste ag Síle Ní Dhuibhir cheana féin do Nano gurbh éard a bhí inti ruibhseach cruthanta.

' Cé a cheapann tú, is cinnte nach duine ar bith againne é, ní raibh claidhreacht ar bith ann mar sin go nuige seo,' a d'fhreagair Máire Nic Dhiarmada agus na súile á gcur trí Nano aici anois.

' Ó,' arsa bhean Mhaigh Eo go tromchúiseach.

' Is deas an rud é, ag ligean síos do thíre féin os comhair an tSasanaigh,' a dúirt an nuallóigín ach, cibé ar de thoradh easpa misnigh é nó nárbh ea, choinnigh sí na súile de Nano le linn di a bheith á rá. Is ar Mháire Nic Dhiarmada a bhí sí ag féachaint, mar ba ag súil le buíochas a bheadh sí. ' Shílfeá,' arsa Máire Nic Dhiarmada ansin, ' go bhfuil drochmheas go leor orainn acu seo is gan a bheith ag tabhairt lón cainte dóibh, nó an bhfuil braon fola ar bith i gcuid de na daoine? '

' Sponc ar bith! Ní ligfinn síos mo thír féin, ní thabharfainn oiread de shásamh dóibh dá mbainfí an cloigeann díom, go háirithe straoille mhór d'óinseach mar Jackson ar cheart di na fáinní shaora Woolworth a bhaint di agus an phéint a ghlanadh dá héadan.'

Bhí Nano sa riocht ag an sclamhadh seo uile agus gurbh eagal léi go gclisfeadh an chaint uirthi nuair a d'osclaíodh sí a béal ach sula raibh sé d'uain aici dada a rá phreab cailín eile ina seasamh go feargach.

' As ucht Dé oraibh agus fás suas, is measa ná scata gasúr sibh, ag bitseáil is ag banrán i gcónaí! Éist léi, in ainm Dé, níl an cailín ag cur chugaibh ná uaibh! ' ar sise agus lasc léi amach as an seomra mar nár mhian léi an comhluadar a thaobhú níba fhaide. Agus i dtobainne—cibé arbh é cosaint na mná eile faoi deara é nó nárbh ea—bhí smacht aici féin ar Nano agus ní raibh amhras ar bith a thuilleadh uirthi ná go dtiocfadh léi cur ar a son féin. Éirí ina seasamh a rinne sí gur bhreathnaigh timpeall ar na cailíní eile agus ansin labhair sí leo go srianta.

' Sílim gur chomhairle mhaith í sin agaibh, a mhná,' ar sise, ' ach ar fhaitíos nach leor é tá mise á rá libh anois gan tosú ag spochadh asam níos mó nó beidh aiféala oraibh. Ní ag iarraidh cead cainte ar dhuine ar bith agaibh a tháinig mise anall anseo agus bíodh a fhios agaibh go ndéarfaidh mé mo rogha rud le mo rogha dhuine gan chead do dhuine ar bith agaibh. Cuimhnigí air sin anois agus ná tagaigí salach ormsa níos mó!'

D'fhág sí ansin iad agus a ceann go hard aici ach níor thúisce ina suí ar a leaba chaol iarainn ina seomra í ná bhris an gol uirthi dá míle buíochas.

Bhí Síle Ní Dhuibhir agus a cosa fúithi ar a leaba féin, ag cur dath ar a hingne agus á scríobadh díobh arís; spéir-na-gréine ba ea Síle, gruaig dhubh chas uirthi agus súile lonracha ag damhsa de shíor ina ceann. Bhí sí níba óige ná Nano ach bhí dhá bhliain caite cheana i Sasana aici agus cuid de bhealaí na Sasanach aici dá réir. Leag sí uaithi an buidéal beag datha anois agus shac sí a cosa ina slipéirí seomra.

'Céard tá ortsa in ainm Dé?' a d'fhiafraigh sí de Nano go cásmhar.

'Dada, a Shíle. Tá mé ceart.'

'Má tá tú ceart anois níor mhaith liom thú a fheiceáil contráilte. Seo, inis dod' aintín é—tá uaigneas ort i ndiaidh an bhaile, an bhfuil?'

'Ara ní dada é, a Shíle, dá mbeadh ciall ag duine.' Bhí sí tagtha chuici féin cheana ag friothálacht a céile seomra. Agus nach uirthi a bhí an t-ádh, chuimhnigh sí ansin, nach isteach in éindí le ceann éigin den dream eile sin a cuireadh í; bhí Síle suáilceach soilíosach má bhí sí rud beag róchainteach féin, ba mhór an sólás duine cairdiúil san áit a d'aireofá cuideáin.

'Ach céard tá ort ar aon nós—nach bhfeiceann tú go bhfuil an fhiosracht do mo mharú anois? Ní chodlóidh mé anocht mura n-inseoidh tú dom!'

Á mealladh a bhí Síle, ag iarraidh cian a bhaint di, agus scaoil Nano an scéal ar fad chuici cé go raibh sé á fheiceáil di cheana féin nach raibh sa rud go léir ach cogadh na sifíní; sméid Síle a ceann, meangadh ar a béal ar feadh na faide, agus ar sise ansin:

'Tá na diabhail sin craiceáilte, cic sa tóin a theastódh uathu, Nic Dhiarmada ach go háirithe, is é do dhúshlán do bhéal a oscailt san áit a mbeidh sí. As Ceatharlach an raiteoigín beag dubh sin, Fidelma Ní Bhroin, is geall le macalla ag Máire Nic Dhiarmada í, ag iarraidh a bheith ar aon fhocal léi i gcónaí—le heagla roimpi, tá mé cinnte. Caitlín Nic Oireachtaigh an prúntach mór as Maigh Eo, tá gangaid inti sin, a chailín, in ainneoin is go gceapann sí féin gur *lady* ceart atá inti. Ná buair do cheann leo, a Nano, mar nach fiú sin iad, tá slis ar a ngualainn acu chomh mór le Gallán Nelson!'

Mar nárbh fhiú a bheith ag caint a thuilleadh ar an scéal chuaigh Síle anonn chuig an scathán a bhí feistithe don bhalla idir bun a leapa agus an vardrús caol stáin ina gcoinníodh an bheirt acu a gcuid éadach. Bhain sí na bioráin as a cúl uaibhreach gruaige gur scaoil síos thar a slinneáin é agus thosaigh sí á scuabadh go bríomhar ansin.

'Jackson bocht!' ar sise i gceann nóiméid. 'Ní aithneodh Jackson Éire thar Timbuctú, níl puinn dochair inti, siúd níor mhiste duit céard a déarfá léi.'

'Shílfeá nach raibh mórán dochair a rá léi nach raibh aon obair in Éirinn ar aon nós,' a dúirt Nano, ag scaoileadh crios a héide banaltra agus ag baint an caipín beag stairseáilte di.

'Ó is ea, is peaca mór aon ní a rá faoi Éirinn ach lena moladh. Craiceáil éigin é sin a bhuaileann daoine nuair a thagann siad anall anseo, 'dheamhan aithne le bheith ag éisteacht leo nach raibh fuíoll na bhfuíoll in Éirinn gach lá riamh acu, nárbh í an tír ab fhearr ar domhan í. Ar ndóigh mar a dúras féin go minic leo—agus mar a déarfadh cuid de na Sasanaigh chomh maith ach é a bhaint astu— má bhí rudaí chomh hiontach sin in Éirinn cén fáth nár fhanadar ann? Cheapfá gur giofta anuas ó Dhia a bheith i d'Éireannach le bheith ag éisteacht le cuid de na hóinseacha sin!'

Chuir Síle cuma éisteachta uirthi féin i dtobainne agus d'ardaigh sí méar.

'Fan go bhfeicfidh tú anois,' ar sise agus d'oscail sí doras an tseomra. Ag ceann thuas an phasáiste amuigh bhí seomra siamsa na mbanaltraí agus bhí ceol ag teacht as, ceirnín arbh fhacthas do Nano é a bheith ar bun mórán gach uile uair dá ndeachaigh sí isteach nó amach as an seomra ó tháinig sí don áit an mhaidin roimhe sin; ba é *The Boys of Wexford* a bhí á sheinm, port nár chuimhin le Nano a chloisteáil ach ar éigean roimhe seo.

'Éist leis sin anois, a chailín,' a dúirt Síle, 'tá an striapach de rud sin ag imeacht acu ó mhaidin go hoíche agus nuair nach shin é atá á chasadh is é *Kevin Barry* nó *The Valley of Knockanure* é.'

Dhún Síle an doras arís agus thosaigh sí ag smearadh dathúcháin ar a béal; mheil sí na beola ar a chéile ansin agus ghlan thart orthu le binn a ciarsúir phóca. 'Tá mise cinnte gur le bheith ag dáráil ar na Sasanaigh níos mó ná dada eile a bhíonn na poirt sin ar bun acu an t-am go léir, is geall le teach na ngealt an áit seo scaití.'

Thug sí súil ar Nano, sa scathán.

'B'fhearr duit a bhualadh amach liom go gcaithfidh muid píosa den oíche, chuirfeadh an seomra seo caonach liath ort agus ní féidir dul síos sa bpárlús, beidh tú ag éisteacht le *Boolavogue* go ham codlata! Taispeánfaidh mé baile Norwold duit agus féadfaidh tú a rá le Máire Nic Dhiarmada amárach gur bhreá an áit í le hais Gaillimh.'

'Bheadh pus deas ansin uirthi!'

An oíche roimhe, an chéad oíche sa tír di, d'iarr Síle chun an rince sa Chlub Caitliceach í ach bhí an tuirse mar leithscéal ag Nano agus chaith sí an oíche ina haonar sa chillín beag cúng de sheomra, ag scríobh litreacha agus ag meabhrú ar a cúrsaí féin.

' Céard deir tú mar sin, an dtiocfaidh tú amach? Ní fearr duit anseo in do phúca.'

' Ní anocht é, ar aon chaoi, a Shíle. Go raibh maith agat mar sin féin.'

Bhí Síle gléasta anois, gúna dearg síodúil go lorga uirthi, an *New Look* mar a thugtaí go fóill air bíodh is go raibh sé i réim le cúpla bliain anois, dhá lúb péarlaí plaisteacha timpeall a muinéil agus bróga sálarda mar chúiteamh ar a heaspa airde. Thóg sí cóta a bhí comhfhad lena gúna as an vardrús agus chuir uirthi é.

' Bheul—an ndéanfaidh mé cúis, meas tú? '

' Tá tú go gleoite,' arsa Nano, ag gáire. ' Bhfuil *date* agat? '

' Níl oiread den ádh orm! Ach ní bheadh a fhios agat cén smeaisir a chasfaí ar dhuine. Tú cinnte nach dtiocfair? '

' Cinnte, slán a bhéas tú. Oíche éigin eile, b'fhéidir.'

Sheas Síle sa doras, a ceann ar leataobh, cuma bharrúil ar a haghaidh agus í ag féachaint thart ar an seomra go díspeagtha.

' Cinnte, cinnte?'

' Bailigh leat, a óinsigh, tá rudaí le déanamh agam.'

' *Okay* mar sin,' arsa Síle. ' Túralú! '

' Ó túralú thú féin,' a dúirt Nano, ag gáire anois arís dá buíochas, nach mór. Ach nuair a bhí an seomra fúithi féin aici lig sí osna agus bhreathnaigh sí timpeall. Ba sheomra beag lom é nach raibh lorg ar bith de shealúchas na mná eile ann, pictiúr ná ornáid ná froigisí banda d'aon chineál; bhí sé ráite cheana féin ag Síle léi go mba ghráin léi an seomra codlata agus ba chosúil nach bhfanfadh sí ann ach a laghad is a d'fhéadfadh. Rud nár thógtha uirthi, b'fhéidir: chuimnigh Nano ar an mbaile, ar an tine bhreá mhóna a bheadh thíos ag a hathair is ag a deartháir anois, chuimhnigh sí ar an mbeatha arbh fhiú beatha a thabhairt air, an t-arán breá baile, deoch bainne dá mbeadh sé uait, dinnéar ceart blasta nár phrácás é. Agus chuimhnigh sí ar Mháirtín Bid Antaine (nár dhóichí rud ná gur ar cuairt ina teach sise a bhí anois féin ag cur cúrsaí an tsaoil trí chéile lena hathair agus le Beartla) . . . b'imirce uabhair a bhí déanta aici, gach uile sheans, ach os a choinne sin cén tairbhe di fuirtheach sa bhaile? Ní raibh a fhios aici anois ar ghearr fada go mbeadh sí féin agus Máirtín le chéile in athuair mar bhí sé á thuar di go bhfaigheadh Bid Antaine saol fada fós— ní á maoímh uirthi, nár lige Dia! Chaithfeadh sí bliain, nó an chuid ab fhearr de bhliain a scaoileadh thairsti anseo sula bhféadfadh sí aghaidh a thabhairt siar abhaile arís, is ag magadh a bheifí faoin duine a ritheadh abhaile arís tar éis achairín gearr a bheith caite aige thall, agus b'éadóichí ar fad é go bhféadfadh Máirtín teacht aniar ar cuairt aicise. I dtobainne mhothaigh Nano gur fágtha ar an trá thirm a bhí sí, go raibh a himirt déanta aici agus í thíos leis. D'imigh an ciúnas i dtreis go dtí nach raibh le clos ach siosarnach beag an uisce sna píopaí téite thart le híochtar an bhalla agus corrghlór ó áit éigin eile san fhoirgneamh. Ní raibh sé an naoi a chlog go fóill agus bhí an chuid eile den oíche ag síneadh amach roimpi mar ba bhóthar a bheadh ann nach dtiocfadh cor ann go deo. Lig Nano Mháire Choilm osna aisti agus thosaigh ag baint di go mall.

Ó tharla gan aon rud eile le déanamh aici bhí sé chomh maith di dul a luí.

A SÉ

B'fhíor do Nioclás Ó Maonaigh é, ní raíbh buille oibre le fáil
in aon áit ba chuma cé chomh dian is a rachfá á lorg. Thug Niall
séirse suas ar an Dromán Féarach mar a raibh comharsanacht nua
de thithe cabhansail á déanamh agus dóchas aige, in aghaidh deal-
raimh, go n-éireodh post leis. Dá bhuíochas féin, geall le bheith,
bhuail ardmheanma éigin é ag fágáil an tí dó gur thosaigh sé ag
portaireacht go haerach dó féin mar ba bhéas leis agus é ríméadach,
ag iomardú focail na véarsaí beaga seafóideacha de rogha ar na
cinn chearta—

> *Gamsa na ndoinín in arraí na geornan*
> *An doinín gabóige chris sé a bhois* . . .

Níor thuig sé féin cad chuige a mbuailfeadh taomanna díchéillí
áthais é mar seo, go háirithe is gan aon údar faoin spéir leis; ba é
a nádúr é, níorbh fholáir, agus b'shin é uile é. Ba mhinic san arm é
gan luach cupán tae i gceaintín na beairice aige ní áireodh sé luach
gaile, agus thagadh an mheidhréis chéanna air, líontaí le sult is le
gliondar é agus ligeadh sé uaill as go buacach. Rud éigin a bheith
cearr leis na hoibreacha istigh ina cheann a bhí faoi deara é dar leis
an gCeannaire Ó Dúláinne, níor dhóichí rud ná gur tús gealtachais
é cibé fad a thógfadh sé air teacht chun cinn i gceart; an chríoch
ba mhóide a bheith air, a deireadh Paidí Ó Dúláinne, a bheith ag
glagaireacht leis féin go leibideach i gcillín stuáilte. Meidhre an
bhacaigh a thugadh Ó Dúláinne ar mheanma seo Néill, bhí sé
tugtha faoi deara aige go mbaineadh suairceas pleidhciúil éigin do
dhaoine nach raibh an scioltar ba lú de mhaoin an tsaoil acu nuair
a bhíodh daoine deisiúla, lucht gnó agus substainte, faoi smúit.
Bhain fuascailt nó saoirse éigin, chaithfeadh sé, leis an bhfeidhear-
thacht, le bheith beo bocht, i do bhacach, i do threaimp, i d'fhear
déirce: ba é dlí na beatha é, chomh fada is ba léir don Cheannaire
Ó Dúláinne, gur shantaigh Mór mórán ach gurbh fhurasta riaradh
ar Bheag; agus, dar leis, ba bhacach, ba threaimp, ba shlusaí gach
uile mhac máthar dá raibh sa bhuíon a raibh sé de mhí-ádh air
féin a bheith ina ceannas, ba iad an paca suarachán ba dhearóile
dár casadh leis-sean riamh iad. Ní mórán suime a bhíodh ag Niall ná
ag duine ar bith eile dá raibh in aon chomplacht leis i gcuid feal-
súnachta ná in aithis Phaidí Uí Dhúláinne—cantal an fhir a shan-
taigh mórán é féin ach nach mbeadh sé de ghustal ná de dhul chun
cinn ann go brách aon bhun a dhéanamh ba chúis leis ar aon chaoi,

[65]

[E]

níorbh ealaí do Pheaidí bocht bacach a thabhairt ar aon duine a rá is nach mbíodh dhá phingin aige le bualadh le chéile leath na seachtaine. Ní raibh neart ag an gCeannaire air féin ach chomh beag is mar a bhí ag Niall anois agus fonn liúirí air, beagnach, le haoibhneas. A thríocha punt féin dá mhéad dár chás leis é níor leor é lena chroí a ísliú; go deimhin bhí sé á fheiceáil dó cheana féin nach loicfeadh an Buitléarach ar fad air, go dtosódh sé ag cur airgid chuige a luaithe is a bheadh sé ar a bhonnaí thall. Má bhí Sasana chomh maith lena cáil níor dheacair dó sin a dhéanamh.

Ba nuair a shroich sé an láthair oibre agus nuair a chonaic sé na fir ag obair a d'imigh an teaspach de, cuid mhaith. Bhí beirt acu a raibh a muinchillí fillte suas ar a ngéaga móra láidre agus iad ag cartadh clocha agus gaineamh isteach i seanmheascóir mór díoscánach mar nach mbeadh sa sclábhaíocht sin dóibh ach spórt, agus bhí beirt eile ag tarraingt uathu le barraí rotha a bhí ag cur thar maoil le stroighin bhog ghlas, suas stangairt chaol ghuagach a bhí ag luascadh fúthu ar chuma go mbeadh faitíos ort go n-imeoidís de amach ar mhullach a gcinn. Bhí gleo agus gleithreán, cnagadh casúr agus geonaíl innillshá ar fud na háite agus ba chosúil ar a seachantacht nach ligfeadh an eagla do na hoibrithe beannú duit, ní áirím faisnéis a thabhairt duit faoi cá mb'fhearr duit dul le post a fhiafraí. Rith sé le Niall go mba bhrú ar an doicheall, b'fhéidir, teacht timpeall ar chor ar bith ag lorg oibre agus gan a fhios ag an dream a bhí ó chianaibh ann cén uair a thabharfaí bóthar dóibh.

Níor mhórán leis an ocht a chlog fós é ach bhí Georgie Ó Doibhlin, an tógálaí, ar an láthair cheana féin, ag fógairt ar a chuid fear, á mbrostú agus á ngríosadh dá laghad dár ghá dó é mar chomh fada is ba léir do Niall bhíodar uile ar a ndícheall ag obair. Brúisc mhór arranta phlucdhearg bheathaithe—ceannaitheoir beith- íoch níba dhealraithí ná a dhath eile dar le Niall—a bhí i Mac Uí Dhoibhlin, dianmháistir a bhrisfeadh fear oibre gan trua gan taise dá nglacfadh sé ina cheann é, údar aige ná uaidh; bhí cáil air i ngar is i gcéin agus níor cháil mhaith é. Agus bhí drochaoibh air anois go follasach: níorbh é an tráth ab oiriúnaí dul ina ghaobhar, gach uile sheans . . . i dtobainne shantaigh Niall an gnó a chur ar fionraí agus sleamhnú leis ó láthair ach ba ar an nóiméad céanna sin a thug an tógálaí faoi deara é agus a chuir ceist air, go brogúsach, céard a bhí ag teastáil uaidh. ' Bhíos ag ceapadh go mb'fhéidir go mbeadh seans ar obair a fháil, a Mhic Uí Dhoibhlin,' a d'fhreagair Niall, chomh múinte agus a bhí ar a chumas arae bhí míbhéasacht an tógálaí ag dul in aghaidh stuif ann cheana.

' Obair, an ea? ' Chúngaigh na súile beaga glice ag an tógálaí mar a bheadh sé ag iarraidh Niall a bharrainn, mar nach mbeadh sé cinnte nach cluanaí de shórt éigin a bhí anseo aige. Rinne sé leamhgháire beag míchéatach ansin agus cé go raibh a phluca ramhra ag preabadh le greann searbhasach éigin chonacthas do Niall go raibh a dhá shúil chomh marbh le súile troisc ar lic mharmair.

' Tá an obair seo i ndáil le bheith thart, nach bhfeiceann tú féin é? Cá rabhais nuair a bhí neart oibre ann, a dhuine?'

' Bhíos san arm,' a d'fhreagair Niall agus rinne Georgie Ó Doibhlin sclogaíl gháire go drochmheasúil.

' Ní dhéanfá mórán oibre san arm, tá mé ag ceapadh! Taispeáin dom do lámha, a ghiolla.'

Agus leis an gcuthach feirge a tháinig ar Niall ag an masla sin b'ionadh leis féin a réidhe, srianta is mar a tháinig an freagra chuige. ' Is túisce a thaispeánfainn mo thóin duit, a mhac. Ag iarraidh oibre a tháinig mise agus ní scrúdú dochtúra, ach cér fhága tú an bastúnachas! Cuir síoda ar mhuc agus is muc i gcónaí í.'

Ach ní raibh sé de shásamh ag Niall, fiú, olc a chur ar an tógálaí mar go haibéil d'iompaigh Mac Uí Dhoibhlin thart gur lig béic ar thiománaí leoraí a bhí ag cúlú isteach ón mbóthar le hualach gainimh—b'shin chomh mór agus mar a chuir an cáineadh as dó, níor faic é le hais na práinne eile seo, an gaineamh a bheith á chur san áit chontráilte.

Ní mórán den ghiodam a d'fhan ar Niall ag bailiú leis arís ach bhí an dóchas go láidir i gcónaí aige go n-aimseodh sé post ach a iarraidh. Chuaigh sé caol díreach chun Grúdlann Smithwick ar bhruach na habhann agus nuair a chlis ansin air thriail sé an teilgchearta nua ar láthair an tseanospidéil fhiabhrais, agus as sin chuaigh sé go dtí Muilte Osraí faoi scáth an Chaisleáin ó dheas den droichead. Ní raibh gnó ar bith go dtí an mhonarcha bhróg aige, thuig sé, arae níor mhór duit d'ainm a bheith thíos ansin ar fhágáil na scoile duit sula mbeadh seans ar bith go bhfostófaí tú; b'ann a bhí deartháir leis féin, Muiris, ag obair ó d'fhág sé an scoil cúpla bliain roimhe sin. Bhíodh daoine i bhformad leo siúd a raibh sé de rath orthu post a fháil sa mhonarcha bhróg, bhí tuarastal maith ann agus b'áit dheas ghlan nua-aimseartha í le bheith ag obair. Mic feirmeoirí féin níor scorn leo post a lorg sa Mhocaisin mar a thugtaí air, bhí oiread sin gradaim ag baint leis.

Déanamh príosúin níba chosúla ná dada eile a bhí ar Mhuilte Osraí, seanáras clochliath agus fuinneoga beaga dorcha ina sraith-eanna os cionn a chéile ann ar nós mar a bheadh i gcarcar go díreach. Bhí na muilte seo suite ar leithinis bheag agus crainn arda dlúth ina dtimpeall gurbh ionadh leat go sroichfeadh solas an lae chomh fada leis an dream a bhí ag saothrú leo taobh istigh—ná ní dhéanfadh ach ar éigean agus an lá ba ghile den bhliain bhíodh na bolgáin aibhléise ag fannlonrú laistiar de na fuinneoga bídeacha. D'fhéadfadh strainséir gabháil thar na muilte ar an gcasán luaithe faoi bhun an Chaisleáin gan a thabhairt faoi deara, sa samhradh ach go háirithe, go raibh monarcha i ngiorracht míle dó, arae bhí dordán maolaithe na n-inneall fite fuaite le monabhar moiglí na cora ar chuma go mba dheacair a ndealú ó chéile. Bhí sé mar a bheadh an Fheoir agus na crainn mhóra i gcomhcheilg le chéile leis na muilte olla a cheilt ar an saol mar ba neascóid ghránna iad ar an mball aoibhinn sin.

Ar theacht chomh fada leis na muilte dó chuaigh Niall trasna ar dhroichead beag cloiche agus isteach faoi áirse mhantach a raibh cnapáin chaonaigh agus dosanna broimfhéir ag fás as gach gág agus alt ann go dtí clós mór doirneogach ar chosúla le hiothlainn ná le fáiméad monarchan é; agus de dhorta dharta bhí torann bodhraitheach na seol fíodóireachta ina chluasa, cladrach callánach buile a ndeintí rithim thomhaiste de ó am go ham nuair a thagadh na hinnill uile ar aon bhuille de sheans. Fothram é seo nach n-imíonn go brách as cuimhne an té a bhí cleachtach air agus níor thaise do Niall é anois, tháinig na cuimhní ag tuileadh chuige chomh líofa agus dá mba chumhrán bláth nó píosa ceoil a bheadh á spreagadh. Chonacthas dó agus ní den chéad uair ó tháinig sé abhaile é, go raibh an saol casta tuathal air ar bhealach díobhálach éigin agus gur ar bhráca na haimléise a bhí sé anois. Ba é díogha gach díogha na muilte olla, fuair sé a shá de bhrocamas is d'easláine na hoibre sin nuair a bhí na muilte eile faoi lánseol agus é ag sileadh allas a chnámh iontu sular liostáil sé san arm; ach i dtigh diabhail dó b'fhearr é ná díomhaoin, dá dhonacht é. B'áil den éigean aige é agus chuaigh sé i dtreo na hoifige agus é ar tinneall le barr tnútháin. Níor thóg sé nóiméad air a fháil amach nach raibh aon cheo anseo dó ach an oiread.

Bhí cónaí ar Mhuintir Chonaill i Rae Naomh Cainneach i bParóiste na mButaí ag ceann thiar na cathrach. Seantithe beaga ísle nach raibh fairsinge stampa ina gcuid fuinneog ná an aibhléis istigh ina leath a bhí i Rae Naomh Cainneach; bhíodar tais, cúng, plúchta agus ba sa chlós amuigh ar a gcúl a bhí an t-uisce píobáin agus an pruibhí, gan sa chlós féin ach giodán caol aimhréidhe idir ballaí bearnacha cloch. Bhí cuid den Rae tréigthe cheana féin agus na háitreabhaigh aistrithe leo suas go dtí an Dromán Féarach, ceantar aerach folláin arbh ionann agus croí lár na tuaithe é ag bunadh an bhaile mhóir, an dream aosta ach go háirithe. Bhí a n-ainm thíos ag Muintir Chonaill ó baineadh an chéad fhód ar an scéim tithíochta sin ach b'fhada go rabhadar ag fáil scéal ar bith ón mBardas agus bhí máthair Néill as a ciall anois le heagla go bhfágfaí ar an trá fholamh iad 'Anseo inár ndíthreabhach i measc na mballóg agus na gcolúr,' mar a deireadh sí féin buille áibhéileach—sin nó, rud ba mheasa fós, go lonnódh comhluadar tincéirí i gceann de na tithe tréigthe agus gurbh iad sin a bheadh feasta mar chomharsana acu. Ní raibh de phort ag máthair Néill ó tháinig sé abhaile ach an teach nua; ' an teach nua ' a thugadh sí air faoi mar ba theach ar leith é agus é curtha in áirithe dóibh cheana—cad é go bhfaighidís scéala faoi nó cé le haghaidh an mhoill fhada seo in aon chor nó, go dtarrthaí Dia sinn, arbh amhlaidh go rabhthas á ndearmad uile? Agus i gcás gurbh é sin é, i gcás nach roghnófaí iad as liosta fada na n-iarrthóirí, cad é mar mhealladh, cad é mar ligean síos, cad é mar phoc sa bhéal é! Ba dhuine í Cite Bean Uí Chonaill a d'fheicfeadh rudaí nach raibh i gclár ná i bhfoirm riamh, a chuirfeadh nithe as a riocht as corp amhrais agus a ghlacfadh masla san áit nach mbeadh aon mhasla i gceist, agus de réir mar a bhí an aimsir ag dul thart agus an scéim tithíochta ag druidim lena críoch bhí sí ag imeacht le craobhacha ar fad. Nár bhocht an scéal é nuair nach raibh oiread agus guth amháin ar an gcabhansail a labhródh dóibh? Mac Uí Néill tar éis is ar fhágadar d'airgead ina shiopa thar na blianta aniar (muran airgead síos féin é agus cén chaoi a d'íocfaidís airgead síos ar dada nuair nach gcuirfeadh athair Néill a liúntas féin chuici mar ba chóir?), nó Paidí Lavelle a bhíodh chomh múinte sin ag ardú hata di aon uair a chastaí le chéile amuigh iad, nó ' Más ' Hanberry ar as íochtar an chontae ó thús dó, a fearacht féin, agus go mbeifeá ag súil le soilíos éigin uaidh dá réir—nach breá nach labhródh duine éigin díobh sin ar a son nuair a bhí daoine nach raibh leath chomh mór ina chall ag fáil tithe nua? Bhí fabhar sna Flaithis féin, ar ndóigh, chuala sí riamh é, agus cá bhfios cén t-uisce faoi thalamh ná cén bhreabaireacht a bhí ar bun i ngan fhios do dhaoine, ní raibh duine ar bith le trust, ba chosúil, ar na saolta seo, cibé cá ndeachaigh an córtas agus an chneastacht in aon chor. Ach má ghoill loiceadh seo lucht an Bhardais uirthi ba mhó go mór a ghoill neamhaird na cumhachta ab airde suas, na naoimh sin go léir idir bhaineann agus fhireann ar chuir sí achainí faoina mbráid chomh mion is chomh minic sin. Bhí sé dona go leor gan cara a bheith sa chúirt shaolta acu ach nuair nach raibh aon chara acu i gCúirt Dé níorbh fholáir nó go raibh peaca éigin dá cuid féin nó de chuid a clainne á agairt orthu. Bhí Nóivéine na Naoi nAoine déanta trí gheábh as a chéile aici, gheall sí na huirc is na hairc d'Antaine Naofa, do Naomh Filiminé, do Naomh Áine máthair na Maighdine Beannaithe féin agus ar ndóigh don Chroí Ró-Naofa dá bhfaighidís an teach nua. B'fhéidir, a deireadh sí in amanna, gur á tástáil a bhíothas, ag féachaint a creidimh nó ag cur i gcéill di ar a mbealach féin nárbh iad na nithe saolta ba thábhachtaí. Ach cén tsaoltacht, a deireadh sí ansin chomh sciobtha céanna, nach raibh an phrochóg de theach ag titim ina mullach, nach raibh sé thar am acu áit cheart chónaithe a fháil as? Agus cad faoi Mháirtín Beannaithe de Porres, fear iontach má b'fhíor le rud a fháil do dhuine (ní raibh ríochan ar bith le hábhair naomh agus iad ag fuirtheach lena gcanónú agus bhí íomhá an fhir dhuibh i ngach teach sa chathair cheana féin)— nach maith nach ndéanfadh seisean rud orthu?

Bhí Niall chomh tuirseach den deilín seo ó tháinig sé abhaile agus gur shantaigh sé a rá lena mháthair malairt poirt a chanadh in ainm Dé nó go mba gheall le gramafón í a mbeadh an tsnáthaid i bhfastó i gclais ann—agus dhéanfadh sé, freisin, murach eagla a bheith air go gcasfadh sí ar an bport eile sin, a leibideacht féin, mar ar lig sé uaidh a mheall mór airgid ' gan urrús gan bhanna,' rud nach ndéanfadh gamal anuas de bharr sléibhe ná bac le duine a raibh oiread sin measa aige ar a stuaim féin. I dtaca le stuaim de bhí Niall in earraid leis féin nár fhéach sé leis an scéal a cheilt ar a mháthair, nár chum sé leithscéal éigin di i dtreo is nach mbeadh an lón aithise sin aici anois le caitheamh leis, ach ar ndóigh bhí sé curtha dá threoir chomh mór sin agus gurbh shin é an smaoineamh ab fhaide óna cheann é. In ainneoin na tuairte a baineadh as 'Tigh Pháid Uí Neáraigh an oíche ar tháinig sé abhaile chodail Niall chomh sámh le gráinneog (an lán boilg pórtair mar anaestéis-each aige, gan dabht) agus bhí sé ina shuí arís ar maidin sula raibh aon chosúlacht corraithe ar a bheirt dheartháir a bhí ina gcodladh sa leaba thall. Díriú aniar go leochaileach ar leathuillinn is ea rinne Niall gur thug súil dhoicheallach thart ar an seomra beag cuibhrithe, na cláir loma urláir, an fhuinneoigín bhídeach nárbh fhéidir a oscailt, an páipéar cianaosta balla go raibh treallanna dá dhath bunaidh thall is abhus go fóill air mar bheadh ruachtach ar éadan caillí. Ní raibh de throscán sa seomra ach a leaba shingil féin, seanleaba dhúbailte a bheirte deartháir agus bord beag poll-phéisteach a bhí screamhaithe le fuíoll coinnle ar nós scrín naofa nó tobar beannaithe áit éigin faoin tír; bhí dhá phictiúr ar an mballa, ceann os cionn gach leapa—Antaine Naofa (nár chlis riamh ar aon duine má b'fhíor do mháthair Néill) agus Naomh Aspal na hÉireann is é go rúitíní i measc na nathrach gránna a bhí á ndíbirt aige as Inis Ealga. Ba mhinic ina pháiste dó go dtagadh crith coil ar Niall ag díbirt seo na bpéisteanna; iad ina gcéadta is ina mílte ag snámh is ag síneadh as uachaisí dorcha bréana, as poill fholaigh agus as easair sléibhe, ag lúbadh agus ag cornadh go déistineach le teann drogaill agus gan loghadh ná ligean i ndán dóibh ach Pádraig Naofa á ruaigeadh thar sáile. Ní raibh comaoin ba mhó a d'fhéadfadh an naomh a chur ar chine Gael ná an ramallacht fhuafar sin a scuabadh i dtigh diabhail amach as an oileán ar fad a deireadh Niall leis féin sular tháinig an t-amhras á phriocadh ar dtús. Chomh maith leis an bhfuinneog bheag amháin sa seomra codlata bhí spéirléas i lár na síleála ísle agus seanscuab gruaige faoi lena choinneáil ar leathadh; ba mhinic, freisin, a d'fhaireadh Niall na réalta a bhíodh ceaptha sa dronuilleoigín bheag sin agus é ag machnamh ar rúndiamhair na cruinne, spás agus síoraíocht, ar céard ba bheatha ann in aon chor, ach ba chinnte nár san oíche Dé Sathairn é! Ba ar a dhícheall dó a chuid éadaigh a scaoileadh de agus titim isteach sa leaba sular sciob an tromchodladh marbh é i gcuilithí dubha na neamhaithne—fuascailt arbh fhacthas dó, go díreach sular chaill sé a mhothú, a bheith gaolmhar don bhás féin.

Go faillí, cáiréiseach faoi mar a d'éalódh duine thar mhaistín fíochmhar (ach ba roimh an masmas a bhí ag corraí ina bholg a bhí eagla ar Niall) a d'éirigh sé an mhaidin sin gur shuigh ar cholbha na leapa go hainnis, cráite; ghléas sé é féin go mall, útamálach mar a dhéanfadh othar arbh é an chéad uair é ina shuí dó tar éis téarma fada breoiteachta, agus nuair a chrom sé le stoca a thógáil den urlár tháinig an fonn múisce ina mhaidhm aníos ann i dtreo is gur chaith sé a dhrad a dhúnadh go teann chun é a bhrú faoi. Bhris an t-allas ina mhúnóga fuara amach ar chlár a éadain agus d'fhan sé tamall ar an gcuma sin mar a bheadh bás-ina-bheatha le heagla go gcuirfeadh sé aníos. Nuair a bhí sé tagtha chuige féin beagáinín chroch sé a chasóg leis de phost na leapa gur thug aghaidh ar an gcistin síos agus ar an íde béil a bhí i ndán dó. Bhí an chistin chomh dealbh leis an seomra codlata, teallach beag smúiteach, urlár tais cloiche, seandriosúr beag, bord déile agus ceithre chathaoir agus dá chiaptha dá raibh sé ag an tinneas póite b'ionadh le Nial mar a ligeadh sé deilbhe na cistine agus an tí bhig ar fad i ndearmad nuair a bhíodh sé ó bhaile, mar ba bheag bídeach nach gcuirfeadh sé ina luí air féin gur teach fairsing slachtmhar a bhí i Rae Naomh Cainneach acu agus é réitithe amach le foireann ceart troscáin go maiseach, ordúil . . . speabhraídí, ar ndóigh, bhí an cheart ag an gCeannaire Ó Dúláinne, seans, mar gheall ar a mheicníocht cinn. Ba dhual athar dó é má b'fhíor dá mháthair, bhí baois na gConallach go smior sa triúr acu, bhí faitíos uirthi, agus gan sciorta ar bith de ghaois a muintire féin. Cén mhaith, a d'fhiafraíodh sí go bladhmannach, captaen na loinge a bheith go maith nuair nach raibh fiúntas broma sa chriú? (Ba in amanna, nuair a chuirtí thar fulaingt í—nó nuair a mheasadh sí féin go raibh sí curtha thar fulaingt—a bhriseadh dúchas seo na tíriúlachta amach i gCite Bean Uí Chonaill ach go hiondúil bhíodh sí thar a bheith ceartchreidmheach, níba chaoinbhéasaí go mór ná mná eile an Rae.) Bhí boladh móna agus boladh paraifín ina gcumasc láidir ar fud an tí agus bhí máthair Néill ar leathghlúin os comhair an ghráta ag fadú an spairtigh fhliuch; an mhóin a bhíodh le ceannach anois, cibé cá mbaintí í, bhain duainéis mhór lena lasadh.

'D'éirigh tú, a Néill,' a dúirt a mháthair agus thug súil suas síos air ar chuma a mhearaigh go mór é. Mar bharr ar gach olc bhí sé cinnte glan ar Niall a chuimhneamh an raibh a mháthair ina suí aréir nó nach raibh nuair a tháinig sé abhaile agus gan steár ann, caochta ar meisce.

' An a fhanacht sa leaba a dhéanfainn? ' a d'fhreagair Niall, ní le fonn cocaireachta, baileach, mar bhí a shá ar a aire anois aige ag iarraidh an tinneas a cheansú, ach gothaí truacánta a mháthar a bheith á mhearadh.

' Bhuel is ait liom gur fhéad tú éirí, a Néill, agus an bhail a bhí aréir ort, gan cos fút ag teacht abhaile mar ba dhuine de ghramaisc Pháirc Oirmhumhan a bheadh ag teacht as Sasana.'

Amharc dár thug Niall ar an mbord a chosc an t-aisfhreagra a bhí tagtha chun a bhéil: bhí leathcháca milis ann ón oíche roimhe, bhíothas ag súil abhaile leis, ar ndóigh, agus féasta beag réidh ina choinne.

' Réiteoidh mé do bhricfeasta duit, a Néill,' arsa a mháthair ag éirí ón tine a bhí ag bladhmadh go deatúil anois, ' chaithfeadh sé go bhfuil ocras ort tar éis an aistir fhada agus gan dada i do bholg agat ach pórtar Pháid Uí Neáraigh.'

Níor thug Niall aon fhreagra uirthi ach chuaigh amach go dtí an clós beag ar chúl an tí le baslach a thabhairt dó féin. Ina sheasamh sa phruibhí beag gleoránach dó bhuail fonn urlacain arís é ach smachtaigh sé an iarraidh seo freisin é agus i gceann nóiméid nó dhó bhraith sé biseach beag ag teacht air. Bhí an t-an-choimpléasc go deo aige, chaithfeadh sé: b'iomaí fear nach mbeadh in ann éirí in aon chor tar éis ráig mhillteach óil mar a bhí aréir acu, agus chuirfeadh sé geall ar bith go mba mheasa an bhail a bhí ar an mbeirt eile anois, ar Ó Maonaigh agus Ó Súilleabháin. Chuaigh sé thar fóir aréir leis gan amhras ach níor thógtha ar dhuine ar bith dul agus an t-údar a bhí aige, a mhám bhreá airgid imithe ar throigh gan tuairisc. Theip air ainm ar bith a bheadh sách nimheanta a roghnú don Bhuitléarach agus thug sé sracadh cantalach don chorda a bhí mar shlabhra ar luamhán an dabhaigh uisce. Chrith an dabhach go ndearna gliogarnach mire sular scaoil an t-uisce go drogallach síos sa bhabhla agus tháinig Niall amach faoin aer arís, na cosa chomh lag le tráithníní faoi. Thug sé súil cháinteach thart ar an gclós beag, an carnán cailme ar chóir dó a bheith fuinte ina liathróidí le haghaidh na tine, an brúscar scaipthe agus an seanrothar airm ag meirgeadh le balla, rothar a cheannaigh sé féin ar phunt lá den saol thoir sa bheairic nuair a bhí an Éigeandáil thart agus nárbh fhiú le Aindriú ná le Muiris é a dheisiú de réir cosúlachta. Níor chuimhin le Niall mí-ord mar seo a bheith ar an áit riamh cheana ach ba le méid a gránach a bhí a mháthair ag déanamh faillí ann, ba ghráin léi an Rae is a raibh ann chomh mór sin anois agus nach bhfaigheadh sí ina claonta saothar a ghlanta a chur uirthi féin. Ba ghráin léi an teach agus a sráidín suarach agus thar rud ar bith ba ghráin léi na colúir a bhí fágtha ina ndiaidh ag a gcomharsa bhéal dorais—le tarcaisne dóibh féin dar léi. Bhí

[72]

Muintir Synnott imithe suas ar an Dromán Féarach, go dtí teach breá nua, agus ní raibh áit ar bith do cholúir ná do bhrocamas ar bith mar iad thuas ansin, ba i gcábáin bheaga phlúchta an Rae amháin a bhíodh a leithéid sin. Ar ndóigh ní a fhágáil ina ndiaidh, le tarcaisne ná a dhath eile, a rinne Jackie Synnott, a mhínigh Niall dá mháthair nuair a thosaigh sí ar an téad sin, ní raibh ann ach gurbh shin é mianach na n-éan agus nach ngabhfaidís i dtaithí na háite nua go ceann tamaill. Bheadh sé chomh maith dó a bheith ina thost mar ní áiteodh an saol ar a mháthair nár d'aon ghnó é; go deimhin is beag bídeach nach ndearbhódh sí gur le fonóid fúithi féin agus an líon tí a dhéanadh na colúir an *hú-hú* gruama sin a bhíodh acu.

Bhí an tine ag deargadh sa ghráta nuair a tháinig Niall isteach arís agus an citeal ar fiuchadh; shuigh sé agus d'ól cupán tae le linn dá mháthair a bheith ag réiteach a bhricfeasta, tinneall eatarthu chomh so-bhraite agus dá mba neach beo a bheadh ann, ach faoin am ar leag sí roimhe é ar an mbord é bhí oiread bisigh air agus gur thug sé faoi go hamplach. Ní raibh smid as a mháthair leis agus é ag ithe agus ba bhearrán le Niall an tost anacair seo, ba chun feirge a spreagfadh sé é dá leanfadh sé i bhfad eile. De ghnáth ní chuireadh míghiúmar a mháthar as dó ach bheadh údar go leor aici anois a luaithe is a gheobhadh sí amach an praiseach a bhí déanta aige de rudaí. Cén fáth go mba mheasa teanga mná ná teanga fir i gcónaí? Níor mhiste leis dá n-íosfaí an craiceann anuas de ar chearnóg na beairice, go deimhin ba mhinic go mba fhoinse grinn dó na maslaí a chaithfí leis as laghad a shlachta mar shaighdiúir.

' Tuige nach n-ólann tú féin braon tae, a mhaim? ' a d'fhiafraigh sé di le fonn í a thláthú ach níor thug a mháthair aon fhreagra air. Níorbh annamh go ndeineadh sí troscadh breise mar seo ar mhaithe le rud éigin a bheadh á lorg aici, bhí an-chreideamh sa troscadh aici le fabhair a mhealladh ó na naoimh ach bhraith Niall go raibh níos mó ná sin ann ar maidin, rud éigin ba ghiorra don chontrárthacht ná don fhéiníobairt. Agus lena chois sin chuir neamhaird a mháthar múisiam air.

' Bhíos ag fiafraí díot cad chuige nach n-ólfá braon tae, a mhaim,' ar seisean go briosc.

' Beidh mé luath go leor,' a d'fhreagair a mháthair chomh briosc céanna, ' níor mhiste é a ofráil suas mar leorghníomh beag don Chroí Ró-Naofa ar pheaca na meisce.'

' Níor mhiste, b'fhéidir,' a dúirt Niall ag preabadh ina sheasamh go feargach, ' agus ós ábhar spíde atá uait tá sé chomh maith dom é a thabhairt duit—tá Ciarán Buitléar imithe go Sasana agus mo chuid airgid leis. Sin é a sheol ar an ólachán aréir mé agus faraoir nár ólas gach uile phingin de in áit a shábháil mar a dheineas! '

Bhailigh sé leis amach as an teach ansin agus phlab sé an doras ina dhiaidh.

A SEACHT

A luaithe is a dhúisigh Treabhar Bheartla Bhillí ag an leathuair tar éis an sé maidin Dé Luain chaith sé de na héidí leapa agus phreab sé amach ar an urlár. Bhí a éadach oibre gan bhaint as an gcás go fóill aige, a gheansaí cniotáilte baile, a bhróga troma tairní (na *Jordans* mar a thugadh muintir Chonamara orthu) agus a threabhsar de chorda an rí. Chartaigh Treabhar amach as an gcás iad agus ghléas sé é féin go mear agus ansin thóg sé an glac sóinseála a bhí leagtha faoina philliúr aige gur shac i bpóca a bhríste é.

Bhí Tomás Seoighe ag síneadh agus ag méanfach cheana, a lámha móra oibrí á iniúchadh idir é féin agus léas aige faoi mar chuid suntais dó iad ar údar éigin.

'Bhfuil sé in am éirí?' a d'fhiafraigh sé, ag scríobadh a smige—mír bheag eile de ghnáthaimh na maidine. Bhí a chéile leapa, an Suibhneach Rua, ina chodladh i gcónaí agus plobarnach bheag shúmhar ag teacht as a bhéal faoi mar ba phíopa a bheadh á smalcadh aige.

'Nach bhfuil a fhios agat féin go bhfuil?' Níor réitigh ceisteanna díchéillí le Treabhar Bheartla Bhillí in am ar bith agus go moch ar maidin ach go háirithe. 'Tabhair cic don bhréantas sin le do thaobh, bhí gleo an diabhail aige ag teacht isteach anseo aréir cibé cá bhfuair sé le n-ól é. Ní raibh an *cent* féin ag an mbastard inné má b'fhíor dó.'

D'éirigh an Seoigheach aniar ar leathuillinn gur thug craitheadh maith don fhear eile; chuir sé a bhéal lena chluais ansin agus lig béic as.

'Dúisigh, a Shuibhne, a dhiabhail! Tá an chéad rása tosaithe.'

Gheit an Suibhneach ar nós mar a gheitfeadh corp a gcuirfí urchar ann agus tharraing sé na héidí suas ar a cheann.

'Mallacht dílis Dé duit,' a tháinig ina gheoin chéasta uaidh, 'nach sílfeá go n-éistfeá le duine ar maidin?' Lúb sé é féin ansin mar a dhéanfadh eascann agus shac sé a chloigeann faoin bpilliúr.

'Á, tá sé chomh maith duit éisteacht leis an gconús,' a dúirt Treabhar de ghlór a bhí trom le déistin, 'níl aon fhonn air a dhul ag obair.'

'Ar ndóigh níl,' a dúirt an Seoigheach ag éirí amach ar an urlár agus ag bailiú chuige na balcaisí oibre a bhí caite faoin leaba aige ina mburla ón Satharn roimhe.

'Ní fiú cac an diabhail an fear nach ngabhfaidh amach ag obair, ní fiú é a bheathú,' a dúirt Treabhar ag dul amach go dtí an seomra folctha agus píosa de thuáille caite thar a ghualainn aige.

' Ó diabhal a fhios agam, a dheartháir,' a d'fhreagair Tomás Seoighe, ag breathnú go dólásach ar an nglac briseadh a bhí fágtha aige tar éis ragairne dheireadh na seachtaine. ' Ar scáth a bhíonn dá bharr ag cuid againn bheadh sé chomh maith againn fanacht sa leaba.'

Tháinig Treabhar isteach i gceann nóiméid, an tuáille thart ar a mhuineál aige agus é ag tarraingt ruainne de chíor trína ghruaig uaibhreach mheirgrua.

' Bhí mé a rá go mbeadh sé chomh maith do chuid againn fanacht ina gcodladh ar scáth a thairbhe,' a dúirt an Seoigheach ag tarraingt ar bharriall a bhróige; bhris an bharriall agus lig an Seoigheach mionn as.

' Ó nach é do chionsiocair féin é mura bhfuil aon cheo agat dá bharr, níl aon chall duit gaoth a thabhairt do gach uile phingin, an bhfuil? ' arsa Treabhar leis go mífhoighneach agus d'imigh síos chun a bhricfeasta.

Ní bhíodh comhrá ar bith in am bricfeasta Tigh Mhadge Bean Uí Chonaola ach na fir uile ag alpadh is ag cangailt gan smid astu le chéile; níor chonnaltráth ar bith é an chéadphroinn, go háirithe ar an Luan nuair ab iondúil a bheag nó a mhór den tinneas póite a bheith ar na lóistéirí. Ní léití nuachtáin ná ní éistí le raidió ar maidin sa teach lóistín ná ní dheintí puinn moille ag bord tar éis an béile a bheith caite; agus an té a d'fheicfeadh na fir chéanna seo an oíche roimhe san *Laurel Tree* ná san *Mother Black Cap* nó cibé tábhairne é ag spraoi is ag gáire le chéile nó ag cogarnaíl go comhcheilgeach i ngrúpaí beaga clannacha ba ar éigean a chreidfeadh sé gurbh iad an dream céanna a bhí in aon chor iontu. Dála na bhfear eile d'imigh Treabhar ón mbord a luaithe is a bhí sé sách, gan hú ná há a rá le duine ar bith de na lóistéirí eile cé go raibh aithne mhaith acu uile ar a chéile agus cé go mba as Gaeltacht Chonamara a bhformhór. B'shin é a mbéascnaíocht agus an té a dtiocfadh fonn glagaireachta ar maidin air ba ghairid go dtuigfí dó nach raibh iarraidh ar bith ar a chuid cainte.

Ag gabháil síos Bóthar Arlington do Threabhar Bheartla Bhillí bhí a bhróga tairní ag baint macalla as leacacha na sráide agus bhí na guaillí á luascadh aige go gaisciúil—stiúir an náibhí, stiúir a bhí dúshlánach agus cábógach san am céanna mar ba mheascán den bhuaileam sciath agus den chúthaileacht faoi deara é. Ba gheall le sainmharc an Éireannaigh thuaithe an siúl leithleach seo, ba bhéas é go ndeineadh an dream ba dheireanaí a tháinig aniar as Éirinn aithris air gan mórán achair agus go ndeineadh muintir na mbailte móra, Baile Átha Cliathaigh agus Corcaígh agus eile, magadh faoi eatarthu féin. Bhailigh Treabhar thar an Eaglais Chaitliceach gan é féin a choisreacan ná lá dá chuimhneamh air agus chas sé síos Parkway ag déanamh ar an gcrosbhóthar mar a gcruinníodh na fir

oibre ina mbaiclí gach maidin ag fuirtheach leis na leoraithe a bhéar-
fadh amach chun na hoibre iad, cibé fad é féin agus níor rud neamh-
ghnách ar bith é dul leathchéad míle ó láthair mar sin. Bhí math-
shlua ann cheana, forránaigh spreachúla bhríomhara, a gcuid léinte
oscailte síos ar a bhformhór, goic thufáilte ar go leor díobh agus
cuid acu marcáilte de bharr bruíon na hoíche roimhe; cuid eile a
raibh cotadh nó éadánacht éigin ag gabháil leo faoi mar a bhraith-
fidís iad féin iasachta anseo ar an gcoigríoch. Bhí fir mheánaosta
nó a bhí ag teannadh le meánaois pé scéal é líonmhar go leor
freisin, fir a shil allas a gcnámh go fonnmhar cneasta i gcaitheamh
a saoil, fir ar mhó é a saothar maidine ná saothar iomlán lae aicmí
eile ach a raibh sé in am acu slí mhaireachtála éigin ab éasca ná
an náibhíocht a lorg anois dóibh féin, obair chabhansail, b'fhéidir,
nó obair tógála nach mbeadh chomh dian leis an sclábhaíocht seo
a bhíodh orthu agus iad ar fostú ag a gcomhthírigh féin. Mar bhí
lorg na dianoibre seo go follasach orthu cheana, iarracht den
spadántacht ina siúl nó na guaillí acu a bheith silte beagáinín ag
síorsracadh agus síorchartadh; i gceann deich mbliana eile ní bheadh
ach an méid ba bhuaine díobh in ann chuig an rúscadh seo agus
bheadh sé rómhall dóibh ansin le malairt ceirde a fhoghlaim.
    Ní raibh mála ná bosca lóin ag duine ar bith de na náibhithe seo
mar a bheadh ag an oibrí Sasanach ach gach uile fhear agus a lón
sactha síos ina phóca aige—iad siúd a mbíodh lón amach leo ar
maidin arae má bhí caifé in aice láimhe ba ann a rachaidís ag ithe
béile, sin nó buillín a cheannach agus píosa feola dá mbeadh fáil
air, agus lón a réiteach dóibh féin in am sosa. Bróga tairní a bhí á
gcaitheamh ag a bhformhór agus an méid díobh nach raibh bróga
tairní orthu bhí *wellingtons* á gcaitheamh acu agus a mbarr iompaithe
síos go lorga ar chuma a thabharfadh coisbheart na bhfoghlaithe
mara fadó i gcuimhne duit. Má bhí difríocht ar bith idir an dá
aosghrúpa, idir na fir óga a bhí lán den diabhal agus den aeracht
i gcónaí, agus na fir sin ba shine ná iad a raibh an dá shaol feicthe
acu—an pá mór a bhí le saothrú anois má ba go dian is go han-dian
féin é agus an stracáil ar leathdhada a bhí roimh an gcogadh ann
nuair nach gcaithfeá ach do dhroim a dhíriú nó gal a bhaint as
toitín le go bhfaighfeá bóthar—má bhí difríocht shuntasach eatarthu
ba é nach bhféadfadh an dream óg an drochshaol sin a shamhlú
leis an tír seo chun a thángadar arae chomh fada is mar ba léir
dóibh ní raibh sárú Shasana ann, lasmuigh de Mheiriceá féin, mar
áit chun airgead a shaothrú.
    Bhí na leoraithe ag teacht ina gceann is ina gceann ar gach uile
phointe agus ní túisce ina stad iad ná na fir ag dreapadh isteach
iontu go fuadrach, boinn a mbróga tairní ag sciorradh is ag díoscán
ar an urlár stáin; ar a mbeith ar bord dóibh ansin bhuailfeadh fear
acu dorn ar chábán an tiománaí nó ligfeadh béic as agus b'shiúd

chun siúil iad gan aon bhlas moille. Bhí sé mar bheadh driopás uafásach éigin orthu, mar nárbh acmhainn dóibh nóiméad a chur amú ach aghaidh a thabhairt ar cheann scríbe láithreach bonn. Ní gach uile leoraí a mbíodh scáthlán d'aon chineál ar a chúl ná bínse le suí air, fiú, agus ba mhíchompordach an bealach taistil é i gcomórtas leis na seanbhusanna a bhíodh ag na comhlachtaí móra, leithéid Wimpey, McAlpine agus Laing, lena gcuid fostaithe a iompar amach go dtí a scéimeanna tógála féin. Ach ní compord a bhí ag déanamh scime do na fir seo a bhí cruinnithe thart i gCamden Town i ndubh na maidine nó dá mba é ní ag obair ag fostóirí Éireannacha a bheidís.

Tháinig dhá leoraí de chuid Mhic Alasdair le colbha agus chuaigh Treabhar Bheartla Bhillí isteach sa chéad leoraí acu gan aon cheist a chur ar an bhfear ceannais a bhí ina shuí amuigh chun tosaigh leis an tiománaí: níor ghá dó a chur ná ní thabharfadh sé oiread sin sásaimh dó is go gcuirfeadh. Ní buíoch a bheadh Paidí Mac Alastair do gheangar ar bith dá chuid a chuirfeadh Treabhar Ó Nia ó dhoras go fiú má bhí sé mí as láthair. Is ag tairiscint oibre do mhacasamhail Threabhair a bhítí agus ní á ndiúltú.

Bhuail Treabhar faoi ar an mbínse cláir a bhí feistithe thart sa scáthlán canbháis agus dhearg sé toitín. Ní raibh áit ar an mbínse ach ag trian na bhfear, ba thíos ar leathghlúin ar urlár an leoraí a bhí an chuid eile nó ina seasamh amuigh ar gcúl, a n-aghaidh le gaoth agus a ngruaig in aimhréidh agus sianaíl ar bun ag an gcuid ab óige díobh le cailín ar bith a bhí ag dul thart an tráth sin den mhaidin. Bhí scór fear, má bhí duine, sa leoraí agus b'as Conamara iad uile, gan á labhairt acu ach Gaeilge, na fir óga ag cur síos eatarthu féin ar rincí nó ar chlampar na hoíche roimhe,an dream ba shine gan a bheith baol ar chomh cainteach leo. Má bhí cóip amháin den pháipéar laethúil, den *Daily Mirror*, ag a raibh ann acu as éadan ba é a raibh agus níor dhóichí rud ná gur ar mhaithe leis na leathanaigh rásaíochta a bhí sé sin féin ann . . . níor ghnás le formhór na bhfear oibre seo bacadh le nuachtán ar bith muran é an páipéar baile é, an *Curadh Connachtach*, a bhíodh le fáil uair sa tseachtain acu i bpóirse an tí phobail nó i gcuid de na siopaí nuachtán thart ar Chamden Town. Ba ríbheag é a spéis sa nuacht ná i gcúrsaí reatha, i bpolaitíocht, i leabhair ná i gcúrsaí spóirt féin, go deimhin, ach an pheil Ghaelach a fhágáil as áireamh; rud ar bith a bhí lasmuigh de raon a gcleachtas nó a dtaithí féin níorbh fhiú leo aon suim a chur ann agus b'fhíorannamh iad ag cur síos ar nithe nár bhain leo go díreach. Déine na hoibre a dhéanaidís agus laghad a n-oideachais, b'fhéidir, ba chiontach cuid mhaith leis an gcúinge dearcaidh seo ach bhí níos mó ná sin ann, bhí meon acu nach ón dúchas a thugadar é, meon arbh é saol Shasana a ghin iontu é agus a bhí bunoscionn go maith le meanma a gcine agus na nglún a tháinig rompu. Bhí sé mar a bheadh mífhoighne orthu, an chuid ab óige díobh ar aon nós, leis an saol as ar fáisceadh iad agus le bealaí agus le sonraí an tsaoil sin; ba chosúil le dream iad a mbainfeadh iompú tobann creidimh dóibh agus nach mbroicfeadh le treoirlínte a seanchreidimh níba mhó. Má bhí fairsinge éigin tagtha ar a léargas de thoradh a n-imirce ba bhaolach go raibh cúngú dulta ar shlí eile air arae murab ionann agus an dream thiar sa bhaile gur fhág moille saol na tuaithe d'uain acu súil a chaitheamh ar imeachtaí an domhain mhóir—an cogadh a bhí ar bun amuigh i gCóiré nó an t-amhras a bhí ag na Rúisigh agus a gComhghuallaithe anois ar a chéile—ní chuirfeadh siad seo aon am amú orthu féin ag plé nithe nár tháinig faoina scóip laethúil. Bhí sé mar a thuigfí dóibh gur chlis an saol in Éirinn orthu agus go raibh uathu droim láimhe a thabhairt anois do mheanma an tsaoil sin, do shimplíocht agus do chaidéis agus do réchúise na háite thiar, agus gan aird ar bith a thabhairt ach ar na rudaí sin a bhain leo, saothrú airgid agus caitheamh aimsire, an phingin ab airde a thuilleamh agus a dhiomailt ansin arís chomh tapaidh céanna. Ná níor thaise dóibh le cúrsaí na hÉireann é, ba ríchuma lena bhformhór aontaithe ná deighilte í: cén gnó a bheadh ag Rialtas na hÉireann do na Sé Chontae agus gan ar a gcumas riaradh ar a muintir féin, an cheist ba mhóide dóibh a chur ar dhuine ar bith a thosódh ag bolscaireacht faoin scéal. Dar lena ndearcadh seo ba le ' fear ceart ' aire a thabhairt dá ghnóthaí féin agus an tseafóid eile sin ar fad a fhágáil fúthu siúd ar suim leo é, an dream gan chiall sin a d'éiríodh teasaí faoi nithe nach raibh blas tairbhe dóibh iontu. Ní scairtfeadh aon fhear acu seo ' Up Dev! ' muran le fonn spraoi nó le fonóid é mar ní raibh muinín ar bith fágtha acu ina dtír féin ná sa chriú beagmhaitheasach a bhí ina bhun; bhí dhá phunt sa lá ag a bhformhór seo anois, agus os a chionn sin ag cuid díobh, san áit nach mbeadh saothrú ar bith le fáil acu sa bhaile; agus lena chois sin bhí scóip agus saoirse anseo acu nach raibh riamh in Éirinn. Abhus anseo ar fhearann rafar Shasana bhí luacha i bhfeidhm a bhí bunoscionn ar fad le luacha na háite thiar agus an rud ar mhór leo ag baile é ba bheag leo anseo é. Ní ar an mbóna bán ná ar an láimh bhog mhín a bhí meas abhus anseo ach ar chumas saothraithe, ar an bhfear sluaiste agus piocóide, agus an post a mbíodh súil in airde leis in Éirinn agus leitheadas ar an té a gheobhadh é ní raibh meas tráithnín ag na sclábhaithe Gaelacha seo air. Thiocfadh le fear ar bith a mbeadh smeadar léinn air bóna bán a chur air féin agus peann luaidhe a oibriú ach ba ar an ngaiscíoch oibre, fear bainte deich slat de thrínse, an fear a chartfadh clocha agus gaineamh óna leathuair tar éis an seacht ar maidin go dtína sé a chlog tráthnóna, a bhí meas anseo—agus cér ionadh sin nuair ba mhó a luach saothair ná teacht isteach an mhúinteora scoile ná an státseirbhísigh in Éirinn? Ní raibh feidhm ar bith le galamaisíocht an bhaile abhus anseo i Sasana mar bhí caighdeán eile fiúntais i réim, postlathas nua a bhí beag beann ar fhoghlaim scoile.

Ní raibh an sciorta ba lú drogaill ar Threabhar Bheartla Bhillí ag déanamh ar an obair anois dó ní hé fearacht daoine go leor a mbeadh seal caite ina gcónaí acu. Fuascailt a bhí san obair do Threabhar Ó Nia faoi mar b'fhuascailt a bheadh do dhuine eile i sos nó i siamsa, agus dá dhéine mar obair í ba ea ba mhó a shásamh uirthi. Níor imir Treabhar Bheartla Bhillí aon chluiche riamh ná ní bhfaigheadh sé mórán meabhrach ar bith de pheil ná de bháire; má bhí spórt ar bith a mbainfeadh sé sásamh as ba charraíocht nó dornálaíocht é agus ní raibh de thuiscint aige ar chaitheamh aimsire thairis sin ach seisiún ólacháin a dhéanamh amhail a gcomhoibrithe is gan d'ábhar comhrá acu lena linn ach saol an ama i láthair, an obair agus seanchas na hoibre, saol aitheanta an tí óil agus an ionaid shaothraithe. Sin agus an clampar a bhí mar ghné choitianta dá mbeatha, cé a bhí ag déanamh ainm dó féin mar throdaí thart faoi na bólaí sin is mó a thaithíodh na Gaeil, cé a raibh ' aicsean ' agus mianach ann. Níorbh fhear é Treabhar a chothódh cuimhní ná a bhreathnódh roimhe, bhí sé rósháite i saol seo na huaire beo le go ndéanfadh. Bhí cáil air mar rúpálaí mór i measc aicme a bhí cleachtach ar éachtaí tochailte agus carta agus bhí sé chomh teann as a cháil is mar a bheadh báireoir nó peileadóir clúiteach as a gcáil féin. Ní raibh d'uaillmhian aige seachas sin, níor shantaigh sé d'fharasbarr ar an seasamh a bhí cheana féin aige ach go n-áireófaí é i measc na bhfear crua, an lucht aicsin agus mianaigh a raibh a n-ainm in airde cibé áit ina gcruinníodh na náibhithe. B'shin é an *milieu* lenar bhain Treabhar Ó Nia agus d'fheil sé dó mar a fheileann an loch don bhreac nó an criathrach don mhadra rua agus i leaba aon bhlas cumha ná caitheamh i ndiaidh an bhaile a bheith an mhaidin Luain seo air ag gabháil trí shráideanna iomadúla Londan ar chúl leoraí is amhlaidh go mba charghas leis an mhí a bhí caite aige thiar i nDoire Leathan. Ná níorbh é go raibh aon scioltar den ghalldachas ag roinnt le Treabhar (ba dhiachta dó a rá is nach raibh deich n-abairt Béarla aige slán ina phluic) ach gurbh fhearr leis míle uair abhus anseo ar an gcoigríoch ná ina fhearann dúchais féin. Gannchuid, spleáchas agus cuibhreann a bhí in Éirinn dó, ba thír í d'aicmí ar bheag é a ghean orthu, aos léinn agus gaimbín, an chléir agus an lucht dlí; níor thír í dá leithéid féin dar le Treabhar Bheartla Bhillí agus murach an ceangal clainne a bhí air ní iarrfadh sé cos a leagan arís go brách ann.

Ba ar bhaile beag darb ainm Wingfield a bhí beagnach daichead míle ó láthair a bhí a dtriall ag meitheal Mhic Alastair, turas uair an chloig go láidir, agus ar theacht go ceannchúrsa dóibh léim na fir amach ar an mbóthar mar a bheadh Dia á rá leo. Ba shin é a ngnás agus gnás na muintire ag a rabhadar fostaithe, tabhairt faoin obair ar an bpointe boise a thiocfaidís ann, tabhairt faoi chomh treallúsach driopásach sin agus dá mba bheithíoch allta a chaithfí a threascairt a luaithe is a d'fhéadfaí. Ba chúis scannail leo leadrán nó mífhonn nó siléig ar bith, bhí obair le déanamh agus an té nach rachadh ina bun go fonnmhar ní raibh gnó ar bith aige ansin. Bhí stríoca fada trínse ar cholbha an bhóthair agus iomaire rua créafóige ag síneadh lena fud, cláir taca ag gobadh aníos as an díog mar a bheadh starrfhiacla ghrugacha ann agus spící iarainn a raibh rópa feistithe dóibh mar bhac ar lucht gabháil thairis; na lampaí dearga a bhí amuigh thar oíche bhíodar á múchadh anois ceann ar cheann ag an seanfhear a dhéanadh faire ar an ionad ó d'imíodh an mheitheal tráthnóna nó go bhfilleadh arís ar maidin. Píoplíne uisce a bhí á chur síos ag Comhlacht Mhic Alastair agus b'éigean gach spreab den trínse a bhaint ar an seanmhodh le sluasaid is le piocóid is le forc trom romhartha; dá mba faoin tír é d'fhéadfaí inneall tochailte a chur ag obair níba shaoire ná fir ach anseo ar na sráideanna réabfadh an t-inneall seirbhísí gáis agus aibhléise as a lúdracha—agus mar a deireadh Treabhar Bheartla Bhillí go minic leis féin, nár mhaith an rud é nach raibh an striapach de mheaisín in ann gach uile shórt a dhéanamh nó ní bheadh gnó ar bith den duine. . . .

An té a bheadh ag faire ar an meitheal anois níor thógtha air a cheapadh gur comhrac de chineál éigin a bhí ar bun acu, a raibh d'fhuadar fúthu; bheadh dealramh leis, gan bhréag ar bith, arae ba ag coimhlint lena chéile a bhíodh na fir dáiríre, ag féachaint is ag sárú a chéile in éadan na hoibre. Ní raibh aon chaint ar é a ghlacadh go réidh agus an fear nach mbeadh inchurtha, go baileach, lena chomharsa phléascfadh sé putóg (mar a deirtí) le nach mbeadh sé rófhada ar gcúl, d'fhonn is nárbh é cáil an fhir dhona, an *latchicoe*, a bheadh air. Ba shéala a bhfearúlachta ag na fir seo a bheith ábalta a bhfad féin den trínse a thochailt chomh sciobtha le chéile agus an fear a gclisfeadh air ní bheadh tógáil a chinn ann i measc na coda eile.

Ach dá fhonnmhaire dá raibh na fir bhí an geangar ag fógairt is ag béiceadh orthu cheana, fad de rópa agus ruainne cailce aige ag marcáil a dheich slat do gach uile dhuine. Ba faoi na fir féin dul ag obair ina n-aonar nó ina mbeirteanna agus b'iondúil gur ina mbeirteanna a d'oibrídís, fear ag baint agus a leathbhádóir ag cartadh uaidh, ach chaithfeadh beirt a bheith in ann cion beirte a dhéanamh nó ní fhágfaí le chéile iad. Go hiondúil b'fhearr le fear ar bith as féin ná le páirtí nár réitigh sé leis agus tharlaíodh sé scaití go mbíodh fáilte ag beirt éigin roimh an tríú fear de rogha ar a chéile san áit arbh fhearr leis-sean duine éigin eile ar fad aige.

B'é seo dúchas na nGael, an taitneamh agus an doicheall, an fabhar agus an fhaicseanaíocht, fir ag glacadh gránach nó gean dá chéile níba réidhe ná mar a dhéanfadh an Sasanach patfhuar, agus faltanas á thionscnamh gur ag deireadh na seachtaine, i dteach an óil, a bhrisfeadh amach go rábach, ainscianta. Níor bhaol ná go mbeadh a rogha de chéile oibre ag Treabhar Ó Nia ach bhí fear ina choinne cheana, den dara leoraí, stumpa beag téagartha dubh a raibh leathshúil ata aige agus a bhéal gearrtha agus ball dú-ghorm ar a ghrua dheis mar a bheadh lán a chraicinn buailte air ag duine éigin thar dheireadh na seachtaine. Mac Sheáin Feistie a thugtaí ar an ógánach seo i gcónaí faoi mar nach mbeadh ainm baiste ná sloinne ar bith aige nó b'fhéidir i ngeall ar nárbh fhiú le daoine ach an t-ainm baile a thabhairt air. Ó Maoláin ba shloinne dó agus Tomás a baisteadh air agus ba mhinic go ndeirtí faoi go raibh oiread buailte air le hasal an tincéara agus go marófaí lá breá éigin é mura dtiocfadh sé ar a chiall is gan é a bheith sáite san achrann i gcónaí. Arae ba bhaolach nach raibh cumas troda an Mhaolánaigh inchomórtais lena mhisneach ná lena fhonn cnag-arnaí; bhí sé chomh tórúil ar an gclampar agus dá mbíodh sé ag buachan, rud nach mbíodh ach go fíorannamh agus fearacht a leithéid eile ba dhéithe beaga aige na seaimpíní troda sin a mbíodh a n-ainm in airde i dtithe tábhairne na gceantar Gaelach, san *Laurel Tree* i gCamden Town, san *Cock* i gKilburn nó pé áit í féin. Bhí aoibh ar mhac Sheáin Feistie le Treabhar Ó Nia anois agus d'fháiltigh sé go croíúil roimhe.

' Á muise, *Jazez*, a Threabhair, is maith liom thú a fheiceáil! Seo, gabhaim is ag obair le chéile, a dheartháir, ní fhacas le fada thú.'

' Ní miste liom,' a dúirt Treabhar cé nár mhór é a mheas ar an Maolánach: *eejiteen* beag nach mbuailfeadh a léine ar an tine ba ea mac Sheáin Feistie i súile Threabhair Bheartla Bhillí ach ba thogha fir oibre é agus níor bheag sin. Bhí an glas bainte de bhosca na ngiuirléidí agus na fir cruinnithe timpeall air ag gabháil sluaistí agus piocóidí agus forc chucu féin mar a bheadh faitíos orthu nach mbeadh a ndóthain díobh ann acu, cuid díobh a raibh a rogha uirlise uathu, sluasaid nó forc a raibh taithí acu orthu agus go measaidís iad a bheith níba oiriúnaí dóibh ná na cinn eile. Bhí an crústa briste ar an mbóthar cheana ag an spád gaoithe i dtreo agus nach mbeadh le déanamh ach na spallaí a chaitheamh i leataobh agus tosú ag baint i ndáiríre ansin; rachadh na fir i gcleith na piocóide san áit ar ghá a dhul, le cloch a bhogadh nó a leithéid, ach murab ionann agus aicmí eile oibrithe a bheadh ag iarraidh réidh an achair a dhéanamh dóibh féin nó fad a bhaint as an obair, chaithfidís seo uathu an phiocóid a luaithe is ab fhéidir agus d'oibrídís an forc romhartha, gléas bainte a bhí as cuimse éifeachtach i lámha an fhir cheart. ' Rachaidh mise ag baint duit,' a dúirt

Treabhar agus thóg sé forc as an mbosca; chroch mac Sheáin Feistie sluasaid leis agus thugadar aghaidh ar an obair. Bhí Maidhc Ó Dufaigh, an geangar, anuas ina gcoinne; bhí an leathchéad bailithe ag Maidhc Dudley Stiofáin mar a thugtaí air agus fearacht a mhacasamhail eile ar éirigh a saol níba réidhe leo as a dheireadh thiar bhí sé meáite ar a phost bog féin a choinneáil ba chuma cé a bheadh thuas ná thíos leis, cibé cé dó a chuirfeadh sé méar le baithis nó cibé cé air a shiúlfadh sé de réir mar a d'fheil. Bhí Maidhc Dudley Stiofáin an-dílis do Phaidí Mac Alastair, an dílseacht chladhartha cham sin a dhéanann leas an mháistir de rogha ar leas an ghiolla, ach bhí sé sách críonna chun go ndéanfadh sé go sleamhain fealltach an rud nach leomhfadh sé a dhéanamh go dána dalba. Bhíodh glamaíl agus béiceadh aige lena chuid fear ach níor bhaol dó dúl róghéar ar a bhformhór arae bhí fir ina mheitheal aige a d'éireodh amach as an trínse chuige agus a shínfeadh ar shlat a dhroma é dá ngabhfadh sé thar fóir leis an ealaín sin.

'Ó Dia dhuit, a Threabhair! Tá tú linn arís, bail ó Dhia ort!'

Ní mó ná sásta a bhí Maidhc Ó Dufaigh nár cheadaigh Treabhar é sula ndeachaigh sé ar an leoraí i gCamden Town ach b'fheasach é nárbh ealaí dó a mhúisiam a nochtadh; gáire Sheáin dóite a bhí anois aige le Treabhar, a chuid fiacla chomh dubh le smut giúsaí ó bheith ag síorchogaint tobac agus a sheanchaipín spíce caite ar sceabha go cábógach ar a cheann aige. Dá dtiocfadh Treabhar Bheartla Bhillí chun na fuinneoige chuige ar maidin agus é ina shuí amuigh leis an tiománaí b'amhlaidh ab fhearr leis é, bheadh sé in ann comaoin a chur ar Threabhar ansin, a rá leis léim isteach agus míle fáilte, gurbh é a leithéid a bhí uaidh, fir den scoth. Chuaigh neamhspleáchas Threabhair in aghaidh stuif sa gheangar agus a ndála siúd uile ar chuimhin leo an t-am a mbíodh togha na bhfear ar a nglúine, beagnach, ag lorg oibre, ba mhór leis anois don dream óg a dteanntás. Ní ghabhfá suas ar leoraí gan chead an uair sin, diabhal tiomanta baol air!

'Tabharfaidh tú sub dom tráthnóna, a Mhaidhc, tá an tin ag fáil gann,' a dúirt Treabhar ar chuma go mba mhó d'éileamh ná d'iarratas a bhí ann, agus ní chun taitnimh le Maidhc Dudley Stiofáin a chuaigh sé sin ach an oiread.

'Siúráilte, a mhac, tabharfaidh mé,' ar seisean, agus ansin mar a chaithfeadh sé a chantal a ídiú ar dhuine éigin lig sé scairt as le hógánach caol ligthe a bhí ag gabháil thairis, a shluasaid ar a ghualainn aige agus é ag feadaíl go bog dó féin.

'Deifrigh leat, a Chuanaigh, for Christ's sake, cuir stiúir éigin ort féin, a dhuine, nó an gceapann tú gurb í Butlin's agat í? Téirigh ag obair, a bhuachaill, nó fucáil leat abhaile!'

Chaith Treabhar Bheartla Bhillí seile ar a dhá bhois agus chuimil ar a chéile iad; rug sé i ngreim ar an bhforc ansin agus sháigh sé i dtalamh é chomh fiata agus dá mbeadh criogbhuille á bhualadh aige ar ollphéist nó ar neach allta éigin a chaithfí a sriosadh ar an toirt. Bhí an talamh chomh crua as a uachtar agus nár thógtha ar fhear ar bith an phiocóid a oibriú ann ach bhí iarraidh chomh millteach sin ag Treabhar agus go mba leor dó an forc; ní raibh smid ná smeaid lena chéile aige féin is a pháirtí i rith an ama ach iad ag rúscadh leo, a gcasóga caite díobh acu, matáin a ngéag ag fáscadh is ag preabadh le méid a nirt, a ngialla teannta le díocas agus a ngiuirléidí ag clingeadh i gcoinne na gcloch. Fear ar bith den mheitheal nach raibh caipín air bhí naipcín póca a raibh snaidhm ar gach aon bhinn ann agus é tarraingthe síos ar a chloigeann lena ghruaig a choinneáil as a shúile. *Paddy's Helmet* a bhí baistithe le barr fonóide ag an gCocnaí ar an gceannbheart seo ach dála nósanna go leor eile de chuid na nGael arbh ait leis an strainséir iad bhí ciall leis an nós seo san áit a mbeadh deannach nó smúit ag imeacht le gaoth, agus ba ghlaine go mór é ná an hata ná an caipín nach nífí in aon chor é. Bhí srugáin fáiscthe thart ar chosa a mbrístí ag cuid de na fir agus boinn iarainn ar a dtugtaí *foot-irons* faoina gcosa romhartha ag cuid eile, ag cosaint na bróige, agus iad chomh bródúil as an bhfearas seanaimseartha úd is mar a bheadh buíon marcshlua as na spoir airgid a bheadh ag gliográn ar a mbuataisí. Agus go dearfa bhí a gcion féin den mhustar ag gabháil leis an meitheal ar fad, den bhród is den mhórtas sin is dual don sclábhaí ar eol dó a luach féin agus nach ndíolfaidh a shaothar faoina bhun.

Bhí an chéad spreab dá bhfiche slat bainte ag Treabhar agus ag mac Sheáin Feistie sular labhair ceachtar acu agus ba é an Maolánach ba thúisce a bhris an tost. Bhí sé á fheiceáil do Threabhar ó thosaíodar ag obair go raibh rud éigin ag griogadh a chéile oibre, d'aithin sé go maith é ar an tsúil a thugadh an fear eile air ó am go ham ar nós mar a bheadh sé idir dhá chomhairle arbh é seo an tráth ab fhearr chun an ceann a bhaint de cibé scéal a raibh tochas air é a scaoileadh. Ach níor spreag an tuiscint seo aon bhlas fiosrachta i dTreabhar Bheartla Bhillí; ba bheag é a mheas ar mhac Sheáin Feistie agus ba lú dá réir an meas a bhí aige ar a chomhrá ná ar na tuairimí a bhíodh aige. Thuig Treabhar chomh maith go raibh sásamh á bhaint ag an Maolánach as a bheith ag gor ar a scéal dála mar a bhainfeadh beadaí sásamh as gan blaiseadh den rud go mbeadh dúil a anama ann go dtí nach mbeadh sé in acmhainn staonadh níos faide; bhí mac Sheáin Feistie chomh soléite ag Treabhar agus mar a bheadh páipéar nuachta ag fear eile ach ina dhiaidh sin agus uile ní raibh súil ar bith aige leis an teachtaireacht a bhí le cloisteáil aige anois.

'Óra, a Threabhair, a mhac—an gcuala tú aon cheo?' a d'fhiafraigh mac Sheáin Feistie de ach a raibh an lán sluaiste deiridh

[83]

caite amach as an trínse aige agus iad réidh le tabhairt faoin dara spreab.

' Ara céard a chluinfinn nó cén rámhaillí í sin agat, a dhuine? ' a dúirt Treabhar leis go borb: má bhí rud le rá ag an bpleota, dar le Treabhar, tagadh sé amach leis agus gan a bheith ag dul timpeall an domhain leis mar scéal. Níor chuir an bhoirbe seo aon mhúisiam ar mhac Sheáin Feistie, áfach: ní lena mhalairt a bhí súil aige mar ní rithfeadh sé go brách leis go mba chóir do Threabhar labhairt ar aon bhealach eile leis. Go deimhin ba bheag ná go raibh sé buíoch do Threabhar as ucht labhairt leis in aon chor.

Bhreathnaigh an Maolánach ina thimpeall faoi mar bheadh faitíos air go gcluinfeadh duine ar bith eile an rud a bhí le rá aige, chrom sé ar chois a shluaiste agus d'ísligh sé a ghlór.

' Fear do dheirféar atá i gceist agam, a Threabhair—Uaitéar Sheáin Jimmy. Níor airigh tú dada? '

' Céard a d'aireoinn, a dhiabhail? ' a d'fhiafraigh Treabhar go giorraisc de, cantal i gceart air anois ar arúintí an fhir eile. ' Abair leat, *for Christ's sake* agus ná bí i d'amadán i gcónaí! '

' Buaileadh go dona é aréir,' a dúirt mac Sheáin Feistie mar ba thrua leis nár tugadh cead dó a chrot féin a chur ar an aithris, ' sa *Welsh Harp* thíos san Eilifint.'

' Ar buaileadh, *be Christ?* ' arsa Treabhar ach níor stop sé den obair. Bhuail sé an forc go bróigín i dtalamh. ' Abair leat, a mhac! '

Ní raibh an Maolánach féin mar fhianaí ar an scliúchas mar nár casadh isteach san *Welsh Harp* é nó go raibh sé thart agus cliamhain Threabhair imithe abhaile, isteach ag ól deoch amháin eile tar éis a chamchuairt a dhéanamh ar thithe óil an cheantair a chuaigh sé sula dtabharfadh aghaidh ar an rince san *Seamróg* agus gan ceapadh ná cuimhne aige go mbeadh clampar ná dada ann. Bhí achrann san *Grenadier* níba luaithe san oíche ach níorbh ionadh ar bith é sin, bhí na seacht ndiabhail ar mhuintir Chiarraí ag troid mar ab fheasach don saol—agus cén bhrí dá mb'fhiú cac an diabhail iad.

' Á muise, *Jazez*, an bhfuil tú in ann craiceann a chur ar rud ar bith nó cén leibideacht sin agat? Inis leat, a phleib, agus ná bí ag gabháil timpeall na tíre leis.'

' Siúráilte, a mhac,' a d'fhreagair mac Sheáin Feistie go ceansa agus lean air chomh lomdíreach is a bhí ar a chumas. An bleitheach sin de Jeaicín, é sin a bhí gaolmhar le bean Phaidí Mhic Alastair, colceathrar léi má b'fhíor an scéal, a bhuail Uaitéar Sheáin Jimmy agus de réir mar a chuala an Maolánach níor sheas sé dhá nóiméad don Jeaicín cé nár dhóichín ar bith é Uaitéar in éadan na ndorn.

' An Jeaicín,' a dúirt Treabhar agus é ag iarraidh an fear a bhí faoi thrácht a thabhairt chun cruinnis. Ba chuimhin leis an Jeaicín a fheiceáil uaidh, geábh, sula ndeachaigh sé siar abhaile go deireanach; staic mhaith téagartha de bhuachaill agus ' bearradh gráinneoige ' air dála mar a d'fheicfeá ar Mheiriceánaigh nó cuid de na gaigíní sin a bhí ag teacht chun cinn anois agus a dtugtaí Teddies orthu. Ní mórán cronaí a chuir sé sa Jeaicín san am ach gurbh ionadh leis é a bheith ag marcaíocht thart ina charr ag Paidí Mac Alastair, fear nár ghnás leis mórán a scaoileadh uaidh go bog; ba i ngeall ar an ngaol a bhí aige le bean Mhic Alastair, níorbh fholáir, a d'fhostaigh Paidí é mar chineál cléirigh—leithscéal de phost, dar le Treabhar.

' Agus bhuail sé Uaitéar Sheáin Jimmy? ' arsa Treabhar i gceann nóiméid, a cheann á chroitheadh aige mar ba dhoiligh dó an scéal a chreidiúint.

' Rinne sé citeal de,' a dúirt mac Sheáin Feistie agus leag air ag cur caoi do Threabhar ar cháilíocht agus ar thréithe an Jeaicín nó Christy Power mar ab ainm is ba shloinne dó. Droch*yoke* a bhí sa Jeaicín, dar le mac Sheáin Feistie, bhí gráin an diabhail aige ar fhir tuaithe agus ar mhuintir Chonamara ach go háirithe, agus barr ar an diabhal bhí sé ina dhornálaí traenáilte, bhí cáil air mar dhornálaí nuair a bhí sé in Arm Shasana.

' Má tá sé traenáilte féin is ait liom nár fhan cleas éigin ag mac Sheáin Jimmy, chaithfeadh sé go bhfuil aicsean sa mbitse má bhuail sé chomh réidh sin é,' a dúirt Treabhar. B'fhíor don Mhaolánach, thuig Treabhar, nár dhóichín ar bith é Uaitéar Sheáin Jimmy ach ar ndóigh ba dheacair an oiliúint a bhualadh. ' Bhí sé in Arm Shasana, a deir tú? ' Le barr spéise sa scéal bhí faillí á déanamh ina chuid oibre ag Treabhar anois, rud ab annamh leis; ní trua a bhí dá chliamhain féin aige, baileach, ach gurbh ionann leis fear a dheirféar a bheith buailte agus a dhúshlán féin a bheith tugtha ag an Jeaicín.

' Nach tar éis a thíocht as atá sé, nach len aghaidh sin tá sé ag dul thart ag Paidí mar *time-keeper?* '

' Mac *bhack* aige,' a dúirt Treabhar leis féin. ' Thiocfadh dó.'

' Ach, a Chríost, a Threabhair,' a dhearbhaigh mac Sheáin Feistie ansin, ' tá mé a rá leat, a dhearthái, dá mbeinnse ansin agus fear do dheirféar á bhualadh ag an mbastard ní i mo chónaí a bheinn, diabhal *friggin*' baol orm, a mhac! Dá mba é an stól a chaithfinn a oibriú mar arm bhainfinn an cloigeann den *fucker*— nár fhága mé seo mura ndéanfainn! '

Thug Treabhar súil mhíchéatach ar a chéile oibre agus tháinig sé chun a bhéil dó a rá leis gur dona a chruthaigh sé in aghaidh cibé duine a bhí á throid aige aréir is gan bacadh le bheith ag iarraidh dul i ngleic le dornálaí airm; ina leaba sin scaoil sé thairis é agus rinne gáire beag seanbhlasta. ' Sea, a Mhac Sheáin,' ar seisean ag breith ar an bhforc agus á shacadh san ithir chrua dhearg, 'tá faitíos orm go gcaithfidh muid breathnú isteach sa scéal gan mórán achair! '

An oíche sin, tar éis dó a dhinnéar a bheith ite aige, nigh agus bhearr Treabhar Bheartla Bhillí é féin agus bhuail air a chulaith Dhomhnaigh gur thug aghaidh ar an Elephant & Castle mar a raibh cónaí ar a dheirfiúr Méiní agus a fear, Uaitéar Sheáin Jimmy. Ní muintearas a bhí faoi deara na cuairte, go baileach, ach fios fátha an scéil a bhí ag mac Sheáin Feistí ar maidin dó a fháil ó bhéal Uaitéir féin. Murach sin ní mórán deifre a bheadh ag Treabhar ag triall ar a dheirfiúr, chuirfeadh sé ar athló é chomh fada agus mar ab fhéidir leis, níor lú ar an sioc ná bheith ar cuairt ag daoine agus ba bheag an sásamh a fuair sé aon lá riamh ar a chliamhain. Bhí Uaitéar Sheáin Jimmy róthur dó ar fad.

Ba é an bealach fothalamh an t-iontas ba mhó d'iontaisí Londain ag Treabhar Ó Nia, mar a bhíodh an traein chugat gan teip gan timpiste gach uile chúpla nóiméad agus na scóir acu, níorbh fholáir, ag síorthointeáil thart sa choinicéar dubh glórach, ag búirthíl is ag geonaíl mar ba rudaí buile iad. Bhí sáslach an chórais fothalamh lasmuigh de raon a shamhlaíochta ach dar leis gurbh iontach na fir a bhí ann fadó má bhí ar a gcumas na tolláin ghaofara seo a thochailt is gan meicníocht ná innealra acu thar is mar a bhí ag a leithéid féin, an phiocóid agus an tsluasaid. Bhí Éireannaigh go fairsing i Sasana an uair sin chomh maith, níorbh fholáir, mar nár mhóide, dar leis, go ndéanfadh an Sasanach é, an méid a chonaic seisean de ar aon chaoi.

Ba chuid suntais ag Treabhar Bheartla Bhillí na taistealaithe ar na traenacha chomh maith, ba bheag ná go bhfeictí dó scaití nár dhaoine cearta in aon chor iad, nach raibh iontu ach mar a bheadh neacha a ghinfí le draíocht éigin, dream nach raibh feidhm ná gnó ar an saol acu arbh fhiú trácht air, na sluaite dallshúileacha, marbh-ghnúiseacha lena málaí leathair, a nuachtáin, a scáthanna fearthainne agus a leabhair. Chonacthas do Threabhar go mba gheall le dream iad a bhí beo ar éigean agus arbh éigean arbh fhiú dóibh a bheith beo, suanaithe spíonta ag míogarnach ansin os do chomhair, mic léinn nó cléirigh nó cibé céard iad féin, an geal, an dubh is an crón, fir bheaga bhuí, shúilchlaonta béinnigh mhóra dhubha shúildhearga ar dhíol iontais aige a ndearnana boga bán-dearga mar a bheadh an dubh ag éirí gann ag Dia nuair a chruthaigh sé i dtús ama iad, caillteacháin mhílítheacha faoi hataí crua agus brístí straidhpeáilte. Níor dhóigh le Treabhar gurbh fhiú cac sliogáin an fear ab fhearr acu, dubh ná bán, i mbun oibre, ní íocfadh sé cnaipí léine leo mar a deireadh Maidhc Dudley Stiofáin faoi jeaicíní Bhaile Átha Cliath. Ní raibh an tuiscint ba lú ag Treabhar Bheartla Bhillí do na haicmí seo a chastaí ar na traenacha fothalamh dó, dá ngairmeacha beatha ná dá modh saoil, ach b'ionadh leis deis shaothraithe a bheith acu uile—níorbh fhios, chaithfeadh sé, cén saibhreas a bhí inti mar Shasana go bhféadfadh sí iad go léir a chothú. Agus nár mhór idir sin agus an áit thiar? D'fhéadfá a bheith ar fhear chomh maith is a rug aon bhean ariamh agus ní bheadh ach ón láimh go dtí an béal agat in Éirinn, nó an raibh tír ar bith eile faoin spéir ar laghad sin fiúntais? Níor chuimhin le Treabhar an uair nach raibh fonn air an baile a fhágáil; dá mba ar scoil féin é, dá laghad achair dá raibh sé ann, b'fhada leis go mbuailfeadh sé bóthar as Doire Leathan. Ba ar Mheiriceá ba mhinice a chuimhníodh sé, Meiriceá mar ar chaith a athair féin stiall mhaith dá shaol ag obair, agus corruair ba í an Astráil nó Nua-Shéalainn a thagadh ina cheann. Bhí barúil bheag éigin aige cén sórt tíre í Meiriceá (tír mhór bleacanna agus bithiúnach a bhí inti, bhí a fhios aige an méid sin) ach ní thagadh an Astráil chun cruinnis dó in aon chor, théadh glan de aon phictiúr di a chruthú ina cheann, ná Nua-Shéalainn ach oiread léi. In aois a shé bliana déag dó is ea d'fhág Treabhar an baile den chéad uair agus ba soir go dtí Cathair Liostráine a chuaigh sé an uair úd ina spailpín. Dhá bhliain as a chéile a chuaigh Treabhar Bheartla Bhillí ar an Achréidh agus an dara bliain, in áit filleadh abhaile leis an bhfuíoll sin dá thuarastal nach raibh glactha aige ón bhfeirmeoir ina sceidíní gach seachtain ba é a rinne sé liostáil sa Chath Gaelach i nDún na Rinne Móire i nGaillimh. Ní raibh na hocht mbliana déag slánaithe go fóill ag Treabhar agus bhí faitíos air go dtiocfadh a athair as Doire Leathan is go gcrochfadh sé leis siar abhaile arís é dá bhuíochas—ba mhinic a tharla sé cheana ach de réir mar a bhí na seachtainí ag imeacht agus gan scéala ar bith olc ná maith a theacht ón mbaile chuige tuigeadh do Threabhar go bhfágfaí ar a chomhairle féin é bíodh sé lena leas ná lena aimhleas. Agus ba dheacair do Threabhar féin a dhéanamh amach i ndeireadh thiar cé acu é mar b'anacra an téarma a chaith sé faoi éide saighdiúra; níorbh é nach raibh ábhar maith saighdiúra ann dá bhféadfadh sé géilleadh níba réidhe don smacht—níor fágadh de gharda onóra riamh é an uair a mbíodh na fir ba bhreátha agus ba shlachtmhara á bpiocadh amach, ná ní raibh aon bheartaíocht arbh éigean dóibh dul tríd nár shúgradh gasúir ag Treabhar é. Ba é an smacht, príomhshuáilce an tsaighdiúra, ceap tuisle Threabhair Uí Nia agus i dtús báire chlis air an fiántas sin a bhí sa dúchas aige a chosc; bhí a shliocht air mar tháinig an lá ar chaill sé guaim air féin is gur bhuail sé O.N.C. a rinne aithris go magúil ar a chuid Béarla. Ní coir í a mhaitear go réidh don saighdiúir agus gearradh trí mhí de théarma príosúntachta air nuair a tugadh chun trialach é. Ba sa Teach Gloine ar Churrach Chill Dara a chuir Treabhar Bheartla Bhillí a thrí mhí thairis agus fuair sé amach le linn an ama sin go bhféadfadh an t-údarás a bheith fealltach a dhóthain. Ba é do dhúshlán breathnú contráilte ar na Caipíní Dearga a bhí i mbun an Tí Ghloine agus bhí rialacha beaga díchéillí mar dhris chosáin romhat ar gach uile phointe; ní raibh Treabhar dhá mheandar san áit nuair ab fhollas dó gur á thástáil agus á chéasadh a bhíothas d'aonghnó len a chion a agairt air agus lena shaighdeadh chun ceannairce arís. Seift ar éirigh go seoigh leis agus buaileadh lán a chraicinn ar Threabhar istigh ina chillín lá ar thug sé amas faoi sháirsint a bhí ag spochadh as. Fear á bhualadh agus beirt á choinneáil, ba shearbh an phosóid ar Treabhar Ó Nia é, go háirithe ó nár mheas sé go mbeadh aon fhear den triúr acu inchurtha leis féin ar *fair-play*. Ach dá mhéad dár ghoill an léasadh air choinnigh sé an teasaíocht ar iall an chuid eile dá théarma: bheadh a lá féin ag an bPaorach, bhí súil aige, agus faoi mar a tharla, bhí. Ba bhreis agus bliain go ham sin, i bhfogas míosa dá bheith réidh leis an arm, a chas sé leis an gCaipín Dearg a bhuail é, de thaisme glan. Ba i dteach ósta beag dorcha thíos ar Mhargadh an Éisc é, teach nár ghnách le Treabhar dul ann in aon chor cibé teidhe a bhuail é an oíche sin, agus nuair a chonaic sé an Caipín Dearg istigh roimhe ag ceann thíos an chuntair ghabh gairdeas fiáin ainscianta é. Ag moilleadóireacht os cionn pionta a bhí an Caipín Dearg, a chulaith shibhialta air in áit a éide airm faoi mar ba ar saoire a bheadh sé tagtha go Gaillimh; ligean air féin nár aithin sé an fear eile in aon chor is ea rinne Treabhar agus glaoch ar bhuidéal pórtair. Ach níor bhaol don Chaipín Dearg gan Treabhar a aithint bíodh is nár lig seisean a dhath air féin ach an oiread. Ní raibh smid as ceachtar den bheirt le chéile ar feadh an ama ach an teannas beophianta mar a bheadh nimh éigin ag ramhrú san aer; faoi dheireadh tháinig sé de mhisneach chun an Caipín Dearg a dheoch a chríochnú agus bailiú leis amach thar Treabhar.

'Castar le chéile na daoine ach ní chastar na cnoic,' a dúirt Treabhar go mín réidh agus d'ól sé siar a bhuidéal féin. Nuair a lean sé an Caipín Dearg amach ar an tsráid bhí seisean á thabhairt do na bonnaí cheana, síos i dtreo an droichid. Bhain Treabhar Bheartla Bhillí a chaipín foráiste de agus shac faoi stropa gualainne a ionair é sular chuaigh sé de thóir ar an gCaipín Dearg, de shodar, síos an tsráid agus splancacha á mbaint den bhóthar ag a bhróga troma saighdiúra. Ag ceann thíos na sráide thóg an Caipín Dearg leathbhord ar chlé agus ba istigh faoin bPóirse Caoch a rug Treabhar air; ba é an dá mhar a chéile aige anois é, an rith maith nó an drochsheasamh, agus laistigh de nóiméad bhí sé sínte ina phleist ag Treabhar, brúite, bascta.

'Anois,' a dúirt Treabhar ag cur uime a chaipín arís, 'féadfaidh tú a rá leis an dá bhastard eile sin go mbainfear an sásamh céanna astu má chastar mac Bheartla Bhillí go deo orthu!'

An tseachtain ina dhiaidh sin chuaigh Treabhar siar abhaile ar chead réamhscortha. Bhí sé pósta faoin am sin agus a bhean Nóra ag iompar clainne.

Bhí dhá sheomra faoi leibhéal an talaimh tógtha ar cíos ag Uaitéar Sheáin Jimmy agus a bhean Méiní i sraith sheantithe a raibh cumraíocht bheag éigin dá ngalántacht ag cloí leo go fóill mar a bheadh culaith éadaigh athláimhe Saville Row á caitheamh ag bacach; bhuail Treabhar rap ar an doras agus ba í a dheirfiúr a d'oscail dó. Ní mó ná lúcháireach a bhí sí roimhe, faoi mar a thomhaisfeadh sí cén gnó a thug ann é, ach níor chuir a heaspa soichill aon chlóic ar Threabhar—níor mheáigh stodam mná brobh aige aon lá riamh.

'Ná dúisigh an páiste,' a dúirt Méiní leis nuair a lean Treabhar isteach sa seomra cónaithe í, seomra a bhí mar chistin, níorbh fholáir, san am fadó nuair ba cheantar deisiúil a bhí sa chuid seo den Elephant & Castle, sular ghluais lucht an airgid leo go dtí ceantair ba bhreátha fós. Bhí an páiste ina chodladh i seanphram ard ar mhór an chiotaí a bheith á thabhairt suas síos an staighre amuigh, ba chosúil, agus bhí Uaitéar Sheáin Jimmy ina shuí cois na tine i seanchathaoir uilleann a bhain le timpeallacht b'ardnósaí ná seo lá den saol. Níor bhréag ar bith nár tugadh leadradh maith dó, thuig Treabhar, mar bhí liopa leis ata, gearrtha, bhí súil leis chomh dubh le smután tarra agus fiacail leis ar iarraidh; má ba ghearr a sheas an babhta troda ní díomhaoin a bhí an Jeaicín, dar le Treabhar.

'Céard d'éirigh duitse?' a d'fhiafraigh Treabhar dá chliamhain agus bhuail faoi ar chathaoir.

'Mar dhóighde nach bhfuil a fhios agat! Ní fhéadfá broim a scaoileadh i ngan fhios do dhaoine sa gcathair seo.'

Scrúdaigh Treabhar Bheartla Bhillí an fear eile agus rinne draothadh beag gáire go tarcaisneach.

'Chaithfeadh sé go bhfuil aicsean sa mbastard,' a dúirt sé ansin. Níor thug Uaitéar Sheáin Jimmy aon fhreagra ar an méid sin ach tháinig Méiní anall ón mbord mar a raibh ceapairí á réiteach aici dá fear i gcoinne an lae amáraigh.

'Ná bac leis an obair sin, a Threabhair,' ar sise. 'Cén chaoi a bhfuil m'athair is mo mháthair?'

'Níl aon chailleadh orthu,' a d'fhreagair Treabhar mar ba ar rudaí eile a bheadh a aire aige.

'Níl aon chailleadh orthu—ab shin a bhfuil de nuaíocht agat do dhuine? Tá a fhios ag Dia gur deacair aon cheart a bhaint de chuid de na daoine.'

'Ó muise, *Jazez*, nár dhúirt mé leat go bhfuil siad ceart? Céard eile a fhéadfas mé rá fúthu?'

Bhain Méiní smeachaíl as a beola le barr múisiam agus chroith sí a ceann.

' Agus ar mhiste do dhuine a fhiafraí díot cén chaoi bhfuil Nóra agus na gasúir? '

' Tádar ceart,' a dúirt Treabhar.

' Tá sé in am agat iad a thabhairt aniar anseo—áit a fháil dóibh suas faoi Chamden Town in áit éigin. Tá sé furasta seomraí a fháil thuas ansin.'

Bhí cantal éigin uirthi seachas a raibh eachtra a fir mar údar leis ach ba chuma le Treabhar. An lá a mbeadh ar fhear aon aird a thabhairt ar stuacacht mná ba bhocht an lá dó é, dar leis.

' Nach bhfuil siad ceart san áit a bhfuil siad? Ní áit ar bith ag gasúir í seo.'

Ba ar a chliamhain a bhí Treabhar ag breathnú mar ba mhó i bhfad a spéis ann, agus sa ghreadadh a bhí tugtha dó, ná i gcúrsaí a theaghlaigh féin thiar i nDoire Leathan.

' Agus an bhfuil tú lena bhfágáil thiar ansin nó go mbeidh siad fásta suas?' an cheist a chuir Méiní air ansin. ' Bíodh a fhios agat, a Threabhair, nach mórán de *life* ag Nóra é, gan tú á fheiceáil ó cheann ceann na bliana. Tá a fhios ag Dia go bhfeictear domsa gur socair an bhean í a chuireann suas leis, mar ní chuirfinnse! '

' Ó nach mór a bhaineann sé duit? Ní fheicimse cailleadh ar bith uirthi, nach bhfaigheann sí airgead uaim gach uile sheachtain? Níl clóic ná easpa uirthi, is iomaí bean a bhfuil a fear in éindí léi i gcónaí nach bhfuil leath chomh maith as,' a dúirt Treabhar agus mar ba shin é deireadh an scéil chomh fada is mar a bhain leis-sean d'iompaigh sé chuig Uaitéar Sheáin Jimmy arís.

' Cén sórt fir é an Jeaicín nó céard a chuir i d'aghaidh é? '

' Fear mar gach uile fhear,' a d'fhreagair Uaitéar go mífhonn-mhar. Ní chun sásaimh dó a bhí an chúistiúnacht seo ag dul agus bhí a chloigeann thíos aige ag iarraidh súile Threabhair a sheachaint. ' Réitigh braon tae dúinn mar a dhéanfadh bean mhaith,' ar seisean le Méiní ansin agus thairg sé toitín do Threabhar.

' Tóg t'am,' a d'fhreagair Méiní go grod ach líon sí an ciotal mar sin féin agus las sí an scornóg gáis faoi.

' Fear mar gach uile fhear,' a dúirt Treabhar go seanbhlasta. ' Ní dóigh liom é! '

Chrom an fear eile a cheann agus tharraing sé go mearaithe ar a thoitín; bhí Treabhar á fhaire i rith an ama agus an fhoighne ag éirí gann aige go mear.

' *Be Christ*, a Wattie, chaithfeadh sé go bhfuil gaisce ann seachas sin nó ní bheadh an bhail sin ortsa, a bhuachaill! '

Thit sméaróid den ghráta agus chrom Uaitéar Sheáin Jimmy lena thógáil ach lig sé cnead as ar an bpointe céanna agus dhírigh sé aniar san chathaoir. Leag sé lámh go cáiréiseach ar íochtar a chliabhraigh agus d'fhan an sprúille ag cnádú ar an teallach nó gur chrom Treabhar is gur chaith isteach ar chúl na tine é. Lig Uaitéar snag beag eile as agus má ba é sin a bhí faoi deara é chorraigh an páiste sa phram agus thosaigh ag geonaíl go colgach.

'Nár dhúirt mé libh gan é a dhúiseacht?' arsa Méiní ag teacht anall chun an phram. Bhog sí ar feadh nóiméid é agus shuaimhnigh an naíonán arís.

'Tuige nach gcuireann tú siar sa seomra é?' a d'fhiafraigh Treabhar siar thar a ghualainn di. Ní raibh blas foinn ar Threabhar dul ag féachaint ar a nia beag tar éis is nár leag sé súil air cheana ón lá ar baisteadh é cúpla mí roimhe sin. Ní bhíodh a fhios ag Treabhar Bheartla Bhillí ó Dhia anuas cé le haghaidh a mbíodh daoine ag déanamh griothail timpeall páistí mar sin, ag maíomh cosúlacht athar nó máthar leo agus ag gráinteacht go hamaideach orthu. Ba nuair a bheidís sínte amach ina scoraigh ab fhiú breathnú orthu le feiceáil cén miotal a bheadh iontu.

'Tá sé ceart go leor ansin ach gan é a dhúiseacht, bhí mé leath na hoíche i mo shuí aige, ní áirím ag daoine eile ag casadh is ag giúnaíl,' a dúirt Méiní. Thosaigh sí ag gliogarnach cupán agus plátaí ach labhair sí ansin, níba réidhe.

'Tá súil le Dia agam nach aon cheo tá ag tíocht ar an gcréatúirín, sid í an dara oíche dó ag pusaíl mar sin. Tá an *flat* seo ró-phlúchta ag páiste, is fíor dom é, mh'anam! Tá mé a rá leat, a Wattie, go mb'fhearr duit áit éigin eile, áit níba fholláine, a fháil dúinn.'

Níor thug a fear aon aird uirthi, ná freagra; ba mhó go mór a bhí beachtaíocht Threabhair ag cur as dó anois ná clamhsán na mná.

'Ó muise, *Jazez*, murab é caoi a rinne sé balbhán díot chomh maith le gach uile rud eile, céard a tharla nó céard a tharraing ort é, nó b'é an chaoi ar tháinig sé isteach sa phub dod iarraidh?' a d'fhiafraigh Treabhar de go borb. Réitigh Uaitéar Sheáin Jimmy a scornach go míshocair agus bhreathnaigh go maolchluasach ar a chliamhain.

'Ó muise, blas ar bith, rud fánach.'

'Rud fánach?' a dúirt Méiní anall ón mbord. 'Mura raibh d'údar leis ach rud fánach cén fáth ar fhág sé an bhail sin ort?'

'Cén rud fánach?' a d'fhiafraigh Treabhar de mar nach mbeadh Méiní sa láthair in aon chor.

'Bhuel,' arsa Uaitéar go drogallach, 'amuigh i Watford a casadh liom ar dtús é, tháinig sé thart sa charr le Mac Alastair tuairim is seachtain ó shin—lá a raibh muid ag tarraingt an chábla. Bhí mise ar an droma, ag scaoileadh an chábla de. . . .'

'Lean ort,' a dúirt Treabhar go mífhoighneach.

'Bhuel bhí an droma ar thaobh an bhóthair agam agus an *kicker* faoi—faoin mbolta lena chasadh caoi ar bith a mbeifeá á iarraidh—'

' Ó muise an gceapann tú nár oibrigh mé riamh ar an gcéibil? Lean ort is ná bí ag rámhaillí faoi rudaí mar sin a thuigfeadh páiste,' a dúirt Treabhar leis go spréachta.

' Nach bhfuil mé ag iarraidh a mhíniú duit cén chaoi ar tharla sé? Bhí mé tar éis an droma a chasadh cliathánach leis an mbóthar—ní raibh ann ach áit chúng idir dhá bhinn, tá carr in ann a dhul isteach ann ach gan aon cheo a bheith ina bhealach—agus tháinig carr Mhic Alastair aníos an bóthar, ag iarraidh dul thairis. Bhí Paidí féin ag tiomáint agus bhí an Jeaicín sa gcarr leis, a uillinn amach an fhuinneog aige chomh postúil is dá mba leis féin an jab is a raibh ann. Bhuel stop an carr—níor dhúirt Paidí féin a dhath ach chuir an buachaill a cheann amach. ' Tá an eóc sin sa mbealach orainn,' ar seisean, ' bog as é! '

' Ar dhúirt *be Christ?* ' arsa Treabhar.

' Ba é an chaoi ar dhúirt sé é, an dtuigeann tú—chomh tiarnúil is dá mba aige féin a bheinn ag obair.'

' Agus céard dúirt tú leis? '

' Céard déarfainn leis—a ní a ghéilleadh dó a dhéanfainn? " Má tá sé sa mbealach ort is fearr duit féin é a bhogadh," a dúirt mé leis agus d'iompaigh mé mo dhroim leis ansin. Bhí mé ag dul ag cur an dá *jack* faoin bhfearsaid leis an droma a chrochadh le go bhféadfadh muid an cábla a scaoileadh—' Chuir leagan súil Threabhair i gcéill dá chliamhain nár chall dó scéal an ghamhna bhuí a dhéanamh de ghnáthchúrsaí oibre agus lig Uaitéar Sheáin Jimmy osna mar ba le cantal é.

' Bhuel dúirt sé rud éigin ansin liom—an Jeaicín tá mé a rá, níor oscail Paidí Mac Alastair a bhéal liom beag ná mór—agus nuair a d'fhiafraigh mé de céard a bhí sé a rá meas tú nár dhúirt an bastard liom an chéir a bhaint as mo chluasa.'

' Dúirt, *frig?* '

' Dúirt, mh'anam! '

Bhí Treabhar ag breathnú ar an bhfear eile anois mar a bheadh sé á chur ar scála meastacháin éigin dá chuid féin agus gan é róchinnte nach easpach a bhí sé. B'fheasach Treabhar go mba mhaith scafánta an buachaill é fear Mhéiní agus é úsáideach a dhóthain leis na lámha, ach bhraith sé réidhchúise nó leisce éigin ann seachas sin a ligfeadh rudaí thairis san áit nach ligfeadh seisean. Bhíodar beirt i dteach óil ar an Holloway Road oíche nuair a fuair duine de na Tiobraid Árannaigh a bhí chomh fairsing sin sa cheantar caidéis dá nGaeilge—san áit, má b'fhíor dó féin, ar shíl sé gur air féin is ar a chairde a bhí Treabhar agus Uaitéar Sheáin Jimmy ag caint. Níorbh í an Ghaeilge féin ba chás le Treabhar ná aon mhasla a bheith á thabhairt di mar Ghaeilge ach gan é a bheith sásta glacadh le cacamas ar bith, mar a thug sé féin air, ó lucht an Bhéarla. . . . Murach an réiteach a rinne Uaitéar, ag míniú don

dream eile gur i nGaeilge a labhraídís eatarthu féin i gcónaí—
gurbh í a labhróidís dá mba é an Pápa féin a bheadh sa láthair,
ná bac leo féin—bheadh an fear a fuair caidéis dóibh buailte ag
Treabhar. Go dtí an lá a bhí inniu féin ann bhí Treabhar Bheartla
Bhillí in aiféala air sin, nár chnag sé an buachaill úd ar an bpointe.

' Agus céard a dúirt tú leis ansin? '

' Níor fhéad mé dada a rá mar *bhack*áil Mac Alastair an carr,
go haibéil, mar a bheadh múisiam air leis an mboc eile. Níor
casadh liom níba mhó é go dtí an oíche cheana, sa *Welsh Harp*."

' Agus b'é an chaoi ar tháinig sé ann dod iarraidh? '

' Sin rud nach bhfuil a fhios agam—ní móide gurb ea. Ní
théimse san *Welsh Harp* an-mhinic, ní móide go mbeadh a fhios
aige go mbeinn ann.'

' Is an bhfuil sé ag fanacht thart anseo? '

' Níl a fhios agamsa cá bhfuil sé ag fanacht.'

' M'm,' a dúirt Treabhar go míshásta ach sular fhéad sé ceist
ar bith eile a chur tháinig Méiní anall ón mbord, dhá cupán tae
aici dóibh agus pláta arán.

' Ar thóg sibh aon phictiúr nuair a bhí tú thiar? ' a d'fhiafraigh
sí dá deartháir.

Bhreathnaigh Treabhar uirthi mar ba theanga éigin eile nár
thuig sé in aon chor a bheadh á labhairt aici.

' Thóg Nóra cúpla ceann ', a dúirt sé ansin.

' Is an bhfuil siad ansin agat? ' Dála formhór na mban ní
iarrfadh Méiní ach ag glacadh pictiúirí, ní dheachaigh sí siar
abhaile riamh gan a sean-*Kodak* a bhreith léi, bhí lán bosca pictiúr
aici cheana.

' Níl, muis.' Bhain Treabhar bolgam tae as a chupán agus
thug sé aghaidh ar Uaitéar Sheáin Jimmy arís.

' B'é an chaoi ar ionsaigh sé ar an bpointe thú? '

' Ó muise díleá air mar scéal agus fágaigí uaibh é, bruíon agus
achrann muran deas é a gcomhrá! Níl aon chall do dhuine ar
bith é a ionsaí, bíonn sé féin sách taghdach scaití,' arsa Méiní ag
bualadh fúithi.

' Bhuel? ' a dúirt Treabhar lena chliamhain, neamhaird á
dhéanamh do Mhéiní aige.

' Bhuel d'fhiafraigh mé dhó céard a bhí le rá aige liom an
iarraidh seo—dúirt mé leis nach raibh céir ar bith i mo chluasa
anois,' a d'fhreagair Uaitéar mar bheadh sásamh beag éigin dó sa
mhéid sin, dá laghad é. ' Thug mé seans cothrom dó.'

' Is cosúil gur thug,' a dúirt Treabhar go seanbhlasta. ' Ba leat
é a bhualadh ar an bpointe boise is gan bacadh leis an óráid.

' Bualadh is bligeardaíocht, tá a fhios ag an lá beannaithe gur
measa ná gasúir sibh,' a dúirt Méiní.

' B'é ar chaoi ar smíoch sé ansin thú, nó céard? '

'Ní hé, mhaisce. Dúirt sé liom dul i dtigh diabhail, nach raibh beann ar bith aige ar dhuine ar bith dár tháinig as Conamara riamh.'

'*By dad*,' arsa Treabhar.

'Bhuail mé ansin é, nó shíl mé a bhualadh ba cheart dom a rá, ach tá sé chomh scafánta lena bhfaca tú riamh an chaoi ar lúb sé é féin . . . bhí mé buailte ag an diabhal sula raibh a fhios agam é.'

'Agus an bhfuair tú ceann ar bith air?' Níor bhac Treabhar Bheartla Bhillí leis an dímheas a cheilt agus ba léir gur ghoin sé an fear eile.

'Fuaireas siúráilte, tuige nach bhfaighfinn? Bhuaileas bleaist uafásach air, beidh a fhios ag a ghiall inniu é cuirfidh mé geall leat. Salamandar diabhalta, a bhuachaill!'

'Bhfaca tú inniu é?'

'Cá bhfeicfinn é, a dhiabhail?' a d'fhiafraigh Uaitéar Sheáin Jimmy de, go mearbhallach, agus chuir Méiní ladar sa chomhrá arís.

'A ní dheachaigh sé ag obair inniu, cén chaoi a ngabhfadh sé ag obair agus cliabhrach tinn aige, nár dhúirt mé leat go raibh mé i mo dhúiseacht leath na hoíche aige ag únfairt is ag cneadaíl?'

'Is an bhfuil do chliabhrach tinn mar sin?' Ar a thuin cainte bhí sé le tuiscint go raibh Treabhar in amhras an raibh fear a dheirféar chomh dona sin i ndáiríre; níor thug Uaitéar féin aon fhreagra air ach níorbh é sin dá bhean.

'Murach go bhfuil ní fhanfadh sé ón obair ar ndóigh. D'iarr mé air a dhul ag an dochtúir ach bheadh sé chomh maith dhuit a bheith ag caint leis an mballa. Go sábhála Dia sinn ní bheadh a fhios agat nach bhfuil na heasnacha briste aige.'

'Bheadh a fhios agat é dá mbeadh do chuid easnacha briste,' a dúirt Treabhar mar a bheadh sé chomh héadóichí le sneachta samhraidh oiread sin dochair a bheith déanta ag an Jeaicín. Bhí a chuma ar Uaitéar féin a bheith idir dhá cheann na meá, gan a bheith uaidh lón cáinte a thabhairt d'aon duine den bheirt acu agus gan a fhios aige céard ab fhearr dó a rá dá réir.

'Agus cogar, a Wattie—ar chiceáil sé thú?' a d'fhiafraigh Treabhar de, as smaoineamh.

'*Chiceáil*,' a dúirt Méiní le déistín, 'nach deas an rud é!'

'Níor chiceáil sé,' a dúirt Uaitéar go maolchluasach, 'níl aon chall dó siúd dul i gcleith na mbróg.' Rinne sé draothadh beag gáire, spalpas air leis féin, ar a ghotha. 'Tá sé chomh maith dom gan a bheith anonn ná anall leis, a Threabhair: tá an bastard *dynamite*! Tá sé chomh hobann le breac agus is aige atá an iarraidh is láidre dár airigh mise riamh.'

'*By George*,' a dúirt Treabhar go sollúnta.

'Sílim anois, a fheara, go bhfuil sé in am agaibh cleite comhrá éigint eile a tharraingt agaibh nó an bhfuil sibh leis an oíche a

chaitheamh ag cur síos ar an obair seo? ' arsa Méiní, cos á bualadh
ar an urlár aici le barr múisiam.

' Ó muise, *Jazez*, tá mé in ann ceist a chur air, nach bhfuil? '
a d'fhreagair a deartháir, chomh míshásta céanna.

' Ní hionann ceist a chur agus a bheith ag déanamh *post mortem*
ar an scéal, á bhaint as a lúdracha faoi mar b'aturnae thú i dteach
na cúirte. Níl a fhios agam ó Mhac Dé anuas cén tóir a bhíonn
agaibh ar an scabhaitéireacht chéanna, troid agus gleadhradh, obair
an diabhail! '

' Fág mar sin é,' a dúirt Treabhar go grod agus thairg sé toitín
do Uaitéar.

' Fágfad,' a d'fhreagair Méiní go prap agus toirtéis ar leith anois
uirthi, go follasach, ' mar is ar rudaí eile uilig ba cheart dúinn a
bheith ag caint. A Threabhair, tá sé thar am agat an bhean bhocht
sin a thabhairt aniar anseo, ó tharla gan rún ar bith agat féin
dul siar.'

' Siar, ab ea? Agus céard a dhéanfainn thiar, in ainm Dé—
ag súil le *spell* ar an gcabhansail in éadan an bhóthair? Bheadh
gnó agam siar! *Good morra, Jack!* '

' Agus nach shin é an t-údar gur cheart duit Nóra agus na gasúir
a thabhairt anall anseo leat? Nó an gceapann tú gur chóir duit í
a fhágáil ansin aisti féin an chuid eile dá saol? Tá cúram anois ort,
a bhuachaill, agus ní ceart a bheith ag déanamh faillí ann.'

' Faillí, ab ea? Ceithre phunt a chur siar aici gach uile sheacht-
ain, ab shin faillí? Níl a fhios agat céard faoi a bhfuil tú ag caint,
a Mhéiní. Éist liom anois, ná bíodh a thuilleadh faoi, a deirim! '
Agus leis sin d'iompaigh Treabhar ar ais chun a chliamhain.

' Ní fhéadfaidh muid é ligint leis, a *Wattie*, dá mbeadh oiread
eile aicsin ann,' ar seisean.

' Ó seachain an ligfeá! ' a dúirt Méiní agus pus uirthi.

D'éirigh Treabhar agus leag sé uaidh a chupán ar an mbord.

' Tá sé chomh maith dom a dhul abhaile,' ar seisean go tur.

' Bhí sé chomh maith duit gan a thíocht ar chor ar bith, an
scáth a raibh de shásamh ort. Scéal ná scuan níl agat do dhuine
ach ag bladráil faoi achrann agus diabhlaíocht.'

' Tá sé ag fáil deireanach, ní mór dom bheith ag imeacht,' a
dúirt Treabhar mar nach mbeadh sí cloiste ar chor ar bith aige.

Ach ní díreach abhaile a chuaigh Treabhar mar sin féin ar
fhágáil tí Méiní dó; ar an *Welsh Harp* a thug sé aghaidh, tábhairne
beag seanaimseartha a bhí bordáil leath bhealaigh chun an stáisiúin
fothalamh. D'ól sé aon deoch amháin ansin go mall réidh agus é
ina sheasamh ag an gcuntar, súil fhaicheallach timpeall aige ar
feadh na faide agus ar dhoras na sráide ach go háirithe am ar bith
a d'osclaítí é. Ní raibh thar deichniúr ar fad san ósta agus níorbh
aon duine díobh an Jeaicín, agus ina chroí istigh ba dhoiligh do

Threabhar a rá ar ala na huaire sin cé acu ab fhearr leis chuige ná uaidh Christy Power. Arae má bhí sé chomh maith lena cháil níor mhór d'fhear a bheith ullamh go maith ina choinne, é a phleancadh gan trua gan taise, cothrom ná fealltach de réir mar a gheofá an deis. Thuig Treabhar Bheartla Bhillí go raibh iarraidh aige féin nach raibh ag mórán, bhí sí tugtha síos dó ó chianaibh, agus ba é ab áil leis riamh, i gcás a mbeadh scáth ar bith roimh a chéile comhraic air, an chéad ámhóg a bhualadh le súil is nach dtiocfadh sé chuige féin i gceart ina dhiaidh sin; b'iomaí troid a gnóthaíodh nó a cailleadh ar an gcéad bhuille. Bhí *fair-play* ceart go leor ach gan Dia beag a dhéanamh de. . . .

Ar a bhealach ar ais go Camden Town dó d'imigh na stadanna fothalamh thart i ngan fhios do Threabhar; Lambeth North, Charing Cross, Leicester Square (nár chiallaigh a n-ainmneacha a dhath dó) agus ansin na stáisiúin ab aitheanta leis, Tottenham Court Road mar a raibh an *Blarney*, halla mór rince Éireannach, Goodge Street mar ar chuir Peadar Mhicil Aindriú piocóid trí chábla leictreachais, lá, is gur dhóbair dó é féin a loscadh; Warren Street mar a chastaí mná Chonamara ina scuainí ort, Euston a bhí dubh le hAlbanaigh dhrabhlásacha, Mornington Crescent na nGréagach agus ansin a cheann scríbe féin. Is ar an Jeaicín a bhí intinn Threabhair ar feadh an turais agus nuair a shín sé ar a leaba níba mhoille san oíche ba é an smaoineamh deiridh a tháinig ina cheann sular thit sé ina chodladh ná go mbeadh air fear Bhaile Átha Cliath a throid agus a chniogadh nó ní bheadh seasamh ar bith aige i measc a mhuintire féin.

A hOCHT

Níorbh aon réiteach é ar a cás é mar imeacht thuig Nano Mháire Choilm anois—ach ar ndóigh níor réiteach ar bith fuirtheach ag baile ach oiread. Níor thapú ar a gcumann é sin agus bheadh sí sa bhealach ar a deartháir Beartla mar bharr ar gach olc. An bhean in áit na leithphingne i gcónaí, ba chosúil—ba shin é mar a hordaíodh an saol. Ba chuimhin léi léamh in iris éigin fadó, san *Far East* ba dhóigh léi, go gcaithidís na gineoga san abhainn amuigh sa tSín de rogha ar a gcothú, bhí laghad sin measa ar an mbaineann. Dar le Nano nach raibh na tíortha sibhialta mórán níba fhearr. Ní fhéadfadh sí an milleán a chur ar Mháirtín, ar ndóigh, mar bhí sé faoi bhráca an riachtanais má bhí aon fhear beo, ceangal na gcúig gcaol air, gan teannadh ar a aghaidh ná ar a chúl aige. Agus b'amhlaidh ba mheasa di ar shlí é, ní raibh de shásamh aici, fiú, is go bhféadfadh sí a cantal féin a ídiú air, drogall ná fuarchúis ná cluanaíocht a chur ina leith; bheadh faoiseamh beag éigin di ansin, in a racht a ligean, agus an míshásamh a bhí ag brachadh istigh inti a scaoileadh.

Má bhí aiféala ar bith uirthi faoi theacht go Sasana ba é nach ndeachaigh sí go dtí áit éigin eile mar a bheadh muintir Chonamara ina timpeall, thógfadh sé cian di corrphíosa Gaeilge a chloisteáil, dreas comhrá a dhéanamh go spraoiúil ina teanga féin mar a rinneadar ar an traein go Baile Átha Cliath an lá úd. Bhíodh an-saol ag muintir Chonamara i Londain de réir mar a chuala sí, ní bheadh leath an oiread uaignis ar dhuine ansin, bhainfeadh sí ceol éigin as an saol, b'fhéidir, i leaba a bheith duairceach i gcónaí. Bhí sí mar nach mbeadh sí ar mhuir ná ar thír anseo, mar a bheadh sí i liombó aduain éigin nach raibh gnó ar bith aici ann, i dtimpeallacht a bhí chomh coimhthíoch aici, gach uile bhlas, agus mar a bhí ag duine ar bith de na díláithrigh seo as ceann thoir na hEorpa. In amanna d'fheictí do Nano gur ag brionglóideach a bhíodh sí, go raibh a saol imithe ar chonair eile ar fad seachas mar a bhí rianaithe dó; ach ansin arís bhuaileadh smaoineamh í a bhí níba scáfara fós, is é sin nach bhféadfadh a bheith aici ach mar bhí, gurbh é sin a bhí leagtha amach di ó thús agus nárbh fhéidir a sheachaint. Ní raibh ' murach ' ná ' dá mba rud é ' ar bith ann ach ó tharla rudaí ar an gcuma seo nach bhféadfaidís tarlú ar aon bhealach eile. Nach raibh a shaol go léir—a saol féin, saol Shíle Ní Dhuibhir agus Hilda Jackson agus saol Mháire Nic Dhiarmada agus saol gach uile dhuine eile lenar bhain sí ó tháinig sí go Norwold—nach raibh a saol sin uile fite fuaite ina chéile anois ar chuma go mba lúb ar lár i ngréasán a mbeatha gan ise a bheith anseo ina measc, dála pátrún cniotáilte nó cróise a d'fhéachfá le cuid de a dhealú gan an t-iomlán a athrú in aon chor? Scanraíodh na smaointe seo Nano agus dhiúltaíodh sí dóibh chomh maith is ab fhéidir léi ach ina dhiaidh sin agus uile ba bheag oíche nach ndeachaigh sí ag luí faoi néal gruaime, rud nach ndeineadh sí ar chor ar bith thiar sa bhaile.

Ba í an obair a thug slán í, muran an obair bheadh sí i mbarr a céille ar fad. Thugadh sí faoi gach dá mbíodh le déanamh aici le fonn, ná bíodh ann ach scuabadh an urláir ná bailiú na sceanra is na gréithe i ndiaidh na mbéilí, dheineadh sí chomh saothrach coinsiasach é agus dá mba bhean rialta í faoi mhóid umhlaíochta. An obair ba mhó a raibh col aici leis—ag tindeáil ar sheandaoine nach raibh smacht ar a n-inní ná ar a lamhnáin acu seachas mar a bheadh ag páiste bliana—ní nochtódh sí consaet ar bith ina cionn; ach scaití, nuair a d'fheiceadh sí an náire i súile an othair a mbíodh sí á fhreastal, thagadh an trua chuici níba thréine ná an déistin agus mheabhraítí di go raibh daoine go leor ar an saol níba mheasa ná í féin.

Ná ní bhíodh sí ag faire ar an gclog mar a bhíodh cuid de na mná eile arbh aeraí i bhfad a saol ná a saol sise; d'eile, san áit a mbíodh lúcháir orthu sin ag críochnú a seal dóibh ba bheag ná gurbh fhearr le Nano Ní Chatháin fuirtheach i mbun oibre. Níor thaise di lena lá saoire é, ní ag síortnúth leis a bhíodh sí fearacht na gcailíní eile agus bhíodh sí ina suí chomh moch céanna an lá nach mbíodh uirthi dul ag obair is mar a bhíodh an chuid eile den tseachtain, níorbh ionann agus a chéile seomra a d'fhanadh ina codladh go meán lae. Chaitheadh Nano a lá saor go ham lóin i mbun giotamála, ag ní nó ag deisiú éadaigh, ag scríobh litreacha agus ag cniotáil, san áit a mbíodh na cailíní eile ag seinm ceirníní thíos sa seomra siamsa nó ag rith isteach is amach i seomra a chéile ag gleo is ag cabaireacht. San iarnóin ba nós léi bualadh isteach de shiúl na gcos don bhaile mór nach raibh dada le dhá mhíle bealaigh, ag breathnú ar na siopaí—sin nó ag spaisteoireacht faoin tír, rud nach ndéanfadh bean ar bith eile dá comhthírigh. Ba chuid súl do Nano Mháire Choilm an tuath Shasanach, chomh neamhchosúil is a bhí lena dúiche féin, na goirt mhóra fhairsinge a bhí ina gcoinleach anois, a bhfómhar bainte, buailte, cáite d'aon iarraidh amháin ag na hinnill mhóra; na fálta a bhí gearrtha, fite, lán chomh healaíonta le ciseán caolaigh; na fáschoillte beaga duilliúrbhuí gur ar bharr cnocáin a bhí gach uile cheann díobh mar ba ag cúlú suas ó shaothrú céachta is bráca a bheidís. B'ionadh le Nano a liacht teach ceanntuí a bheith faoin tír seo, cinn ghalánta ruachloch dhá stór agus bliain a ndéanta greanta os cionn fardorais orthu: bhí sráidbhailte beaga i bhfogas míle don ospidéal arbh fhairsinge tithe ceanntuí iontu ná thiar i gCois Fharraige féin, ach ba chosúil gur sna tithe ceanntuí a chónaíodh na huaisle anseo murab ionann agus in Éirinn. Agus murab ionann agus bailte beaga tuaithe in Éirinn bhí seaneaglais chlochrua agus reilig bheag chianaosta ina gcroílár seo uile, ar ardán beag go hiondúil, na staiceanna caonachramhar claonta soir agus siar iontu mar a bheidís á gcloí ag ualach na mblianta. Bhí na bailte beaga tuaithe seo agus an dúiche máguaird díobh chomh deasaithe, cóirithe sin agus go mba chosúil le limistéar é nach mbeadh daonra ar bith ann lena gcur as ord, ach in ainneoin na hordúlachta agus na foirfeachta uile chonacthas do Nano go raibh rud éigin ar iarraidh ann, uireasa éigin ar gheall leis an mbás é. Chonacthas di go mba dúiche a bhí tréigthe ag a mhuintir agus a riarfadh féin gan bhuíochas dóibh, nach mór. Ba chinnte nach mórán a d'fheicfeá ag bogadh timpeall i rith an lae ann mar a d'fheicfeá thiar ina paróiste clochach féin, ba i mbaile Norwold a bhí a bhformhór ag obair, dúradh léi, agus dhéanfadh fear agus inneall obair mheithle ar na feirmeacha. Scaití d'fheictí do Nano Mháire Choilm go raibh an t-anam is an croí imithe as an tírdhreach seo agus nach raibh mórán bainte níba mhó ag a mhuintir leis, gan trácht ar ghean; go raibh sí chomh huaigneach mar thír, beagnach, is mar a bhí in anallód sular tháinig an cine daonna ar an saol. An raibh ainmneacha ar na páirceanna féin acu faoi mar a bhí i gConamara—Móinín Rua, Gort na Lachan, an Garraí Báite agus míle ainm eile nach iad? B'ait léi mura mbeadh ainm ar gach uile pháirc is ar gach uile gharraí ann, ba chineál daille, dar léi, a bheith i do chónaí in áit nach mbeadh ainm gach uile bhall di ar bharr do theanga agat. Chuimhníodh sí ar an strainséir a thóg an bungaló a bhí síos an bóithrín uathu féin ar cíos, bliain, agus a d'fheiceadh sí ag gabháil thart go haonarach, gan a fhios aige in am ar bith cén t-ainm a bhí ar aon ghort ná ar aon gharraí dá n-imeodh sé thairis; bhíodh trua aici don strainséir úd, an t-am sin, ach ba dhíol trua a bhí inti féin anois.

Scaití nuair a d'fhéachadh Nano uirthi féin sa scathán measadh sí go raibh sí ag críonadh os comhair a dhá súil agus thagadh cineál scéine uirthi ansin. Bhí an saol ag sleamhnú uaithi agus gan a fhios aici cén uair a gheobhadh sí a sciar féin de. Le cime a bheadh ag súil le parúl ba chosúil í agus gan a fhios cén uair a thiocfadh deireadh lena feitheamh; fearacht mar ba chime a bheadh inti freisin ní raibh Domhnach thar Dálach aici ach dul chun an Aifrinn, ná tráth saoire ar bith go bhféadfá tráth saoire a thabhairt go fírinneach air. Ar ócáidí ba bheag bídeach nach ngéillfeadh sí do Shíle Ní Dhuibhir a bhíodh ag iarraidh í a mhealladh go dtí an rince i Halla Naomh Bríde—rud ar bith, a deireadh Síle, ach a bheith ina crúnca anseo aisti féin sa seomra gach oíche den tseachtain. Ní dhéanfadh corrshéirse aon dochar di, a deireadh Síle, nó an raibh geis leagtha ag a fear uirthi gan sásamh ar bith a bhaint as an saol sula gcuirfeadh sí a cloigeann san adhastar? Níor ghá di bean rialta a dhéanamh di féin ar an gcuma seo, a deireadh Síle, ag caitheamh a cuid oícheanta i gcillín de sheomra ar nós mar a bheadh peiríocha a hanama á gcur di—sin nó ag siúl aisti féin amuigh faoin tír mar a bheadh bean bhuile ann. Má bhí teanga ghéar ag Síle in amanna ní lena haimhleas a bhí sí, ach a mhalairt, thuig Nano—cé go raibh an rud eile ann chomh maith, gan aon chara dá cuid féin a bheith ag bean Chorcaí i measc na nÉireannach eile san ospidéal. Ach theastaigh ó Nano a clais féin a threabhadh; ní fonn feamaíola a thug aniar as Éirinn í, a mheabhraíodh sí di féin, agus dhiúltaíodh sí i gcónaí do mheallaireacht Shíle. Dul i gcleith na litreacha lena huaigneas a mhaolú is ea is mó a dheineadh Nano, scríobhadh sí litreacha fada faisnéiseacha chuig Máirtín Ó Spealáin ag cur síos dó ar an bhflúirse mhór oibre agus ar an bpá iontach a bhí le fáil i Sasana, ag fir ach go háirithe. Chuir sí cóip den *Norwold Herald* chuige, fiú, agus colúin na bpost marcáilte aici cé gur thuig sí go rímhaith nach bhféadfadh Máirtín corraí chúns a bheadh a mháthair beo. An rud a théadh i bhfad ba mhóide dó dul i bhfuaire agus níor fhéad Nano gan an cheist a chur uirthi féin an mbeadh sí chomh gafa le Máirtín Bhid Antaine amach anseo dá mba i ndán is go mbeadh scarúint fhada orthu. Bhraitheadh sí in amanna fuarú beag éigin a bheith ag teacht inti dó cheana ach ansin arís ar iompú boise d'fheictí di gur ag speabhraídí a bhí sí agus go raibh sí chomh ceanúil air is mar a bhí aon lá riamh. Chuir Hilda Jackson ceist uirthi, lá, an mbíodh sí ag scríobh chuig Máirtín go minic agus nuair a dúirt sí léi go mbíodh, minic go leor ar aon nós, dúirt an cailín Sasanach gur mheas sí go mba rud an-rómánsúil a bhí ansin, lánúin scartha ó chéile mar sin, an fharraige eatarthu agus litreacha á malartú in aghaidh an lae acu.

' Ó stop, a chailligh, ní scríobhann muid chomh minic sin,' a dúirt Nano ach ní raibh Jackson ag éisteacht léi; léigh sí féin scéal grá uair amháin, a dúirt Jackson, scéal a thug deoir chun a súl . . . lánúin óg i dtír éigin amuigh nár chuimhin léi anois cá raibh sé, agus bhíodar chomh mór sin i ngrá le chéile is gur chinneadar ar scarúint go héag i dtreo is nach dtiocfadh meath ná seargadh ar a ngrá faoi mar a thiocfadh, b'fhéidir, dá bhfanfaidís le chéile. Nárbh aoibhinn an scéal é, a d'fhiafraigh sí de Nano, nárbh é an rud ba rómánsúla dár airigh sí riamh é?

' Ba bheag an scéal iad,' a dúirt Nano, ag gáire, ach ní raibh sé chomh héasca sin gobán a chur i Síle Ní Dhuibhir nuair a thosaíodh sí ag áiteamh uirthi go mba chóir di í féin a bhíogadh suas agus ceol éigin a bhaint as an saol.

' Is fíor dom é, a Nano,' a dúirt sí oíche dá rabhadar ag ól muga cocó ag dul a luí dóibh, ' ní dhéanfainn díthreabhach díom féin ar mhaithe le fear ar bith.'

' Tá lámh is focal eadrainn, a Shíle, ní fhéadfainn tosú ag rith thart ag damhsaí anois, an bhféadfainn? '

' Tuige nach bhféadfá? A, nílir pósta leis go fóill, an bhfuil? Ní hionann, fiú, is dá mbeadh sprioc ar bith romhat, níl sé mar a d'fhéadfá a rá leat féin ' Beidh mé ag pósadh an bhliain seo chugainn.' D'fhéadfá bheith ar éill aige mar sin an chuid eile dod shaol.'

Ghoin an leagan cainte sin Nano ach scaoil sí thart é.

' Tá mé ceart go leor mar tá mé, a Shíle,' a dúirt sí ach chroith Síle a ceann.

' Bhuel ní thuigimse ó Dhia anuas cén chaoi a seasann tú é, cuachta suas anseo gach uile oíche ag féachaint ar na ballaí. An bhfuil a fhios agat cén scéal é, a Nano, ach bheinnse imithe glan as mo mheabhair—*cuckoo!* '

Chuir Síle méar lena baithis mar b'eochair í agus d'iompaigh sí a súile ar fiar go leibideach.

' Tá tú *cuckoo* cheana is gan mórán oícheantaí caite istigh agat,' arsa Nano, ag gáire.

' Seachain, a ruibhsigh! ' Rug Síle ar a piliúr, dul á chaitheamh le Nano mar dhóighde, ach bhí sí dáiríre arís ar an bpointe. ' Seo, grá mo chroí thú, tiocfaidh tú chuig an rince liom san oíche amárach? '

' Ní thiocfaidh mé, a Shíle.'

' As ucht Dé ort! Aon oíche amháin, cén dochar oíche? Ní bheidh Máirtín ina dhiaidh ort ná baol air, píosa d'oíche a chur thart ag an damhsa, ara céard é féin? '

Agus gan aon bhlas coinne a bheith aici leis dúirt Nano i dtobainne go rachadh—aon oíche amháin, ní raibh sí chun nós a dhéanamh de.

An oíche dár gcionn ar theacht ó diúité di réitigh Nano Mháire Choilim í féin le dul ag an rince bíodh is go raibh sí in aiféala cheana as ucht gur ghéill sí chomh réidh sin do Shíle. Ní ag damhsa a bheadh Máirtín Bhid Antaine ag dul ach siar chuig a muintir sise le píosa den oíche a chur thart ag comhrá lena hathair agus le Beartla; tharraingeofaí anuas a hainm féin gan amhras ar bith cé nach mórán a déarfadh Máirtín, níor dá dhúchas é a chuid smaointe a nochtadh go réidh go fiú leo siúd a bhí chomh gar dó is mar a bhí muintir Chatháin. Mar bhreab dá coinsias gheall Nano di féin go scríobhfadh sí chuig Máirtín is go n-inseodh sí dó go ndeachaigh sí chuig an rince lena céile seomra; ní bhfaigheadh sí óna claonta é a dhéanamh i ngan fhios dó agus lena cheart a thabhairt do Mháirtín ní bheadh sé ina dhiaidh uirthi, bhí an méid sin ráite aige sa litir dheiridh dá bhfuair sí uaidh. An oíche cheana taibh-

ríodh di go rabhadar briste amach le chéile agus ar chuma iomrall-
ach brionglóide bhí faoiseamh éigin measctha tríd an mbriseadh
croí aici nó gur dhúisigh sí agus gur bhuail náire í ag a fuaráil féin.

Ní mórán le míle bealaigh a bhí Halla Naomh Bríde ón ospidéal,
lámh leis an teach pobail Caitliceach a raibh tagairt dó san fhógra
sin a bhí san *Curadh Connachtach* agus arbh é a bhí ciontach le Nano
a thabhairt go Norwold ar an gcéad ásc, ach dá ghairide an t-achar
é ní bheadh Síle beo mura ngabhfaidís ar an mbus.

' B'é an chaoi a gcailleann sibh lúth na gcos nuair a thagann sibh
anall anseo? ' a d'fhiafraigh Nano di agus iad ag fuirtheach ag an
stad. ' Ní dhéanfadh píosa siúil aon dochar duit, a chailligh.'

' Nach bhfuil deich míle siúlta ó mhaidin agam suas anuas an
bitse d'aireagal sin, scíth atá uaim agus ní coisíocht! '

' Ní i do shuí a bhéas tú istigh ag an rince, cuirfidh mé geall,' a
dúirt Nano.

Éireannach ba ea giolla na dticéad, Ciarraíoch óg úrshnóch a
raibh biorán staonta ón ól ar chába a ionair aige agus trídhathach
beag crúáin ar an gcába eile, agus choinnigh sé féin agus Síle
prapchaint go goibéalta le chéile nó gur scaoil sé amach ag an stad
ba ghiorra don halla rince iad.

' Cogar, a Shíle, níor bhain sé siúd pingin ar bith dínn,' a dúirt
Nano ach a rabhadar den bhus arís.

' Níor bhain ar ndóigh, ní bhaineann na hÉireannaigh pingin
ar bith dá muintir féin má fhéadann siad—bíonn cuid de na
Sasanaigh fiáin mar gheall air, an míniú a thug Síle ar an scéal.

' M'anam muise gur suarach an éadáil é dá dtiocfadh an cigire
isteach ag seiceáil na dticéad, chaillfí le náire thú.'

' Chaillfí *heck!* A rá leis nár chuimhnigh tú air, go raibh rudaí
ba thábhachtaí ná sin ar d'aigne agat. Seo, tomhais céard a
dhéanfaimid—tá sé buille beag luath fós le dul isteach ag an rince—
rachaimid síos chuig an *Lord Nelson* go mbeidh deoch beag ar dtús
againn, éa? '

' Ó stop, a bhideach! Isteach i dteach óil, ab ea—bheirt bhan
astu féin? ' Bhí alltacht ar Nano ach leag Síle lámh uirthi go
himpíoch.

' A, níl istigh san halla ach na cráiteacháin fós, *Pioneers* agus an
dream tá róthíosach le pingin a chaitheamh. Seo leat, in ainm Dé,
ní gá duitse ach braon sú liomóide nó pé rud is maith leat a ól,
ní bheimid achar ar bith ann ar aon nós. Grá mo chroí, téanam ort! '

Tháinig sé chun a béil ag Nano a rá le Síle go raibh sí ródhúil-
mhear ar fad san ól ach faoi mar ba mhinic léi bhuail sí fiacail air.
Bhí Síle Ní Dhuibhir níba óige ná í féin, cúpla bliain ar a laghad i
ndiaidh is go raibh tamall deas caite i Sasana anois aici, ach
chonacthas do Nano go raibh sí róchíochrach chun pléisiúir, nach
raibh mórán staidéir ar bith ag roinnt léi.

' Ní raibh caint ar bith agat ar theach an óil nuair a bhí tú de m'iarraidh amach leat,' a dúirt Nano ach ghéill sí don bhean eile mar sin féin agus thugadar aghaidh ar an tábhairne nach mó ná leathchéad slat a bhí uathu.

Foirgneamh clochrua a raibh bréagársacht ag baint leis an dá bhinn ghéara ann agus na fuinneoga arda caola ba ea an *Lord Nelson*, péinteáil den aimiréal leathshúileach ar luascadh os cionn doras na sráide agus ceol ag teacht as a bhí chomh meidhreach Gaelach le ceol ar bith dár airigh Nano riamh ag Céilí an Spidéil ná san *Hangar* i mBóthar na Trá. Phreab a cuisle ag Nano nuair a chuala sí an ceol ach mar sin féin ghabh aiféaltas arís í nuair a thángadar chun an dorais.

' Tá a fhios ag Dia go bhfuil sé náireach, a Shíle, mná ag dul isteach i dteach ósta mar seo astu féin. Dhá thrup ceart a déarfaidh na daoine. . . .'

' Ó muise, náire! Tá náire ar an m*brain* agat, a óinsigh. Bíodh luach leithphingne céille agat in ainm Dé, ní thiar i gConamara atá tú anois. Nach í an bhliain 1950 í? '

An Bhliain Naofa, má b'fhíor, a dúirt Nano ina hintinn féin.

Bhí parlús an *Lord Nelson* ar snámh i ndeatach, boladh milis an leanna agus boladh an tobac ina gcumasc plúchtach ar fud an tí agus glórtha fear is ban mar dhordán mearbhaill thart timpeall. Bhí triúr ceoltóir ina suí ar ardán beag sa chúinne ab fhaide isteach ón doras agus bhí an lucht freastail, an t-óstóir agus a bhean chéile agus cuairsce mhór mná gruaigdhaite, go broidiúil ag tál piontaí agus ag baint na gcaipíní de bhuidéil.

Ba gheall le haghaidh fidil gnúis na mná gruaigdhaite faoina screamh púdair is péinte agus ba chuid suntais a dhá chíoch ar a méid is ar a gcruinneas faoina blús geal níolóin. Bhí an parlús agus an beár poiblí lastall de plódaithe agus airgead á chaitheamh mar b'uisce é.

' Ní bhfaighimid áit shuí anseo tá eagla orm,' a dúirt Síle, ag ardú a glóir, ' tú cinnte nach n-ólfaidh tú lán méaracháin de rud éigin? '

' Ar chraiceann do chluaise ná faigh dada dom muran sú liomóide nó oráiste é,' an fhainic a chuir Nano uirthi agus í ag déanamh ar an gcuntar. ' Ná bíodh faitíos ar bith ort, nílim chomh saibhir sin,' a ghlaoigh Síle siar thar a gualainn.

Más ea féin bhlais Nano go faicheallach den ghloine a thug Síle ar ais chuici sular chreid sí nach raibh aon rud ann seachas mar ba cheart.

' Ní thabharfar aon aird orainn anseo cibé scéal é, tá dalladh ban ann cheana,' ar sise, ag féachaint timpeall.

' Sea agus nach bhfeiceann tú gur Brídíní a leath, bheifí ag caint orthu sa bhaile. Tá saoirse bhreá sa tír seo, a Nano.'

Bhí, dar le Nano, ar scáth a thairbhe. Bhí sí féin chomh saor leis an ngaoth ach b'shin a raibh de mhaith di ann. Ní raibh gnó ar bith faoin spéir anseo aici faoina gúna nua *Marcks & Spencer;* thiar sa bhaile ab áil léi a bheith, í féin agus Máirtín Bhid Antaine, ag an gcéilí sa Spidéal nó ag falróid siar an bóthar go socair sásta. Bhí fir bhreátha thart uirthi anois, cuid acu ag sméideadh agus ag gáire léi, agus bhí sí dathúil a dóthain i gcónaí le go bhféadfadh sí a rogha duine díobh a fháil—dá mba shin é a bheadh uaithi. Ach ar ndóigh níorbh é, ba é an chaoi gur airigh sí cuideáin san áit agus go raibh sí in aithreachas faoina teacht ann.

Thosaigh an drumadóir ag cnagadh na maidí, *cluc! cluc! cluc!* mar bheadh seanchnámha tolla á mbualadh ar a chéile agus chroch an bheirt eile ríl chéafrach suas ansin, port anamúil aerach a bhí cloiste ag Nano go minic cheana. Mar ba d'aon oghaim é leag na fir orthu ag liúireach le barr gliondair, síanaíl fhiáin bhuacach a chuirfeadh scéin ar an gcoimhthíoch nach dtuigfeadh bealaí na dtuathánach Éireannach seo.

'Mo léan gan an ceol a bhíonn thuas san halla acu chomh maith leis seo,' a dúirt Síle, agus ar ball beag, nuair a thaobhaíodar Halla Naomh Bríde, thuig Nano céard a bhí i gceist aici. Bhí trí leathghloine *gin* agus sú oráise ólta ag Síle faoin am sin agus gan a dhath dá rian uirthi ach chomh beag is dá mba uisce a bheadh ann.

Ní raibh de cheol i Halla Naomh Bríde ach seinnteoir ceirníní agus méadaitheoir; bhí óganach éadanghoiríneach spéaclach ina bhun, ag roghnú na bport agus ag gríosadh an chomhluadair chun rince, glagaireacht díchéillí isteach sa mhiocrafón aige i rith an ama mar ba bholscaire de chuid Raidió Lucsamburg a bheadh ann, ag stealladh gibrisce. Urlár tais stroighne a bhí san halla agus sraith cholún síos trína lár mar chiotaí ar an lucht rince; bhí cuntar beag ag ceann thuas an halla agus tae agus deochanna boga ar díol ann, agus bhí dhá bhratach—bratach náisiúnta na hÉireann agus bratach bán-is-buí an Phápa—trasna ar a chéile os a cionn sin. Bhí portráid d'Éamon de Valera go liathbhuí, éadanghruama, agus pictiúr d'éarlamh an halla, a fallaing dhraíochta leata amach thar mhachaire Chill Dara aici, in airde chomh maith agus istigh eatarthu cóip d'Fhorógra na Cásca. Ní raibh baol ar bith ann nach n-aithneofaí cérbh iad na rudaí ba dhleacht ómóis i Halla Naomh Bríde; Fianna Fáileach go smior a chnámhdhroma ba ea an tAth. Pádraig Ó Beaglaoich, an fear a raibh maoirseacht na háite faoi, agus ba é an t-aon nuachtán Éireannach a bhíodh ar díol ann, diomaite de na hirisí diaganta, *Scéala Éireann.* Fear rugbaí agus dornálaíochta ba ea an tAth Ó Beaglaoich, nó an Sagart Mór mar a thugtaí go minic air, agus dá ghairbhe dá mbíodh cuid de na fir a thagadh go dtí an rince bhíodh ar a chumas aige déileáil leo. Leathchoróin a bhaintí amach ar an rince i Halla Naomh Bríde agus bhíodh sé ina sheamsán ag daoine go bhféadfadh an tAth Ó Beaglaoich banna ceoil ceart a chur ar fáil an chorruair féin lena raibh de bhrabach ar an doras aige. Ach ní fhéadfadh an namhaid ba mhó a bhí aige a chur ina leith gur choinnigh sé pingin ar bith dó féin. Leas an pharóiste agus scaipeadh an chreidimh sa tír phágánta seo ba Shasana a dheineadh scime don Sagart Mór agus ní maoin ar a son féin—dá mba dhuine saolach é, a d'admhaigh Síle le Nano oíche dá rabhadar ag cur an saol trí chéile, ní ag gabháil timpeall na háite ar sheanrothar meirgeach a bheadh sé, gan a chulaith shagairt féin a bheith an-slán, agus é mar chúis náire ag an gcuid ba phostúla den phobal Caitliceach.

Leag Nano agus Síle a gcótaí uathu sa seomra beag éadaigh laistigh den doras agus rinneadar a mbealach suas tríd an mbrú go barr an halla mar a bhfuair siad áit shuí ar fhorma íseal adhmaid a bhí leagtha thart le balla. Bhí an halla pacáilte cheana, cailíní storrúla tuaithe agus slatairí cumasacha faoina gcultacha dubha nó gorm agus a léinte bána go bónaí crua; halla tuaithe Éireannach aistrithe aniar idir chorp, chlúmhach agus chleití a bhí i Halla Naomh Bríde ach gurbh fhéidir go raibh faicheall éigin, a bheag ná a mhór, ag dreamanna áirithe roimh a chéile anseo thairis mar ba mhóide a bheith i halla paróiste thiar in Éirinn. Bhí cuma airdeallach ar na mná amhail mar a bheidís in amhras faoi gach uile dhuine ach an duine a bhí ar aithne acu agus bhí a chuma ar go leor de na fir, go háirithe an méid díobh a bhí cruinnithe thart ar an doras, gurbh fhánach an rud a chuirfeadh in árach a chéile iad. Gúnaí sleamhaine triopallacha ag teacht go lorga síos a bhí ar na cailíní ab fhaiseanta—iad sin a bhí tagtha aniar ón mbaile le scaitheamh—agus uaireadóirí ar chaol a lámh gur le tíos agus le barrainn a cuireadh a luach le chéile Na cailíní sin nach raibh i bhfad abhus ní rabhadar chomh péacach céanna, ba ghiortaí a ngúnaí agus a sciortanna, ba shimplí nádúrtha a gcóiriú gruaige agus b'ísle a mbróga; ní raibh mná treabhsair ar bith le feiceáil san áit ach amháin clipí bus a raibh a héide oibre go fóill uirthi agus a mála leathair táillí ar a gualainn mar ba chuid den *ensemble* é. D'imigh sí seo thar Nano agus Síle, ag déanamh ar an gcuntar, agus níor do bhean Chorcaí ab fhaillí.

' Cé a cheapfadh go raibh sí sin go rúitín i mbualtrach bó an t-am seo anuraidh? Tá sí chomh ríméadach as a srathair agus gurbh ionadh liom dá mbainfeadh sí di é in aon chor—ag dul isteach ag codladh, fiú! '

' An charthanacht, a Shíle, tá tú gann sa gcarthanacht, tá faitíos orm,' a mheabhraigh Nano di.

' Á, carthanacht! Aire duit, tá beirt anall inár gcoinne! ' arsa Síle agus mhúch sí bun a toitín faoi bhonn a bróige. Bhí an mhear-chéim á fógairt ag an uascán goiríneach agus bhí na cúplaí ag dul ar an urlár, na mná sin a bhí gan iarraidh fós ag iarraidh a múisiam a cheilt trí bheith ag ligean aerachais orthu; beirt fhleascánach dea-ghléasta a bhí ag déanamh ar Nano agus ar Shíle anois, an fear ba dhathúla díobh go doscúch gealgháireach, a chomráda níba chúthaile mar nach mbeadh sé chomh muiníneach céanna as féin. Bhí aithne ag Síle orthu beirt, ba léir do Nano, ach ba é an fear ba gháiriúla a d'iarr amach ag rince í. Chuaigh Nano amach lena chara agus níor le fonn é, go baileach, mar ba bheag é a scil sna rincí gallda; ní bhíodh an bhálts féin ag céilí an Spidéil acu faoi mar a bhíodh in áiteacha eile ar fud Chonamara.

' Tá faitíos orm nach bhfuil aon phrae ionam in éadan an rince seo,' an leithscéal a rinne sí ach níorbh fhiú di sin mar ní raibh a páirtí aon phioc níba fhearr. Ní dúirt an fear óg a dhath leis sin agus d'imíodar timpeall, bústa a ndóthain, nó gur tháinig na céimeanna leo tar éis tamaillín; bhí Nano leath in aiféala faoi labhairt ar chor ar bith ná faoi aon leithscéal a dhéanamh leis, bhí a thost á cur dá treoir, gan a fhios aici céard ba bhun leis.

' Tá tú an-chiúin,' a dúirt sí i ndiaidh nóiméid nó dhó eile nuair nár labhair an buachaill, agus gheit seisean mar a scanrófaí é. D'imigh tritheamh ar a cheannaghaidh ar nós mar bheadh rud éigin i bhfastó ina phíobán ach faoi dheireadh thug sé an chaint amach.

' T-T-Tá, is d-dóigh,' ar seisean go corrabhuaiseach.

Níor shamhlaigh Nano máchail dá shórt beag ná mór leis an slataire agus bhí sí in earraid léi féin as ucht gur thug sí claon-bhreithiúnas air mar a rinne. Ba léi é a chur ar a shuaimhneas anois dá bhféadfadh sí, mar leorghníomh beag.

' 'Bhfuil tú i bhfad anseo i Norwold?' an cheist a chuir sí air de cheal aon ní eile a theacht ina ceann. *I'm Just Wild About Harry* an ceirnín a bhí á sheinm agus bhailigh na cúplaí thart ar an urlár tais, a n-aghaidheanna lasta, na fir ach go háirithe ar cur allais, corrghlam lúcháire thall is abhus. Ní raibh aon fhonn rince ar an mbaicle fear a bhí cruinnithe thíos ag an doras ach iad ag fáil caidéis do na rinceoirí agus ag caitheamh ciútaí fúthu le greann nó tarcaisne, an chuid ba ghaimsiúla díobh ag brú is ag soncáil a chéile mar ba ghasúir scoile iad. Ba mhinic a tharraingíodh an ceafráil seo achrann ach ba ghearr é a réim, de ghnáth, mar bhíodh an Sagart Mór ag guairdeall thart bunús an ama agus ba ghasta uaidh an lucht troda a ruaigeadh amach ar an tsráid.

' C-Cúpla m-m-mí, sin í an m-méid, anuas as D-Doncaster a thángamar, m-mé féin is m-mo mhéit.'

' Do mhéit? ' Ainm an fhir eile a bhí ó Nano agus ní míniú ar an mbéarlagair: ba chuimhin léi Síle a bheith ag cur síos ar Mhaidhc éigin a dtéadh sí leis ó am go chéile agus bhí Nano in amhras uirthi anois, nach amuigh le ceathrar a dhéanamh suas a bhí sí.

' M-Maidhc, an lead eile s-sin tá ag damhsa le Síle. C-Cén t-achar th-thú féin anseo, m-mura m-miste l-liom a fhiafraí d-díot? '

Chuaigh Síle agus Maidhc tharstu, go seolta, Síle ag gáire suas leis agus Maidhc ag ligean gothaí barrúla air féin. Ba phaiteanta an rinceoir é, ba léir, bhí sé chomh haclaí ar a chosa le haon fhear dá bhfaca Nano riamh.

' Ó muise, a dhearthair, níl ann ach go bhfuilim landáilte, tá boladh an tsáile go fóill orm! '

Le chomh réidh is a tháinig an gáire chuige shílfeá nár bhain ciotaí ar bith riamh dá urlabhra; ba é an míle feall é, dar le Nano, treampán dá shórt a bheith ar fhear deas óg mar é.

' Bh-bhí a fhios agam n-nach bhfaca m-mé cheana thú,' a dúirt sé agus sular fhéad Nano aon cheo a rá leis sin bhí an mhearchéim thart; ghabh sí buíochas leis agus chuaigh ar ais chun a suíocháin. Ní raibh ann ach gur shuigh sí nuair a bhí Síle anall de sciotán chuici, saothar uirthi agus na súile ag léimneach ina ceann le meidhréise.

' Bhuel? ' a d'fhiafraigh sí de Nano, chomh cílíonta agus dá mbeadh comhcheilg éigin ar bun acu beirt. D'imigh an bhuannaíocht seo in aghaidh stuif i Nano ach choinnigh sí guaim uirthi féin leis an mbean eile.

' Cén " bhuel " tá ort, a óinsigh? '

' Conas ar éirigh libh? '

' Ciotach go leor, ní ghnóthódh muid aon duais tá faitíos orm.'

' Ná bac leis sin—cén chaoi ar thaitin sé leat? Peadar, tá mé a rá.'

' Tá sé ceart go leor.'

' *Lad* an-lách é Peadar.'

' Meas tú? ' a dúirt Nano go fuarchúiseach, goimh ar a hintinn le Síle anois.

' Dáiríre, tá sé an-deas, a Nano.'

' 'Maith nach gcuireann tú speic air má thaitníonn sé chomh mór sin leat? '

Chuir Síle pus uirthi féin, go magúil, le Nano, ach bhí sí ag áiteamh uirthi arís lom láithreach.

' Tabharfaidh siad abhaile i *taxi* sinn, a Nano—nach fearr é ná ag siúl? '

' Siúlfaidh mise é, a Shíle. Déan tusa do rogha rud,' a dúirt Nano agus chuir Síle pus uirthi féin in athuair.

' Ceart go leor, siúlfaidh an bheirt againn é.'

Bhí bhálts ar an sean-nós á fhógairt anois ag fear na gceirníní, a ghlór ag teacht go gargach tríd an gcallaire:

' Amach libh anois, a bhuachaillí agus a chailíní, timpeall an tí agus seachain an driosúr! Is iontach breá an comhluadar anocht sibh, bail is beannú oraibh agus nárbh iontach an tseanbhean í

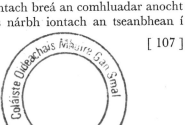

Mary Horan gur choinnigh sí greim libh go léir! Amachaí libh anois, tá Jimmy Shand againn agus *The Lights of Old Aberdeen*, agus ná dallaidís bhur súile!'

'Éist leis an gclabaire,' a dúirt Síle, 'is geall le garsún é a mbeadh bréagán nua aige!'

Bhí Maidhc anall arís ina coinne ach ní raibh aon amharc ar Pheadar agus bhí Nano chomh sásta céanna go dtí go bhfaca sí fear téagartha, meánaosta, maol ag déanamh uirthi féin. Níor thaitin cumraíocht ná gothaí an fhir le Nano, ná an boladh trom leanna a bhí uaidh, ach ba leasc léi é a eiteachtáil mar sin féin. Bhraith sí láidreachas garbh ceannasach ann a luaithe is a chuir sé lámh ina timpeall agus bhí taise a dhá bhois chrua ghágacha ag múscailt col inti nár mhúscail cuid de na hothair ba bhréine san ospidéal. Níor dhrochrinceoir in aon chor é, áfach, agus ní bheadh oiread sin coil aici leis murach gur thosaigh sé ag brú cainte uirthi, go cunórach, ar an bpointe. 'Tá tú strainséartha anseo, nach bhfuil?' a d'fhiafraigh sé di, a cheann i leataobh agus é á scrúdú ar bhealach a bheadh greannmhar murach é a bheith maslach, dar le Nano. Ba é an rud a tháinig ina ceann ná gur á breathnú a bhí sé ar an gcuma cheannann chéanna a bhreathnódh ceannaitheoir ar bhó ar an aonach. Agus mar bharr ar gach olc bhí sé á fáscadh ar bhealach a bhí dínáireach ar fad, dála mar ba fhear é arbh annamh leis lámh a chur thart ar bhean.

'Táim,' a dúirt Nano go tur. Chonaic sí Maidhc agus Síle ag seoladh tharstu, cloigeann buailte ag Síle ar ghualainn ar Mhaidhc, a ghrua seisean lena clár éadain sise. Ar údar éigin nár thuig sí féin spreag an feic stollaireacht bheag i Nano agus mhéadaigh ar an gcol a bhí don fhear maol aici. Ní raibh amharc ar Pheadar in aon áit.

'Bhí a fhios agam go raibh tú nua anseo,' a dúirt an maolán á fáscadh tuilleadh. Bhí culaith ghlasghorm air a d'oireadh d'fhear ab óige ná é agus léine bhán stairseáilte ar gheall le súil ribe thart ar a mhuineál ramhar beathach a choiléar crua; bhí bróga air a bhí ar bhuíocht na mine agus carbhat uaithne a raibh cláirseach agus craobh seamróige deartha air. 'Nach tú a bhíonn ag faire ar mhná?' a dúirt Nano go géar leis ach níor chuir a huabhar as don fhear maol aon bhlas.

'Mura bhfairfidh tú ní bhfaighidh tú,' ar seisean agus chaoch sé súil uirthi go graosta.

'Ná bris mo dhroim le do thoil,' a dúirt Nano leis go doicheallach. Amach as cúinne a súile chonaic sí Peadar, é ina sheasamh le balla agus a bhos faoina smig aige. I gcomórtas leis an bplapachán meánaosta seo ba dhuine uasal é Peadar ach dáiríre ba mhó d'aiféala ná dada eile a bhí anois uirthi faoi theacht chun an rince in aon chor. Ba mhairg a ghéillfeadh do dhaoine eile i leaba do chomhairle féin a dhéanamh. Ba gheall le cíor ráca in aghaidh a caoldroma anois méara an fhir agus b'fhada le Nano go mbeadh an damhsa thart le go bhféadfadh sí éalú uaidh.

' Bhfuil *lad* agat? ' a d'fhiafraigh a páirtí di ach níor thug sí aon fhreagra air.

' Céard déarfá liom thú a fhágáil sa mbaile? ' an cheist a chuir sé uirthi ansin, caol a básta á fhuinneamh lena mhéara aige.

' Bhfuil múineadh ar bith ortsa, a dhuine? ' Murach gur bhraith sí nárbh fhurasta í féin a scaoileadh uaidh shiúlfadh Nano den urlár ar an toirt, bhí gráin chomh mór sin aici ar an bhfear meánaosta maol anois.

' Diabhal dochar ansin, a chailín! Céard faoi thú a thabhairt abhaile tar éis an rince? '

' Ní thabharfair, muis! '

' Tabharfaidh mé chuig an *café* thú, ceannóidh mé suipéar duit.'

' Tuige a ndéanfá? An gceapann tú go bhfuil ocras orm, nó céard? ' Bhí sí ag dul ó smacht uirthi féin go mear agus ba ar a dícheall gan lán béil a thabhairt dó a chuirfeadh ina thost é. Má chuirfeadh!

' Bíonn ocras ar mhná ospidéil i gcónaí, is dóigh gur in ospidéal atá tú ag obair? ' a dúirt an fear.

' Ba chóir duit buillín a thabhairt leat ag an damhsa le bheith á roinnt orthu mar sin,' a dúirt Nano go prap ach ba é gur thosaigh an fear ag sclugaíl gáire mar nach mbeadh aithis ar bith dó féin sa rud.

' Go maith,' ar seisean, ' is maith liom bean spraoiúil! '

' Is maith leat mná, sílim,' a dúirt Nano agus ba bheag bídeach nár chuir sí mar agúisín leis go mba chóir dó fógra a chur san *Ireland's Own*, ag lorg mná, faoi mar ba nós lena leithéid de shean-chuileata teaspúil a dhéanamh.

' Maith an cailín thú, coinneoidh tú an rince deiridh dom, nach ndéanfair? Fágfaidh mé sa mbaile ansin thú, gheobhfaidh mé *taxi* duit más maith leat.' Marcaíocht go Gaillimh, a dúirt Nano go seanbhlasta ina haigne féin: idir *taxis* agus shuipéar nárbh é saol na n-uaisle aici é!

' Sílim anois,' a dúirt sí agus an méid ceart den fhonóid ina glór, ' go bhfuil sé in am duitse bheith sa mbaile cheana.'

Ach arís eile in áit é a ghriogadh b'amhlaidh go mba ghreann-mhar leis an bhfear maol a sáiteán; racht gáire a rinne sé leis, chomh croíúil is nár faoi féin é in aon chor é.

' Róshean, ab ea? Dar lán an leabhair, a chailín, ach go mbeidh a fhios agat é má thugann tú triail dom. 'Dheamhan a leithéid de shá a fuair aon bhean riamh! '

Níor bhaol nár airigh Nano cainteanna graosta faoi mar a chuala gach uile bhean óg, faoin tuaith ach go háirithe, ach baineadh geit aisti anois ag áilíos lom dalba an fhir mheánaosta mhaoil; dhearg sí agus bhí sí ar thoib í féin a shracadh as a ghreim nuair a tháinig deireadh go tobann leis an gceol.

'Ní dhéanfaidh tú dearmad anois—coinnigh an rince deiridh dom,' a dúirt an fear, á fáscadh chuige go ceannasach sular scaoil sé uaidh í.

'Téirigh i dtigh diabhail,' a dúirt Nano leis agus d'imigh léi.

Bhí Síle ag fógairt uirthi ón gcuntar agus chuaigh Nano ina coinne, spalpas go fóill uirthi de bharr chaint an fhir mhaoil. Bhí Maidhc agus Peadar ag an gcuntar in éindí le Síle agus bhí ceithre bhuidéal liomanáide á cheannach ag Maidhc, tráithnín céireach sactha síos i ngach buidéal díobh. Shín sé buidéal ar Nano ach b'éigean do Shíle buidéal a sciobadh uaidh, mar dhóighde. 'Nach é an trua nach in áit éigin amuigh a casadh linn iad, chaithfidís rud éigin níos láidre ná seo a sheasamh dúinn,' a dúirt Síle; d'fhéach sí amach faoina malaí ar Nano mar a bheadh sí á tomhas. 'Seo, Nano, abair *hello* le Maidhc—tá aithne agat ar Pheadar cheana!'

'*Hello*, Nano,' a dúirt Maidhc go teanntásach agus chroith sé ceann uirthi mar ba sheanchairde dá chéile a bheadh iontu. Bhí cáilíochtaí ag Maidhc a bhí in easnamh ar Pheadar, teacht-i-láthair agus iontaoibh as féin, agus spleodar as cuimse. Fear slachtmhar a a bhí ann ar gach uile bhealach, aghaidh dhathúil air agus cloigeann catach gruaige, é crua, fáiscthe, fuinneamhach. Ba bhuachaill é a raibh barúil aige de féin, mheas Nano, ní raibh aon phioc d'éadánacht a charad ann.

'Bhí tú ag déanamh go maith anois beag,' a dúirt Síle, ag séideadh aer síos ina tráithnín gur chuir sí an liomanáid ag coipeadh istigh sa bhuidéal.

'Níl a fhios agat a leath! Ag iarraidh dul abhaile liom, mura miste leat.'

'Is é an trua nach raibh Peadar chomh teann leis,' a dúirt Síle ach níor lig Nano uirthi gur chuala sí focal.

'Bhí an halla ag cur thar maoil anois agus bhí aithne óil go follasach ar go leor de na fir, an dream ba mhoille a bhí tagtha sa láthair ach go háirithe. Bhí corrscairt á ligean thall is abhus anois agus bhí teannas leathmhúchta chomh so-bhraite le ceo ar fud an halla; ba mhinic, de réir mar a bhí cloiste ag Nano, go mbrisfeadh an faltanas a bhíodh idir na dreamanna éagsúla amach ina aighneas gránna.

D'fhiafraigh Peadar go stadach di an ólfadh sí buidéal eile liomanáide agus dúirt Nano leis nach n-ólfadh, go raibh maith aige; ach thapaigh Síle a deis lena beartaíocht féin a chur chun cinn.

'Is maith an scéal daoibh féin nach thíos sa teach tábhairne a casadh orainn sibh, bheadh poll in bhur bpócaí ansin! Thíos san *Black Bull* a bhíodar, a Nano, nach é an trua nach raibh a fhios

againn é? " Fanaimís glan ar an dá phótaire sin," a dúirt siad,
" nach bhfeicfimid thuas i gClub Bidí ar ball iad? " '
Thug sí sonc dá huillinn do Pheadar.
' Nach fíor dom é, a Phete? '

D'oscail Peadar a bhéal ach níor tháinig smid uaidh le barr
cotaidh; díol trua a bhí ann dar le Nano ach d'fhéadfadh sí Síle
a thachtadh mar ba gheall le snáth cróiseála a cuid bladair ag
déanamh gréasán páirtíochta a raibh sise mar chuid de agus ar
dheacra di briseadh amach as dá fhad dá leanfadh sé. Ba chomh-
luadar an ceathrar acu cheana, dá buíochas sise.

Bhí Baint an Fhéir á fhógairt anois agus na rinceoirí ag dul i
ranganna ar aghaidh a chéile. Lig Maidhc uaill as agus ghread sé
a chosa faoin urlár.

' Ab-ab-bú! ' a bhéic sé dála mar ba chuimhin le Nano cuid de
mhuintir an Chaisleáin Ghearr a dhéanamh san *Astaire* nó san
Commercial i nGaillimh nuair a bhíodh céilí ar bun iontu. ' Fágaigí
seo amach, a scurachaí, buailígí cois air! '

Bhí Peadar á hiarraidh ar aon nós, nó in ainm is a bheith mar
nach raibh an chaint ag teacht leis dá dhéine dár fhéach sé lena
thabhairt amach; agus ná bíodh ann ach an méid sin ní fhéadfadh
Nano diúltú dó cé nach raibh cúrsaí ag iompú amach mar ba mhian
léi in aon chor. Níorbh é an rince féin a bhí ag déanamh buairimh
di mar nár le bheith ag eiteachtáil daoine a tháinig sí chun an
halla, ach go mbeadh uirthi na cosa a chur uaithi ar ball nuair a
bheidís á hiarraidh leo sa *taxi*.

Port Albanach eile le Jimmy Shand a bhí do Bhaint an Fhéir
acu, port nach raibh ag teacht i ngiorracht scread asail do bheith
chomh bíogúil leis an gceol a bhí thíos sa *Lord Nelson* ar ball, ach
b'ionadh le Nano chomh hinniúil is a bhí Peadar ar an rince Gaelach
tar éis is chomh holc is a tháinig an mhearchéim leis roimhe sin;
ba gheall le duine eile ar fad anois é, gan ciotaí ná ceann faoi ar
bith air a thuilleadh. Ach dá fheabhas dá raibh Peadar ní raibh
gair ar bith aige ar Mhaidhc, bhí gach uile chor agus céim ar
fónamh aige sin, coisíocht go barra bachaill aige agus é chomh
díreach le slat; nuair a tháinig ar a sheal luascadh le Nano chroch
sé glan den talamh í cé nár bhean bheag í ná éadrom. Bhí matáin
a ghéag le mothú taobh istigh de mhuinchillí a chasóige chomh crua
le cloch agus bhí na guaillí ba chumtha air dá bhfaca sí ar aon fhear
riamh. Ach mura raibh Peadar ina fhear chomh breá leis, baileach,
bhí sé níba láiche, chúirtéisí—agus mar a fuair Nano amach gan
mórán achair bhí sé soilíosach freisin. I dtobainne, gan rabhadh
ar bith gur léir di é, bhris an scliúchas amach in aice láimhe agus
bhí fir in éadan a chéile go feargach, fíochmhar, dála mar a rachadh
bladhm thine de ráig reatha ar fud an halla. Níor dhada ansin é
ach screadach ban agus gnúsacht fear, smísteáil buillí, sciorradh

agus brú, na fir i mullach a chéile i dtreo agus nárbh fhéidir a dhéanamh amach cé a bhí ag buachan ná cé mhéad duine a bhí páirteach sa chaismirt. Agus cibé céard ba chúis lena bheith istigh ina measc bhí an fear maol meánaosta ann, sruithlín fola lena shrón aige agus é ag pleancadh fear ab óige i bhfad ná é, cleathaire fionn ard a raibh goic dhornálaí air dá mbeadh cur lena stiúir aige. Ní raibh ag rince anois ach cúpla rang sa taobh thall den halla ach bhí mac na gceirníní ag méileach go truacánta isteach sa mhiocrafón, gach aon 'Faighigí an sagart, faighigí an tAthair Pádraig!' go sceimh-lithe as a bhéal aige. Chonaic Nano an fear meánaosta a bhí mar pháirtí ar ball aici ag síneadh an fhir óig le buille faoin ngiall agus bhí seisean é féin faoi ionsaí ansin ag forránach eile a lasc isteach ar an mbéal é go fiata.

'Tugaigí scóip do na diabhail!' a bhéic Maidhc, sult an tsaoil dó san obair, ar a ghothaí. Ach bhí an Sagart Mór de rúid isteach ina measc cheana agus beirt eile lena shála, ag cabhrú leis. Rug an sagart ar bhodach mór dubhchatach gur shac roimhe amach an doras é agus d'fhill sé ar an bpointe céanna.

Ba é an chéad uair riamh do Nano Mháire Choilm sagart a fheiceáil ag troid agus is ag troid i ndáiríre a bhí sé anois: smíoch sé fear a shíl é a bhualadh agus thit an fear ina chnap ag cosa an tsagairt. B'uafás ag Nano fear ar bith dorn a thomhas le sagart, ná bac lena bhualadh, chuala sí i gcónaí riamh go seargfadh an lámh a bhuailfeadh sagart, ba chosúil nár fhan scioltar ar bith dá gcreid-eamh i gcuid de na daoine i ndiaidh dóibh a bheith scaitheamh ar an gcoigríoch. Ná níorbh é an t-aon duine amháin é a raibh sé d'ámhailleacht ann a dhéanamh mar bhí an dara fear chun an tsagairt anois, le iarraidh dá dheasóige, dá n-éireodh leis; níor éirigh, mar ba sciobtha i bhfad é an tAth Ó Beaglaoich, rug sé ar an láimh a bhí réidh lena chnagadh gur chas suas faoi dhroim an fhir ar leis é agus raid sé amach an doras ansin é ar mhullach a chinn. Ar an nóiméad céanna sin bhuail duine de lucht cúnta an tsagairt an fear maol meánaosta gur sheol ag stangarnáil é siar i ndiaidh a chinn mar nach mbeadh meabhair ná mothú níba mhó aige; bheadh sé buailte faoi Nano murach gur chroch Peadar de leataobh í de sciuird. Bhí an fear meánaosta á thuairteáil amach an doras ansin agus bhí an clampar thart chomh tobann is mar a thosaigh sé.

'An bhfuil tú ceart?' a d'fhiafraigh Peadar ansin de Nano— gan stadaireacht dá laghad, thug sí faoi deara, ar nós agus mar a bhuaigh an phráinn ar a éagumas.

'Tá, slán a bhéas tú,' a dúirt Nano, 'tá mé ceart.'

Ach bhí *Amhrán na bhFian* á sheinm anois ar sheancheirnín slóchtach agus bhí gach duine ina sheasamh ar aire cé nach rabha-dar uile ina dtost ná baol air.

Chuaigh an tAth Ó Beaglaoich suas ar an ardán beag agus sheas sé le taobh fear na gceirníní, é chomh sollúnta as a aghaidh agus mar ba é seanmóir an Domhnaigh a bheadh le tabhairt aige. D'fhan sé go dtí go raibh an t-amhrán náisiúnta thart agus chuir sé a lámha in airde ansin. Fear mór breá éifeachtúil nach ndéanfaí neamhshuim i gcomhluadar ar bith de ba ea an Sagart Mór agus chluinfeá cat ag siúl anois le méid na haire a bhí á thabhairt dó. 'A chairde agus a chomhthírigh,' ar seisean go húdarásach, 'chonaiceamar sampla eile anocht den bhligeardaíocht sin atá ag cur drochchlú orainn féin is ar ár dtír anseo—ní áirím ár gCreideamh! An ionadh ar bith é má bhíonn na daoine sin amuigh,' (rinne an sagart geáitse beag míchéatach lena láimh agus ar feadh nóiméid cheap Nano gur don lucht troda a bhí sé ag tagairt) 'ag caint orainn, má cheapann siad gurbh é an t-ól agus an t-achrann an caitheamh aimsire is ansa le hÉireannaigh? Bhuel, a dhaoine, tá freagracht orainn, freagracht scáfar dá ndéarfainn féin é, i leith ár dtíre is ár gCreidimh, agus nílimse chun foighneamh leis an obair seo níos mó.'

Thost an tAth Ó Beaglaoich agus d'fhéach sé thart ar a lucht éisteachta mar ba mhian leis go dtuigfí nach aon fholáireamh baoth a bhí ina fhocail.

'Ceapann cuid den lucht achrainn, is cosúil, gur fir mhaithe iad—gaiscígh mhóra. Bhuel, ní fheicim aon bhoinn acu, ná aon choirn, ná ní fheicim a n-ainm in airde mar dhornálaithe. Ach tá fonn troda mar sin féin orthu, is cosúil!'

Rinne an sagart leamhgháire beag faoi shaontacht na bhfear troda agus d'imigh sciotar gáire ar fud an halla.

'Ach más traenáil atá uathu gheobhaidh siad neart de anseo feasta mar a thúisce in Éirinn a thosóidh troid as seo amach tabharfaidh mise na miotóga chucu agus cuirfidh mé iachall orthu troid go cothrom, mar a dhéanfadh daoine sibhialta—beidh a fhios ansin an bhfuil mianach seaimpíní iontu nó nach bhfuil! Oíche mhaith agaibh anois agus téigí díreach abhaile!'

Ar an mbealach ar ais chun an ospidéil dóibh san *taxi* d'fhan cuimhne an scliúchais ag Nano, an fear plaiteach agus a shrón ag cur fola, é i ngleic le fear a bhí óg go leor le bheith mar mhac aige. B'ainspianta an feic é á chartadh amach ar mhullach a chinn, fear ar chóir dó a bheith pósta agus a chlann suas. Níor thuig sí cad chuige a mbeadh trua aici dó, do bhleitheach mar é, ach geall le bheith dá hainneoin féin bhí.

Bhí Maidhc agus Síle ag suirí cheana, gan d'fhoighne iontu, ba chosúil, fanacht go mbeidís astu féin, ach bhí Peadar cúlaithe siar isteach ina éadánacht féin arís, gan smid as le haon duine. B'fhada an t-aistear le Nano é d'achar chomh gairid leis ach nuair a stad an carr ag geata an ospidéil bhí sí chomh dona céanna, gan a fhios aici cén chaoi le dealú ón triúr eile; bheadh rud éigin aici le rá le Síle ar ball, gheall sí, agus í á cruachan féin chun imeachta.

Ba é Maidhc a chuir sceach i mbearna roimpi, chomh hábalta sin agus nár fhan focal ag Nano le cur ina choinne. Ag íoc as an *taxi* a bhí Maidhc agus ar seisean siar thar a ghualainn, mar ba é an rud ba nádúrtha ar domhan é, ' Siúlaigí libh, sibhse, beidh muide isteach le bhur sála.'

Agus faoi mar ba thapú na deise aige féin é (sin nó b'fhéidir chun teanntás a charad a mhaolú beagáinín) leag Peadar lámh go héadrom ar uillinn ar Nano, agus ar seisean:

' T-Tiocfaidh m-mé p-píosa den bh-bhealach leat, m-mura miste leat.'

' Ar éigean is fiú é,' a dúirt Nano ach lig sí dó í a thionlacan isteach an cosán gairbhéil mar sin féin. Bhí dorchadas na hoíche mar bheadh fallaing ina dtimpeall agus bhuail anbhá éigin Nano i dtobainne, fuadach croí a chuir idir náire agus scanradh uirthi in aon turas. Ní raibh deifir ar bith ar an mbeirt eile isteach ina ndiaidh, ba chosúil, agus amharc dár thug Nano siar orthu chonaic sí ina seasamh i lár an chosáin iad faoi sholas an lampa geata, a lámha thart ar a chéile acu agus iad ag pógadh. Ba é an chéad uair é ag Nano Mháire Choilm a bheith amuigh chomh mall seo san oíche ó tháinig sí go Norwold agus chothaigh annaimhe na hocáide aiteas neamhghnách inti a chuir drithlíní inti dá míle buíochas. Bhí sé in am di greim a fháil uirthi féin, thuig sí: níor uallóg ar bith í go ligfeadh sí do spang mhacnais í a chur dá treoir mar seo. Bhíodar buailte leis na ceathrúna cónaithe anois agus le súil go mba leor dó mar nod é, sheas Nano.

' Go raibh maith agat faoi theacht chomh fada seo liom,' a dúirt sí agus aiféala uirthi i gceart anois nach amuigh ag an gcarr a d'fhág sí slán aige.

' B-Ba é ba l-lú ba g-ghann dom, ar ndóigh,' a dúirt Peadar.

Bhraith Nano Mháire Choilm a ghaireacht, an tnúthán a bhí aige léi agus chuaigh driog tríthi; chaithfeadh sí bailiú léi, ní raibh gnó ar bith faoin spéir aici ag moilliú anseo leis.

' Bhuel caithfidh mise a bheith ag dul isteach,' a dúirt sí—chomh triaileach, chonacthas di féin, agus dá mbeadh ' is dóigh ' curtha leis an abairt aici. ' Beidh do chara isteach an bóthar leat, nach mbeidh? ' Ba bhotún é sin aici, thuig Nano, a luaithe is a bhí sé amach as a béal aici, ba chos thar throigh ag Peadar é.

' N-N-Ním-móide é, déanfaidh s-sé m-moill, tá mé ag c-ceapadh! '

Bhraith sí an t-uaigneas a bhí taobh thiar dá chaint, an fonn a bhí air í a choinneáil tamall eile; agus rud ba mheasa, d'airigh sí a luaineacht féin, a heaspa daingne.

' F-fan n-nóiméidín,' a d'impigh Peadar uirthi mar a bhraith-feadh sé a héiginnte.

' Ní fhéadfaidh mé, a Pheadair, caithfidh mé bheith ag imeacht.'
' N-Nóiméidín féin! '

Thóg sé paicéad toitíní go fústrach as a phóca, mar ba bhreab iad len í a choinneáil, agus thairg sé ceann di.

' Ní chaithim, go raibh maith agat.'

Na toitíní a shacadh ar ais ina phóca a rinne Peadar mar ba thuaiplis aige iad a thairiscint in aon chor di.

' N-Ná himigh,' a d'iarr sé uirthi go hachainíoch, ' f-fan n-nóiméidín féin.'

' Nóiméad mar sin, a Pheadair,' a chuala Nano í féin a rá amhail mar ba dhuine eile ar fad a bheadh inti.

' T-Téanaim i leith anseo,' a dúirt Peadar agus mar ba dhuine í a bheadh ag siúl ina suan dhruid Nano leis de leataobh ón gcosán gur chuireadar droim leis an mballa bríce a bhí thart ar an ospidéal uile. Ní raibh aon amharc ar Mhaidhc ná ar Shíle anois, ba a chasadh amach an geata arís a rinneadar, níorbh fholáir.

' Ní fhéadfadh mé aon mhoill a dhéanamh,' a dúirt Nano faoi mar ba léi féin, agus nach le Peadar, a bheadh sé á rá aici.

' Á ní d-dochar n-nóiméidín,' arsa Peadar. Chuir sé lámh ina timpeall go ciotach, támáilte agus mhothaigh Nano mar bheadh sí á sú síos i dtrá shlogach nár chabhair ar bith di a bheith ag iarraidh í féin a shaoradh uaithi.

' A Pheadair,' ar sise, de ghlór nár léi féin é, ' tá *lad* agam sa mbaile, ní cóir dom a bheith anseo leatsa.'

' Is aoibhinn D-Dia d-dó,' a dúirt Peadar agus ghoin na focail sin Nano ag a táire féin.

' Ní shin é a cheapfadh sé dá bhfeicfeadh sé anois mé,' a d'fhreagair sí pas searbh.

Bhí grua Pheadair lena grua sise ansin agus cibé náire ná aiféaltas a bhí ó chianaibh uirthi thréigeadar glan í i bhfianaise na dúile seo a tháinig i gcumann fir aici. D'fháisc Peadar uirthi chomh cineálta is dá mba pháiste í agus ansin, mar nach mbeadh aon neart faoin saol uirthi féin níba mhó aici, d'iompaigh Nano isteach chuige agus phógadar a chéile go díochra.

A NAOI

Bhí claochlú éigin ag dul air dá mhíle buíochas. An fonn gnímh, an dóchas agus an spleodar sin a thug sé abhaile ón arm leis bhíodar ag dul i ndísc in aghaidh an lae ann agus bhí spádántacht an lucht dóil ag teacht ina n-áit. I dtús báire, sula ndeachaigh sé i dtaithí an turais laethúil chuig an Malartán Oibre agus an díomhaointeas a leanadh é chuireadh réchúis agus éidreoireacht na bhfear eile gearradh fiacla air. Cá raibh a bhfearúlacht, a gcumas ná a gcuspóir go dtoileoidís a laethanta a chaitheamh ar bhealach chomh míthairbheach sin, ag máingeáil timpeall an bhaile nó ag tabhairt droim do bhalla thíos ar an bParáid? Bhuaileadh taomanna tobanna bacainne é le leimhe is le neamhchúise a mbeatha agus babhta nó dhó nuair a chlis air guaim a choinneáil air féin scaoil sé racht leo go colgach searbh. Má rinne féin ba bheag dá mhairg a chuir sé ar na fir eile, ar Nioclás Ó Maonaigh ná ar Bhosco Ó Súilleabháin ach go háirithe.

' Cén sórt tóin scólta tú féin go mbíonn diabhal eicínt de do phriocadh i gcónaí? ' a d'fhiafraigh Nioclás Ó Maonaigh de, lá. ' Nach sílfeá go bhféadfá bheith socair an chorruair féin? '

' Níl sé furasta bheith socair, a Nic, nuair nach bhfuil pingin rua i do phóca agat ná seans ar a fháil,' a d'fhreagair Niall go tur.

' Níl aon phingin ina phóca ag Bosco agus féach chomh sásta is atá seisean. Ní iarrfadh Bosco corrú ón gcoirnéal go deo,' a dúirt Nioclás Ó Maonaigh, ag cur goice air féin leis an Súilleabhánach a bhí ina sheasamh amuigh ar cholbha an bhóthair, a lámha á bhfuinneadh ina chéile aige agus é ag gliúcaíocht suas síos an tsráid mar a bheadh sé ag tnúth le rud nó le duine éigin a ghealfadh leamhas na huaire dó.

' Ní taise duit féin é, a Mhaonaigh,' a dúirt Bosco gan a cheann a chasadh. ' Ní fheicim tusa ag caitheamh boinn leatha ag tóraíocht oibre ach oiread le duine! '

' Diabhal a n-iarrfadh ceachtar agaibh aon bhuille a dhéanamh ar scáth a fheicimse,' an bhreith a thug Niall orthu go tarcaisneach ansin.

' Ó agus a Chríost, cá bhfuil an obair? ' a d'fhiafraigh Ó Maonaigh de, ní go teasaí ná go griogtha ach go tinnfhoighneach mar a bheadh sé á shárú ag liostacht seo Néill.

Ar ndóigh ní raibh an obair ann agus b'shin é a fhad is a ghiorracht de. Tar éis dó a raibh de mhonarchana agus de láthaireacha tógála sa chathair a thriail thug Niall faoi na hospidéil agus an ghaslann; ní raibh faic le fáil in aon áit acu sin aige agus murach go raibh an tuarastal i ndáil le bheith chomh dona leis an dól féin bheadh glactha aige le post mar bhuachaill clóis a bhí ag imeacht i siopa mór a mbíodh an-tarraingt ag muintir na tuaithe ann i Sráid an Bhiocáire. Ná níorbh é an díomhaointeas féin, dá dhonacht é, ba mhó a luíodh air ach gur bhraith sé go raibh sé truaillithe, náirithe ar chuma éigin dá bharr; bhí sé á fheiceáil dó, dá cheartainneoin, nach raibh sé inchurtha ar bhealach ar bith leis an dream a bhí ag obair, go mba lú é a éileamh ar ghreim a bhéil, fiú. Scaití chuirtí ceist air an raibh aon súil aige le jab nó ar thriail sé seo ná siúd agus dá mhéad dár chás leis an lucht ceistithe a dhíomhaointeas is ea ba mheasa le Niall é: ghoin a soilíos seo é ar chuma nach ngoinfeadh naimhdeas ar bith; bhraith sé comaoin a bheith á chur acu air agus ghin an bhraistint sin múisiam ann.

Scaití, nuair nach mbíodh a sheasamh aige níba fhaide, d'imíodh Niall leis i ndiaidh a chinn go gcuireadh deich míle de, b'fhéidir, de shiúl na gcos, agus in amanna eile rachadh sé ag seoladh timpeall na tíre ar a sheanrothar airm, ó dheas go Baile Mhic Andáin ná go hInis Tíog féin, nó suas faoi na cnoic a bhí mar chlaí teorann idir Cill Chainnigh agus Ceatharlach. Chuaigh sé go Ceatharlach féin, lá, gur iarr post sa mhonarcha bhiatais, rud a bhí fuar aige ar ndóigh—agus dá bhfaigheadh sé post ann bheadh air aistriú isteach go Ceatharlach mar nach bhféadfadh sé an t-aistear sin a chur de gach lá ar a sheanrothar trom díoscánach. Lá eile chuaigh sé níba fhaide ó bhaile, go hÁth Í, féachaint an mbeadh aon cheo ansin do dhuine. Níorbh amháin é nach raibh ach chonacthas do Niall go raibh Áth Í spíonta, sniogtha, go mba chosúil le baile é a leádh de dhroim na tíre bhí laghad sin beochta ann. Bhí tríocha míle bealaigh abhaile roimhe ansin, in aghaidh an aird den chuid ba mhó nó go sroichfeadh sé Caisleán an Chomair, agus faoin am a raibh an Comar bainte amach aige bhí dúil aige chomh mór sin i bpionta pórtair agus gur beag bídeach nár iarr sé toistiún ar dhuine éigin lena chur leis an réal a bhí ina phóca aige. Lá eile bhí sé ó dheas de Bhaile Uí Cheocháin, leathshlí idir Cill Chainnigh agus Baile Mhic Andáin, agus chaith sé an rothar le balla go ndeachaigh sé isteach i bpáirc a raibh tulach bheag ina lár gur sheas ar an tulach is gur bhain lán na súl go grámhar den réimse torthúil tíre a bhí leata faoina radharc—Stua Laighin agus na Staighrí Dubha ina mbalc dúghorm ó dheas agus toirt fhada dhronnach Shliabh na mBan sa cheann thiar den léargas. Chonacthas do Niall go raibh sé ina oidhre chomh dlisteanach ar an bhfearann bláfar seo go léir leis an bhfeirmeoir ba láidre ar a fhuaid, agus na háiteacha sin nach raibh amharc aige orthu, nó nach raibh sé dearfa dá suíomh, thángadar chuige mar ba liodán iad a bheadh curtha de ghlanmheabhair aige ó chianaibh, Cois Bhearbha, Tigh

Mhoilinn, Gráig na Manach, Sceach an Mhaistín, Bearna na Gaoithe, Cupanach, Ceannanas Osraí, Callainn, Cill Mhanach agus an Tulach Ruadháin. Ba í seo a thír dhúchais féin, an ball ab ansa leis ar dhroim an domhain, agus cad chuige go gcaithfeadh sé í a fhágáil le caoi maireachtála a bhaint amach?

Thagadh meanma sinsireachta chuige agus é ag ródaíocht leis mar seo timpeall na dúiche: d'fheiceadh sé seanbhothán tréigthe agus a chaolta ag nochtadh tríd an tuí lofa ann mar bheadh easnacha i gconablach beithígh agus ritheadh sé leis nár dhóichí rud ná gurbh í an Ghaeilge a bhíodh á labhairt sa chábán sin lá den saol, canúint thíriúil Laighneach éigin a d'imigh ar troigh gan tuairisc, go deo na ndeor, agus nár mhair beo di anois ach iarsmaí beaga fánacha measctha trína gcuid Béarla ag na daoine mar a bheadh seoda ag lonrú i ndraoib an bhóthair. Agus, a Dhia, cad é mar chaillteamas é! Ba bheag ab fhiú Éire a bheith saor ó Oileán Reachlainn go dtí an Blascaod Mór is ó Cheann Léime go Binn Éadair d'uireasa na Gaeilge, bhí máchail orthu á ceal, ba chosúil le hilchine tútach iad a bheadh gan fios a staire ná a nginealaigh, treabh dhearóil, chloíte. Ag aislingíocht dó ar an gcuma seo thabharfadh Niall saibhreas Damer ar a bheith ábalta dul siar go dtí an t-am a bhí thart le go gcloisfeadh sé na glúnta Gaeilgeoirí sin a d'imigh den saol ag comhrá ina dteanga féin, ag nathaíocht agus ag cabaireacht go spreagúil líofa mar a dhéanadh muintir na bhForbacha nó muintir an Spidéil sa lá a bhí anois ann. An dtuigfeadh sé a gcaint, fiú, nó cé leis a mba chosúil in aon chor í? Bhí sé dodhéanta aige a chuid Gaeilge a thabhairt chun samhlaíochta ná aon choibhneas a rianú idir í agus Béarla na tuaithe a raibh dul na Gaeilge ar go leor di go fóill. In amanna d'imríodh sé cleasa air féin, ag cur i gcéill gur thiar i lár an naoú céad déag a bhí sé agus gurbh í an Ghaeilge teanga na ndaoine i gcónaí, gurbh í a bheadh as a bhéal go rábach ag an gcéad duine eile a chasfaí ar an mbóthar dó, agus chuaigh sé chomh fada leis an ealaín sin, lá, gur dhóbair dó bleid a bhualadh i nGaeilge ar chailleach a casadh air ag rothaíocht léi go stuama i dtreo an bhaile mhóir. Bhuail iarracht den náire ansin é ag a shaontacht féin ach i gcionn tamaillín bhí sé á fheiceáil dó nach raibh sé féin pioc níba fhearr ná na glúnta sin a thréig a dteanga, gur á brú ar na daoine ba chóir dó a bheith agus ní ag géilleadh don nósmhaireacht. Cérbh ionadh í a bheith ar an dé deiridh mar Ghaeilge nuair nach á craobhscaoileadh a bhí Gaeilgeoirí lán chomh dalba is mar a chraobhscaoil na Gaill an Béarla lena linn?

Ach ar ndóigh bhí nithe eile seachas cailliúint a dteanga dúchais ag déanamh scime do Niall anois, go deimhin bhí sé á fheiceáil dó go raibh gach uile rud ag dul i gcomhar le chéile chun a shaol a mhilleadh, chun na spriocanna sin a chuir sé roimhe a chosc air.

Feallaireacht an Bhuitléirigh nár fhan sé de ghnaíúlacht ann litirín a scríobh anall ag déanamh leithscéil, gan aon bhuille oibre a bheith le fáil in áit ar bith agus gan tásc ná tuairisc a bheith le fáil ar Pheig Ní Dhuinnín cibé cá raibh sí in aon chor. Ní raibh aon lá ná cuid de lá ó tháinig sé abhaile ón arm nach ag tnúth le Peig a chasadh air a bhí Niall, bhí sé chomh tinneasnach sin chun a feiceáil agus gur fheall na súile air babhta nó dhó i dtreo is gur cheap sé gurbh í Peig a chonaic sé uaidh ag ceann thíos na sráide nuair nárbh í a bhí ar chor ar bith ann, ná a cosúlacht féin, fiú, nuair a tharraing sé ina haraicis, a chroí ag greadadh agus na cosa chomh lag le dhá thráithnín faoi le méid a dhrithleachais. Bhí sé thar am dó í a bheith feicthe faoi seo aige, chaithfeadh gnó a bheith don bhaile mór aici, nach gcaithfeadh, agus má dheachaigh sé amach thart ar Bhaile Réamainn ag súil léi uair, chuaigh sé deich n-uaire go réidh. D'fhéadfadh sí a bheith imithe go Sasana ar nós mar a d'imigh a liacht eile sin duine le tamall anuas ach ní raibh Niall toilteanach dídean a thabhairt don amhras sin, ba bhuille na tubaiste ar fad é dá mbeadh sí gan a bheith ar na gaobhair níba mhó—nár i ngeall uirthi, thar rud ar bith eile, a tháinig sé abhaile? Ní bheadh sé leath chomh fonnmhar roimh phlean Chiaráin Bhuitléir murach a cheann a bheith lán de Pheig ó casadh ar a chéile iad den chéad uair an babhta faoi dheireadh a tháinig sé abhaile ar saoire. Ba i dtús an tsamhraidh é, lá brothallach glórmhar, an spéir ina laom mór gréine is goirme agus an tearra leáite ag scaoileadh a chumhracht géar ar fud na háite. Ag máingeáil timpeall go fuarspreosach a bhí Niall, gan gliog ina phóca aige agus é idir dhá chomhairle an gcaithfeadh sé uair an chloig sa leabharlann phoiblí thíos ar Ché Eoin nó an mbuailfeadh sé amach faoin tír dó féin, ag siúl; ina sheasamh ag cúinne na Paráide a bhí sé nuair a chuaigh Peig thairis, rothar ar láimh aici agus mála grósaerachta ar an iomparán cúil. D'fhéach siad ar a chéile agus rinne Peig meangadh beag doléite leis a d'fhág an croí ag cleitearnach ar nós éinín gafa istigh ina chléibh; bhí sé chomh meallta ag a gáire rúnda agus ag a súile dubha lonracha is gur lean sé suas Sráid Phádraig í mar nár dá dheoin féin in aon chor é, agus de neamhchead don lucht coirnéil nach bhféadfá cor a chur díot i ngan fhios dóibh. Agus ní foláir nó bhí súil ag Peig leis ina diaidh aniar mar i leaba dul ar a rothar b'amhlaidh gur lean sí den siúl nó gur rug sé suas léi. Bhuail Niall bleid uirthi ansin, a chroí ina bhéal ag a dhásacht féin, agus in ionad é a chur ó dhoras ná a fhiafraí de céard ba chúis leis an teanntás seo aige, d'fhreagair Peig é go suáilceach agus lig sí dó í a thionlacan píosa den bhealach. Bhí Niall ina bhambairne ceart ag an scéal mar ba léir dó nár aon ghnáthscubaid í seo a gheofá ar ardú méire ach cailín álainn a d'iompódh ceann an fhir ba staidéartha amuigh; bhí sí caol, dathúil, tarraing-

teach, ach bhí níos mó ná sin ann, bhí rud éigin fúithi a mheall
Niall ar chuma nár mealladh riamh cheana é, bhí sé splanctha ina
diaidh cheana féin tar éis is nárbh eol dó í a bheith beo ar an saol
go nuige sin. Shiúladar leo thar teorainn an bhaile amach, a chroí
chomh suaite sin i Niall agus nárbh ionadh leis dá dteipfeadh sé ar
fad air, agus méithe shuanmhar na tíre ina dtimpeall mar chúlra
a chruthófaí d'aon turas le haghaidh na haislinge síogaí seo a raibh
sé gafa ann; ba chosúla le brionglóid aoibhinn a thiocfadh chuige
i gcroí na hoíche, mianchumha den chineál ba ghleoite dár spreag
aon leabhar ná pictiúr riamh ann, ná le haon ní saolta a tharlódh
i lár an lae ghil. Má rinneadar aon chomhrá go bhféadfá comhrá
a thabhairt air níor chuimhin le Niall anois é ach i gcionn tamaillín
thángadar go dtí cor sa bhóthar, go dtí droichead beag cianaosta
a raibh srutháinín ceolmhar ag sní faoina bhun agus crainn arda
ina gceannbhrat os a chionn. Sheas Peig ansin mar nárbh áil léi
go dtiocfadh Niall níos faide agus bhuail támáilteacht bheag éigin
iad ar feadh nóiméid; bhí cois ag Peig ag throigh a rothair agus rud
éigin á rá aici faoina bheith mall cheana, go mbeadh súil abhaile
léi, nuair a tháinig sé de mhisneach ag Niall lámh a chur ina timpeall
agus í a phógadh. Freagairt dó chomh fonnmhar céanna is ea rinne
Peig Ní Dhuinnín agus d'fhanadar ansin ar an droichead beag,
barróg acu ar a chéile, nó gur thosaigh rothar Pheig ag sleamhnú
uaithi go talamh; a saoradh féin uaidh a rinne Peig ansin agus an
rothar a leagan le balla an droichid, agus chasadar chun a chéile
ansin arís chomh grámhar agus go bhfacthas do Niall go séalódh sé
ar phointe ar bith le barr áinis. Arae rud spéiriúil, niamhrach a
bhí sa suírí seo, aoibhneas a bhí fad na gealaí ó ghnáthmhiangas
teaspúil an choirp, rud nach raibh cur síos ná insint béil air, bhí
sé chomh caithiseach sin. Thugadar póg is fiche dá chéile go dílis
grámhar nó gur bhrúigh Peig uaithi é go drogallach i ndeireadh
thiar, a hucht suaite agus dlaoi dá gruaig trasna a súile, is go ndúirt
leis de chogar slóchtach go gcaithfeadh sí greadadh, go mbeadh
deirfiúr léi anuas an bóthar ina coinne dá moilleodh sí i bhfad eile.
B'fhearr le Niall ná maoin an tsaoil mhóir ar ala na huaire sin gan
í a ligean uaidh ach thug Peig póg eile dó mar éarlais agus gheall
dó go dtiocfadh sí chun an droichid arís ag an hocht a chlog an
oíche sin dá mb'áil leis í a fheiceáil. Bhí air í a scaoileadh uaidh
ansin ach d'fhan sé ag faire ina diaidh nó gur imigh sí as amharc
air agus bhí sé chomh mearbhallach ag dul abhaile dó agus nár
airigh sé faic nó go raibh sé ag doras a thí féin.

Uair an chloig go láidir a d'fhan Niall ag an droichead beag an
oíche sin agus ba í an uair ab fhaide, ba bheophianta dá shaol é.
Ní raibh fuaim dá laghad ná dá fhánaí dar tháinig chun a chluasa,
ná aon duine a chonaic sé chuige i gcrónúchan cumhrach an lae
nár mheas sé gurbh í Peig a bhí ann; bhí sé ar tinneall chomh mór

sin ag an bhfeitheamh fada gur chaith sé a raibh de thoitíní aige gan puinn sásaimh a fháil ar aon cheann acu, agus ní raibh aige ach casadh abhaile as a dheireadh thiar, a chroí ina mheall istigh ann. An uair sin féin bhí gach aon spléachadh siar thar a ghualainn aige go tnúthánach, agus an lá dár gcionn, cé go raibh a shaoire istigh ba bheag bídeach nár chinn sé ar gan filleadh ar a aonad i nGaillimh. Cúpla lá ina dhiaidh sin fuair sé litir ó Pheig, nóta beag grámhar ag déanamh leithscéil leis faoina ligean síos (aintín léi a tháinig aníos as Cnoc Tóchair chucu ar cuairt is gan aon choinne léi) agus ag iarraidh air scríobh chuici ar ais le cruthú nach raibh sé ina dhiaidh uirthi. Ba é an nóta beag seo an bronntanas ab ansa ar an saol ag Niall agus bhí sé ag gabháil thart i bpóca a ionair aige nó gur thit sé as a chéile ar fad tar éis tamaill; chuir sé litir fhada mhuirneach chuici ar chasadh poist agus bhí súil an tseabhaic aige le gach post dár seachadadh sa bheairic go ceann i bhfad ina dhiaidh sin. Má bhí ba í an tsúil in aisce aige í mar scéal ná scuan ní bhfuair sé níos mó ó Pheig bíodh is gur chuir sé dhá litir eile chuici in imeacht míosa. Bhí sé ag áireamh na laetheanta nó go bhféadfadh sé teacht abhaile arís ach ní raibh aige ach trí lá de chead speisialta an geábh deireanach agus bhí air filleadh ar an arm gan Peig a bheith feicthe aige tar éis a dhíchill. An tráthnóna céanna sin ar casadh an Buitléarach leis Tigh an Droichid bhí sé i ndiaidh a bheith amuigh i mBaile Réamainn ag súil go mbuailfeadh sé le Peig ann. Go fóill féin bhí meascán mearaí ar Niall ag an scéal, níor thuig sé ó thalamh an domhain cén chaoi a dtiocfadh le Peig a bheith chomh grách sin má ba lena fhuarú arís a iompú boise é. Chuir sé an scéal trína chéile chomh minic sin agus go raibh mearbhall air ach i leaba aon mheirg a bheith ag dul ar a ghrá féin di ba é an chaoi a raibh sí os a chomhair de ló is oíche, á mhealladh. Ba uirthi ba dheireanaí a chuimhníodh sé ag dul ag codladh dó agus ba uirthi ba thúisce a chuimhníodh sé ar maidin, scríobhadh sé a hainm ar ruainní páipéir fearacht mar a dhéanfadh scurach go ndrannfadh an grá leis den chéad uair riamh nó rianaíodh sé sa ghaineamh fliuch é nuair a théadh sé ag spaisteoireacht soir le cladach tráthnóna. Ba í a spéirbhean agus a aon bhean í, ba mheasa leis lúidín a coise ná a raibh de mhná in Éirinn uile agus ní raibh i bpóga ná i gcaidreamh na mban eile a casadh air go dtí seo ach rud tacair le hais an aoibhnis a bhain le póga is le caidreamh Pheig.

Ach cá raibh sí? Níor fhéad sé a tuairisc a chur gan fios a ghrá a scaoileadh le daoine, rud nach gceadódh sé. Ba bheag duine nó teaghlach i ngiorracht trí mhíle den chathair nach raibh cur amach éigin ag Bosco Ó Súilleabháin orthu, ach bheadh an rud ina phaidir chapaill aige sin dá bhfaigheadh sé leid ar bith agus níor mhian le Niall go mbeadh Peig ina hábhar cainte ag lucht an choirnéil.

[121]

Ná ní fhéadfadh Niall gan a mheabhrú dó féin nach mórán a bhí le tairiscint aige do chailín ar bith a mbeadh sé ag iarraidh comhluadar a choinneáil léi—níor mhór a bheith in ann cailín a thabhairt chuig pictiúr nó chuig rince measartha minic, an saol a bhí anois ann, níorbh ionann agus cuid de na mná sin a chastaí air le linn a théarma airm ar leor leo píosa den oíche a chaitheamh ag fámaireacht timpeall na sráide—nó 'dul ar an bhféar' mar a thugaidís féin air. Agus ag meabhrú dó ar ropaireacht an Bhuitléirigh agus ar an bhfaopach ina raibh sé féin anois dá bharr, bhuailfeadh cuthach feirge Niall agus chuirfeadh sé gach mallacht níba tharcaisní ná a chéile ar a shimplíocht féin. Bhí an ceart ag a mháthair, ní raibh sé in Éirinn an pleota ba dhíchéillí ná é.

Shamhlaítí do Niall in amanna nach raibh ceannas ar bith aige a thuilleadh ar a chúrsaí féin, gur ag imeacht le sruth a bhí sé ar nós mar a d'imeodh píosa de mhaide a chaithfeá san abhainn, nó—céard é sin a dúirt an cailín donnrua a casadh leis ar an traein?—cipín ar bharr toinne. Bhí, chonacthas dó, mar a bheadh rud éigin dofheicthe do-bhraite á dhealú amach ó na daoine sin go léir a bhí fostaithe agus a raibh cuspóir éigin acu sa saol. Agus bhraith sé, thairis sin, go mba dhíol náire a dhíomhaointeas féin bíodh is gur dá bhuíochas a bhí sé amhlaidh. Scaití, ag gabháil thar suíomh oibre dó, thagadh ceann faoi air leis na fir a d'fheicfeadh sé i mbun tógála agus dhíríodh sé na guaillí ansin ag cur stiúir doscúch air féin nach mbíodh de chúis leis ach an náire agus an easpa muiníne a bhí á nginiúint ann ag an dífhostaíocht. Thagadh arúintí air dá ainneoin féin, chomh maith, le daoine a bhíodh ag cur ceiste air faoi obair, ba é a deireadh sé leo ná gur ag breathnú timpeall a bhí sé, nó go raibh cúpla rud faoi shúil aige—rud ar bith ach gan a admháil go raibh sé in umar seo na haimléise, é gan Muracha gan Mánas i ndeireadh thiar. Ba le lucht an dóil ba mhó a bhíodh sé ar a shocracht anois, ní raibh gá ar bith le cur i gcéill ina measc siúd ná le ceann faoi ach oiread, bhíodar ag bun an chairn agus gan súil acu teacht as. Ach má bhí sé ar a shuaimhneas leo seachas dreamanna eile níorbh é sin le rá nár bhearrán leis a n-easpa cúise, a n-éidreoireacht, an dóigh ina múchaidís gach blaidhmín dóchais ort mar ba rud é a mheabhródh a gcloíteacht féin dóibh. Tháinig Niall ón leabharlann phoiblí thíos ar Ché Eoin, lá, agus scéal a bhí léite aige i bpáipéar Domhnaigh Shasana bog te aige do Nioclás Ó Maonaigh, féachaint céard a cheapfadh seisean de nó céard a mholfadh sé.

'Tá mé tar éis píosa a bhí san *Sunday People* a léamh thíos ar an gCé anois beag, a Nic,' a dúirt Niall agus corraíl air. 'Tádar ag fáil seacht bpunt déag sa tseachtain sa mhonarcha B.S.A. thall i gCoventry! Seach bpunt déag, a bhuachaill!'

'Raiméis,' a dúirt Nioclás Ó Maonaigh. 'Ná géill dó!'

' Ó agus nár léigh mé anois díreach é sa bpáipéar, a Nic? Téirigh síos ann tú féin mura gcreideann tú mé.'

B'éachtach go deo an tuarastal ag Críostaí ar bith é, dar le Niall, bheadh an t-airgead a ghoid Ciarán Buitléar uaidh déanta suas aige laistigh de choicís, seacht bpunt déag in aghaidh na seachtaine, seasca ocht bpunt sa mhí—caith bliain thall agus méadaigh dá réir é, bheadh cúig chéad punt dó féin ag duine tar éis lóistín agus eile a íoc. Cúig chéad! Teacht abhaile ansin agus dul i mbun gnó éigin mar ba cheart, ná bac le do *Mhuire-is-trua* de chairrín capaill, leoraí a cheannach—ní bheadh mairg ar dhuine arís lena ré.

' Agus an Bíobla agat an páipéar? ' a d'fhiafraigh Ó Maonaigh de go truach.

' Ní bheadh sé ann ar ndóigh mura mbeadh sé fíor, ní hionann is an rud nárbh fhéidir a fhíorú ná a bhréagnú.'

' Seacht bpunt déag? ' a dúirt Bosco Ó Súilleabháin, ag daingniú an tseancharbhait a bhí thart ar a lár mar chrios aige. ' Bhí fir ag fáil an méid sin nuair a bhí mise thall ann arú anuraidh.'

' Ní raibh tusa ar dhuine acu,' a dúirt Ó Maonaigh leis, gan suim soip aige i scéil an B.S.A. a thuilleadh, ' níor chorraigh tusa ó Hammersmith Broadway i gcaitheamh an ama! Ag déanamh droim le balla a bhí sé, a Néill, mar a rinne riamh. Bhí sé le cat is dá dhrioball a dhéanamh an lá ar fhág sé seo, bhí sé le carn airgid a shaothrú má b'fhíor dó féin é. Ní aithneofá nach go Meiriceá a bhí sé ag dul, a Néill, lena raibh de chumha air, chaith sé seachtain ag gabháil thart ag croitheadh lámha le daoine—'

' Bhuel is iontach an mála caca thú, a Mhaonaigh! Ná géill don chladhaire, a Néill, ní raibh a fhios ag duine ar bith go rabhas ag imeacht, ní bhímse ag craobhscaoileadh mo ghnótha mar sin.'

' Chuaigh scór acu as seo Satharn amháin,' a dúirt Ó Maonaigh mar bheadh sult dó sa chuimhne, ' agus lipéad George Wimpey chomh mór le sásar ar chóta gach uile fhear acu—lipéad mar a d'fheicfeá ar bhullán a gheobhadh duais! Ó, nár fhága mé seo! '

' Nár fhága, muis! ' a dúirt Bosco.

' A bhfuil a fhios agat cé leis a ba chosúil iad, a Néill, thall ag an stáisiún an lá sin agus GEORGE WIMPEY mar bhranda ar gach uile fhear acu—le meitheal a ligfí amach as Teach na nGealt ag tanú turnaipí ag an bhfeirmeoir, ní raibh a samhail ann ach sin! '

' Á, buinneach! ' a dúirt an Súilleabhánach.

' Bhí fear Wimpey i gceannas orthu, a Néill—mar a d'fheicfeá fear ag tabhairt beithígh ag an aonach go díreach, ní raibh ann ach nach raibh maide droighin aige le bheith á mbrostú isteach ar an traein. Agus cén bhrí ach nach ndearna an scruta buille ar bith oibre thall i ndiaidh dó fáil anonn ann gan phingin costais! Ag ligean taca leis an *Hop Poles* a chaith sé a chuid ama mar ba ansin thíos ag ligean taca le Tigh Pháid a bheadh sé go díreach! '

' Is iontach an t-eolas atá agat, a Mhaonaigh, do dhuine nach raibh ann,' a dúirt Bosco go smutach.

' Ó nach bhfuil a fhios ag an mbaile é, nach raibh sé ar fud na háite? Fiafraigh den Smaoiseach Deniffe é! '

' An Smaoiseach Deniffe—fear nár imigh leathmhíle ó chac bó riamh! Céard tá a fhios aige sin faoin áit thall? '

' Tá a fhios aige oiread leatsa agus is beag sin. Ach tugadh an scéal abhaile, ná bíodh faitíos ar bith ort, bhí an baile ag gáire fút, a dhuine! '

' Faoin mB.S.A. le do thoil, a Nic,' a dúirt Néill ach bhí Ó Maonaigh ar a chonair féin agus níor mheáigh an scéal eile brobh aige.

' Ná níorbh shin é a leath, a Néill—fan go gcloisfidh tú! Níor fhan sé thall ach trí seachtainí agus an lá ar landáil sé abhaile fuair sé carr haicní ón stáisiún—carr haicní go Páirc Oirmhumhan mar nach bhfacthas carr riamh! Bhí a cheann amach an fhuinneog aige ar nós mar ba Ardeaspag a bheadh ann ag beannú na ndaoine, agus—ní chreidfidh tú é seo, a Néill—'

' Seachain an gcreidfeá,' arsa Bosco.

' — bhí a cheann amach an fhuinneog aige agus é ag canadh *There's no place like home!* '

' Cac,' a dúirt Bosco agus theilg smugairle uaidh amach ar an mbóthar.

' Agus,' arsa Nioclás Ó Maonaigh ansin mar a bheadh an sult imithe as an scéal go haibéil, ' an gcreidfeá nach raibh leithphingin rua ag an mbastard ag teacht abhaile? B'éigean dá mháthair an leathchoróin a íoc le fear an haicní, bhí míle murdar faoi mar ní raibh leathchoróin eile sa teach! '

' Sea,' a dúirt an Súilleabhánach agus aoibh air anois, ' agus ba shin é a bhí do do mharúsa, a Mhaonaigh—nuair nár thugas airgead abhaile liom le bheith ag doirteadh pórtar síos i do scornach! '

' Diabhal oiread is pionta,' a dúirt Ó Maonaigh go gruama.

' Ach, a *lads*, nár mhaith ab fhiú do dhuine dul sall ann má tá airgead den sórt sin le saothrú? Seacht bpunt déag sa tseachtain! '

' Ó agus má tá a leithéid ann is d'fhir oilte é, a nílir ag ceapadh go dtabharfaidh siad do gach uile Phaidí a thiocfaidh den bhád é! Níl an Sasanach chomh bog sin, baol air! '

' Bhí aithne agamsa ar fhir a bhí á fháil i Londain,' a dúirt Bosco. ' Cuid acu níos mó! '

' Ní raibh tusa ar dhuine acu.'

' Bhí bealaí de mo chuid féin agamsa, ná bíodh eagla ar bith ort, a Mhaonaigh.'

' Bhí, ar ndóigh—ag iarraidh déirce. Tá a fhios ag an mbaile faoi, bhí sé ar fud na háite, " Tá Bosco Súilleabháin ag bumáil faginí thart ar Hammersmith! " '

' Ag dul chuig na rásaí gadhar a bhínn,' a dúirt Bosco. ' White City agus Harringey! Is minic a bhí fiche punt agam de bharr na hoíche.' Thóg sé coiscéim chun tosaigh agus leag air ag déanamh comharthaí *tic-tac* mar ba gheallghlacadóir é ar pháirc an rása.

' Gabh isteach, a bhobarúin, agus ná bí mar cheap magaidh ag an saol,' a dúirt Nioclás Ó Maonaigh leis ach lean Bosco air den gheáitsíocht.

' Ghnothaigh mé tríocha punt oíche amháin.'

' Tríocha cac! '

' Is dóigh,' a dúirt Niall go céasta, ' nach bhfuil aon mhaith a bheith ag súil le ruainne gaoise uaibh? '

' Ó agus, a Chríost, céard tá uait? Nár dhúras leat nach bhfaighfeá an pá sin ná i ngiorracht deich bpunt dó, seans. Fir atá ag déanamh na hoibre sin lena saol a fhaigheann an t-airgead mór agus ní hé an gobán bog úr aniar as Éirinn! '

' Dona go leor,' a dúirt Niall go díomách.

' Tá cáin ioncaim le baint as ansin, dá laghad nó dá mhéad é, ní hionann is anseo in Éirinn,' a dúirt Nioclás Ó Maonaigh— níorbh aithne air, dar le Niall, nár bhain sé taitneamh éigin as a bheith ag cur drochmhisneach ar dhuine.

' Tá, d'eile, cáin ioncaim ann,' a dúirt Bosco Ó Súilleabháin go tromchúiseach.

' Agus lóistín,' a mheabhraigh Nioclás Ó Maonaigh dó ansin, 'mura ndéanfá mar a rinne an scraiste seo a chodail amuigh nuair a bhí sé thall ann.'

' Níor chodail mise amuigh aon oíche riamh,' a dúirt an Súilleabhánach mar a ghoinfeadh an cúiseamh aibhéalta é. ' Bhí lóistín maith agam i Londain—uimhir a nócha seacht, *Fenningdale Crescent, W.II.* Bean Albanach a bhí i mbun an tí, Bean Mhic Ghiolla Easpaig, féadfair scríobh aici, a Mhaonaigh, más maith leat! '

' Scríobhfad,' a dúirt Ó Maonaigh go tur, ' níl dada níos cinnte! '

Bhíodar ina dtost ar feadh tamaillín, líne fear agus a ndroim le balla acu, iad ar ancaire ina mbeagmhaitheas is ina mbochtanas, dar le Niall, chomh dearfa agus dá mbeadh slabhraí iarainn dá bhfeistiú don choirnéal. An rachadh siad go Sasana fiú dá dtabharfaí ann iad saor in aisce mar a tugadh meitheal Wimpey, agus dá dtabharfaí obair fhónta dóibh—nó an raibh an deoirín deiridh maitheasa sniogtha astu ag an díomhaointeas fada? Ba é Nioclás Ó Maonaigh an fear ab fhearr orthu ach cérbh fhiú sin nuair ba le drabhlás a rachadh sé i Sasana dá mbeadh sé chomh maith eile—

nárbh fhearr anseo ag baile é san áit nach dtiocfadh leis é féin a
mharú le craos óil? Bhí an leisce san fhuil ag an Súilleabhánach,
ar ndóigh, dá aclaí scafánta dá raibh sé agus ba sheanfhear beag
spreasánta é an Smaoiseach Deniffe nár mhóide mórán gaisce a
bheith ann an lá ab óige é, níor chuimhin le Niall an Smaoiseach a
bheith i mbun obair ar bith riamh diomaite de dul thart an lá a
mbeadh ceant ann, clár fógraíochta thall is abhus air agus clog mór
práis á bhualadh aige, ag bolscaireacht ar fud na cathrach. Bhí
an Khyber Ó Braonáin ag dul in aois ceart go leor ach ní raibh
leithscéal ar bith ag an iarshaighdiúir eile, ag Maidhcó Lionáin;
staic mhaith fhuinniúil d'fhear a bhí ansin murach é a bheith
leisciúil. Bhí a chiotaí féin ar Mhoscó de Barra: scliúchas ag geata
na monarchan bróg in aimsir stailce tuilleadh agus deich mbliana
roimhe seo a d'fhág i gcleith na citeoige Moscó agus a lámh dheas
ag meirbhliú síos leis gan bhrí. Bhí Moscó de Barra ar dhuine den
bheagán nár loic ar an stailc nuair a thug bainisteoir na monarchan
ultimatum lom fuar do na hoibrithe filleadh ar a mbínsí nó a bpoist
a chailleadh; sheas de Barra buan agus ba le linn raice ag geata na
monarchan an mhaidin a ndeachaigh na hoibrithe eile ar ais a
briseadh a ghéag. Níor chneasaigh an chnámh i gceart riamh agus
sheargaigh an lámh de réir a chéile go dtí nach raibh neart tráithnín
ann i ndeireadh thiar. Ach bhí Moscó chomh hinniúil ar a lámh
mhaith a oibriú gur iomaí sin jab a thiocfadh leis a dhéanamh agus
má bhí poist chomh fairsing sin i Sasana ba cheart nach mbeadh
aon stró air rud éigin a fháil. Nárbh fhearr dó é ná anseo ag an
gcoirnéal ag bodhradh daoine lena shíorphréitseáil faoin Aontas
Sóivéideach mar a thugadh sé ar an Rúis i gcónaí, sin agus ag brú
seanchóipeanna den *Soviet Weekly* ar dhream nár léigh dada riamh?

Rinne Niall leamhgháire beag agus chroith sé a cheann: nár
mhór a d'athraigh sé le tamaillín anuas nuair ba ag iarraidh daoine
a sheoladh anonn go Seán Buí a bhí sé anois!

' Tá drochshúil ag an gcunús sin thall,' a dúirt Maidhcó Lionáin
i dtobainne agus sméid sé i dtreo an Gharda Uí Mhuircheartaigh a
bhí ina sheasamh thall ag Banc na hÉireann, gan oiread tráchta
ar an mbóthar is a choinneodh gnóthach é.

' Ó nach é an Balar agaibh é? ' a d'fhreagair Niall. ' Diabhal
a fheicimse an fear bocht ag cur chugaibh ná uaibh tar éis is a
bhfuil de ghráin agaibh air.'

' Is maith an aghaidh air mar ghráin é,' a dúirt Bosco Ó
Súilleabháin. ' Drochrud! '

Chorraigh Nioclás Ó Maonaigh agus chuimil sé a bhosa ar a
chéile.

' Ná scanraigí an fear bocht,' ar seisean le barr tarcaisne,
' gaiscígh mhóra mar sibh! '

Agus i dtobainne chonacthas do Niall Ó Conaill gur gafa i gcathair ghríobháin a bhí sé agus gan aon fhuascailt i ndán dó go brách, cibé mí-ádh a thug abhaile é in aon chor.

' Bíonn siad ag caint faoi shaoirse,' a dúirt Aindriú Ó Conaill, ag taoscadh súlach a shiúcra as tóin a chupáin agus á chur ina bhéal, ' ach céard is fiú é? '

Chuir Bean Uí Chonaill cár uirthi féin le déistin ach rug Muiris ar an mbaoite.

' Is fiú rud ar bith é, níl aon rud is luachmhaire ná saoirse ann! '

Ba í an oíche Dé Sathairn í agus bhí Muiris nite, gléasta, snaidhm mhór *Windsor* ar a charbhat agus a ghruaig plúchta le hola. Níorbh amhlaidh d'Aindriú, bhí a sheandungaraí gréiseach air go fóill cé go raibh a chuid éadaigh leagtha amach dó ag a mháthair; bhí Aindriú ina chúntóir leoraí de chuid Texaco ach ba ghearr eile a bheadh; shacálfaí é nuair a bheadh na hocht mbliana déag slán aige agus ardú pá dlite dó dá réir. Ba le gairid a thosaigh Aindriú ag tarraingt na mbealaí beaga contrártha seo chuige, ag fágáil air a fheisteas oibre agus ag síorspochadh as Muiris. Saobhnós éigin a bhain le fás suas ba chiontach leis na harúintí seo, mheas Niall—míshásamh a bheith ar Aindriú nár éirigh post fónta leis tar éis is gur chaith sé dhá bhliain níba fhaide ar scoil ná duine ar bith eile dá bheirt dhearthárí.

' Bhuel cén tsaoirse tá anois againn nach raibh in aimsir Shasana? ' an cheist a chuir Aindriú ar Mhuiris. Níor cheist i ndáiríre í, ar ndóigh; ní raibh ann ach trasnaíocht dhalba: dá ndéarfadh Muiris gur mó saoirse a bhí in aimsir Shasana acu bheadh Aindriú réidh lena bhréagnú.

' Tá gach uile shaoirse,' a dhearbhaigh Muiris go stuacach. Agus ansin, mar ba léir dó go gcaithfeadh sé cur leis: ' Tá cead agat do cheann a choimeád suas os comhair an domhain mhóir, tá cead agat a rá gur Éireannach tú agus tú bródúil as! '

' Bhí an cead sin agat nuair a bhí Sasana i réim freisin,' a dúirt Aindriú—agus dúirt sé ar laghad sin teasa é agus gur ghriog sé Muiris níos mó ná dá ndéarfadh sé go tréandearfach é. Rud a thuig Aindriú go maith, thuig Niall.

' Ach céard is fiú é? Ní chuirfidh sé aon im ar an arán agat.'

' Ní mórán ime a bhí ar an arán againn in aimsir Shasana ach oiread, nuair a bhí daoine á gcaitheamh as seilbh a dtithe agus an chruithneacht á tabhairt as an tír in aimsir an ghorta! '

' Ach is fada siar atá tú ag dul, a Mhuiris,' a dúirt Aindriú ansin mar ba le páiste nó le hamadán a bheadh sé ag caint. ' Tharla na rudaí sin uile in aimsir an drochshaoil. Réimeas réidh ba ea réimeas Shasana faoin am a bhfuair muid ár saoirse.'

' Réimeas réidh? ' a bhéic Muiris go fiata. ' An chaidhp bháis, an chroch agus an sciúirse? Daoine ag fáil bháis ar thaobh an bhóthair agus an chruithneacht á cur anonn go Sasana? Más réimeas réidh é sin, a bhuachaill, níor mhaith liom réimeas géar a fheiceáil! '

' Is fada siar atá tú ag dul,' a dúirt Aindriú, leis an bhfoighne sin arbh fheasach dó go maith go saghadfadh sé Muiris chun feirge. ' Ní raibh Sasana chomh holc sin le céad bliain anuas.'

' Níl sé céad bliain ó bhí a dhinnéar á chaitheamh ar urlár a chillín chuig Ó Donabháin-Rossa, an bhfuil? Á chaitheamh ar an urlár chuige mar ba mhada a bheadh ann! Ná níl sé céad bliain ó bhí na Dúchrónaigh anseo ár gcéasadh! '

' Ar ndóigh,' a dúirt Aindriú go fadaraíonach, mar dhóighde, ' ach tarlaíonn na rudaí seo in aimsir chogaidh nó éirí amach. Rud ar bith a rinne na Dúchrónaigh orainne rinneamar féin ar a chéile ina dhiaidh sin é agus bhí na sean-Ghaeil chomh hábalta leis na Gaill ag marú is ag loscadh a chéile. Saoirse *per se* atá i gceist agamsa, a bhuachaill, agus níor fhreagair tú mo cheist. Cén tsaoirse atá anois againn nach raibh againn nuair a bhí Sasana i réim? An bhfuil tú in ann oiread is sampla amháin a thabhairt dom?'

Ba mhinic a chuala Niall an chailicéireacht chéanna seo thíos ag an gcoirnéal agus ba phort é a bhí ag éirí níba choitianta, chonacthas dó, de réir mar a bhí an tír ag dul chun donacht agus an tír thall ag dul chun feabhais. Bhí spiorad níos fearr go mór sna daoine in aimsir an chogaidh nuair nach raibh a fhios nach a n-ionsaí a dhéanfadh Sasana. Ach bhí Muiris i bponc anois; smaoinigh sé ar feadh nóiméid agus ar seisean go buacach ansin:

' Tá a fhios agam saoirse amháin nach raibh agat faoi Shasana agus níl sé céad bliain ó shin ná dada mar é—ní raibh cead agat d'ainm is do sheoladh a scríobh i nGaeilge ar do charr asail, sin rud nach raibh cead agat a dhéanamh! *Lá aonaigh an Earraigh 'smé ag taisteal go triopallach, trasna an droichid i Muileann na hAbhann*—an t-amhrán a bhí againn ar scoil, nach cuimhin leat é? '

Bhí an argóint buaite ag Muiris, shílfeá, a lúcháirí is a bhí sé, ach chroith Aindriú a cheann.

' Is cuimhin,' ar seisean, ' cás dlí a bhí ansin, sílim—an Piarsach a bhí ag cosaint mo dhuine. Ní mar gheall ar a ainm is a shloinne a bheith i nGaeilge ar a charr asail a cúisíodh an fear sin, sílim, ach mar gheall ar nach raibh an leagan Gaeilge ag teacht leis an leagan oifigiúil—an rud a bhí ar a theastas breithe. Ceist aitheantais a bhí ann, a Mhuirisín, agus ní dóichí rud ná gur ag spochadh leis na húdaráis a bhí mo dhuine, rud a thuigeadar sin go maith.'

Lig Aindriú méanfach a bhí chomh bréagach, agus lán chomh maslach, leis an bhfoighne bhréige a bhí aige le Muiris ó chianaibh.

' Ach ar aon nós ní sampla é a bhaineann leatsa ná le duine ar bith againn. Níl aon charr asail agatsa, a Mhuiris, le go gcuirfeá d'ainm i nGaeilge ná i mBéarla air.' Rinne Aindriú casacht bheag bhréige agus thug sé súil ar Niall ansin: ' Níl carr asail ná capaill ag daoine ar chóir iad a bheith acu, ní áirím tusa nach bhfuil gnó ar bith agat dóibh! '

' Tá teanga ghéar agat, a Aindriú,' a dúirt Bean Uí Chonaill ach níor chuir smeartáilteacht Aindriú aon chlóic ar Niall, is ag meabhrú ar an dóigh ab fhearr le cúpla scilling a mhealladh óna dhearthair a bhí seisean. Leath dá ndeireadh Aindriú scaoileadh Niall thairis é; chaithfeá éisteacht le toirneach. Ach mar ba mhinic léi bhí cabaireacht a clann mhac tar éis Bean Uí Chonaill a mhearadh anois agus d'éirigh sí den bhord gur thosaigh ag bailiú chuici na gréithe go frithir.

' Is iontach an dream sibh,' ar sise de ghlór a bhí teann le cantal, ' tá an teach ag titim in bhur dtimpeall agus is cuma libh! In áit a dhul agus labhairt le duine éigin thíos i Halla an Bhaile faoin teach nua, ná fiú dul ar bhur nglúine thíos sa séipéal agus paidir a rá nach bhfágfar anseo go brách sinn i measc na gcolúr! Nó an bhfuil spéis agaibh in aon rud ach sa tseafóid? Tá Naomh Iósaif agaibh, éarlamh na ndíthreabhach, dá mb'fhiú libh guí air agus a chúnamh a iarraidh—'

' Naomh Iósaif, a Mhaim? ' arsa Aindriú. ' Níl mórán prae sa bhfear sin, nár chlis air dídean na hoíche a fháil dó féin is don Mhaighdean, ní áirím teach cabhansail a fháil dúinne! '

Leag Bean Uí Chonaill uaithi an báisín beag stáin ina raibh na gréithe aici lena ní agus choisric sí í féin go sollúnta; d'fheach sí ar phictiúr an Chroí Ró-Naofa thuas os cionn na tine ansin agus thosaigh sí ag paidreoireacht os íseal—leorghníomh ar bhlaisféim Aindriú má chreid sí i ndáiríre go mba bhlaisféim a bhí ann. Bhí galamaisíocht go leor mar sin ag roinnt lena mháthair, thuig Niall, ní bheadh a fhios agat in amanna nach raibh sásamh éigin di sa drámatacht seo. An lá cheana tháinig sí anuas an staighre agus seanchóip den *Soviet Weekly* a fuair sí i measc a chuid stuif idir ordóg agus corrmhéar aici mar ba rud galrach a bheadh ann. Ní bheadh soiscéal an Aindiachaí faoi chumhdach a tí aici, dúirt sí, bhí a fhios aici anois céard ba chúis le Niall a bheith ag fuarú ina Chreideamh.

Ag bualadh a uchta, le geamaireacht, a bhí Aindriú anois agus bhí a chuma air nach raibh a fhios aige ar bhuaigh nó ar chaill sé an argóint. Ach ba chuig Niall a bhí Bean Uí Chonaill ar iompú boise, faoi mar b'eisean ba chiontach le hámhailleacht Aindriú.

' Ar ndóigh ní hionadh ar bith gan ómós a bheith do Dhia ná do dhuine aige, a Néill, an sampla a thug tú dó an oíche ar tháinig tú abhaile ón arm, gan cos fút ag teacht chun an dorais ar uair an mheánoíche, caochta ar meisce os comhair an tsaoil! '

' Scannal, gan amhras,' a dúirt Aindriú go bog.

' Muid ag súil leat óna hocht a chlog, do chuid tae ansin ar an mbord duit, gan a fhios nach marbh a bhí tú nó rud éigin nó gur thit tú isteach an doras mar a dhéanfadh tincéir—ar ionadh ar bith é do dhearth) áir a bheith ag iompú amach mar atá, a chuid balcais oibre air san oíche Dé Sathairn, gan aon chaint aige ar dul ag faoistin ná dada ach oiread is dá mba phágánach é? Scannal, a Aindriú? ' a dúirt sí ag iompú ar Aindriú i dtobainne. ' Is scannal gan amhras é, is cuma cén magadh a dhéanann duine ar bith faoi! '

' Sílim, a Mhaim, i gcead duit, gur faide siar ná sin a théann aicíd Aindriú,' a dúirt Niall agus clupaidí a phócaí á thóraíocht aige le súil go mbeadh bun toitín i bhfastó in áit éigin iontu, ' ní rabhas-sa anseo le trí bliana le scannal a thabhairt dó, an raibh? '

Theann Niall síos chun na tine agus le barr cantail thug sé corraí do na liathróidí cailme nár theastaigh uathu ar chor ar bith. Ní raibh an toistiún féin aige a thabharfadh chun na bpictiúr é ná bac le luach gaile ná pionta, bhí cúngacht an tí bhig agus brille-bhreaille a dheartháireacha á ghriogadh. Bhí buaiceas an lampa paraifín gan chóiriú agus an deatach ag éirí as ina dhlaoi smúiteach ag leathadh boladh dóite ar fud na cistine. Cén fáth a gcuireadh a chuimhne an áit as a riocht air i gcónaí agus é ó bhaile i dtreo is go bhfeictí dó go raibh sócúlacht agus fairsinge ann seachas mar a bhí? Ní raibh an Ceannaire Ó Dúláinne rófhada amú, b'fhéidir, nuair a dúirt sé go raibh rud éigin contráilte lena mheicníocht chinn.

Bhí Aindriú ag an doras, a ghob stoithneach á shlíocadh lena chrobh brocach aige.

' Buailfidh mé síos ag an bhfaiche, sílim, go bhfeicfidh mé an bhfuil duine ar bith ann.'

' Mar sin, gan a bheith nite ná dada? Má tá muid inár gcónaí sna ballógaí féin ní gá duit dul amach i do threaimp, a Aindriú,' a dúirt Bean Uí Chonaill; fág fúithi, a dúirt Niall ina intinn féin, gach rud faoin spéir a nascadh leis an teach nua!

' Is dóigh,' ar sise, ag stealladh uisce ón gciteal isteach sa mbáisín beag, ' nach gcuimhneodh sibh go brách go bhfuil faoistin ann san oíche Dé Sathairn, nó an bhfuil Karl Marx curtha in áit Ár dTiarna anois agaibh? '

Níor thug aon duine díobh freagra air sin ach thug Aindriú súil ar Niall agus chuir sé lámh i bpóca a dhungaraí gur thóg aníos leathchoróin is gur theilg chuig Niall é; rug Niall air go beannacht-ach idir aer is urlár agus chaoch sé súil ar Aindriú.

' Beidh tú gan steár arís anocht mar sin, a Néill,' a dúirt Bean Uí Chonaill ag baint gliograim as na rudaí a bhí sa bháisín aici.

' Is fada ó bhí sé chomh saor sin, a Mhaim,' a d'fhreagair Niall agus thug súil ar Mhuiris a shín leathchoróin eile air, buille drogallach.

' Togha fir,' a dúirt Niall, ag preabadh ina sheasamh. Bhuail sé air a chasóg agus thug póg dá mháthair.

' Ná bíodh faitíos ar bith ort, beidh mé ceart anocht, a Mhaim—cúpla ceann go deas síochánta agus píosa comhrá. Beidh mé abhaile roimh an dó dhéag.'

' Fearacht Cailín na Luaithre,' a dúirt Aindriú ón doras amuigh.

B'oíche fhíorálainn í, oíche niamhrach spéirghealaí a bhrisfeadh do chroí le grá don saol is don bheatha. Bhí an ghealach go bolgach in airde agus í ag caitheamh luisne shíogach ar bharr na dtithe, ar bhallaí an Chaisleáin agus ar an bhFeoir a bhí ina léinseach ag glioscarnach ag a bhun. Ba gheall le rud neamhda an ghile go léir, chonacthas do Niall, bhí gach uile rud chomh geal, chomh soilseach agus dá mba thír thaibhseach éigin í seo mar a bheadh an oíche, agus gile ghleoite seo na hoíche, i réim go brách. Shantaigh sé a lámha a shíneadh uaidh i dtreo na gealaí suas le neart aitis agus ionaidh, shantaigh sé gintlíocht phágánta na hoíche a shú chuige trí gach piochán dá cholainn isteach nó go leádh a dhamhna corpúil mar a leádh leac oighir faoi theas na gréine agus go ndéanfaí sprid aerach de. Ní bheadh ' bhí ' ná ' beidh ' níba mhó ann ansin, shamhlaigh sé, ach an saol uile criostalaithe agus ceaptha go bithbhuan san ala seo ama go díreach mar bheadh an tsíoraíocht tagtha faoi raon a thuisceana. Agus ansin tháinig chuige braistint a bhí chomh láidir agus chomh dealrach is nach bhféadfadh aon amhras a bheith air faoina fhírinne—is é sin nach raibh saibhreas ar bith ar dhroim an domhain, maoin ná flaitheas ná an tsláinte féin, nach dtabharfadh sé uaidh go fonnmhar é in éiric an bhua fhileata sin a ligfeadh dó uamhan agus diamhracht na huaire is na hocáide seo a cheiliúradh i mbriathra a mhairfeadh beo beathach tar éis a bháis. . . .

Las sé toitín agus lig sé taca le huchtbhalla an droichid gur fhéach síos ar an bhFeoir a bhí báite i ngile bhuí mhéarnálach na gealaí, ruithne sciamhach a mheall na súile aige i dtreo is go raibh samhlaoidí aduaine á bhfoilsiú dó san uisce thíos chomh líofa le scannán, cruthanna aisteacha nach raibh i gclár ná i bhfoirm riamh ach arbh fhacthas do Niall gach uile cheann díobh a bheith éagsúil le chéile agus cumas iolrachta iontu seachas sin sa chaoi agus nárbh í an chumraíocht chéanna a bheadh faoi dhó ar aon cheann acu dá bhfanfá an chuid eile de do shaol á ngrinneadh. Bhí sé an dó dhéag beagnach nuair a scaoil Páid Ó Neáraigh amach as Teach an Droichid é ach ní raibh deifir ar bith abhaile ar Niall, ba dhrogall leis scor den uain, theastaigh uaidh í a dhiúgadh is a dhiúgadh nó go mbeadh sé chomh sách le creabhar. Bhí oíche chomh maith

Tigh Pháid aige is mar bhí riamh, d'ól sé cúig phionta as a ghustal féin agus sheas Páid pionta dó le hómós. Chomhairligh Páid dó, freisin, gan a bheith díomách mar gheall ar an míthapa—bhí aithne aige, dúirt sé, ar fhear thall sna Stáit ar bhain an scéal céanna dó ach go mba mhó i bhfad a chaillteamas seisean. Ach tháinig sé aniar as arís go ndearna sé bun, a dhearbhaigh Páid: bhí teacht aniar agus fíor na maitheasa ann (mar bhí i Niall féin gan amhras ar bith!) agus an fear a mbeadh na cáilíochtaí sin aige ní ghabhfadh sé amú. Ba é fearacht an dreama sin sa Bhíobla é gur tugadh oiread seo airgid dóibh agus nár bhain leas as ach aon duine amháin agus ní thuas lena chneámhaireacht a bheadh mac Shaidhcí Bhuitléir ach thíos, nuair ba ar mhuin na muice a bheadh Niall ar ball. Níor thuairim í go raibh lá lochta ag Niall uirthi dá ligfeadh an cuibheas dó aontú leis os ard; ach dá ainneoin féin, nach mór— ar nós mar a bheadh pearsa eile istigh ann nár fhéad sé a choinneáil ina thost—spreag amaideacht éigin Niall chun a thabhairt le fios do Pháid, trí leathfhocal agus ciúta agus caochadh súl, go mb'fhéidir go mbeadh sé ag dul i mbun rud éigin eile sul i bhfad.

Lig Niall do bhun sniogtha a thoitín titim uaidh síos isteach i mbrollach gléineach na Feoire agus chrom sé ar a bheith ag meabhrú ansin ar bhunbhrí do-athraitheach an ghnímh, agus ar a thoradh i ndeireadh thiar. Shnámhfadh an fuílleach beag toitín leis nó go scaoilfeadh an fliuchras an páipéar is go scaipfí ó chéile na snáithíní tobac a bhí istigh ann—ar snámh a dhéanfadh idir pháipéar is thobac go farraige síos, ná go ngabhfaidís i bhfastó ar bhruach nó ar chraobh bháite, nó an síothlú a dhéanfaidís go leaba na habhann? Agus cad é go gcaillfidís crot, go ndéanfaí rud eile seachas tobac agus páipéar díobh? Bhí an ruainne páipéir sin mar chuid bhídeach bheag de chrann lá den saol agus ba chuid de phlanda na ribí beaga tobac: ba de nádúr an ábhair é nach bhféadfá a scriosadh ná a chur ar ceal, d'fhan an méid sin den bheagán eolaíocht a d'fhoghlaim sé ar scoil in aigne Néill, ach ba smaointe fealsúnta a bhí á mhealladh anois. Ba mhinic amhlaidh é tar éis taoscán pórtair cibé bua a bhí sa stuif chéanna leis an tsamhlaíocht a bhealadh. . . .

' Coincheap,' a dúirt Niall leis féin os ard agus dúirt sé ansin arís é os íseal. Ba é an coincheap a raibh sé ag iarraidh a thabhairt chun cruinnis anois, an coibhneas a bhí idir braistint nó tuiscint na hintinne daonna agus na nithe sin a bhraithfeadh an mheabhair. Bhí teoiric ag Berkeley, an fealsamh céanna sin a chaith tamall dá shaol sa choláiste Protastúnach faoi gcuairt, gur in aigne an duine a bhí an saol go léir agus nárbh ann do rud ar bith ina cháilíocht féin—nó rud éigin mar sin! Ba theoiric í seo ar mhinic Niall á chur trína cheann, bhíodh dealramh leis scaití, mheasadh sé, agus scaití eile ní bhíodh, ach ba é a bhí ag déanamh tinnis anois dó an do-fhios a bhain lena ghníomh féin, mar nach bhféadfadh aon acmhainn faoin spéir na blúiríní tobac agus páipéir ba iarsma Woodbine a aimsiú arís go brách na breithe. . . . Lig sé osna agus thóg sé a cheann chun lán na súl a bhaint de thoirt mhaorga an Chaisleáin a bhí faoi imir neamhaí óir ag solas na gealaí, agus ar an nóiméad céanna d'airigh sé glórtha ísle gáiriúla agus díoscán rothar ag déanamh air trasna an droichid. Dís a bhí ann, fear agus bean, agus ar iompú thart do Niall go díreach le linn dóibh a bheith ag gabháil thairis, chonaic sé ceannaghaidh na mná chomh soiléir agus dá mba i lár an lae a bheadh sé á feiceáil. Ba í Peig Ní Dhuinnín a bhí ann agus í ag gáire lena compánach ar chuma go gceapfá gurbh é an t-aon fhear amháin ar an saol é.

A DEICH

Dhá phunt coróin in aghaidh an lae an tuarastal a bhí ag Treabhar Bheartla Bhillí, is é sin coróin sa ló de bhiseach ar a raibh ag bunáite na bhfear a bhí in aon mheitheal leis agus leathshabhran de bhreis ar phá na bhfear ba lú gnímh. Óna hocht ar maidin go dtína sé tráthnóna—agus an taisteal a fhágáil as áireamh—na huaireanta oibre a bhíodh ar na fir ó earrach go tús an gheimhridh nuair a ghiorraíodh an lá agus nuair a scoiridís ag an chúig. Má bhain éagóir ar bith leis an gcóras íocaíochta seo ní tharlaíodh aon aighneas dá thoradh muran i dteach an óil é, corruair, nuair a d'éiríodh an braon sa cheann is nuair a scaoiltí an formad in uachtar. Leithleachas agus mórtas na nGael is ea chosc an grádú pá seo ó bheith ina thrúig chlampair arae ní ligfeadh fear an dá phunt air nárbh é an phingin ab airde a bhí aige agus níor bhaol d'fhear na pingne ba lú a admháil go raibh sé ag bun an scála. Bhí sé de nós, ar na meithleacha seo, a phá féin a shíneadh ar gach uile fhear béal faoi i dtreo is nach mbeadh a fhios ag a chomharsa cén tsuim airgid a bhí sa phaicéad; agus ba ag na fostóirí Éireannacha amháin a bhí na ranna tuarastail seo i bhfeidhm. Le barr glicis, craois agus dásachta chuiridís seo a gcuid fear ag iomaíocht le chéile agus chothaíodh siad meon iontu nach chun leasa na bhfear a chuaigh. Má bhí éirí in airde sna fóstóirí Éireannacha seo níorbh é an cineál Sasanach é a thabharfadh orthu coimhthíos a dhéanamh lena bhfir—éirí in airde borb daonna an fhir tuaithe a bhí ann, béascnaíocht a bhí níba chomrádúla agus níba thiarnúla in aon turas. Ba mhinic i dtús a ngníomhréim ach go háirithe go dtagadh na fostóirí féin ar an láthair le cinntiú go raibh gach rud i gceart nó leis an obair a thapú dá mba ghá é, agus an lá a mbíodh an cábla le tarraingt—an trínse faoi réir dó agus an cábla ullamh lena scaoileadh den droma—ní bhíodh drogall ar bith orthu léim isteach i measc na bhfear, a n-éadach Domhnaigh is eile orthu, chun lámh chúnta a chur san obair. Bhí a shliocht orthu, thuill an gheáitsíocht sin ómós dóibh i dteannta an ómóis a bhí cheana orthu faoi go rabhadar ag dul chun cinn chomh maith sin sa saol. 'Sin é an buachaill nach bhfuil aon leisce air na lámha a shalú, ná dul go rúitín sa bpuiteach ach oiread!' an teist a thabharfaí ar Phaidí Mac Alasdair agus a mhacasamhail eile os cionn pionta san *Mother Black Cap* nó san *Bedford Arms* i gCamden Town—ní ag gach aon duine, ar ndóigh, mar bhí fir ann gur spreag clisteacht a bhfostóirí gráin iontu dóibh ar nós mar a spreag sé ómós dóibh sa dream ba shaonta. Bhí sé ráite faoi Phaidí Mac Alasdair go gcuirfeadh sé an tarcaisne i gceann na héagóra ar a chuid fear an lá a mbíodh cábla le tarraingt nó rud éigin eile dá shórt a gcaithfí é a dhéanamh i gcomhar trína fhógairt orthu mar seo, ' Tagaigí suas chun tosaigh anseo, a lucht an airgid mhóir!' B'iondúil nach bhfanfadh fear ar bith chun deiridh i bhfianaise na cluanaíochta sin. Ní bhíodh caint ar bith ag na meithleacha náibhíochta seo ar seasamh le chéile, ní lú a chuimhneoidís ar bhallraíocht cheardchumainn a lorg. Bhí an obair fada fairsing, a deiridís, agus an té nár mhian leis fuirtheach bhí cead aige imeacht. *Ná fan mura bhfeilfidh duit* an mana a bhíodh acu níorbh ionann agus lucht ceardchumann a chuirfeadh a gcosa uathu ag éileamh cirt. Níor shochmaíocht ná uireasa spoinc ba chúis le drogall na bhfear seo roimh na ceardchumainn ach nár léir dóibh aon ghá a bheith leis na heagrais sin: cé le haghaidh, a d'fhiafraídís, an mbacfá le margáil ná le nósmhairecht cheard-chumainn, ná leis an amaidí sin ba mhó amuigh, an stailc, nuair a bhí obair chomh flúirseach sin is nach mbeifeá dhá lá díomhaoin tar éis duit do phost a chaitheamh in aer? Ba mheasa leo seo a n-indibhidiúlacht treallúsach féin ná cur-le-chéile na gceard-chumann, agus an fear a d'éireodh as a phost as siocair laghad an airgid, ná olcas na gcoinníollacha oibre, ba é a mhaíodh sé ná go raibh sé ' á fheabhsú don chéad fhear eile.'

B'iondúil gur go maith os cionn scór slat de thrínse a bhaineadh Treabhar Ó Nia agus Tomás Ó Maoláin sa ló, is é sin trínse a bheadh timpeall cúig throigh ar dhoimhin agus os cionn dhá throigh ar leithead. Ina theannta sin d'athlíonaidís an trínse i ndiaidh do na píopaí a bheith curtha isteach agus dheinidís í a dhlúthú ansin leis an meaisín dlúite, an *Jumping Jenny*, mar a thugaidís ar an bhfearas anásta sin. Is in éadan na hoibre seo—athlíonadh na trínse—a bhí Treabhar agus an Maolánach an lá ar tháinig Paidí Mac Alasdair ar an ionad agus an Jeaicín sa charr leis. Bhí Treabhar Bheartla Bhillí ag sluaisteáil leis chomh sciobtha agus dá mbeadh Dia á rá leis agus mac Sheáin Feistie ag teacht ina dhiaigh leis an inneall dlúite, gach aon *bum-bump! bum-bump!* go bodhraitheach as agus an talamh ar crith faoin tuargaint, nuair a stad an *Jumping Jenny* i dtobainne agus nuair a lig an Maolánach fead bheag ar a chéile oibre.

' Aire dhuit, a Threabhair! Féach aníos!'

Dhírigh Treabhar agus chonaic sé carr Phaidí Mac Alasdair ag teacht ina dtreo, Mac Alasdair féin ag an roth agus fear eile nár léir do Threabhar i gceart é go fóill lena thaobh.

' Sin é anois é an bastard a bhuail Uaitéar Sheáin Jimmy,' a dúirt mac Sheáin Feistie agus thosaigh sé suas an meaisín dlúite arís.

' Ab é, *be Christ!*' arsa Treabhar faoina fhiacla.

Ag snámh chucu go mall a bhí an carr; bhí Paidí Mac Alastair ag barrainn na hoibre mar ba nós leis ach ní raibh aon léargas ceart ag Treabhar ar an Jeaicín go fóill leis an loinnir a bhí ar an ngaothscáth. Stop an carr agus tháinig Paidí Mac Alastair amach as gur thug aghaidh suas ar cheann na trínse mar a raibh Maidhc Dudley Stiofáin, an geangar, ag beachtaíocht ar bheirt fhear a bhí ag feistiú comhla uisce do bhéal píopa. Bhí an Jeaicín ina shuí sa charr go fóill, an fhuinneog ligthe síos aige agus a uillinn amach ann, gan aon fhonn air na cosa a shíneadh, ba chosúil.

'Agus ab shin é anois é?' a dúirt Treabhar, ag leagan uaidh a shluasaid.

'Sin é anois agat an bleitheach,a Threabhair.'

'Tá sé chomh maith dom bleid a bhualadh ar an gcunús go bhfeicfidh mé,' a dúirt Treabhar agus d'imigh leis go réidh, mall triallach, mar ba ghnó eile ar fad, gnó nach raibh aon phráinn leis, a bhí air. Níor ghoin a aire an Jeaicín, ba chosúil, ná níor léir air go raibh suntas ar bith á thabhairt aige don fhear a bhí ag teacht ina araicis nó gur sheas Treabhar Bheartla Bhillí ag doras an chairr. Staic mhaith théagartha de dhuine a bhí ann, chonaic Treabhar; bearradh dlúth gruaige air agus sotal teann maslach ag spré uaidh. Má bhraith sé a dhath go fóill nó má bhí scioltar ar bith den imní air ní mheasfá ar a dhreach ná ar a ghotha é. D'fhéach Treabhar sa tsúil ar an Jeaicín agus d'fhéach seisean ar Threabhar chomh dána céanna; agus ansin, mar a bhuailfeadh an tuiscint é de phreab, thug sé faoi dhoras an ghluaisteáin a oscailt. Ach bhí Treabhar i ngreim ar an hanla cheana féin, á choinneáil in airde, agus meath-gháire beag grainciúil ar a bhéal aige. Stán an bheirt ar a chéile, gan smid as ceachtar acu ach an fear istigh ar a bhionda ag iarraidh an doras a oscailt agus an fear amuigh i ngreim ann go docht, á shárú. Dhearg éadan an Jeaicín le corp strus agus d'at na matáin i ngéag teann muscalach Threabhair; bhí Christy Power ina phríosúnach, cuibhrithe, aige mura dtabharfadh sé faoin doras thall—rud ab ionann is a admháil go raibh buaite air, ó thaobh nirt de. Ní raibh hú ná há as aon duine den bheirt acu go fóill ná aon chall dóibh leis, go deimhin, arae mura raibh a fhios ag an Jeaicín céard go barrainneach ba chúis leis an bhfear mór rua amuigh a bheith ag spochadh mar seo leis bhí a fhios aige go maith go mba chlannach an treabh iad na *Culchies* agus nár dhóichí rud ná go mbeadh fear éigin díobh ag tabhairt a dhúshláin ó bhuail sé duine dá líon.

Neartaigh an Jeaicín ar a iarracht agus dóbair dó an doras a bhogadh ach gur fháisc Treabhar níba ghéire ar a hanla seisean, á chosc; bhreathnaíodar sa tsúil ar a chéile, comhamharc a bhí ag brúchtaíl le nimh is le maslacht, agus labhair Treabhar Bheartla Bhillí ansin.

' Hóra, a *lad*,' ar seisean chomh míchéatach agus dá mba le trúán bocht éigin a bheadh sé ag caint, ' chuala mé go raibh tú ag troid san *Welsh Harp* an oíche cheana? '

' Ar chuala? ' a dúirt an Jeaicín go neamhchorraithe, a shúile i ngleic chomh míchéatach céanna le súile Threabhair.

' Nach beag an faitíos a bhí ort, a *lad*? ' Ag streillireacht is ea bhí Treabhar anois amhail mar bheadh rud éigin greannmhar á mheabhrú aige; ba chleas aige é, ar ndóigh, leis an bhfear eile a chur dá threoir, ach níor éirigh leis in aon chor.

' Faitíos? ' a dúirt an Jeaicín. ' Níor casadh aon duine san *Welsh Harp* orm a chuirfeadh faitíos orm.'

' Níor casadh an fear ceart ort mar sin.'

Lig an Jeaicín meill bheag go díspeagtha air féin agus ghéaraigh ar a iarracht chun an hanla istigh a bhogadh.

' Tusa an fear ceart, an ea? ' ar seisean mar ba bharúil leis an scéal sin.

' Is mé, cinnte,' a dúirt Treabhar.

' Scaoil an doras agus beidh a fhios againn cé chomh maith is atá tú! '

' Ba leat a theacht amach as sin de mo bhuíochas—dá mbeifeá in ann,' a d'fhreagair Treabhar. ' Chuir go ghualainn leis an doras ó tharla nach bhfuil aon spreachadh i do láimh.'

Thar ar casadh riamh ar Threabhar Bheartla Bhillí ba é an Jeaicín an duine ba ghráiniúla leis; bhí gach dar chol, gach darbh fhuath leis ionchollaithe i Christy Power, an míghean úd dá mbíonn ón mbroinn ag an bhfear tuaithe ar an bhfear baile mhóir agus ag an bhfear baile mhóir mar an gcéanna ar an bhfear tuaithe. Níor mheáigh sé cleite le Treabhar gur díreach tar éis a theacht as arm Shasana a bhí an Jeaicín, rud ba bhunúsaí go mór ná sin a spreag chun fuatha é, treabhchas na gcéadta bliain, an faltanas a bhí ag na Gaeil riamh anall do bhunadh galldaithe na mbailte garastún. San áit nach dtógfadh Treabhar ná a mhacasamhail eile ceann ar bith de chanúint Shasanach ba leor dó canúint Bhaile Átha Cliath a chloisteáil le gearradh fiacla a chur air, leis an doicheall a mhúscailt go rábach ann. Dá gcuirtí ceist air cad ab údar don doicheall seo ní fhéadfadh sé an cheist a fhreagairt ach níor lúide sin aon bhlas mar ghráin é; bhí gach uile fhéith agus chuisle ann chomh rite le sreang fáiscthe le méid a fhuatha anois ach bhí sé ar éill aige féin ar a shon sin. Shantaigh Treabhar an Jeaicín a mheas níba ghrinne sula rachadh sé go cnámh na huillinne leis an scéal.

Agus bhí a chuma ar an Jeaicín gur léir dó é sin mar i dtobainne lig sé don doras.

' Teann siar as sin mura bhfuil faitíos ort agus beidh mé chugat ar an toirt,' a dúirt sé de ghlór a bhí maslach le chomh fuarchúiseach is a bhí sé.

Bhí an meaisín dlúite stoptha anois arís agus mac Sheáin Feistie ag déanamh ar charr Mhic Alastair, go caidéiseach.

' Scoil amach an bréan as go maróidh muid é, a Threabhair!

Ní raibh samhail mhic Sheáin Fheistie, chonacthas do Threabhar, ach coileach ar charn aoiligh; ba é a bhí le déanamh leis an bpriocchocailín an Jeaicín a scaoileadh faoi féachaint cé mar a chruthódh sé. . . .

' Tá sé ceart, a mhac Sheáin, bailigh leat,' a dúirt Treabhar leis go srianta. Ag breathnú ar an Maolánach mar a d'fhéachfadh sé ar choileáinín sceamhaíleach nárbh fhiú leat an bhróg féin a thabhairt dó is ea bhí Christy Power; rug sé ar an hanla arís, go haibéil, ach chlis air a bhogadh.

' Scaoil amach an collach, a Threabhair! ' a bhéic mac Sheáin Feistie, gothaí diabhalta anois air, agus rinne an Jeaicín gáire.

' Frigeáil leat, a mhac Sheáin, ní bhaineann sé duit,' a dúirt Treabhar gan na súile a bhaint de shúile an Jeaicín. Ach níor bhaol don Mhaolánach a chomhairle a dhéanamh, níorbh aithne air nárbh é comórtas an Bhaile Átha Chliathaigh é, a raibh d'fhonn troda air.

' Óra tuige nach mbainfeadh, a Threabhair, nach aon mhuintir amháin muid? Lig amach an bleitheach go ndéanfaidh muid citeal de! '

Dá mbeadh sé i ngiorracht láimhe dó ar an bpointe sin, agus a lámh a bheith saor aige, ba ghearr an mhoill ar Threabhar citeal a dhéanamh den Mhaolánach, bhí sé chomh mearaithe sin ag a gheáitsíocht; bhí a shá ar a aire anois aige is gan an t-amadáinín a bheith ag tafann ar a chúl.

' Cé nach bhfuil aon Bhéarla aige? ' a d'fhiafraigh an Jeaicín go drochmheasúil de Threabhar ach níor thug Treabhar aird ar bith ar an gceist. Ag streillireacht go maslach leis an Jeaicín a bhí sé, ag cur na súile tríd le barr fuatha.

' Shílfeá nach bhfuil mórán nirt i do láimh, a Jeaic! ' ar seisean go míchéatach agus bhí de shásamh aige go ndeachaigh an sáiteán i sprioc, gur dhearg leicne an Jeaicín.

' Siar leat agus feicfidh muid,' a dúirt Christy Power agus é ar a mhine ghéire ar iarraidh an doras a oscailt.

' Tá tú ag fáil bog de bharr a bheith ag marcaíocht timpeall sa gcarr, ba chóir duit corrbhuille oibre a dhéanamh—má tá tú in ann,' a dúirt Treabhar.

' Óra scaoil amach an mucaire, a mhac Bheartla,' a dúirt an Maolánach mar a bheadh fearg ag teacht air le Treabhar, ' cén mhaith duit é a bheith cuachta suas istigh ansin agat mar a bheadh muc i gcró? '

' Céard deir sé? ' a d'fhiafraigh an Jeaicín de Threabhar agus rinne Treabhar leamhgháire tarcaisneach.

' Deir sé gur cosúil le muc thú i gcró, a Jeaic.'

Níor bhaol ar bith nár ghoin an méid sin an Jeaicín mar ba bhánú as éadan a rinne sé anois i leaba deargadh agus i dtobainne threisigh ar a iarracht chun an doras a oscailt. Agus bhí Treabhar go díreach ar tí é a ligean amach go ngabhfaidís chun na huaire móire leis an scéal gan a thuilleadh moille nuair ab shiúd chucu faoi dhriopás Paidí Mac Alastair agus Maidhc Dudley Stiofáin, smuilc ar an bhfostóir le múisiam agus Ó Dufaigh i mbarr a chéille ag díomhaointeas na meithle i bhfianaise Mhic Alastair—mar is ag breathnú ar an gcaismirt a bhí a bhformhór anois in áit a bheith ag obair.

' Óra a Chríost, a *lads*, ná habair liom gur ag comhrá atá sibh i leaba bheith ag obair? Céard tá oraibh in ainm Dé? ' a dúirt Maidhc Dudley Stiofáin mar ba mhian leis an fostóir a cheansú agus an dochar a bhaint as an tarlóg in aon turas. Arae ba mhaith ba léir don gheangar nach ag comhrá go muinteartha a bhí Treabhar agus an Jeaicín.

Níor thug Treabhar ná mac Sheáin Feistie aon fhreagra ar an ngeangar ach bhain Treabhar a lámh de hanla an dorais.

' Tar amach anois má thograíonn tú,' ar seisean leis an bhfear istigh.

' Is maith an scéal duit féin nach ar ball beag a dúirt tú é sin, a dúirt an Jeaicín ar chuma go mba léir do Threabhar nárbh é an eagla a bhí á bhacadh. ' Ach ná bíodh faitíos ar bith ort, a dhuine, beidh mé chugat níos luaithe ná mar a cheapann tú.'

Ach bhí Mac Alastair ina mullach anois, é ag breathnú go fiafraitheach ó fhear go fear acu.

' Céard tá suas anseo? ' a d'fhiafraigh sé díobh go borb.

' Blas ar bith, a Phaidí. Eadrainn féin atá sé,' a d'fhreagair Treabhar go réidh.

' Bhuel shílfeá go bhfuil an oíche fhada agaibh mar sin is gan a bheith ag cur mo chuid amasa amú i lár an lae, ní lena aghaidh sin a íocaim sibh,' a dúirt an fostóir, ag oscailt doras eile an ghluaisteáin.

' Ná bíodh faitíos ar bith ort faoi sin, a Phaidí, níl tú ag cur amú aon phingin linne, is maith uainn é a shaothrú anseo—ní hé fearacht cuid de na daoine,' a d'fhreagair Treabhar agus thug súil ar an Jeaicín san am céanna. Mhoilligh Paidí Mac Alastair ar throigh an chairr ar feadh ala bhig mar a bheadh sé idir dhá chomhairle an scaoilfeadh sé an méid sin lena fhostaí nó nach ndéanfadh, ach theann sé na beola go dlúth ar a chéile ansin agus shuigh sé isteach.

[139]

Bhí Treabhar agus an Jeaicín ag stánadh sa tsúil ar a chéile go fóill agus go díreach sular bhog an carr chuir an Jeaicín an ceann amach an fhuinneog.

' Casfar le chéile go luath sinn ná bíodh faitíos ar bith ort, a Culchie, agus beidh port eile ansin agat tá mise a rá,' ar seisean agus d'imigh an carr ansin de phreab mar a bheadh a fhearg á ídiú ag an tiománaí air.

An tráthnóna céanna sin nuair a d'fhill Treabhar Bheartla Bhillí ar an lóistín bhí litir roimhe; d'ith sé a dhinnéar agus thug sé an litir suas chun a sheomra leis ansin gur chaith ar an leaba chuig an Suibhneach Rua é. Sínte ar a leaba a bhí an Suibhneach, cuma dhuairc air mar ba ghnách leis agus é ar bheagán airgid.

' Seo, a Shuibhne, léigh é sin dom mar a dhéanfadh fear maith, i nGaeilge a scríobhann sí féin agam i gcónaí agus mar is eol duit níl aon phrae ionam ag léamh Gaeilge.'

' Siúráilte, a Threabhair,' a dúirt an Suibhneach go fonnmhar; ba é an cás céanna, thuig an Suibhneach, an litir a bheith i mBéarla nó i nGaeilge chomh fada is a bhain le Treabhar Bheartla Bhillí ach bhíodh luach a shaothair le fáil aige i gcónaí agus dá mhinice dá dtiocfadh na litreacha ó bhean Threabhair is ea ab fhearr leis é.

Ní raibh sa litir féin ach leathanach go leith de scríbhneoireacht chruinn pháistiúil agus thug an Suibhneach Rua a éirim léi beagnach d'aon spléachadh amháin. Ba nós leis an Suibhneach agus litreacha Threabhair á léamh aige rud achrannach ar bith dá mbíodh iontu a mhaolú oiread agus a d'fhéadfadh sé i dtreo is nach gcuirfí aon olc ar Threabhar; bhí sás cantail gan bhréag ar bith sa litir seo agus ba ag iarraidh crot oiriúnach a cheapadh dó a bhí an Suibhneach nuair a chuir Treabhar isteach air go grod.

' Ó muise léigh leat *for Christ's sake* agus ná bí ag breathnú ar an striapach mar ba phictiúr agat é,' ar seisean agus thosaigh an Suibhneach á léamh.

' A Threabhair dhílis, tá súil agam go bhfuil tú go maith mar tá muid féin anseo. Níor stop Dara ach ag glaoch ar a dheaide ó d'imigh tú. A Threabhair, tá mé féin chomh dona céanna tá a fhios ag an lá. Níl a fhios agam cén chaoi ar tháinig mé abhaile an lá úd, a Threabhair, nuair a d'imigh tú ar an traein uaim ba gheall le scian é ag dul i mo chroí. A Threabhair, tá aon rud amháin le rá agam leat anois agus ní thógfaidh tú orm é. Nílim ag dul ag fanacht anseo i nDoire Leathan níba fhaide, a Threabhair, caithfidh tú áit a fháil dom féin is do na gasúir in éindí leat thall ansin, nach tú m'fhear, a Threabhair, nó an bhfuil tuiscint ar bith agat? Is fada ó gheall tú dom go bhfaighfeá áit dúinn, a Threabhair, dá mba sheomra beag amháin é dhéanfadh sé go breá. Mura bhfaighidh tú áit dúinn i Londain, a Threabhair, tabharfaidh mé na páistí anonn liom gan bhuíochas duit, cuir scéala chugam gan mhoill, a ghrá, agus socróimid gach uile rud, nach fearr duit mise a bheith ansin leat ag breathnú in do dhiaidh? Tá do mhuintir go maith agus Dara agus Beartla beag, faoi choimirce Dé agus na Maighdine Beannaithe tú, ó do bhean Nóra.'

Ba threise de bheagán ná sin an litir agus dhéanfadh an Suibhneach Rua tuilleadh cinsireachta uirthi murach eagla a bhraite a bheith air arae in áit na litreacha a chaitheamh uaidh nó a stracadh suas mar a dhéanfadh fear ar bith ba nós le Treabhar iad a chnuasach—faoi mar a bheadh gnó ar bith aige díobh, a deireadh an Suibhneach leis féin go seanbhlasta. Ní raibh smid as Treabhar le linn an litir a bheith á léamh dó ná go ceann scaithimhín ina dhiaidh sin ach é ina shuí ar a leaba, a smig ina bhois aige agus a chos á bualadh ar an urlár ar chuma gur tháinig pílí mór cait go seasfaí ar eireaball air agus a mbeadh an ball coirp sin á luascadh aige le teann feirge i gcuimhne don Suibhneach Rua. Bhí súil ag an Suibhneach go mbeadh ó Threabhar an litir a fhreagairt láithreach mar ba ghéar a theastaigh cúpla scilling uaidh . . . an múille sin *Flying Colours* a chniog é i Wincanton. . . .

Lig Treabhar Bheartla Bhillí cnead trína fhiacla agus righnigh a ghiall. ' Bhfuil páipéar is pinsil agat? ' a d'fhiafraigh sé den Suibhneach go briosc. ' Tá, mh'anam,' a dúirt an Suibhneach agus phreab sé suas gur thóg a sheanchás amach as faoin leaba agus gur leag ar an leaba ansin é mar chlár scríofa; thóg sé stracleabhar as an gcás agus peann luaidhe as póca a chasóige agus chuir stiúir oibre air féin.

' Scaoil leat anois, a Threabhair,' ar seisean.

' Ceart,' a dúirt Treabhar; agus ansin gan bhrollach gan bheannacht, ' abair léi go bhfuaireas a litir. Agus abair léi go bhfuil a cuid airgid curtha siar dom ag Madge chuici. Níl sé chomh furasta sin seomraí a fháil anseo i Londain, abair léi, tá na mílte ag iarraidh seomraí nó nach bhfuil a fhios aici go bhfuil leath na tíre leagtha. An bhfuil a fhios aici go raibh cogadh ar bith ann, fiafraigh di, nó ar chuala sí caint ariamh ar Hitler? Abair léi nach maith an áit í seo do ghasúir nó cén diabhal atá uirthi ar chor ar bith, nach bhfuil sí ag fáil ceithre phunt di féin gach uile sheachtain agus cén locht atá air sin? Tá fir ag obair ar an gcabhansail thiar nach bhfuil an méid sin dóibh féin acu, abair léi. Nó an bhfuil aon splaideoigín céille istigh ina ceann fiafraigh di. Tá lucht seomraí fiáin in aghaidh gasúir abair léi agus caithfidh mise dul ag obair gach uile lá nó an gceapann sí gur aniar anseo ag breathnú ar na bildeálacha a tháinig mise? An bhfuil sé sin uilig thíos agat? '

Fearacht daoine go leor nach mbíonn léamh ná scríobh acu féin níor léir do Threabhar cad chuige nach mbreacfadh an fear eile gach uile fhocal dár tháinig as a bhéal féin síos chomh sciobtha céanna ach ba é an t-aicearra a ghabhadh an Suibhneach Rua ar aon nós, ní chuireadh sé síos ach cnámha loma an scéil agus ní bhíodh sé mórán chun deiridh ansin.

'Gach uile fhocal,' a dúirt an Suibhneach agus lean Treabhar air leis an deachtú.

'Abair léi go bhfuil níos mó le déanamh agamsa ná a bheith ag rith thart ag tóraíocht seomraí, nó an gceapann sí, fiafraigh di, gur ag tabhairt droim do bhalla a bhímse i gcaitheamh an lae ar nós muintir Bhaile Átha Cliath? Agus ar aon nós is folláine i bhfad an áit thiar ag gasúir, abair léi.'

Thost Treabhar ar feadh meandair agus d'fhéach sé go míshásta ar an Suibhneach faoi mar ba eisean ba chiontach ina chruachás; bhí sé bréan den scéal i dtobainne agus ní raibh uaidh anois ach gliondáil as go prap.

'Féach—féadfaidh tú a rá léi nach bhfuilim ag déanamh dearmad uirthi, abair léi go bhfaighidh mé áit di chomh luath is a fhéadfas mé, abair léi go gcuirfidh mé scéala aici a túisce is a fheicfidh mé seomra a bhéas feiliúnach aici. Féadfaidh tú a rá léi freisin go bhfuil súil agam go bhfuil sí féin is na gasúir go maith. Bhfuil sé sin uilig agat?'

'Tá, mh'anam!'

'Bhfuil clúdach litreach agat?'

'Tá ceann anseo sa *suitcase* agam, sílim.'

'Go maith. Agus tá an t-*address* agat nach bhfuil, tá sé scríofa sách minic agat pé brí é.'

'Tá, a dheartháir!'

D'éirigh Treabhar agus ba gheall le hualach a bheith bainte de an litir a bheith curtha as an tslí. Ná níor áibhéil ar bith é a rá gur thuirsigh an méid sin deachtaithe é níos mó ná gach dá raibh déanta aige de rúscadh is de thochailt ó mhaidin. Chuir sé lámh i bpóca a threabhsair agus bhain aníos dhá phíosa leathchoróineach gur chaith ar an leaba chuig an Suibhneach Rua iad.

'Cuirfidh tú sa bpost dom amárach é mar a dhéanfadh fear maith, nach ndéanfair anois?'

'*Too true* go ndéanfad, a Threabhair,' a dúirt an Suibhneach, an litir á chur sa chlúdach aige agus an flapa á ghreamú; bhailigh sé leis ansin as an seomra agus an dá leathchoróin go beannachtach ina ghlac aige.

Shuigh Treabhar ar a leaba féin arís agus thosaigh ag scaoileadh a bhróg. Má bhí sé sásta an litir a bheith scríofa bhí cantal air i gcónaí le Nóra agus cé go mba mhaith uaidh rudaí a chur as a cheann nuair ba mhian leis bhí sé á thuiscint dó anois ar chaoi éigin nach ndéanfadh an cúpla focal sin de litir an gnó, ná a scríobhfaí de litreacha as seo go ceann bliana. Bhí sí meáite ar a theacht aniar chuige, níor tháinig iamh ar a béal i gcaitheamh na míosa a chaith sé sa bhaile ach ag caint air agus ba róbhaolach gurbh é sin go díreach a dhéanfadh sí dá dheoin seisean nó dá ainneoin i ndeireadh thiar. Nó an raibh aon chiall ar bith ag an óinseach? Ba mhairg a chuir fáinne riamh uirthi, ná ar bhean ar bith, b'fhéidir, ach ar ndóigh murach go raibh Nóra Ní Chondúin, Nóra Éamainn mar a thugtaí uirthi ina háit féin, torrach aige ní a pósadh a dhéanfadh Treabhar, dheamhan baol air. Ná go deimhin dá mba abhus anseo ar thalamh Shasana é, torrach ná eile, níor dhóigh leis go bpósfadh sé í. Ach níorbh ionann an baile, bhí ceangal na gcúig gcaol ansin ar dhuine agus mura ngéillfeá do ghnás bheifeá i mbéal an phobail. Bhí cuibhiúlacht ann, cibé céard faoi chórtas, agus bhí deartháir de chuid Nóra in aon chomplacht le Treabhar ar an Rinn Mhór, fear mór arranta nárbh ealaí do Threabhar féin a bheith beag beann air i gcás go mbeadh rún aige a chiontacht a shéanadh; bhí fear eile de dheartháir aici thiar sa bhaile, i gCorrán na Mínsí, ar mheasa fós duit a tharraingt ort de réir mar a bhí ráite agus ar aon chuma ní bheadh lá suaimhnis le fáil aige óna mhuintir féin dá mba i ndán is go bhfágfadh sé an cailín ar an bhfaraoir géar. Lena ceart féin a thabhairt do Nóra Éamainn níor fhéach sí le brú ar bith a chur air seachas insint dó, go deorach, go raibh sí mar sin—' scuabtha ' mar a dúirt sí—go scéineach an oíche úd thiar ar an mBóthar Ard i nGaillimh.

' Diabhal neart mar sin air, má táir, ach pósadh,' a dúirt Treabhar go múisiamach ach má dúirt féin ní raibh lá dá rún aige ligean dá nuachar a shaol a chur ó chrích air ná tionchar ar bith a imirt air nach bhfeilfeadh dó féin; bhí a aigne déanta suas aige sular tháinig sé amach as an arm ar chor ar bith nach ndéanfadh sé aon mhoill sa bhaile agus ní dhearna sé ach oiread. Bhí de leithscéal aige nach raibh saothrú ar bith i gConamara ná nach raibh dóthain spáis acu, dáiríre, i dteach a athar thiar i nDoire Leathan; ghabhfadh sé go Sasana, a dúirt sé le Nóra, mar a raibh gach uile fhear fónta a dhéanamh ar na saolta seo agus ar a bheith tamall thall dó, agus eolas na rópaí aige, chuirfeadh sé fios uirthi féin is ar an bpáiste. Má bhí rún ar bith riamh ag Treabhar Bheartla Bhillí an geall sin a choimhlíonadh níor thóg sé i bhfad air loiceadh ach a bhfuair sé na cosa faoi thall; anonn ar scéim an bhiatais mar chuid de mheitheal a chuaigh sé go dúiche mhín fheannta East Anglia i ngeimhreadh sin na bliana míle naoi gcéad daichead a seacht, fíor-dhrochgheimhreadh le sioc is le sneachta is le ganntanas iarchogaidh, agus ar a bheith réidh don séasúr biatais i leaba filleadh abhaile mar a bhí ceaptha dó thug Treabhar a aghaidh ar Londain. Bhí fás agus borradh ag teacht ar Shasana anois, bailte móra *blitz*-scriosta na tíre á dtógáil arís de réir a chéile maille leis an athnuachan sin uile a chuaigh le hobair dá shórt, córais gháis, uisce agus aibhléise lena gcur ina gceart arís, bóithre le deisiú agus iliomad rud eile mar sin—agus ní raibh fear ar bith ab fhearr chun na hoibre ná an tÉireannach, ná ab fhonnmhaire chuige ach oiread. Má ba chogadh fada géar féin a bhí ann ba léir do chách anois an saothrú a tháinig ar a lorg cibé cá bhfuarthas an t-airgead sin nach raibh fáil in aon chor air an t-am a raibh dhá mhilliún duine díomhaoin i gcaitheamh na dTríochaidí. 'Is é Adolf a rinne tír di,' a deireadh Éireannaigh eatarthu féin (agus leis an Sasanach, scaití, le diabhlaíocht!) ' is maith é an cogadh más obair a thoradh! '

Bhí dalladh oibre anois ann pé scéal é agus níor bhrú ar an doicheall ag Éireannaigh a thuilleadh é fiú má bhí corrfhógra in airde thall is abhus á gcosc ar obair nó ar lóistin; agus ar scáth a mbíodh de phlé ag Treabhar Bheartla Bhillí agus a mhacasamhail le Sasanaigh thiocfadh leo a bheith thiar ina dtír féin i gcónaí. Réitigh Sasana thar barr le Treabhar Ó Nia dá laghad dá raibh eolas ná de thuiscint aige ar an tír ná ar a muintir; ba chaol díreach go Camden Town a chuaigh sé as Peterborough agus d'éirigh idir obair agus lóistín leis geall le bheith chomh luath is mar a leag sé cos san áit. B'shin dhá bhliain go leith ó shin agus thug Treabhar dhá chuairt ar Dhoire Leathan i rith an ama sin. . . . Biseach teagh-laigh ba thoradh na chéad chuairte (páiste mic ar a bhaistíodar Beartla in ómós d'athair Threabhar) agus níor dhóichí rud ná gur oidhre eile, fireann nó baineann, a bheadh mar thoradh ar an dara cuairt. Bhí de thoradh freisin ar na geábhanna sin abhaile gur tháinig maoil is cruach ar an ngráin a bhí ag Treabhar ó chianaibh ar a áit dhúchais; ba mheasa ná riamh anois é, d'eile, ó bhí cuibh-reach cleamhnais air de bhreis ar na cuibhreacha eile sin ba nósa agus meon na háite—agus mar bharr ar an olc níor tháinig iamh ar a béal ag Nóra ach ag tathaint air í féin agus na páistí a bhreith leis ar ais go Sasana. Bhí sí chomh dígeanta i mbun an phoirt sin, lá, is go ndeachaigh Treabhar ó smacht air féin gur ordaigh di a clab a dhúnadh agus gan a thuilleadh a bheith le cloisteáil aige faoin scéal nó gur di ba mheasa.

Chaith Treabhar de na bróga tairní agus shín siar ar an leaba, a lámha faoina cheann aige. An raibh sí ceart sa cheann ar chor ar bith, an cheist a chuir sé go scólta air féin. Arae dúirt sí rudaí go leor leis nuair a bhí sé thiar a chuir in amhras é nach raibh speabh-ráidí nó craiceáil éigin ag gabháil di. Ní mórán cur amach a bhí ag Treabhar ar mhuintir Nóra ná ar an mbaile beag scoite arbh as di i bhfad suas i lúb na gcnoc, níorbh ionann is dá bpósfadh sé bean de bhunadh na háite a mbeadh fios a ginealaigh ag na daoine chomh fada siar agus ab fhéidir dul. D'fhéadfadh straidhn nó aistíl éigin a bheith ag gabháil léi nó leo siúd a chuaigh roimpi ar scáth ab eol dósan!

Ba san oíche ba mheasa í nuair a bhíodh fonn codlata ar dhuine, níor leor di an gníomh a dhéanamh agus a bheith réidh leis, théadh sí ag muirnéis air ansin, á shlíocadh is á dhiurnáil amhail mar ba ag suírí a bheidís i gcónaí—gan trácht ar an gcaint!

' Cé as sa diabhal ar rug tú an fonn cainte nó tuige nach dtéann tú ag codladh mar a dhéanfadh duine ar bith?' a d'fhiafraigh Treabhar di as neart cantail oíche dár dhúisigh sé de phreab ag a cuid cogarnaí; agus an freagra a thug sí air ba a chur i mbarr a chéille uile a rinne sé, ba bheag bídeach nach ndúirt sé léi an oíche sin gur thoir i mBéal Átha na Sluaighe ba cheart di a bheith amhail na ndaoine craiceáilte.

' Ó muise, a Threabhair,' a dúirt sí agus a béal lena chluais go díreach mar ba ag blaismínteacht ar ruainne bia a bheadh sí, ' ná bí ina dhiaidh orm, nach mbím ag caint leat gach uile lá den bhliain is gan tú le mo thaobh ar chor ar bith?' Sea a mhaisce, ní raibh ansin ach an chuid ba lú dá seafóid, ba mheasa go mór na rudaí eile a dúirt sí leis, an ghráin a bhí aici ar an bhfarraige mar shampla! Ní raibh cleachtadh ar bith ag Nóra Éamainn ar an bhfarraige ná ar an obair a bhain le cladach ná farraige, ar ndóigh, ní raibh amharc féin ar an bhfarraige as Corrán na Mínsí, chaithfeá dreapadh suas go barr an chnoic ab airde sa pharóiste sula bhfaighfeá spléachadh ar bith ar an teiscinn mhór, ach i dtigh diabhail dó mar scéal cé a chuala caint den chineál sin riamh, duine a bheith scanraithe ag an bhfarraige, go háirithe an duine nach raibh call ar bith di dul go rúitín féin sa sáile mura dtogródh sí é! Ba choimhthíos léi gach lá riamh í mar fharraige, a dhearbhaigh Nóra agus í ag achainí air í féin agus a clann mhac a thabhairt leis anonn i ndeireadh na míosa—go fiú nuair a thugadh sí naíonán na máistreása siar Bóthar na Trá sa phram, an áit a mbíodh na céadta ag snámh is ag tumadh is ag lámhacán go sultmhar, ghabhadh scáth éigin í roimh an gcuan ba chuma ina téigle ná ina riastradh stoirme é. Agus ba ghairid lonnaithe i nDoire Leathan í agus Treabhar bailithe leis anonn ar an mbít nuair a thóg sí ina ceann é (dá míle bhuíochas má b'fhíor) go mba namhaid aici an fharraige, namhaid urchóideach, díobháileach, drochaigeanta a bhí doscartha ar chuma aduain éigin lena cinniúint anshóch féin.

' An t-uaigneas, a Threabhair,' a dúirt sí, ' tá an t-uaigneas in ann thú a chur as do chloigeann, tá a fhios ag Dia! '

Uaigneas, cén t-uaigneas—nach raibh lán an tí acu ann, a athair is a mháthair agus a dhearthair Briocán ar i mbun an iascaigh a bhí a shaol á chaitheamh aige, gan trácht ar na gasúir ar chor ar bith? An iomarca ama a bheith aici le bheith ag meabhrú uirthi féin a bhí faoi deara na hóinsiúlachta seo go léir, dar le Treabhar— dá gcaithfeadh sí cliabh feamainne a ardú suas ar a droim mar a rinne mná Chonamara i gcónaí riamh ní bheadh sé de thriail aici bheith ag déanamh trua di féin, ach ar ndóigh bhí sé ráite riamh gurbh iomaí sin rud a d'fheictí don díomhaointeas! Agus ní raibh ansin ach a leath, dá dhonacht é. Chonacthas di tar éis tamaill nár fhéad sí cor a chur di i ngan fhios don fharraige, nach bhféadfadh sí dul chuig an tobar i gcoinne buicéid uisce ná giobal éadaigh a scaradh ar an sceach lena thriomú, ná aon ní beag dá laghad nó dá fhánaí a dhéanamh i ngan fhios don neach meabhrach duáilceach sin ba fharraige. Laethanta go leor nuair a bhíodh an fharraige chomh ciúin socair le muir phéinteáilte, gan lonnach ar a fuaid ná sioscadh doirlinge mar fhianaise tuile ná trá, chítí do Nóra go mba chluanaíocht a bhíodh ar bun ag a namhaid lena mealladh, lena cur i gcéill di go raibh cairde beag á ghealladh di ón síorfhaicheall.

Cinnte, a dúirt sí le Treabhar i ndiaidh dó aghaidh a bhéil a thabhairt uirthi faoin rámhaillí seo go léir, cinnte thuig sí go maith gur sceiteadh de *nerves* a bhí uirthi—ná bíodh ann ach go ndúirt an sagart léi gurbh é sin a bhí uirthi ba leor sin aici, ach ar ndóigh thuig sí féin ó chianaibh é i gcúl a cinn, ní raibh ann ach go raibh cosúlacht chomh láidir ar an rud.

' An sagart?' a d'fhiafraigh Treabhar di, idir ionadh agus fhearg air de phlimp, ' á ní féidir, a óinsigh, go ndeachais ag an sagart leis an mála cacamais sin? Cén gnó a bhí ag an sagart agat, óinsigh?'

' Bhí gnó agam aige, a Threabhair, ag an bhfaoistin,' a dúirt sí; fear lách cuideachtúil a bhí san Athair Ó Cianáin murab ionann agus an sagart paróiste—d'fhéadfá labhairt leis, rudaí a insint dó.

' Níl aon chall duit dada a inseacht dó ach do chuid peacaí agus ní call duit iad sin a inseacht dó mura dtogróidh tú féin é, ní bhacfainnse leis an gcéipir sin, diabhal tiomanta baol orm!' a dúirt Treabhar go míshásta. Ach ní raibh Nóra ag éisteacht leis, ag glagaireacht léi a bhí sí mar bheadh sí faoi éigean gach dá raibh de chian is de chrá uirthi a ríomh. Ba i ndiaidh do Threabhar dul ar ais go Sasana an chéad bhliain ba mheasa í, a dúirt sí, ní raibh sé inrásta do cheann a chur thar dhoras amach ag síon is ag báisteach, an ghaoth aniar aneas ag séideadh is ag búirthíl an cuan isteach mar ba rud buile a bheadh ann, an bháisteach ag teacht ina slaoda mórbhraonacha ag cnagairt go feargach ar fhuinneoga an tí agus an fharraige ina lear mór suaite amháin. Bhí sí i mbarr a céille ag an saol ar fad, ag síorchaoineadh an pháiste bhig, ag míshocracht a hathar céile a bhí ón bhfuinneog go dtí an doras agus ón doras go dtí an fhuinneog ag ceasacht ar an doineann; mar bharr ar gach olc, a dúirt sí, ní raibh sí ag fáil scíth ná ligean óna miangas féin, an miangas úd arbh é ceiliúradh a gcéileachais le linn do Threabhar a bheith sa bhaile faoi deara é agus nach raibh d'fhuascailt aici uaidh ach an rud nárbh fhuascailt ar bith i ndáiríre é agus ar pheaca é ina theannta sin. An lá ar shocraigh an stoirm (bhí na giobail dheiridh scamall ag glanadh de chlár na spéire agus an spéir chomh leamh tuartha is dá mbeadh fuílleach a snua sruthlaithe, fáiscthe aisti ag díleann lae agus oíche), an lá sin, dúirt Nóra, bhuail seachmall í chomh tréan sin is gur chuir sí Dara beag sa phram gur imigh léi suas bóithrín an ghleanna mar nach mbeadh léargas ar an bhfarraige ó chuirfeadh sí Cnoc an Asail di. Bhí sé á shamhlú di go mbeadh sí sábháilte ansin, gurbh é raon agus foirceann chumhacht na farraige ise a bheith ina hamharc—nó mar a dúirt sí féin nach bhféadfadh an fharraige aon bhlas a dhéanamh uirthi ó bhaileodh sí siar trasna an chnoic. A rá léi, go díbheirgeach, a béal a dhúnadh agus dul a chodladh, sin nó ligean dósan dul a chodladh, is ea rinne Treabhar; ach má chuir sé gobán inti an iarraidh sin d'fhill sí ar a port arís gan mórán achair.

'Dúirt an tAthair Ó Cianáin liom nach bhfuil sé ceart ná nádúrtha bheith ag maireachtáil mar seo, scartha ó chéile, go háirithe ó nach bhfuil aon rún agat féin teacht abhaile, a Threabhair,' ar sise leis oíche eile tar éis céileachais—cér dóichí uair, nach ansin a bhuailfeadh an fonn cainte i gceart í, a chuimhnigh Treabhar go múisiamach.

'Ba cheart don Athair Ó Cianáin a ghraidhp a choinneáil as rudaí nach mbaineann leis, as gnóthaí daoine eile,' a dúirt Treabhar go briosc. Agus nár mhaith an scéal dó féin gur thug sé na cosa leis i dtigh diabhail as an áit, ní bhroicfeadh sé leis an obair sin ar chor ar bith—idir chléir agus chomharsana do d'fhaire ó bhreith go bás!

'Cé le haghaidh,' a d'fhiafraigh sé de Nóra ansin, 'ar tharraing tú an scéal sin anuas aige ar chor ar bith? Nár leor duit dul ag an bhfaoistin aige dá mba i ndán is go gcaithfeá is gan a bheith ag plé na rudaí sin leis, nó cén sórt uallóigín atá ionat, in ainm Dé?'

An fhaoistin ba chionsiocair leis ar ndóigh, a dúirt Nóra: chaithfeadh sí a cuid peacaí a insint, nach gcaithfeadh, idir smaoineamh is ghníomh, agus dúirt an sagart léi go mba uafásach an rud é gan a cearta pósta a bheith le fáil ag bean, gurbh ionann, dáiríre, agus spídiúlacht é. Níor mhaith ná níor inmholta an rud a bheith faoi chathú i gcónaí, ní raibh an dúchas daonna láidir a dhóthain lena aghaidh sin.

Níor dhóichí rud ná go mbeadh aici, luath nó mall, a dúirt Treabhar ina intinn féin agus é ag cuimilt a mhéara dá bhruth rua feasóige, thiocfadh sí aniar i gcead nó de neamhchead dó, ba bhaolach. Bhí sé ráite riamh gur sháraigh bean an diabhal! Chaithfeadh sé seomra nó dhó a fháil in áit éigin an uair sin, prochóg d'áit mar a bhí ag Méiní agus a fear thíos in íochtar, bheadh caoineadh gasúr agus clamhsán mná ansin aige an chuid eile dá shaol, bheadh sé ina bhaileabhair acu. Os a choinne sin, chuimhnigh sé, bheadh compoird na leapa ag duine agus níor bheag sin. Ba mhinic, ag taisteal sa traein fothalamh dó, nó ag siúl ar an mbóthar, a d'fheicfeadh Treabhar péiceallach breá mná a líonfadh le dúil chomh mór sin é agus gur thuig sé ina chroí istigh gur a héigniú a dhéanfadh sé gan puinn scrupaill dá gcasfaí le chéile iad san áit cheart; bhí an ceart ag an sagart, bhí sé iomarcach ag duine ar bith, pósta nó scaoilte, a bheith á phriocadh i gcónaí ag dreancaidí na drúise. Níorbh é nach n-éiríodh corrdhreas le Treabhar anonn is anall . . . an ceann mór fionn sin as Ros Comáin dár chroch sé leis as an *Blarney* in Tottenham Court Road, oíche, bíodh is nach raibh céim rince ina chois—bhí díol fir ar bith inti siúd agus cleasa aici fairis sin nár chuimhnigh Nóra Éamainn riamh orthu! Níor casadh leis riamh ina dhiaidh sin í, níor theastaigh uaithi, dúirt sí, dul *steady* le fear ar bith. Agus an phéacóigín sin as Tiobraid Árann a raibh canúint an tSasanaigh measctha suas lena canúint féin, ní raibh cailleadh ar bith uirthi sin ach an oiread dá mbeadh sí gan a bheith ag iarraidh greamú do dhuine.

‘ Mallacht Dé dhuit,’ a dúirt Treabhar leis an gcollaíocht a mhothaigh sé ag borradh ina ghabhal agus d’éirigh de phreab gur thug aghaidh amach ar an seomra folctha chun é féin a bhearradh. Rachadh sé amach i gcomhair pionta cé nár mhór é a dhúil ann mar ól i lár na seachtaine, ní fhéadfadh duine fanacht istigh ag breathnú ar bhallaí an tseomra agus cá bhfios nach mbeadh an Jeaicín ar na gaobhair? Ba chleite ina sciathán an Jeaicín a bhualadh, bheadh a ainm go hard ó Camden Town go Kilburn agus ón Elephant go Shepherd’s Bush—in áit ar bith a chruinneodh na buachaillí le chéile, amuigh san obair nó i dteach an leanna, san halla rince nó cibé áit í féin—ba é an scéal céanna a bheadh acu uile, go mba dhiabhalta an píosa fir Treabhar Bheartla Bhillí, an chaoi ar chniog sé Christy Power, an dornálaí airm.

A hAON DÉAG

Ba é Bosco Ó Súilleabháin a chuir ar an eolas é, an t-eolas sin a bhí le fáil aige an t-am ar fad ach a iarraidh. Bhí sé ina chíor thuathail ag an scéal, ina bhambairne ceart, ón oíche úd nuair a chuaigh sí thairis ar Dhroichead Eoin, í féin agus an fear—fear caipín, d'eile, fear tuaithe ba shine, cuid mhaith, ná í féin muran amhlaidh gur loic na súile ar Niall faoi sholas diamhrach na gealaí. Chodail Niall sámh go leor an oíche sin, ní ligfeadh an t-ól dó gan a dhéanamh, ach bhí meall ina chliabh nuair a dhúisigh sé ar maidin, bhí sé trína chéile agus bhí sé leonta, bhí an saol curtha béal faoi air de phlab. Chuaigh an scéal glan ó thuiscint air, dá mbeadh sé á chíoradh is á scagadh go Lá Philib an Chleite ní thiocfadh leis tóin ná barr a dhéanamh de: b'amhlaidh, go deimhin, gur ag dul in aimhréidhe air a bheadh. Cén t-achar ag dul leis an bhfear eile í (más ag dul leis a bhí sí dáiríre agus nach míniú éigin eile uile a bhí ar an scéal, iad a bheith ag rothaíocht abhaile le chéile i gcoim na hoíche mar sin?) nó céard a thug uirthi bheith chomh grámhar sin leis féin murar thug sí gean dó go fírinneach? In aghaidh a thola, geall le bheith, chuir sé ceist ar Bhosco an raibh aithne ar bith aige ar Pheig ná aon chur amach ina taobh.

'Iníon Pheait Uí Dhuinnín as Baile Réamoinn, tuige nach mbeadh? Tuige?' a dúirt Bosco, streill air nár thaitin le Niall in aon chor.

' Ó muise fáth ar bith ach go bhfaca mé le fear í an oíche cheana, fear ba shine ná í féin, cheapas. Cailín dathúil, mheasas,' a d'fhreagair Niall, buille leamh.

'Tá sí rud beag tanaí domsa,' a dúirt Bosco, ' ach ní chuirfinn suas di!' Shantaigh Niall a rá leis a bhéal brocach a dhúnadh ach ar ndóigh bheadh an cat as an mála ansin, bheadh a fhios ag an Súilleabhánach go raibh spéis aige i bPeig seachas mar a bhí sé ag ligean air féin. Ar a mbealach ar ais ón Malartán Oibre a bhíodar agus ní raibh aon suim ag Nioclás Ó Maonaigh ina gcomhrá ach chomh beag agus nach dtuigfeadh sé focal de.

'Tá sí ag dul leis sin le fada, Maoldomhnach é as an mbaile is giorra di,' a d'inis Bosco dó ansin mar a bheadh sé in aiféala a ghraostacht—nó b'fhéidir, cheana, le fonn eolais é féin, dar le Niall.

' Le fada?' a dúirt Niall de ghlór a sceith air chomh follas agus dá n-inseodh sé fios a aigne do Bhosco.

' Lena thrí nó a cheathair de bhlianta, cuirfidh mé geall. Pósfaidh siad, tá áit ag dul dó sin, don Mhaoldomhnach.'

Níor fhan focal ag Niall ach chuir Nioclás Ó Maonaigh a ladar sa scéal ansin cé nár léir air go raibh sé ag tabhairt aon chluas dá raibh ar bun go nuige seo.

' Cailleach a thabharfainn ortsa, a Bhosco, tá gnó an uile dhuine i mbarr do ghoib agat. Sciorta a ba chóir a bheith ortsa, a dhuine, agus ní treabhsar! '

' Tabhair póg do mo thóin, a Nic,' a d'fhreagair Bosco chomh glórbhog agus dá mba ' Go mbeannaí Dia dhuit! ' a bheadh sé a rá. Bhíodar ar an droichead faoi seo agus sheasadar, mar ba mhinic leo, le breathnú síos ar an bhFeoir. Ba mhillteanach an feannadh a chuaigh ar na crainn ar bhruach na habhann le seachtain nó os a cionn, ní raibh iontu ach creatlacha anois, gan ach fuíoll beag truacánta crónbhuí duilliúr fágtha mar a bheadh giobail éadach ag fáinneáil ar a ngéaga loma, agus bhí Grúdlann Smithwick agus na foirgnimh eile síos chomh fada le seanmhuileann Chandlers ar uireasa na fothana sin a bhí mar sciath iathghlas orthu i gcaitheamh an tsamhraidh. Chuimhnigh Niall ar an samhradh, ar an lá aoibhinn sin nuair a shiúil sé amach an bóthar le Peig agus ar an suirí a rinneadar chomh muirneach sin le chéile, agus d'airigh sé mar a bheadh idir chroí agus phutóga leis á sracadh as a lár. B'fhíor do Bhosco é, ar ndóigh b'fhíor, ní raibh dada ag dul de, níor bhaol dó bheith contráilte—ach tuige, in ainm dílis Dé, cad chuige ar phóg sí mar sin é an lá úd, cad chuige ar thug sí léi in aon chor é má bhí sí ag dul le fear eile an t-am go léir? Ní ag ligean cion uirthi féin leis a bhí sí, mhionnódh Niall, ní fhéadfadh duine ar bith a bheith ina aisteoir chomh paiteanta sin, thabharfadh sé an leabhar go raibh gean aici air mar a bhí aigesean uirthi—nár chuir sí litir chuige agus glac póga mar a bheadh coirceog ann ag a bun? Níor fhreagair sí aon cheann dá litreacha seisean ceart go leor ach thiocfadh go raibh míniú éigin air sin freisin, b'fhéidir gur briste amach le Mac Uí Mhaoldhomhnaigh a bhí sí an lá úd ar casadh leis í, agus gur éiríodar mór le chéile ansin arís i ndiaidh dise scríobh ag Niall.

' Chuaigh tusa léi, a dhiabhail, nach ndeachaigh? ' a d'fhiafraigh Bosco de go magúil agus mar ba ghearrbhodach beag gamalach a bheadh i Niall shéan sé go raibh aithne ar bith aige ar Pheig, a ghruanna trí thine le barr corrabhuaise san am céanna.

' Bhuel inseoidh mise duit fúithi siúd anois,' a dúirt Bosco agus mar a bheadh sásamh mór dó ann, ' ceann te í siúd, a bhuachaill! '

' Ara ná géill don *frigger*, céard tá a fhios aige sin? ' a dúirt Nioclás Ó Maonaigh. Ach níor airigh Niall é, bhí a chroí reoite istigh ann mar ba i mbaol a bheatha a bheadh sé.

' Tá a fhios agam go maith,' a dhearbhaigh an Súilleabhánach, ' tá a fhios agam *lad* a casadh uirthi thíos ag an gcorra ansin thíos lá, tá sé cúpla bliain ó shin anois ach is cuma . . . bhuel rug sé uirthi, ag déanamh spraoi léi, agus meas tú nár chuir sí a dhá láimh thart air gur thosaigh sí á phógadh—ó nár fhága mé seo, sid í an fhírinne ghlan, a bhuachaill!'

'Cérbh é féin mar sin?' a d'fhiafraigh Nioclás Ó Maonaigh de ach ní fhéadfadh Niall focal a rá dá ngeallfaí na flaithis dó.

'An bhfuil tú ag ceapadh gur á chumadh atá mé, a Mhaonaigh? Bhuel tá dul amú ort má cheapann—Tiucs Faoláin an fear atá i gceist agam agus ní á chumadh a bhí seisean ach oiread!'

'Tá Tiucs Faoláin ina bhréagadóir chomh mór leat féin, a Bhosco! Ní chreidfinn focal de,' a d'fhreagair Nioclás Ó Maonaigh agus theilg sé smugairle uaidh síos san Fheoir go míchéatach. Ach chreid Niall é, chreid sé dá mhíle buíochas é, mar bhí dealramh leis, faraoir.

'Seo fágaigí seo suas ag an gcoirnéal agus ná bígí ag caint ar mhná i gcónaí,' a dúirt Nioclás Ó Maonaigh mar bheadh sé bréan den chomhrá.

'Tá sé chomh maith dúinn is dóigh,' a dúirt Niall.

Cúpla oíche ina dhiaidh sin, mar ba rud é a bheadh socraithe dó le buille an bháis a bhualadh ar an aisling úd a chothaigh agus a chosain sé lán chomh dúthrachtach is mar a chothódh is mar a chosnódh duine de na seandraoithe fadó tine naofa, chuaigh Niall le bean eile a chroch sé leis as an bpictiúrlann. Bhí sé fánach aige, thuig sé anois, a bheith ag iompar tóirse di a thuilleadh, a bheith á tabhairt a chodladh leis gach uile oíche chomh hurramach agus dá mba bhan-naomh a bheadh inti, a bheith ag breacadh a hainm is a sloinne ar imill nuachtán nó a rá leis féin os íseal mar ba ortha a bheadh ann a bhéarfadh os a chomhair ina steillebheatha í. Níor thruailligh sé a híomhá riamh le smaoineamh drúisiúil níorbh ionann agus mná eile a bhíodh mar shás dúile aige agus é i mbun an pheaca aonair; ná ní dhéanfadh, ach oiread, ní mhillfeadh sé cáidhe na haislinge ar ór ná ar airgead, bhí sí rósheodmhar lena trochlú ar an gcuma sin. Ach ní raibh aige anois, ná ní bheadh feasta, ach glacadh leis nach raibh grá ag Peig Ní Dhuinnín air mar a bhí aige di, nó dá mbeadh ní ag dul ag pósadh mac feirmeora a bheadh sí, fear ba shine cuid mhaith ná í féin.

Ina shuí in áit an toistiúin agus a thoitín deargtha aige is ea bhí Niall nuair a bhuail an cailín fúithi lena thaobh mar ba d'aon turas é. Ba í an oíche Dé hAoine a bhí ann agus bhí airgead ina phóca ag Niall, an t-airgead dóil a fuair sé sa Mhalartán Oibre ar maidin lúide ar thug sé dá mháthair le cabhrú léi an teach a riaradh—nóta deich scillinge.

'An bhfuil cipín agat?' a d'fhiafraigh an cailín de Niall, í claonta isteach chuige agus toitín lena béal aici cheana. Las Niall a toitín di agus scrúdaigh sé go fáillí í san am céanna. Ba láireoigín measartha dathúil í, canúint Ultach éigin aici agus dánacht ag baint léi nárbh fhíordhánacht dháiríre é, an té a d'aithneodh a cineál; ghabh sí buíochas le Niall agus tharraing sí go dúilmhear ar an toitín, ag scaoileadh púirín caol deataigh in airde i dtreo an gha chreataigh solais a bhí á dhíriú ar an scáileán ag leathshúil Phoiliféamach an teilgeora thiar i gcúl an halla. Ba é an nuacht-mhír, an *Pathe Gazette*, a bhí á léiriú agus bhí glór briosc géar an tSasanaigh ag cur síos ar an gcogadh amuigh i gCóiré, an slad a bhí á dhéanamh ar na Cumannaigh. Chorraigh an cailín go míshocair agus ar sise de chogar le Niall:

'Ní maith liom nuacht—an maith leatsa?'

'Ní maith,' a dúirt Niall go glórtachta, an croí ag eiteallach ann agus a chuisle ag preabadh. B'fhánach an áit ina bhfaighfeá gliomach mar a deireadh an mhuintir thiar agus bhí sí seo ag imeacht ar ardaigh orm nó ba mhór é a dhearmad.

'Ní thuigim cad chuige go mbacann siad le nuacht ar chor ar bith, ní bhíonn éinne á iarraidh,' arsa an cailín.

'Fíor duit,' a dúirt Niall ag cur léi faoi mar a chuirfeadh sé léi ar ala na haimsire sin dá ndéarfadh sí leis go mba mheall cáise an ghealach ná go mba bhláthach a bhí san fharraige; ní ina tuairimí a bhí spéis aige ach ina bandacht. Tháinig deireadh leis an *Pathe Gazette*, an coileach ag fógairt agus ag greadadh a sciathán agus an chruinne ag imrothlú faoina chrúba; bhí mír ghairid eile chucu ansin, na *Three Stooges*, agus bhuail an cailín a dhá bois ar a chéile le lúcháir rompu, mar a dhéanfadh gearrchaile go díreach.

'Ó is maith liom iad seo, tá siad iontach! *Dote* ceart é an fear catach!'

Thug Niall spléachadh i ndiaidh a leicinn ar an gcailín ag iarraidh a dhéanamh amach ar ag súgradh a bhí sí nó dáiríre, níor lia duine ná tuairim ach cén chaoi a dtabharfadh duine ar bith *dote* ar an abhlóir leibideach seo? D'imigh pleidhcíocht an triúir chun mire agus ní raibh aon bhotún ná tuaiplis dá ndearna siad nár lig an cailín scairt mheidhreach aisti, nó nár thug sonc do Niall lena aird a tharraingt orthu. Ná níor gháire cuibhiúil srianta é mar a dhéanfadh cailín baile mhóir ach béiceadh ard cábógach a chloisfeá go réidh thiar ag ceann an halla. Chuir a tuathúlacht náire ar Niall agus b'fhada leis go mbeadh an triúr leibide glanta den scáileán.

'Chonaiceas an pictiúr mór cheana,' a dúirt an cailín, ag teannadh níba ghiorra do Niall. 'Pictiúr ar bith a thaitníonn liom, téim ag breathnú air faoi dhó. Chonaic mé *The Bells of St. Mary's* trí huaire—an bhfaca tusa é?'

'Chonaic', a dúirt Niall go lag-ghlórach: bhí a cóta ar oscailt ag an gcailín agus bhí a ceathrú theann storrúil ag teagmháil lena cheathrú seisean agus teas a coirp ag teacht chuige trí leamhán tanaí a gúna; go slítheánta agus go beophianta shleamhnaigh Niall a dheasóg taobh thiar de chlárdroma an bhínse chrua adhmaid agus chuaigh ag póirseáil ansin nó go raibh a mhéara ar ghualainn na mná. Má bhraith sí a lámh níor lig sí uirthi féin gur bhraith, níor righnigh ná níor scanraigh sí ná ní dúirt sí faic.

' *Dote* ceart é Bing Crosby,' ar sise agus scaoil scaird eile deataigh in airde.

Agus ansin, faoi mar ab eagal le Niall ó thosaigh sí ar an gcabaireacht d'fhógair duine éigin ar a gcúl uirthi a bheith ina tost, nárbh fhéidir an pictiúr a chloisteáil aici. Má dhearna féin níor chuir sin as pioc don chailín.

' Ceapann cuid acu seo gur leo féin an áit, nár íoc muide a dtoistiún chomh maith leo? ' ar sise ard a dhóthain le go gcloisfí í. Bhí an pictiúr mór ag tosú anois ach níor fhan spéis ar bith níba mhó ann ag Niall, bhí sé chomh mearaithe sin ag stiúsaíocht na mná agus é ar cipíní san am céanna le faitíos go gcuirfeadh a siosmaireacht fearg ar na daoine ina timpeall. Dá gcoinneodh sí a béal dúnta bheadh gach rud i gceart. Leag sé barra a mhéar ar ghéag an chailín gur thosaigh á slíocadh go traileach agus arís eile má thug sí faoi deara é níor léir uirthi gur thug.

' Sin í Alice Faye,' a dúirt sí ag sméideadh ar an scáileán, ' tá sí ar an ngramafón sa mbaile againn."

Thug Niall toitín di agus dhearg sé ceann eile dó féin. Choinneodh an feaig ina tost í, bhí súil aige, mar bhí an dream ar a cúl ag éirí corrach arís, ag casaoid eatarthu féin mar gheall ar an gcaint. Dhiúl an cailín go sásta ar a toitín agus bhreathnaigh sí ar Niall ansin mar a bheadh sí ag cur suime ann i gceart den chéad uair.

' An dtéann tú ag na pictiúirí go minic? '

' Téim,' a dúirt Niall de chogar.

' Téimse leis, mhairfinn ag dul ag pictiúirí,' a dúirt sí.

' Fuist! ' arsa glór ar a gcúl. ' Ní féidir an pictiúr a chlos libh.'

Dá mbeadh sí chomh so-mheallta eile ní bheadh aon mhaith ann dó mura ndúnfadh sí a béal—bhí griofadach i Niall le cotadh anois ach ba é an chaoi go ndearna an cailín grainc siar thar a gualainn.

' A leithéid! ' ar sise go múisiamach.

Ba é uair na hachainí é, dar le Niall, agus mura n-imreodh sé ní fhéadfadh sé gnóthú.

' B'fhéidir,' ar seisean os íseal leis an gcailín, ' ó tá sé feicthe cheana agat nár mhiste leat teacht ag siúl liom in áit éigin? '

' Tá sé chomh maith,' a dúirt an cailín, ' níl sásamh ar bith le fáil anseo! '

Faoi sholas na sráide amuigh chonaic Niall go raibh slacht uirthi thar mar ba léir dó istigh san halla pictiúr—cláróg mhaith déanta de chailín tuaithe, bróga sálísle uirthi agus gan stocaí ar bith. Ní raibh baile beag ná mór in Éirinn nach bhfaighfeá duine dá haicme, iad ar aimsir in ospidéil nó i dtithe daoine deisiúla, ag mná rialta i dtithe níocháin nó pé áit é féin; b'aicme iad a raibh gnaoi nó luiteamas éigin ag Niall leo riamh, ar a shochomhairleach, neamh-shantach a bhídís, a laghad de mhustar ná d'amhainse na mban cathrach a bhí ag roinnt leo. Bhí an mhánlacht sin iontu uile a bhíonn sa dream nach bhfuair aon ligean ar an saol riamh agus nár mhór é a súil leis ach oiread, agus bhí flaithiúlacht sna créatúir nár dhóigh le Niall a bheith i mná ba shócúla ná iad—dá mba é a dtoitín deireanach é nach roinnfidís leis an saighdiúir é an uair nach mbreathnódh mná eile air? Ní raibh dalbacht mná monar-chan ná postúlacht mná oifige iontu, ní raibh gradam ná seasamh acu ná meas orthu ach ar éigean, agus ba mhinic iad á seoladh ar an bhfaraoir géar ag fir nach measfadh iad a bheith sách maith lena bpósadh.

Thug Niall agus an cailín aghaidh suas an baile mór a bhí á thréigean anois mar a bhíodh an tráth seo d'oíche i gcónaí agus bhí ar Niall a choisíocht ghearr shaighdiúra a chur in oiriúint do thruslóga fada an chailín. Deirtí san arm ga n-aithneófá an bhean ar ghnách léi dul le saighdiúirí ar chomh prap is mar a thiocfadh sí ar aon chéim leat; má b'fhíor sin ba chosúil nár shiúil sí seo dhá shlat den bhóthar le saighdiúir riamh arae ba gheall le ceann í ar réidhe aici bealach aistreánach sléibhe ná leacacha cothroma an bhaile mhóir. Ba's Litir Cheanainn í a dúirt sí le Niall (rud ab ionann is a rá, thuig Niall, gurbh é Litir Cheanainn an baile mór ba ghiorra dá háitreabh, dála mar a deireadh cuid de mhná Chona-mara leat, is gan focal Béarla ina bpluic acu, gurbh as an gClochán iad) agus Caitlín Nic Ruadair ab ainm di. Bhí sí beagán le ráithe ag obair i gCill Chainnigh agus ní mó ná thaitin an chathair léi, ní raibh na daoine chomh muinteartha le muintir Dhún na nGall, bhíodar dúnárasach, lán mórtais. B'fhearr i bhfad an áit Baile Átha Cliath ná Cill Chainnigh, bhí pictiúrlanna gan áireamh ann agus chastaí go leor ort as d'áit féin, ní raibh aithne aici ar dhuine ar bith anseo.

I gceann de na tithe galánta lastuas den Chaisleán a bhí Caitlín ar aimsir ach ó ba shuarach le Niall í a thabhairt caol díreach go ceann scríbe thug sé de thimpeall í suas Sráid Phádraig agus síos Lána an Bhoghdóra; b'oíche dheas siúlóide í, an dorchadas bog tais mar cheo ina dtimpeall agus boladh na móna san aer. Ag gabháil thar siopa beag milseán a bhíodar nuair a sheas Caitlín gur bhain lán na súl den díolaim mílseán saora a bhí san fhuinneog, leacóga grá, mirlíní ainíse, maidí milse, seirbit agus blúiríní bainne.

' Ó, is maith liom milseáin, an maith leatsa? Féach na leacóga grá sin, d'íosfainn iad nó go dtiocfaidís amach trí mo shúile! '

Chuaigh Niall isteach sa siopa gur cheannaigh ceathrú punt de na leacóga grá agus faitíos a chraicinn air san am céanna go dtioc-fadh duine éigin aitheanta isteach a d'fheicfeadh é i mbun na pleidhcíochta sin.

' Ó go breá, *dote* thú! ' a dúirt Caitlín nuair a thug sé na milseáin di agus leanadar orthu arís.

' Nach maith leat milseáin? ' a d'fhiafraigh Caitlín de nuair nach dtógfadh sé ceann agus ní raibh aon mhilseán dár thóg sí féin as an mála nár léigh sí an manadh a bhí greanta air faoi sholas gach lampa sráide ar an tslí, *Póg anois mé! Is tú m'aon-ghrá!* agus gach aon bhéic áthais aisti as an ladús seo. Dúirt Niall léi go mba leor dó í féin mar mhilseán agus an ndéanfadh sí comhairle na leacóige agus é a phógadh anois. Scairt gáire a ligean aisti faoi mar ba é an rud ba bharrúla dár chuala sí riamh é a rinne Caitlín agus lig Niall di a bheith ag siodráil léi gan ach corrfhocal fánach a chur go neamhchúiseach ina roiseanna cainte. Ba gheall le ceann í a mbeadh fuascailt di sa ghlagaireacht seo go léir, nó le gearrchaile nach dtabharfadh daoine fásta aon aird uirthi i dtreo is go rachadh sí thar fóir leis an rámhaillí an uair go bhfaigheadh sí ligean air. Bhí uaigneas uirthi, thuig Niall, in ainneoin is go ndúirt sí leis go raibh muintir an tí chomh lách léi agus dá mba dhuine den chlann í.

In ascaill cluthar chúlráideach siar ón mbóthar a bhí an teach a raibh Caitlín ar aimsir ann, láthair bhreá fheiliúnach dar le Niall, ball dorcha fascúil mar nach bhfeicfí iad mura gcasfadh carr isteach ann is go scallfadh na ceannsoilse orthu. Sheasadar le balla a raibh mothall dlúth eidhneáin ina sheithe air agus thóg Niall a chuid toitíní amach gur thairg ceann don chailín. Ba mhó go mór a theastaigh uaidh barróg a bhreith uirthi agus í a phógadh ach foighne an beart ab fhearr sa chás seo, thuig sé, arae i ndiaidh a cuid giodaim uile bhraith sé soineantacht éigin i gCaitlín, bhraith sé a cosúlacht agus a cáilíocht a bheith in éadan a chéile. Níor thairbhe ar bith dó í a scanrú pé scéal é.

' Táim craiceáilte i ndiaidh feaigs,' a dúirt Caitlín, ag tarraingt ar an Woodbine go fáilteach.

' Dáiríre ? '

Níor chuir Niall aon chor de go dtí go raibh a dhá dtoitín caite agus ansin shleamhnaigh sé lámh ina timpeall taobh istigh dá cóta. Má bhí aon snáth éadaigh faoina gúna éadrom, singléad ná peireacót ná dada, níor airigh a mhéara é—blas ar bith ach a colainn óg broganta chomh mín, tathagach mealltach sin is gur éirigh an miangas ina mhaidhm thobann chonfach aníos trína chorp seisean. Geiteadh a rinne Caitlín, áfach, faoi mar ba smionagar leaca oighir a bhuailfí lena cneas.

' Uch! Tá tú ag cur dinglis ionam,' ar sise.

' Dinglis? '

' Tá sé furasta dinglis a chur ionam—an bhfuil ionatsa? Ní bheadh ort ach do mhéar a chrochadh liom, scaití,' a dúirt Caitlín.

Lig Niall mionn ina intinn féin. Nár chaillteach an scéal é dá mba dhuine de na cigealtáin—mar a thugadh an Ceannaire Ó Dúláinne orthu—a bhí casta leis, duine de na cliobóga sin nach bhféadfá do lúidín a leagan orthu nach dtosódh siad ag pramsáil uait chomh sceiteach le bromachán bliana! Agus cén cás dá mba chaillteachán ná cleataí cnámhach mná a bheadh inti, nó an cineál nach gcuirfeadh slime teolaí a cabhlach fuadach croí is cuisle ort le barr dúile. Chomh cáiréiseach agus dá mba ina codladh a bheadh sí agus gan uaidh í a dhúiseacht lig Niall do bharra a mhéar lonnú ar log a droma, chomh héadrom le féileacán. Gheit Caitlín arís an iarraidh seo, níba phraipe fós.

' Stop, a deirim! Tá tú ag cur dinglis ionam! '

' Is furasta dinglis a chur ionat gan bhréag ar bith a Chaitlín,' arsa Niall, an múisiam ag briseadh trína ghlór dá ainneoin féin. Ba é a bhí inti, ba bhaolach, ceann de na giongacháin sin a rachadh leat réidh go leor ach nach mbeadh aon phioc luitimis acu le suirí ná le gráinteacht ach chomh beag agus dá mba smut giúise a bheadh iontu. Bhí an-chuimse ban Éireannach ar an gcuma sin, a deireadh an Ceannaire Ó Dúláinne, mná a raibh an teaspach múchta iontu ag teagasc is ag tógáil, ag glafarnach sagart agus ag faichill tuismitheoirí; má b'fhíor dó freisin ba mhó den díocas a bheadh san fhlaspóg a thabharfadh bean Fhrancach duit ná i ndícheall na mná Éireannacha ab ainrianta amuigh. Ba mhór an bhreith é sin ag fear nár sheas taobh amuigh de thalamh na hÉireann riamh ach dá laghad dá raibh de thaithí ag Niall ar mhná bhí sé á fheiceáil dó go raibh dealramh leis mar thuairim. Ba mhinic a shamhlaigh Niall bean den chineál a bhíodh faoi thrácht ag Paidí Ó Dúláinne, rálach mhór mhná gan chuibheas gan náire a thaoscfadh tobar na drúise leis go líofa, rábach; níor chas a leithéid riamh air ach bhíodar ann gan amhras, an té a bheadh ádhúil go leor lena fháil. D'fhan Caitlín níba shocra an tríú babhta dár chuir Niall a lámh thart uirthi ach bhí a giongacht mar bhac air agus nuair a shíl sé í a phógadh ba é gur thosaigh sí ag cur síos dó ar an duine ab óige de na gasúir a bhí faoina cúram sa teach, bábóigín gleoite de ruidín darb ainm di Nuala. Agus de rogha ar a bheith ag iarraidh a béal a phógadh le linn di a bheith ag sioscadh léi faoi Nuala bheag agus an leagan greannmhar a bhí ar an *Ár nAthair* aici, leag Niall a bheola féin ar log a scornaigh—cleas, a dhearbhaigh Paidí Ó Dúláinne, a chuirfeadh bean Fhrancach as a meabhair le collaíocht. Níor chuir sé ar Chaitlín ach tuilleadh dinglise, cibé ar bith, agus b'éigean do Niall scor de.

' Ní cheapfainn go bhfuil mórán taithí agat ar bhuachaillí, a Chaitlín,' ar seisean go seanbhlasta. Ní raibh ligean ar bith inti, ba bhaolach, do cheann a chuaigh leis as an halla pictiúr chomh toilteanach sin, ach bhí sí gonta anois ag an rud a dúirt Niall.

' *Tá* taithí agam ar bhuachaillí, cad chuige nach mbeadh? Bhí *lad* an-deas agam thíos i nDún na nGall, mac siopadóra—Hiúdaí Ó Gallchóir, bhí sé splanctha i mo dhiaidh!'

Mheabhraigh sí ar feadh nóiméid agus ansin ar sise go stangach:
' Cad chuige go ndéarfá sin liom, nach raibh aon taithí ar *lads* agam?'

' Ó muise fáth ar bith, a chailín—ag magadh a bhíos!'

A chonách sin air gur thug sé údar pusála di chomh réidh sin, gur lig sé don fhocal ciotach sciorradh uaidh. Ní raibh anois aige ach í a cheansú le plámás mar dá mbuailfeadh stuaic i gceart í ní bhfaigheadh sé sásamh ar bith uirthi.

' Seo, a Chaitlín,' ar seisean go bladrach, ' tabhair dom póg!'

' Níl ag déanamh buairimh duitse ach pógadh! Bhí Hiúdaí Ó Gallchóir an-lách liom, thugadh sé gach uile áit mé, pictiúirí agus eile. Thug sé go Sligeach uair amháin i gcarr a athar mé, agus go Bun Dobhráin lá eile.'

' Fear fiúntach,' a dúirt Niall ach chuaigh an fhonóid amú ar Chaitlín.

' Bhí sé le mé a thabhairt go Doire lá eile dá bhfanfainn sa mbaile,' ar sise ' duine uasal ceart a bhí i Hiúdaí.'

' Gan amhras ba ea,' a d'aontaigh Niall léi. Cén crann smóla a bhí in aon chor air nár imigh sé uaithi istigh sa phictiúr, suíochán eile a fháil dó féin agus lán na súl a bhaint de Alice Faye go ceann uair an chloig? Ba chuireadh chun béile é agus gan aon cheo ar bord, nó conas a d'fhéadfadh bean a bheith chomh dall sin ar áilíos fir? Chuimhnigh sé ar cheann beag luaineach a chroch sé leis as an mBaile Meánach i nGaillimh, oíche, siar an Bóthar Ard; cuaichín bheag aerach ghiodamach a tháinig síos bóithrín cúng féarach leis agus isteach thar chlaí chomh fonnmhar is gur shíl sé gurbh é an rud céanna a bhí ag déanamh tinnis di is mar a bhí ag déanamh tinnis dó féin—ach nach mó ná lig sí dó lámh a chur uirthi, gan trácht ar níos mó, nó go raibh sé in am dóibh filleadh abhaile agus gur ar ín ar éigean a lig sí dó í a phógadh ansin. Níorbh ionann agus Caitlín Nic Ruadair bhí sí cliste deisbhéalach agus saibhreas Gaeilge aici a bhuaigh glan ar Niall i gcomhrac aigeanta na bhfocal, agus diomaite ar fad dá dhúil inti ní iarrfadh sé caitheamh aimsire ab fhearr ná a bheith ag éisteacht le nathaíocht líofa a teanga. Ach ansin, gan coinne, rinne sí rud a d'fhág ina staic bhalbh é, cé nár d'aon ghnó in aon chor é, thabharfadh sé an leabhar, ach as corp neamhurchóide glaine. Lámh a chur ina blús is ea rinne sí gur thug aníos paicéad a raibh dhá thoitín agus cipín amháin solais ann; chuir sí toitín acu ina béal féin agus shac sí an ceann eile ina bhéal seisean mar ba pháiste é a shacfadh sí súraic ann, lena shuaimhniú, ' Cé againn a lasfas an mheaits?' a d'fhiafraigh sí de Niall ansin agus las Niall é le faitíos go gclisfeadh uirthise; ach dá mhéad dá raibh de dhúil aige sa ghal (agus ba é an chéad cheann aige ó am tae) níor dhada é ar dhroim na dúile eile sin a spreag gníomh beag girréiseach an chailín ann. Más ea níorbh shin é iomlán a hábhaillí mar ar ball beag rinne sí cleas a d'fhág ina chiolar chiot ar fad é le macnas—phreab sí ina seasamh, chaith di na bróga, shac sí íochtar a gúna isteach faoi leaistic a dráir gur imigh léi ag fiodrince timpeall go coisgheal meidhreach mar ba shíofróg aerach í nó girseach beag croíúil nár tháinig smaoineamh peacúil ina ceann go fóill. Ba ghníomh é a bhí chomh mínáireach agus chomh soineanta san am céanna is gur mhúscail sé sánas éigin aniar as a óige i Niall de chéadbhorradh an mhacnais; bhí sé faoi dhraíocht ag a geamaireacht, bhí págántacht mhealltach ann dó, shantaigh sé a chaitheamh de agus dul ag rince léi chomh teaspúil céanna. D'fhan an cailín ag ceáfráil timpeall ar a barraicíní agus deilín beag raiméise de chuid gasúr na Gaeltachta á chanadh aici; ansin, chomh tobann céanna, scoir sí den damhsa, shocraigh a héidí agus bhuail fúithi ar an bhféar lena thaobh, gan lá dá chuimhne aici, ba chosúil, gur fhág a cuid ealaíne Niall i riocht éaga le hanghrá. . . .

'Agus nach mbíodh Hiúdaí Ó Gallchóir ag iarraidh tú a phógagh ar chor ar bith, a Chaitlín?'

'Nach mór a bhaineann sé duit? Buachaill múinte a bhí i Hiúdaí, bíodh a fhios agat, bhí fios a bhéasa aige.'

Níor mhór dó a bheith ina naomh, dar le Niall, lena lámha a choinneáil de Chaitlín; rug sé barróg uirthi go haibéil agus bhain sé póg di; níor chuir sí ina choinne ach níor ghéill sí dó aon bhlas, ach oiread; bheadh sé chomh maith dó a bheith ag iarraidh íomhá a phógadh. Lig sé di agus thóg sé amach a chuid toitíní arís.

'B'fhéidir,' arsa Caitlín, 'go bhfuil cailín de do chuid féin agatsa?'

Mo léan nach bhfuil, an ceann atá uaim, agus ní anseo leatsa a bheinn, a chleigir, a dúirt Niall ina aigne féin. Ach os ard ar seisean:

'Diabhal cailín, muis!'

'Dáiríre?'

'Dáiríre píre!' Thairg sé toitín di agus ghlac Caitlín leis go fonnmhar.

'Go raibh m.ith agat, tá tú an-fhlaithiúil' ar sise agus ar chuma nach raibh aon súil aige leis d'imigh a habairt go croí i Niall agus bhuail náire é ag a dhrúisiúlacht féin. Cad chuige nach bhféadfadh sé taitneamh a thabhairt don chailín ar a son féin is gan a bheith ag iarraidh a shásamh a bhaint di ar an gcuma seo? Ba mhinic cheana aithreachas air faoina shantacht chun céileachais agus ní mar gheall ar an bpeaca in aon chor ach go bhfeictí dó go mba leatrom é ar an mbean nach mbeadh á iarraidh.

Mar a bheadh athrach meanman tagtha anois chuici leag Caitlín a cloigeann ar a ghualainn agus dhiúl sí go sásta ar an Woodbine.

' Bhíos ag insint bréaga ar ball duit,' a dúirt sí, de ghlór bog.

' Bhí, ab ea?' Tháinig athnuachan de dhortadharta ar mhiangas Néill, bhí sí chun faoistin éigin a dhéanamh leis a chuirfeadh malairt crota ar chúrsaí, a thabharfadh breis scóipe dó féin.

' Bhíos. Dúras leat go raibh Muintir Uí Loingsigh an-lách liom, ach níl. Tá na gasúir go deas, *dote* beag ceart í Nuala bheag, ach is bitse ceart í féin, ní stadann sí ach ag sclamhadh orm, ní fhéadfá í a shásamh. Agus níl a fhios aige féin a bhfuilim sa teach ar chor ar bith, ní labhrann sé liom ach nuair a chaitheann sé.'

' Ó,' arsa Niall, díomá air nach rud éigin ba mhó tairbhe dó féin a bhí cloiste aige.

' Tá sí féin chomh postúil le rud ar bith, níl meas madra aici ar chailín.'

' Cé nach bhfuil?'

' Bíonn sí ag caitheamh tarcaisne éigin liom i gcónaí, a—cad is ainm duit, ar aon nós, níl fios d'ainm agam fiú!'

Bhí sí san airdeall ar an bpointe nuair a chuimhnigh sí nach raibh a ainm ná a shloinne aici. Deireadh Paidí Ó Dúláinne i gcónaí nár den chríonnacht d'ainm a thabhairt do bhean ar bith nach mbeifeá ag iarraidh fanacht léi—ná d'uimhir airm ach an oiread, a chuireadh sé go fonóideach leis. Tháinig bean ag geata na beairice, uair, má b'fhíor an scéal, agus saighdiúir darb ainm Ó Muracha á lorg aici. ' An é Seasca Cúig Ó Muracha tá uait, a chailín, nó Tríocha Dó Ó Muracha?' a d'fhiafraigh an póilín geata di go magúil; agus, a dúirt an cailín gan puinn moille, ' Ní ceachtar acu ach Seacht Naoi Ceathair Caoga Dó Ó Muracha le do thoil!'

' Niall Ó Conaill m'ainmse, a Chaitlín,' a dúirt Niall agus d'airigh sé mar a bheadh sé ag scarúint le hearra éigin arbh fhearr leis greamú de.

' Niall Ó Conaill,' a dúirt Caitlín, ' Niall Ó Conaill agus Caitlín Nic Ruadair—téann an dá ainm go deas le chéile, nach dtéann?'

' M'm,' a dúirt Niall, ag cur lámh ina timpeall go fáillí.

' Tomhais céard a dúirt sí liom tráthnóna, a Néill?'

' Ní fhéadfainn, a Chaitlín,' arsa Niall, a coim bhreá láidir á fuinneadh lena mhéara anois aige agus faitíos a chraicinn air san am céanna go dtosódh sí ag geiteadh uaidh arís le dinglis.

' Dúirt sí liom, nuair a bhí mé ag fáil réidh le dul amach tráthnóna, dúirt sí liom crot éigin a chur orm féin is gan a bheith chomh sraoilleach sin ag dul amach as an teach!'

' Níl tú sraoilleach in aon chor, a Chaitlín,' a dúirt Niall agus thug fáscadh beag cineálta di.

' Ar ndóigh níl?'

' Níl, cinnte! ' Neartaigh sé ar an bhfáscadh agus thug sé póg beag muinteartha ar an ngrua di; bhain deismireacht leis na cúrsaí seo, b'fhíor an méid sin, níor mhaith an rud a bheith róthobann.

' An bhfuil tú siúráilte nach bhfuil cailín agat? ' a d'fhiafraigh Caitlín de agus dhearbhaigh Niall nach raibh, siúráilte. Chochlaigh sí isteach chuige ansin agus d'imigh lámha Néill ag póirseáil go cíocrach ar chaol a droma, ag a sliasta, ar a com, síos fána ceathrúna mealltacha; bhí a chroí i mbarr a chléibh aige le barr lúcháire agus tnútháin, ní raibh aon súil faoin spéir aige go mbeadh sí chomh géilliúnach, soláimhsithe seo. Phóg sé arís í le farasbarr díocais agus ba ar an bpointe sin, in ard a aogaill, a tuigeadh dó go raibh rud éigin cearr, nár le fonn chun drúise a bhí Caitlín ag scaoileadh leis mar seo ach ar chuntar eile ar fad. A Chríost, bhí sí ag caoinedh os íseal, ag snugaíl go cráite agus na deora léi síos! Shioc an macnas i Niall de phlimp agus scanraigh sé.

' Céard tá ort, a Chaitlín? Cé le haghaidh an bhfuilir ag caoineadh? ' a d'fhiafraigh sé go mearaithe di.

Bhí sé nóiméad nó dó sular tháinig an chaint chuici agus ar sise ansin, á saoradh féin uaidh:

' Mhaslaigh tú mé.'

Bhí sí ag snag-ghol go fóill agus ní raibh a fhios ag Niall ó Dhia anuas céard ba cheart dó a rá léi.

' Mhaslaigh. . . . Cén chaoi ar mhaslaigh mé tú, a Chaitlín? ' Cén mhallacht a bhí in aon chor air gur airsean, seachas a raibh de phlapacháin san halla, a casadh í? Ní raibh d'fhonn air anois ach teitheadh leis ó láthair dá bhfaigheadh sé uain air.

' Mar a chéile ar fad sibh, níl uaibh ach an t-aon rud amháin,' a dúirt Caitlín go deorach. ' Dá mbeadh aon mheas agat ar chailín ní chaithfeá léi mar sin.'

Go cantalach, bacainneach, thóg Niall a chuid toitíní amach arís agus thairg ceann do Chaitlín. Ach chroith sise a ceann leo.

Chuir Niall toitín ina bhéal féin cé nár theastaigh sé uaidh in aon chor go fóill agus lig sé osna go mearaithe.

' Diabhal masla ná masla, i ndomhnach—lámh a chur thart ort is tú a phógadh? Seo, ná bí ag caoineadh, maith an cailín! '

Bhí a súile á dtriomú anois ag Caitlín agus í ag teannadh amach uaidh.

' Rachaidh mé isteach abhaile anois sílim,' ar sise go cloíte.

' Ara ná déan, nach mbeidh tú luath do dhóthain? Fanfaidh mé socair anois—ar m'fhocal duit go bhfanfad! '

Ach ní óna chroí a tháinig an achainí, níor mhian leis in aon chor go bhfanfadh sí, ní raibh ansin ach mar a bheadh deachú beag cúirtéise á dhíol aige léi in ómós na ndeor. B'fhearr leis uaidh uile anois í, bhí sé bréan den scéal ar fad, bhí an chiontacht agus an fhéinghráin ina gcloch aithrígh anuas air—agus a chonách sin air mar útamálaí ainmhianach!

'Táim ag dul isteach anois,' a dúirt Caitlín, 'oíche mhaith duit.' Ach níor imigh sí ar an bpointe sin, ba gheall le ceann í a bheadh ag tabhairt seans dó le leorghníomh éigin a dhéanamh, sin nó le í a mhealladh le briathra boga cineálta.

'Ara ná himigh,' a dúirt Niall ach chroith sí a ceann mar a bheadh a easpa dáiríreachta chomh follasach sin aici agus nach bhfanfadh an dara rogha aici. Chas sí uaidh agus chuaigh i dtreo an tí, gan aon aird ar an *B'fhéidir go bhfeicfinn arís tú?* a chuir Niall go mí-ionraic ina diaidh isteach. D'fhan Niall ansin le balla ar nós mar a mhoilleodh bithiúnach ar láthair a choire nuair ba cheart dó éalú leis, go dtí gur airigh sé doras an tí á dhúnadh; lig sé osna faoisimh ansin agus thug aghaidh ar an mbaile mór. Bhí náire a chraicinn air ag an eachtra bheag thútach, thiocfadh leis é féin a leá le teann déistine; ba gheall le Midas lobhrach éigin é a thruailleodh is a chuirfeadh ó rath gach lena dteagmhódh, dar leis. Lig sé mallacht agus ghéaraigh sé ar a shiúl agus stad ná cónaí níor dhein sé nó gur bhain sé Teach an Droichid amach.

Ní raibh istigh roimhe i dTeach an Droichid ach Siomón Mac Cárthaigh agus beirt fhear oibre a bhí sách ólta cheana, ar a gcrot; sméid Siomón go leamhgháiriúil air ach d'fhear Páid Ó Neáraigh fáilte roimhe go croíúil.

'Tabhair dom pionta le do thoil, a Pháid,' a dúirt Niall, 'mar is géar atá mé ina chall!'

A DÓ DHÉAG

B'fhada go ndeachaigh Nano Mháire Choilm in áit ar bith le Síle Ní Dhuibhir tar éis na hoíche Domhnaigh sin. Bhí sí in earraid le Síle ach ba mhó a bhí sí in earraid léi féin ar a hóinsiúlacht—ar a mídhílse, d'eile, agus cén mhaith di a bheith ag iarraidh craiceann ar bith eile a chur air bíodh is gur tháinig sí chuici féin geall le bheith chomh tobann agus mar a ghéill sí don tallann. Peadar a bhrú uaithi agus bailiú isteach uaidh de sciotán a rinne Nano, idir alltacht agus náire uirthi lena laige féin, le chomh réidh is mar a chuaigh sí le fear nach mó ná aithne uair an chloig a bhí aici air. Peadar bocht! Níorbh fheasach dó ó Dhia anuas cén daol a bhuail í ná cé le haghaidh ar theith sí uaidh de rúid mar sin; smid bheag stadach amháin níor fhan aige agus é ag breathnú ina diaidh go béal-leata.

Ba nuair a bhain sí a seomra amach a tháinig tuiscint a cionta i gceart do Nano agus aithreachas géar dóite ansin ar shála na tuisceana. Cén smál a bhí uirthi ar aon chor, nó cén sort scubaide í go ndéanfadh sí rud chomh táir? Ní raibh sí blas ar bith níba fhearr ná duine de na raiteoga sin, na ' ruibitseachaí bhaile mhóir ' mar a thugtaí thiar orthu a d'imeodh le rud ar bith a bhuailfeadh bleid orthu—rálach gan náire a bhí inti agus ní raibh maith di a shéanadh. Ná ní raibh leithscéal faoin spéir aici mar níor chliobóigín díchéillí í go gcuirfeadh comhluadar fir dá treoir í ach bean fhásta ar chóir di staidéar agus gnaíúlacht a bheith inti. Ba í seo an chéad uair riamh di aon rud a dhéanamh nach bhféadfadh sí é a insint do Mháirtín agus ba é rogha an dá dhíogha anois aici é, ceilt nó faoistin. Bheadh sé suarach go leor géilleadh don teidhe sin dá mbeadh gan ceangal ar bith a bheith uirthi ach ní raibh sé inleithscéal beag ná mór ina cás sise. Fonn gáire a chuir an scéal ar Shíle an mhaidin dár gcionn nuair a d'fhiafraigh sí de Nano céard a thug uirthi rith abhaile mar sin agus Peadar Ó Searcaigh a fhágáil ina líob amuigh ag an mballa; ag déanamh spraoi den scéal a bhí Síle, ag cur i gcás nach leomhfadh Nano fuirtheach níba fhaide le Peadar, nach raibh sé sábháilte. Bhí Nano ina dúiseacht nuair a tháinig Síle isteach, dá mhoille dá raibh sé, ach lig sí codladh uirthi féin d'fhonn na ceisteanna a sheachaint.

' Cén locht a bhí agat air, ar aon chaoi, a Nano? ' a d'fhiafraigh Síle di níba dháiríre tar éis scaithimh.

' Locht ar bith,' a dúirt Nano go tur.

[162]

' Agus cén fáth ar rith tú uaidh mar sin? ' Bhí a cuma ar Shíle go raibh sí ar a dícheall ag iarraidh gan an gáire a ligean chomh fada lena béal.

' Mar nár chóir dom a bheith in éindí leis ar an gcéad ásc, a Shíle. Ná ní bheinn murach thusa.'

' Ó a Nano, as ucht Dé ort, bíodh luach leithphingne céille agat! Cad a cheapfadh éinne ach go raibh an oíche caite agat leis nó rud éigin mar sin? Chuirfeá cat ag gáire—is fíor dom é! Is maith an scéal duit féin nach uair an chloig a chaith tú cois balla leis nó is ar oilithreach go Loch Deirg a bheifeá ag dul! '

' Bheadh údar ansin agam leis,' a dúirt Nano.

' Dhera bíodh únsa céille agat, a chroí, ní dada seisiún beag suirí mar sin,' arsa Síle, ag cur uirthi a caipín bán oibre.

Níor dhada dise é, ná mórán eile chomh maith, b'fhéidir, dar le Nano, ach níor lig sí chun a béil é. Ba chailín í Síle nach mbíodh sona gan gloine ina láimh aici ná gan fear lena taobh, cibé fuadar an diabhail a bhí chun an ardshaoil uirthi—agus cén bhrí dá mba chéirseach í ag éirí amach ag damhsa is ag ceolta den chéad uair riamh ach í san aois anois nuair ba chóir di a bheith ag breathnú roimpi.

' Ar chaoi ar bith,' a dúirt Síle léi an mhaidin sin, ' tá sé ag iarraidh tú a fheiceáil arís.'

' Is ag iarraidh a bheidh sé,' a dúirt Nano ag cur biorán ina caipín agus ag bailiú léi síos chun an bhricfeasta. An cantal a bhí uirthi ó chianaibh a bhí faoi deara di aghaidh a béil a thabhairt ar Fhidelma Ní Bhroin, níorbh fholáir: bhí bean Cheatharlaigh ar a haghaidh amach ag an mbord, dhá shúil chomh mór le súile *marmoset* á chur i Nano aici le barr faitís, ba chosúil, ó nach raibh Máire Nic Dhiarmada ná Caitlín Nic Oireachtaigh ná duine ar bith den chomhluadar sin ar na gaobhair.

' Cé air a bhfuil tusa ag breathnú, a shiopaigh, nó cá fhad ó lig Nic Dhiarmada den iall thú? ' a d'fhiafraigh Nano go giorraisc di agus theith Fidelma lena hanam. Chuaigh Nano féin ag obair an mhaidin sin faoi smúit aiféaltais agus bhí sé an chuid ab fhearr den tseachtain sular tháinig aon fhaoiseamh chuici óna buairt.

Ach ní raibh oíche dá dtagadh Síle ó bheith amuigh ag an rince i Halla Naomh Bríde nach mbíodh teachtaireacht aici ó Pheadar.

' Tá sé craiceáilte i do dhiaidh, a Nano, is fíor dom é! Is mór an díol trua an fear bocht, bíonn súil amach aige leat thíos san halla gach uile oíche. Ba cheart duit a fheiceáil pé scéal é, labhairt leis fiú.'

' Éist liom, a Shíle,' a deireadh Nano chomh foighneach is a bhí inti. ' Táim ag éirí buille beag tuirseach den phort sin anois.'

' Ó nach doicheallach a bhíonn cuid de na daoine roimh a chéile,' arsa Síle an babhta deireanach dár luaigh sí Peadar Ó

Searcaigh le Nano agus chuaigh crua ar Nano gan lán béil a scaoileadh léi go fraochta. Chuir Síle coimhthíos ina leith oíche eile nuair a dhiúltaigh Nano dul chun an rince léi agus dá buíochas féin ghoin an cúiseamh sin Nano. Ba í Síle an cara ab fhearr—an t-aon chara amháin, dáiríre, cé is moite de Hilda Jackson a bhí ródhíchéillí ar fad—a bhí aici san ospidéal ach bhí dílseacht eile ba láidre ná cairdeas ann agus ba chóir go dtuigfeadh Síle é sin.

'Nílim coimhthíoch ar chor ar bith, a Shíle, tá a fhios ag Dia nach bhfuil! Tá mé sásta dul amach an baile mór leat am ar bith a mbíonn muid saor in éindí, nó rud ar bith mar sin.'

'Ag féachaint ar shiopaí!'

'Bhuel tá a fhios agat nach ealaí dom a bheith ag dul ag rincí, ná a bheith ag déanamh ceathrar suas ach oiread.'

'I ngeall ar Mháirtín?'

'Gan dabht.'

'Tá díth céille ort, a Nano,' a dúirt Síle ansin, lámh aici ar ursain an dorais, í gléasta don oíche.

'Meas tú?' arsa Nano ag coinneáil guaim uirthi féin. Bhí díol geansaí olla ceannaithe aici sa bhaile mór agus bhí sí tosaithe ar é a chniotáil do Mháirtín—leorghníomh beag, má ba ea. In amanna le gairid ní bhíodh fios a haigne féin i gceart ag Nano, ba bheag bídeach ná go bhfeictí di, scaití, gur ag Síle a bhí an ceart. Agus anois féin, amhail mar a bhraithfeadh sí an uain a bheith oiriúnach chuige, dhruid Síle an doras agus chuir sí a droim leis.

'Tá mé ag dul a rá rud amháin leat anois, a Nano, agus ní thógfaidh tú orm é tá súil agam.'

'Scaoil leat, a dheirfiúir, mar abróidh tú ar aon nós é.'

'Dá mba mise thusa, a Nano, ní bheinn ar adhastar ag fear ar bith, go mór mór an fear nach mbeadh in aon tír liom, fiú. A, ní hionann is dá mbeadh aon rud socraithe i gceart agaibh, níl a fhios agat ach oiread is tá agamsa cén uair a mbeidh sibh ag pósadh! Nach bhfuil sé chomh maith duit beagán ceoil a bhaint as an saol nuair is féidir leat.'

'Tá ceol mo dhóthain dom sa saol, a Shíle.'

'Ó, a Nano, ar ndóigh níl saol ar bith agat! Bheadh saol níba fhearr agat i bpríosún—ag obair i rith an lae agus istigh anseo leat féin san oíche? Ní thabharfainnse saol air sin, a chailín.'

'Déanfaidh sé mise go fóilleach,' a d'fhreagair Nano go srianta agus phlab Síle an doras amach ina diaidh le corp mearaithe. D'fhan Nano tamaillín gan cor a chur aisti agus ansin leag sí uaidh an chniotáil gur thug faoi litir a scríobh go dtí Máirtín Ó Spealáin. Ní raibh litir ar bith dár scríobh sí ón oíche Dhomhnaigh úd nár tháinig cathú láidir uirthi a admháil go ndeachaigh sí chun an rince le Síle ach ní bhfaigheadh sí óna claonta an méid sin den scéal a insint gan é a ríomh in iomlán dó—rud nárbh fhéidir cé go mba ualach di faoistin a dhéanamh le Máirtín. Ba mhó de chluain, dar léi, leath an scéil a insint ná a insint uile ach ansin bhuaileadh stainc í ó am go ham ar nós mar a thagann cantal ar dhaoine in amanna lena gcoinsias féin agus go bhféachann le ceap milleáin a dhéanamh de dhuine nó de rud éigin eile ar mhaithe le suaimhneas aigne. Cé le haghaidh, a d'fhiafraíodh sí di féin, an gcaithfeadh sise faoistin a dhéanamh le Máirtín Bhid Antaine mar gheall ar an rud nach dtarlódh in aon chor murach gurbh éigean di bóthar a bhualadh uaidh nuair nach raibh sé de ghus ná de ghaois ann a gcás a réiteach? Nach raibh a dóthain dá saol curtha amú aici cheana leis le go mbeadh loghadh éigin le fáil aici óna cion? Bhí cuid mhaith den cheart ag Síle Ní Dhuibhir dá mbeadh an saol ag caint nuair a dúirt sí go mbíodh an buntáiste ag na fir sna cúrsaí seo i gcónaí. Ach mura ndearna sí faoistin le Máirtín Bhid Antaine rinne sí leis an sagart é, leis an Ath. Holmes, an Sasanach beag séimh a bhí mar chúráideach ag an Ath. Ó Beaglaoich. Níor léir ar an Ath. Holmes go raibh mórán as bealach déanta aici ná, dá n-insítí an fhírinne, níor mhór an sásamh a fuair sí as an maithiúnas a thug sé ar-nós-cuma-liom di; bhí sé níos éasca a bheith ionraic le Dia ná le duine sa chás seo agus ba é maithiúnas ba mhó a shantaigh Nano.

In ainneoin gach uile shórt ba é tuairim Nano nárbh é a haimhleas a bhí déanta aici ar chor ar bith le teacht go Norwold. Bhí a tuarastal féin di féin aici, rud nach raibh dáiríre nuair a bhí sí ag obair sa mhonarcha chniotála ar an Spidéal, agus ina theannta sin bhí neamhspleáchas aici ar dheacair di scaradh leis anois. Má bhí an bia san ospidéal go dona, agus go rídhona scaití, bhí do chothú ann agus mar thréit bheag di féin ba mhinic a mbíodh braon tae agus cúpla cáca milis ag Nano i gcaife éigin sa bhaile mór le linn a cuid saorama. Bhíodh iasc agus sceallóga prátaí le fáil freisin saor go maith ach chaithfeá iad a bhreith leat amach ar an tsráid agus a ithe as páipéar nuachta, rud nach ligfeadh an náire di féin ná do bhunáite na gcailíní tuaithe a dhéanamh. Bhí sé ceart go leor ag bunadh na cathrach a raibh cleachtadh acu air in Éirinn— ní bhíodh a fhios ag Síle Ní Dhuibhir cén drogall a bhíodh uirthi féin agus ar na mná eile glac sceallóga a ithe amuigh—ach de réir nósmhaireacht dhocht na tuaithe níor rud é a dhéanfá, ba rud é nach raibh cuibhiúil ar bhealach éigin.

An locht ba mhó a bhí ag Nano Mháire Choilm ar a hionad oibre, a raibh den fhaicseanaíocht ann, a raibh de dhrochamhras ag na haicmí difriúla ar a chéile; an t-easaontas agus an t-uisce faoi thalamh a bhíodh ar bun ag a comhthírigh féin ach go háirithe. Má bhí seasamh éigin ag na hÉireannaigh thar is mar a bhí ag na díláithrigh oir-Eorpacha agus ag na hIodálaigh, agus fiú má ba thúisce leis na Sasanaigh féin iad, bhíothas idir dhá chomhairle fúthu freisin mar dhream nach bhféadfaí teanntás ceart a dhéanamh orthu ná iontaoibh iomlán a bheith astu ach oiread. Bhí faltanas beag fuarbhruite ag go leor de na Sasanaigh go fóill (os íseal, de ghnáth) don Éireannach mar gheall ar neodracht na hÉireann i gcaitheamh an chogaidh agus bhí go leor Sasanach in amhras chomh maith ar an gCreideamh Caitliceach amhail mar ba phiseogacht dhiabhlaí éigin a bheadh ann. Chaití leideanna leis na cailíní Éireannacha anois is arís i dtaobh a gCreidimh agus gan amhras ar bith chaithfí níba mhinice murach chomh hullamh is a bhídís sin chun cosanta: ba chuid dá náisiúntacht ag na hÉireannaigh na Caitliceachas faoi mar ba chuid de Amhrán na bhFian, brat na hÉireann, an tseamróg nó ceann ar bith eile de na sonraí sin a bhí ina ndíol ómóis acu. Bhí mná Éireannacha ann a d'fhanfadh ón Aifreann ná ó na saicrimintí ach a n-éireodh an colg acu go fíochmhar feargach ag an tagairt ba lú tarcaisne dá gCreideamh, d'Eamonn de Valera ná do rud ar bith ná do dhuine ar bith a bhain le hÉirinn. Ba é a fhad is a ghiorracht gur thuig an dá dhream ina gcroí istigh—agus ba chuma chomh haineolach is a bhí siad ar fhíricí loma na staire—céard é go baileach ba chúis leis an doicheall a bhí i gcónaí eatarthu, má ba faoi cheilt féin a bhíodh sé. Ba mheanma, ba thuiscint é a tháinig anuas chucu ó na glúnta a chuaigh rompu; rud a bhí chomh marthanach leis an bhfialus ba rábaí a d'fhás in aon gharraí riamh. Ba rud é, seachas sin, a dhealaigh ó na ciníocha eile iad ar an gcuma sin go mbíonn idir fhuath agus ghrá ag comharsana béal dorais dá chéile nach mbíonn acu ar an dream nach ndeachaíodar ina n-aithne riamh. Ach níorbh fhál go haer é, mar bhí cineáltas agus comhbhá agus fonn tuisceana ann freisin, ar ndóigh, maille leis an muintearas sin a fhásfaidh luath nó mall nuair a chaitheann ciníocha éagsúla maireachtáil le chéile agus greim a mbéal a bhaint amach i gcomhar le chéile chomh maith.

Ar chuma ar bith ní mórán a mheádh na cúrsaí seo ag Nano Mháire Choilm dá mbeidís gan a bheith ag brú uirthi sách minic; seasamh i leataobh uathu ab áil léi ach nach bhféadfá é sin a dhéanamh, scaití, gan cloch a dhéanamh díot féin. Ní raibh Máire Nic Dhiarmada contráilte amach is amach, ba mhinic a bhainfí brabach as an bhfocal a thagadh ó do bhéal, agus fiú Síle Ní Dhuibhir féin, bhíodh uirthi a cúinne a chosaint in amanna ar Shasanaigh ar mhó a gnaoi leo ná leis an Mafia Gaelach mar a thugadh sí ar Mháire Nic Dhiarmada agus a cairde.

Geall le bheith dá buíochas féin bhí airgead á choigilt ag Nano anois agus ba mhinic, nuair a d'airíodh sí na mná eile ag cur síos ar an saothrú breá a bhíodh ag na fir Éireannacha sin a gcastaí amuigh sa bhaile mór leo, go ndeireadh sí léi féin go mba mhór an feall é gan Máirtín a bheith abhus anseo agus fáil aige ar an saothrú sin. De réir mar a chluineadh sí Caitríona Nic Oireachtaigh a rá níorbh annamh suas le fiche punt, ná fiú deich bpunt fhichead féin, go mba slán an tsamhail, ag cuid de na buachaillí sin a thógfadh obair fhómhair nó earraigh ar thasc ó na feirmeoirí—muintir Mhaigh Eo ar fad, ar ndóigh, ní raibh aon dream eile inchomórtais leo ag tuilleamh airgid má b'fhíor do Chaitríona é! Dá mbeadh Máirtín Bhid Antaine abhus, agus an bheirt acu ag obair, ba ghearr an mhoill orthu crág mhaith punt a chur le chéile, bheidís teann compordach go maith gan mórán achair, bheadh ar a gcumas dul i mbun an tsaoil faoi mar ba chóir a bheith déanta cheana acu. Níor bhaol di gan é sin a chur ina cuid litreacha, ar ndóigh; feabhas na tíre a mholadh go hard na spéire do Mháirtín, rátaí tuarastail agus flúirseacht na hoibre a lua leis, go fiú go raibh tithe á dtógáil as éadan ar imeall Norwold anois agus go bhféadfá ceann acu a cheannach ach beagán le céad punt a bheadh agat le cur síos. Shábháilfeadh sí féin céad punt in imeacht bliana go réidh agus ní raibh amhras ar bith ann ná go mbeadh Máirtín ábalta an phingin ab airde a éileamh cibé cá dtiocfadh sé ag obair, ní raibh fear a bhuailte sa pharóiste ag baint móna ná in éadan aon chineál eile oibre ach oiread, chuirfeadh sí geall. Ach cén mhaith sin nuair nach raibh cosúlacht ar bith go bhféadfadh sé teacht anall chuici, bhí Máirtín in aibéis, ceangailte don bhaile chomh cinnte is dá mbeadh slabhraí air, agus bheadh nó go gcaillfí a mháthair. Chuir Nano Mháire Choilm faoi deara di féin an scéal sin a bhreithniú go fuarchúiseach cé gurbh fhada go bhfuair sí de chruas inti féin a dhéanamh. Níor mhiste bliain; dhá bhliain féin—trí bliana dá dtéadh sé chuige sin—bheadh sí faoi bhun na ndeich mbliana fichead go fóill agus b'iomaí bean ba shine ná sin a phós agus a thóg muirín. Ach cá bhfios nach mairfeadh Bid Antaine deich mbliana eile? Ba mhinic duine breoite níba shaolaí ná duine folláin agus ba mhór é a hamhras an raibh máthair Mháirtín chomh dona is mar a measadh í a bheith. Ní raibh aon mhaith di a bheith ag seachaint na fírinne ná a bheith ag cur dallamullóg uirthi féin, bhí gach uile sheans ann nach bhféadfaidís pósadh go ceann i bhfad eile fós, go ceann deich mbliana féin, b'fhéidir, nuair a bheadh sí ag tarraingt ar an daichead. . . .

'Ná tóg orm é, a Nano,' a dúirt Síle léi an oíche tar éis di lascadh amach as an seomra faoi spadhar agus an doras a phlabadh ina diaidh, 'is ag déanamh mo chuid féin díot a bhí mé ach tuigim do chás—dáiríre!'

'Shíl mé gur ag iarraidh cleamhnas a dhéanamh dom le Peadar Ó Searcaigh a bhí tú,' a dúirt Nano, ag baint aisti. Cogadh na sifíní, ar ndóigh; níorbh fhiú dóibh titim amach le chéile faoi na cúrsaí seo, dhéanfadh sise a comhairle féin gan chead do Shíle agus d'éisteodh Síle léi in imeacht ama.

'Dhera, ná bac le Peadar ná le duine ar bith eile díobh muran maith leat, a chailín, caithfidh gach uile bhean féachaint amach di féin nó is di is measa. Bainimse féin seal astu de réir mar a oireann dom ach níor mhaith liom a bheith i dtuilleamaí fir ar bith.'

'Ach beidh tú, uair éigin, ar ndóigh—más i dtuilleamaí é, a Shíle. Tá rún agat pósadh nach bhfuil?' Ba le linn di a bheith ag cur na ceiste seo ar a céile seomra gur tuigeadh do Nano a laghad eolais a bhí aici, go fírinneach, ar shaol ná ar aigne na mná eile. Mar ó chuimhnigh sí anois air, tar éis agus gurbh í Síle an duine ba bhéalscaoilí go mór den bheirt acu ba mhó go mór an t-eolas a bhí tugtha do Shíle fúithi féin aici ná mar a bhí tugtha ag Síle dise.

'Is dóigh go gcaithfead,' a dúirt Síle mar ba bheag ná go mba chúis aiféaltais di é.

'Bhuel, mura bhfuil rún agat a bheith i do sheanmhaighdean,' arsa Nano ag gáire.

'Beidh mé sean má mhairim ach is fada ó bhí mé i mo mhaigh-dean,' a dúirt Síle ar chuma nár fhan focal ag Nano le teann corrabhuaise; níorbh é go mba údar iontais aici an scéal a bheith amhlaidh in aon chor, ach go ndearna Síle an nochtadh anama seo chomh tobann léi.

'Ó ní dada é sin,' a dúirt Síle, 'níl siad leath chomh líonmhar is a mheastar, a chailín!'

Ní raibh a fhios ag Nano céard a déarfadh sí leis seo ach an oiread agus bhí Síle ag beachtaíocht anois uirthi, a ceann ligthe siar ar an bpiliúr aici agus gáire beag fáilí ar a béal.

'Ar mhiste dom a fhiafraí díot, a Nano . . .?'

'Ní miste,' a dúirt Nano, ag deargadh. Dá mba in am ar bith eile a d'fhiafródh Síle ceist mar sin di níor bhaol ar bith nach lán béil a chuirfeadh ina tost í go prap a gheobhadh sí mar luach a saothair; ach anois ar chuma éigin nár thuig Nano féin ba bheag ná gur fháiltigh sí roimh fhiosracht na mná eile. Ar a shon sin is uile ní ligfeadh an cotadh di níos mó a rá nó gur bhrostaigh Síle í.

'Bhuel?'

'Tá mé gan bhearnú go fóill, a dheirfiúr,' arsa Nano le gáir-siúlacht a chur idir alltacht agu fhonn gáire orthu beirt.

'Bhí an t-ádh leat—má bhí,' a dúirt Síle, ag triomú a súl le binn an philiúir, agus bhuail racht eile gáire í ansin.

'Níl baint ar bith ag an ádh léis, a chailín, tá sé suas duit féin,' a dúirt Nano. Ag breathnú uirthi arís mar ba mhian léi a hintinn a léamh a bhí Síle, agus ar sise i gceann nóiméid:

'Agus nár tháinig cathú riamh ort?'

'Chomh minic is tá méara orm,' arsa Nano.

'Ní thabharfainnse " minic " air sin,' a dúirt Síle. 'Ní cuimhin liomsa an uair nach mbíodh cathú orm.'

'Is ortsa a bhí an t-ádh mar sin,' arsa Nano go dáiríre.

'Sea,' a dúirt Síle go smaointeach, 'tá gach rud in aghaidh na mban ar an saol seo, féadfaidh an fear a eireaball a chrochadh san aer agus imeacht leis ach is í an bhean a chaithfidh an píobaire a íoc i gcónaí.'

'Is leis an mbean a cloigeann a choinneáil mar sin ar ndóigh agus gan í féin a chur sa chontúirt,' a dúirt Nano agus thosaigh ag baint di le dul isteach ag codladh.

'Ach ní bhíonn sé chomh héasca sin i gcónaí,' a dúirt Síle, 'an mbíonn?'

Níor thug Nano aon fhreagra air sin ach chuimhnigh sí ar bhriathra Shíle lá ab fhaide anonn.

Bhí an Nollaig ag teannadh leo agus bhí baile Norwold ag fáil réidh ina coinne. Bhí na siopaí ar uireasa go leor de na hearraí sin a bhíodh go fairsing iontu roimh an gcogadh mar ba bheag idir bhia agus eile a bhí saor ó chandáil fós—ach bhíodar maisithe go gleoite mar sin féin, an cuileann caordhearg agus na crainn bheaga Nollag go raidhsiúil ar stainníní margaidh agus i ndoirse siopaí, na fuinneoga feistithe amach faoi thinsil airgid ina slabhraí timpeall, sneachta bréige agus lóchrainn páipéar agus froigisí eile mar iad. Bhíodh margadh agus sráideanna Norwold plódaithe le daoine gach uile Shatharn anois, scoraigh ghruaigbhealaithe faoina bheisteanna bréagshíoda agus a gcultacha spiagacha coschaola, leathanghuailneacha Teidí, agus iad go glórach callánach mar a theastódh uathu aird an phobail a tharraingt orthu féin; cailíní oifige agus monarchan go péacach faoina mbeannán cóirithe nach mbíodh oiread is dlaoi amháin gruaige in aimhréidhe iontu, a gcótaí scaoilte *New Look* agus a sála *stiletto*, ag guairdeall thart ina scuainí, go scigiúil aluaiceach. Bhí giodal na cosmhuintire a bhí ag fáil ligean ceart ar an saol den chéad uair riamh orthu, airgead ina bpócaí agus ina spáráin agus gan i ndíomhaointeas agus i gcall na nglún a chuaigh rompu ach mar bheadh drochscéal ar dhrochshaol nach bhfillfeadh arís go deo. Bhí obair ag cách anois agus an Stát ag déanamh altramais orthu nach ndearna riamh ar a sinsear; ba gheall le glúin iad a mbeadh aoibheall orthu, a n-eireaball in airde agus fuadar fúthu chun spórt a bhaint as an mbeatha. Ba mhéanar dóibh, ar bhealach, dar le Nano Mháire Choilm, a réidhe is a tháinig an saol leo, gan aon chall dóibh aghaidh a thabhairt ar thír ar bith eile le slí mhaireachtála a bhaint amach. Dá mba anseo a rugadh í féin agus Máirtín Ó Spealáin bheadh gach rud ar a dtoil acu, caoi saothraithe agus sábhála, ní ag cur an saol amú orthu féin a bheidís ar an mbealach seo. Scaití ní fhéadfadh sí gan teacht le Síle Ní Dhuibhir nuair a deireadh sí go raibh mí-ádh éigin ar Éirinn.

I bhfogas coicíse don Nollaig ó tharla í féin agus Síle saor ó dhiúité an lá céanna, rud ab annamh leo, chuadar amach an baile

mór go ndearna turas na siopaí éadach agus na stóras mór ag féachaint ar rudaí nach gceannódh pá míosa dóibh ach ar chuir Síle uirthi ina dhiaidh sin iad lán chomh teann agus dá mbeadh sí in acmhainn a gceannach.

'Is mór an náire tú, a Shíle, ag cur rudaí mar sin ort féin nuair nach bhfuil tú á gceannach,' a dúirt Nano léi ach a raibh faill aici air.

'Ar ndóigh níl a fhios acu sin an bhfuil nó nach bhfuil, ach is breá an rud iad a fheiceáil ort ar feadh nóiméidín féin.'

'Tá a fhios agam, ach níl sé ceart a bheith ag cur an t-am amú orthu nuair nach bhfuil lá dá rún agat aon cheo a cheannach.'

'Bíodh an diabhal acu,' a dúirt Síle, 'nach le haghaidh siúd tá siad á n-íoc?'

Ba é an scéal céanna nuair a chuadar Tigh Woolworth mar ar ól siad braon tae, ní bheadh Síle beo mura n-iarrfadh sí ar an gcailín a bhí i mbun na gceirníní na hamhráin ab fhearr léi féin a chur ag imeacht, Guy Mitchell agus Johnny Ray agus cinn eile nárbh fheasach do Nano iad a bheith ar an saol.

'Ba chóir dóibh a bheith bréan díomsa ag teacht isteach anseo ag éisteacht le ceirníní is gan dada á cheannach agam,' a dúirt Síle agus dúirt Nano léi nach ligfeadh sí thar dhoras isteach í dá mbeadh sí féin i gceannas an stóir.

Bhí meanma na Nollag ag teacht ar Nano dá buíochas féin, nach mór, ó thosaíodar ag maisiú na n-aireagal i gcoinne na féile, ag feistiú cuilinn agus slabhraí ildaite páipéir, balúin agus drualus thart ar na ballaí, agus *Merry Xmas* scríofa droim ar ais acu ar na fuinneoga, cé go mbuaileadh taomanna tobanna cumha í freisin nuair a chuimhníodh sí ar an mbaile. Bhí cuid de na cailíní ag dul abhaile le haghaidh na Nollag agus iad i mbarr an tsaoil dá réir, gan dada eile as a mbéal acu, go gliondrach, ach an spórt a bheadh thiar, na rincí, na cairde agus an greim blasta bia. Bhí ceann beag amháin as Co. an Chláir nach raibh bliain abhus go fóill agus bhí uallachas uirthi cheana le tnúthán. 'Táim ag éirí tinn le scleondar,' a dúirt sí le Nano, lá, a lámh ar a hucht aici, 'feictear dom go gcaillfear le síreacht mé.' Ná níor thaise don chuid eile, dáiríre, cé nach ligfidís uile fios a n-aigne leat chomh réidh sin ar eagla go mbeifeá ag gáire fúthu.

Bhí a cuid cártaí Nollag postáilte ag Nano agus cúpla bronntanas chomh maith—píopa galánta coscham a chosain bunús pá seacht-aine uirthi dá hathair, cardagan a raibh sip ann ó mhuinéal go básta dá dearthair Beartla, léine agus carbhat do Mháirtín lena chur chuige i dteannta an gheansaí a bhí beagnach cniotáilte anois aici; agus bhí scríofa aici chun a deirféar thall sna Stáit chomh maith. Lá Nollag a bhuailfeadh an t-uaigneas i gceart í, thuig

Nano, ach bheadh sí ag obair i gcaitheamh na féile uile agus b'amhlaidh ab fhearr di.

'Beidh ort teacht ag an rince ospidéil, ar ndóigh, a chailín,' a dúirt Síle léi agus iad ag déanamh aníos ó stad na mbus go dtí Ospidéal Norwold an iarnóin sin i ndiaidh dóibh bolg an lae a chaitheamh ag dul thart ar na siopaí. Bhí fógra in airde i gcomhair an rince seo cheana, ba mhar bronntanas ón Mátrún don fhoireann oibre idir ard is íseal a bhí sé le bheith ann san Oíche Fhéile Stiofáin, ach níor smaoinigh Nano air beag ná mór go dtí seo.

'Tuige a gcaithfinn?' a d'fhiafraigh Nano di. 'Níl rún ar bith agam dul ann.'

'Is geall le dlí anseo é, a Nano, go ngabhfaidh duine ar bith dá bhfuil in ann ag an rince Nollag. Beidh a fhios aici féin mura ngabhfaidh tú ann.'

'Is cuma sa diabhal,' a dúirt Nano, 'tá mé ag déanamh mo chuid oibre go maith, nach bhfuil, agus sin a bhfuil de dhlí ormsa chomh fada is a bhaineann le Mátrún ná duine ar bith.'

'Beidh an-oíche ann, bíonn sé ar an gcuid is fearr den Nollaig anseo,' arsa Síle. 'A níl tú a rá liom go mbeadh Máirtín ina dhiaidh ort dul chuig an rince bliantúil ospidéil, an bhfuil?'

'Ní bheadh sé, a Shíle, ach ní shin é an rud.'

'Beidh orm dul ann liom féin mar sin, is dóigh,' a dúirt Síle agus claonshúil ar Nano go cluanach aici.

'Ó ní bheadh tusa gan chomhluadar, ná bíodh faitíos ar bith ort,' a d'fhreagair Nano.

Chasadar isteach geata an ospidéil agus ag teannadh leis na ceathrúna cónaithe dóibh leag Síle lámh ar uillinn Nano gur chaoch sí súil léi san am céanna.

'Buailfidh muid bleid air seo,' ar sise go comhcheilgeach agus réitigh sí a scornach. Ní raibh a fhios, ar feadh meandair bhig, ag Nano céard a bhí i gceist ag an mbean eile nó cé dó a raibh sí ag tagairt, ach chonaic sí an garraíodóir ansin i leataobh an bhealaigh agus é cromtha os cionn sceach róis a bhí á theascadh aige. Bhí a dhroim leo agus gan a fhios aige an rabhadar ar na gaobhair beag ná mór nó gur labhair Síle leis.

'Hí,' ar sise, 'tá tusa nua anseo, nach bhfuil?'

Dhírigh an garraíodóir agus d'iompaigh sé thart, meangadh air nach raibh an mhír ba lú den éadánacht ná den éiginnteacht ann, agus dar le Nano Mháire Choilm gurbh é an fear ba dheise cló dar leag sí súil riamh air. Díláithreach a bhí sa gharraíodóir ar leagan deoranta a cheannaithe agus a shúile: bhí sé fionnbhán, dualach; súile géara glasa ann agus crot maith fir air cé nach raibh sé an-mhór; bhí dungaraí gorm air agus crios leathair faoina lár, agus bhí miotóga oibre á gcaitheamh aige mar ba mhian leis a lámha a chosaint. Ach ba é an fear féin, cáilíocht éigin dá chuid diomaite dá chumraíocht thaitneamhach, a mheall Nano agus a scaoil anbhá beag ina cliabh chomh haibéil le plimp.

'Hí!' ar seisean, ag déanamh neamhshuim de cheist Shíle. Bhí na súile glasa leis ag grinneadh na beirte acu go teanntásach ach i gceann ala ba ar Nano a lonnaigh a amharc agus tháinig líonrith uirthi ansin a bhí scanrúil agus pléisiúrtha in aon turas. D'fhostaigh súile an fhir a súilese ar feadh ala agus mhothaigh sí a gruanna ag deargadh; bhí sí chomh mór trína chéile agus nach raibh a fhios aici cá gcuirfeadh sí a cloigeann.

'An bhfuil lámh chúnta uait?' a d'fhiafraigh Síle de agus thairg an garraíodóir an deimheas bearrtha a bhí ina láimh aige di, frigháire leathmhagúil air léi i rith an ama.

'Tádar sin rómhór ar fad,' a dúirt Síle, 'b'fhéidir gurbh é an ceann a bhaint díot a dhéanfainn leo sin!'

'Rachainn sa tseans air,' a dúirt an garraíodóir, agus bhí na fiacla chomh geal, chomh cothrom aige nuair a nocht sé le gáire iad agus gurbh ionadh le Nano go bhféadfadh fear ar bith a dhéad a choinneáil chomh slán. D'fhéach sé ar Nano arís agus mhothaigh sise a scornach ag teannadh, cibé eadarluas a bhí á chur aige uirthi.

'Ceal nach bhfuil fonn oibre ar bith ortsa?' a d'fhiafraigh sé di.

'Is é mo lá saor é, a dhearthair,' a d'fhreagair Nano agus ionadh uirthi ag a solabhracht féin i ndiaidh is chomh suaite is a bhí sí ag súile eolmhara an fhir, 'tá mo dhóthain oibre orm an chuid eile den tseachtain.'

Chúngaigh na súile de bheagán ag an bhfear amhail mar a bheadh athmheas á dhéanamh aige ar Nano ach bhí Síle i ngreim muinchille uirthi anois, á sracadh chun siúil.

'Fág seo, tá an Mátrún ag breathnú amach orainn, gheobhaidh an fear seo bóthar má choinníonn muid díomhaoin é!'

B'fhíor do Shíle, bhí an Mátrún go díreach ag casadh ó fhuinneog a hoifige féin nuair a thóg Nano a ceann; bhí tuiscint, mura raibh riail dhocht, san ospidéal nach ndéanfadh an dá aicme, an fhoireann bhanaltrais agus an fhoireann tís, iomarca caidrimh le chéile agus ba é sin, níos mó ná an fear nua a bheith díomhaoin, a chuirfeadh as don Mhátrún. D'fhágadar slán ag an ngarraíodóir agus ba chrua má bhíodar as raon cluaise aige nuair a thug Síle a breith.

'Cad a déarfá leis sin, a Nano! Chomh dathúil leis! Ní chaithfeadh sé ach méar a chrochadh liom.'

'Tá sé ceart go leor, is dóigh,' a d'fhreagair Nano chomh fuarchúiseach sin agus nár bhraith Síle aon phioc den chíor thuathail a bhí tar éis teacht uirthi. Is é sin muran amhlaidh gur ag ligean daille uirthi féin a bhí Síle, mar ag dul isteach ina seomra dóibh dúirt sí rud a d'fhág Nano in amhras an raibh a cara chomh maolaigeanta is mar ba chosúil í a bheith.

' Táim in éad leatsa, a chailín,' ar sise, ag caitheamh di a cóta ar an leaba. '

' Cén rámhaillí sin ort? ' a d'fhiafraigh Nano di chomh neamh-chúiseach agus a bhí inti.

' Mar gheall air siúd amuigh—is ortsa a bhí aird aige agus ní ar an iníon seo i ndiaidh is gur mise a bheannaigh dó. Seachain, a chailín, nach Peadar eile a bheidh ansin agat gan mórán moille! '

An oíche dár gcionn agus Nano Mháire Choilm ar an mbealach síos chuig an mbosca poist ba ghiorra do láthair agus litir aici á seoladh go Máirtín bhí an garraíodar amuigh ag an ngeata roimpi. Le laghad a súil leis agus le chomh tobann is mar a nocht sé chuici as an dorchadas baineadh geit as Nano agus ba mheasa fós í nuair a chonaic sí cé a bhí ann aici.

' Hí,' arsa an fear. ' Castar le chéile sinn arís.'

' Má chastar ní de thaisme é, is cosúil,' a d'fhreagair Nano agus bhí sí ina aithreachas geall le bheith chomh luath agus a bhí sé amach as a béal. Níor den chríonnacht an chinnteacht agus cá bhfios nach ag fanacht le duine éigin eile as an ospidéal a bhí sé?

' Ní de thaisme é,' a d'admhaigh an fear gan puinn aiféaltais, ' is ag súil leat a bhíos.'

Chuir a ghaireacht di anbhá agus aiteas le chéile ar Nano faoi mar a rinne an chéad uair dár labhair sé léi, ach bhí iarracht den mhúisiam uirthi chomh maith ag a dhánaíocht.

' D'fhéadfadh fuirtheach fada a bheith ort,' ar sise buille doicheallach, ' cá bhfios duit go dtiocfainn amach anocht? '

' Ní raibh a fhios agam, ar ndóigh. Is ag súil go dtiocfá a bhí mé, a Nano.'

' Cé a thug m'ainm duit? ' a d'fhiafraigh Nano de agus Síle ag teacht ina ceann ar an toirt.

' Chuireas tuairisc,' a d'fhreagair sé go réidh. ' Julius m'ainmsa, Julius Kuzleikas.'

' Julius,' a dúirt Nano ina dhiaidh mar ba curtha dá treoir a bheadh sí is gan a fhios aici céard ab fhearr di a rá; ach tháinig sí chuici féin ansin i gceann ala.

' Bhuel, a Julius, níl a fhios agam cé le haghaidh a bhfuil tú do do phréachadh féin mar sin ag fanacht liomsa,' arsa Nano agus chuir stiúir imeachta uirthi féin.

' Bhí mé ag iarraidh tú a fheiceáil, sin é an fáth,' a dúirt Julius faoi mar nárbh aon ní as an gcoitiantacht a bhí ansin.

' Tuige? ' a d'fhiafraigh Nano de, lom fuar, agus drithlín inti a bhí bunoscionn ar fad lena gotha. Go dtí seo ní raibh blas suime curtha aici in aon duine de na giollaí a d'fheiceadh sí ag obair mórthimpeall na háite, ag saothrú na bplásóg féir nó ag imeacht le barraí luaithrigh ón teach coire; ach ní raibh aon fhear díobh dár tháinig faoi raon a súl le cúpla lá anois nár phreab an croí inti ag ceapadh gurbh é seo a bhí ann. Dá ceart ainneoin bhí a hintinn tógtha leis agus í ag gabháil thart i mbun a dualgas nó aisti féin istigh ina seomra, agus dá dhéine dá bhféachfadh sí le é a chur amach as a ceann is ea ba dhaingne a lonnódh sé ann. Bhí seachrán uirthi, ba bhaolach, ach ní raibh neart aici air.

'Tuige?' a dúirt Julius faoi mar a bheadh an cheist á casadh droim ar ais aige uirthi, mar ba *Tuige nach mbeinn ag iarraidh tú a fheiceáil?* a bheadh sé a rá.

'Táir ag dul ag postáil litreach,' arsa Julius ansin. 'Lig dom teacht chomh fada leis an mbosca leat!'

B'achainí a bhí sa dara abairt aige nár fhéad sí cur suas dó; ní mórán le cúpla céad slat a bhí sé go dtí an bosca litreacha, bhí sí rócheartaiseach ar fad, b'fhéidir; rósheachantach.

'Má tá fonn siúil ort,' ar sise chomh leamh is a d'fhéad sí.

Oíche dheas fholláin a bhí ann, goimh seaca san aer agus na réalta ag glioscarnach i gclár gormdubh na spéire, oíche a chuir an baile an tráth seo bliana i gcuimhne do Nano; dá mba aisti féin a bheadh sí níor dhóichí rud ná go ndéanfadh sí geábh beag siúlóide, bhí sé ródheas le casadh isteach arís go fóill. Bhí Síle Ní Dhuibhir imithe amach in áit éigin agus bheadh an seomra chomh huaigneach le cill.

Chuaigh Julius ar thaobh an bhóthair den chosán, go múinte, agus shiúil siad leo gan focal as ceachtar acu go ceann tamaillín. Ba í Nano, i ngan fhios di féin, beagnach, a labhair i dtosach.

'Cé mar a thaitníonn an t-ospidéal leat?'

Geáitse beag a bhí chomh líofa le hóráid a rinne an fear; ní raibh an post a bhí aige mar ghiolla clóis de réir a mhéine, b'fhollas.

'An maith leat féin an áit?' an cheist a chuir sé ar Nano ansin.

'Is maith, sílim,' a dúirt Nano. 'Is dóigh gur iomaí jab is measa ná é.'

'Déanfaidh sé tamall,' arsa an fear ansin mar ba faoi féin a bheadh sé ag caint. Bhíodar ag an mbosca anois agus bhreathnaigh Nano ar a litir sular chuir sí san oscailt é; ba mhaith an rud nach raibh caint ag an litir, an smaoineamh a tháinig ina ceann, nó bheadh scéala aici do Mháirtín seachas mar a bhí scríofa istigh ann.

'Bhuel tá mise ag dul ar ais anois, a Julius,' a dúirt sí, 'tá mo theachtaireacht déanta.'

'Ná déan,' a d'iarr Julius uirthi, ag leagan láimhe ar chaol a láimhe sise, 'tá an oíche go breá. Céard faoi dheoch a ól liom anseo thíos—deoch bheag amháin ar mhaithe le muinte6 Tá oíche fhada ann fós.'

'Ní ólaim, a Julius, go raibh maith agat,' a dúirt sí agus ba ansin ba léir di ciotaí an leithscéil. Ná níor do Julius ab fhaillí.

'Gloine de rud éigin gan dochar? Ní chuirfidh leathuair an oíche amú ort.'

'Ar ndóigh ní chuirfidh,' a dúirt Nano agus an deargionadh léi féin uirthi ag chomh fonnmhar is a ghéill sí don áiteamh.

Ba é an *Tudor Rose* an teach ósta ba ghiorra don ospidéal; óstán mór bréagársa a tógadh roimh an gcogadh le freastal ar chomharsanacht nua de thithe príobháideacha a bhí á dhéanamh ar imeall an bhaile mhóir. Mórtas gan-cur-leis an tréith a deirtí ba shuntasaí ag muintir na comharsanachta seo agus ba mhinic a chuala Nano na cailíní eile istigh sa phroinnseomra ag magadh faoi ghnáthóirí an *Tudor Rose*. Ba mhó cainte a dhéanaidís, má b'fhíor an scéal, faoin leathphionta leanna a d'ólaidís ná mar a dhéanfadh an tÉireannach faoi ghalún. Bhíodar sprionlaithe mar dhream, nó tíosach ar a laghad ar bith, agus ní fheicfeá aon duine ar meisce san ósta sin muran cuid de na dílaithrigh é anuas den seanchampa *P.O.W.* a bhí bordáil ar mhíle ó thuaidh den ospidéal.

Bhí an *Tudor Rose* roinnte ina trí chuid, beár fada lom a raibh urlár leacach ann agus cathaoireacha crua adhmaid, seomra siamsa a mbíodh gleo agus fothram lucht imeartha scidile ag teacht de shíor as agus tolglann fhairsing a bhí maisithe le pictiúir de mharcaigh is de lucht seilge, mar aon le sionnach stuáilte a raibh piasún ina bhéal; bhí plandaí móra síorghlas i dtobáin chláir ar fud na háite agus bhí seanphéaróid ghlórgharbh ar seastán sa bheár mar ábhar spóirt ag na custaiméirí. Isteach sa tolglann a thug Julius Kuzleikas Nano, an doras á oscailt aige di mar ba bhean uasal í; bhí ceol pianó sa tolglann, fear mílítheach spéaclach ag seinm go fuarchúiseach agus gan aird ar bith air féin ná ar a cheol ag aon duine, de réir dealraimh. Fuair Julius áit suite dóibh agus choinnigh sé cathaoir Nano di go raibh sí suite ann; d'fhiafraigh sé ansin di céard ba mhaith léi le n-ól.

'Is cuma, dáiríre—sú oráiste nó liomóide, ní ólaim aon rud níos láidre,' ar sise.

Ghlac Julius a leithscéal agus chuaigh i gcoinne na ndeochanna agus lig Nano osna bheag ag a héidreoireacht féin. In ainm Dé céard a bhí á dhéanamh aici nó cén sórt óinsí í in aon chor? Chaithfeadh sí súil a choinneáil ar an gclog is gan dul thar an leath uair a bhí luaite aici nó ag Dia a bhí a fhios cá stopfadh an amaideacht seo. Nach raibh sí sean go leor anois le nach ligfeadh sí d'fhear strainséartha, dá mbeadh sé ar an bhfear ba bhreátha faoin spéir, a bheith á hionramháil ar an gcuma seo? B'iomaí sin bean nach raibh in ainm is a bheith chomh muiníneach in aon chor léi a d'fhógródh i dtigh diabhail é. D'fhill Julius agus leag sé a gloine sú oráiste os a comhair, chomh galánta agus dá mba seaimpéin a bheadh ann; buidéal beag leanna a bhí aige féin, níorbh fhear mór óil é, seans. Ná níorbh fhear é ach oiread a bheadh sásta le feisteas ar bith mar bhí culaith dheas ghorm air a bhí gearrtha dó, léine ar ghile an tsneachta agus lúibíní óir sna cufaí ann, carbhat a bhí ag teacht go seoigh le gach rud eile. Ní aithneodh aon duine ar ghlaine a lámh agus a ingne gur i mbun oibre clóis agus garraí a bhíodh sé agus nuair a dhearg sé toitín, i ndiaidh dó Nano a cheadú, b'amhlaidh gur i gcos ghairid todóige a shac sé é. Chuimhnigh Nano ar mhéara fear a mbíodh dó tobac orthu agus salachar dubh faoin a n-ingne, agus tháinig náire bheag uirthi ag brocamas cuid dá comhthírigh féin.

'Do shláinte,' a dúirt Julius, ag ardú a ghloine beorach ach gur ina theanga féin, cibé teanga é, a dúirt sé na focail. D'iarr Nano air é a rá in athuair, agus ansin arís eile, nó go raibh ar a cumas féin an focal a rá chomh maith leis.

'Sveikas,' ar sise ansin agus sméid Julius a chloigeann go sásta.

'Liotuáinís,' a mhínigh sé di. 'Is Liotuánach mise.'

Bhí Síle contráilte mar sin cé go mbíodh sí ag ligean gach uile eolas uirthi—Úcránach a bhí ann dar le Síle, dream nach raibh le trust. Bhí idir Úcránaigh agus Liotúánaigh agus Polannaigh agus go leor eile ag cur fúthu thuas sa champa i gcónaí, bhíodh oícheanta móra ragairne ann, dar le Síle, agus clampar freisin.

'Tá Liotúánaigh san ospidéal, nach bhfuil?' a d'fhiafraigh Nano de agus rinne Julius comhartha beag ar dheacair a bharrainn.

'Tá siad i ngach áit anois,' a dúirt sé pas tur. Agus ansin mar ba mhian leis cor eile a chur sa chomhrá rinne sé gáire léi agus chuir sé ceist uirthi arbh é seo an chéad uair di san *Tudor Róse?*

'Is é,' a dúirt Nano, 'ní raibh gnó ar bith agam ann.'

'Níor inis tú do shloinne dom,' a dúirt Julius ansin agus gháir Nano.

'Fiafraigh den duine a thug m'ainm baiste duit!'

'Inseoidh tú féin dom é,' a dúirt sé ar chuma a mheas sí a bheith dath beag ceannasach; agus b'fhéidir, chuimhnigh sí, gurbh shin é go baileach cuid dá tharraingteacht cé is moite dá dhathúlacht uile—an cheannasacht sin a ba léir a bheith ann in ainneoin nach raibh ann ach fear sluaiste is barra.

'Cén sórt tíre an Liotúáin?' an cheist a tháinig as a béal de neamhchead di, beagnach; fiosrach faoi féin, agus ní faoin tír arbh as é, a chuir an cheist ina ceann, thuig Nano.

'Tír mar gach uile thír—nó ba ea, lá den saol. Níor mhaith liom dul ar ais ann anois.'

Bhí na tíortha uile sin faoi dhream éigin eile anois, faoi na Rúisigh de réir mar ab fhéidir le Nano a dhéanamh amach ón méid a chluineadh sí san ospidéal . . . b'uafásach an rud é cogadh, go dtarrthaí Dia sinn, bhí an t-ádh orthu thiar, dá dhonacht dá rabhadar. Ba é Éamonn de Valera—an Fear Fada mar a thugadh

a hathair air—a choinnigh amach as an gcogadh iad, d'airigh sí
riamh é; murach an Fear Fada bheadh an Sasanach ar scaradh
gabhail orthu, eisean nó an Gearmánach, agus ba é an dá mhar a
chéile é an ball séire is a ghiolla!

'Ní ghabhfá abhaile anois?'

Rinne Julius leamhgáire beag.

'Ní fhéadfainn, a Nano.'

Agus leis an gcomhbhá a bhí ag teacht anois di le Julius d'imigh
go leor den támáilteacht de Nano féin; ba dhíol trua é gan amhras
agus duine ar bith eile nach bhféadfadh filleadh ar a thír féin.
Bhraith sí caidéis ag teacht di ar shála na comhbhá, shantaigh sí
eolas a chur ar an áit arbh as é, ar a mhuintir nó ar rud ar bith eile
a d'inseodh sé di.

'An bhfuil aon phictiúirí den bhaile agat?' a d'fhiafraigh sí de
agus mhoilligh Julius meandar beag sular chuir sé lámh ina phóca
istigh gur bhain amach vailéad seanchaite leathair a raibh glac
bheag ghriangraf i measc páipéar eile ann. Bhí na pictiúir féin
caite, buí; athair agus máthair Julius a bhí i gceann acu, fear tuaithe
faoi hata agus veist mhuinchillí mar a d'fheicfeá thiar i gConamara
go díreach agus bean storrúil a raibh scairf chloiginn snaidhmthe
faoina smig. Bhí pictiúr Julius ann chomh maith cé gur ar éigean
a d'aithin sí é; faoi éide saighdiúra a bhí sé agus gan a shamhail
dar le Nano ach duine de na fir óga a thagadh abhaile ar saoire as
an Rinn Mhór—an feisteas céanna agus an bearradh dlúth gruaige
céanna. Scata fear agus ban óg a bhí sa tríú pictiúr, coca féir ar
a gcúl agus píce sáite ann ar chuma a chuir freanga chumha go
maolabhrach ar Nano. Bhí Julius féin i lár an phictiúir seo, é níba
óige go mór, agus cailín fionn lena thaobh a raibh a lámh leagtha
aici go muinteartha ar a ghualainn.

'Do chailínse, ab ea?' a d'fhiafraigh Nano de agus rinne Julius
miongháire doléite.

'Bhíomar ar scoil le chéile.'

'Cé'n t-ainm a bhí uirthi, a Julius?' a d'fhiafraigh Nano ansin
agus gan a fhios aici, ar é a bheith ráite, cad chuige gurbh é an
aimsir chaite a tháinig di.

'Agnes a h-ainm, Agnes Mitskis.'

'Agnes Mitskis,' a dúirt Nano mar a bheadh sí ag blaiseadh
na bhfocal. 'Ba í do chailín í, déarfainn!'

Teanntás beag éigin nach raibh inti in aon chor ar ball beag
a thug uirthi é sin a rá, go cleithmhagúil, ach bhí dreach sollúnta
ar Julius féin.

'Théadh scata againn timpeall le chéile, bhíomar tosaithe ag
dul ag an gcoláiste céanna ach chuir an cogadh deireadh leis sin.'

Coláiste . . . nach maith gur bhraith sí rud éigin ann, a phoint-
eáilte is a bhí sé agus feabhas a chuid Béarla le hais na ndíláithreach

eile a bhí ag obair san ospidéal; bhí fiúntas ann gan bhréag ar bith, dar le Nano. Ach ó bhí a ceann léi anois ní fhéadfadh sí gan leanúint á cheistiú, bhí sásamh sa chaidreamh seo di nach raibh in aon chaidreamh eile dá ndearna sí ó theacht go Norwold.

' Ní raibh sibh luaite le chéile, ná dada? '

Chroith Julius a cheann agus rinne sé gáire.

' Céard a chuir é sin in do cheann? '

' Ach bheadh—murach an cogadh, b'fhéidir? '

' Murach,' a dúirt Julius go machnamhach, ' nílim róchinnte go bhfuil a leithéid de rud ann agus " murach." '

Chuaigh driog aitis trí Nano mar go mba smaoineamh é seo a tháinig chuici féin go minic ó tháinig sí go Sasana, gur i gcleith na cinniúna a bhí an duine ón lá a rugadh é.

' Nach ait an rud é ach is minic a chuimhníos féin air sin, a Julius—nach bhfuil ag duine ar bith ach mar a éiríonn dó agus gur fánach a bheith ag cur i gcás go bhféadfadh rudaí a bheith ar a mhalairt de bhealach? '

' Tá ábhar fealsaimh ionat, a Nano,' arsa Julius ach ba léir di gur ag cromadh uirthi a bhí sé anois, go mba ghreannmhar leis an rud a dúirt sí. Ghriog an tuiscint í thar mar ba chóir, b'fhéidir, agus thug sí súil thall ar an gclog.

' Beidh orm a bheith ag dul ar ais anois,' ar sise, á cruachan féin i gcoinne na hachainí a dhéanfadh sé; ach bhí breall uirthi ina thaobh sin, níor fhéach sé lena bacadh ar chor ar bith.

' An bhfuil tú cinnte? ' a d'fhiafraigh sé pas aiféalach di agus dúirt Nano go raibh.

' Tiocfaidh mé chomh fada leis an ospidéal leat mar sin' a dúirt sé agus ní bhfuair Nano de cheanntréine inti féin é a chosc.

Bhí tost beag éideimhin eatarthu ar fhágáil an *Tudor Rose* dóibh agus dá buíochas féin bhí aiféala ar Nano go raibh an eadarlúid bheag i ndáil le bheith thart anois; chuimhnigh sí ar a seomra agus ba chol léi a loime uaigneach. Dá mbeadh Síle féin istigh! Ach ar theacht i ngar don gheata dóibh leag Julius lámh ar a huillinn.

' Tar amach liom oíche éigin, a Nano—na pictiúirí nó do rogha áit.'

' Ní fhéadfaidh mé, a Julius, go raibh maith agat mar sin féin,' a dúirt Nano agus níor bhaol do Julius gan a haiféaltas a bhrath.

' Ní fhéadfair nó ní dhéanfair—cé acu é, a Nano? '

' Mar a chéile iad,' a d'fhreagair Nano, ach bhí Julius i ngreim láimhe uirthi anois agus chuir an teagmháil sin trí chéile í.

' Ní mar a chéile in aon chor! ' a dúirt Julius go ceannasach. ' Céard a bhacfadh tú, a Nano? '

' Ní chuimhneofá go mbeadh duine ar bith agam cheana, nach gcuimhneofá, a Julius? '

'Níl sé éadóichí in aon chor go mbeadh. Ach níl sé anseo, an bhfuil?'

'Cá bhfios duit an bhfuil nó nach bhfuil?' Ag giolamas leis go hóinsiúil a bhí sí anois, thuig Nano: ba léi oíche mhaith a fhágáil aige agus bualadh isteach.

'Ní anseo atá sé ar aon nós,' a dúirt Julius. 'Dúirt mé leat gur chuireas tuairisc!'

'Is maith uait é,' a dúirt Nano, gan a fhios aici go baileach cé acu ar mhó a bhí sí sásta nó míshásta ag an scéal.

'Cén bac atá ort mar sin, nach bhféadfá teacht amach liom, oíche?'

Dá ngabhfadh sí leis oíche níor dhóichí beirthe í ná ghabhfadh oíche eile agus oíche eile ina dhiaidh sin; ba bheagán ar bheagán a ghéillfeá don choir.

'Tá bac orm,' a Julius, 'tá fear agam sa mbaile agus ní bheadh sé ceart. Go raibh maith agat faoin deoch agus an comhluadar—dáiríre!'

Ag teannadh uaidh a bhí sí nuair a chosc Julius in athuair í.

'Tá diúité tráthnóna ormsa go ceann cúpla lá—sa teach coire. Ach beidh mé saor san oíche Dé hAoine, a Nano, agus ba mhaith liom go dtiocfá amach liom an oíche sin.'

'Ní thiocfad, a Julius,' arsa Nano, 'oíche mhaith dhuit anois.'

Ach ní raibh sé le cur di chomh réidh sin mar Julius, leag sé lámh ar a láimh sise gur thug fáscadh beag impíoch di.

'Bead anseo ag an ngeata ag an hocht a chlog, a Nano, agus fanfaidh mé leat—b'fhéidir go n-athrófá t'intinn as seo go hAoine?'

'Ní cheapfainn é,' a dúirt Nano agus dheifrigh sí isteach uaidh mar ba óna guagacht féin a bheadh sí ag teitheadh.

A TRÍ DÉAG

Ó bhuaileadh Treabhar Bheartla Bhillí forc i dtalamh ar maidin
nó go leagadh sé uaidh arís é i mbosca na ngiuirléidí tráthnóna ba
chrua má ghlacadh sé scíth nóiméid cé is móite den dá shos béile
a bhí dlite dó; ba bhaint agus cartadh agus streachailt gan tuirse gan
turnamh aige ar feadh an lae é agus é gach uile phioc chomh
dígeanta ina bhun agus dá mba faoi gheis a bheadh sé gan maolú ar
a dhícheall. Dá mb'fhiú le Treabhar an scéal a chíoradh b'fhearr
de mhargadh ag Paidí Mac Alastair ar dhá phunt coróin sa ló é ná
beirt fhear chuibheasacha a gcaithfí deich fichead an duine ar a
laghad a íoc leo agus nach mbeadh oiread curtha dá lámha acu
beirt i ndeireadh an lae is mar a chuirfeadh seisean. Ach níor
shuim le Treabhar an chuntasaíocht seo: bhí luach a shaothair á
fháil aige, dar leis, agus ba leor dó sin. Ní raibh Treabhar á chur
féin faoina luach de réir a thuiscena ná níor bhaol dó gan ardú
a éileamh dá measfadh sé go mba é a cheart é; bhí sé ar dhuine den
bheagán d'fhir Mhic Alastair a raibh beagnach trí ghiní dhéag de
thuarastal sa tseachtain acu agus níor bheag leis sin. Ar aon chuma
bhí ábhar eile ag déanamh buairimh dó ar na saolta seo.

'Tá scéal agam duit, a Threabhair,' a dúirt an Maolánach leis,
maidin, agus gan ann ach go raibh an chéad spreab bainte acu.
Bhí sé le haithint ar an Maolánach, ach oiread leis an gcéad lá,
go raibh rud éigin ag dó na geirbe aige agus bhí barúil ag Treabhar
cén rud é féin.

'Scaoil leat,' a dúirt Treabhar leis chomh neamhchúiseach is a
bhí ann, dab millteach ithreach á theilgean de ladhar a fhoirc
romhartha aige.

'Thug an Jeaicín leathmharú ar mhac Bhaibín Taim Pheige
aréir!'

'A Chríost,' a dúirt Treabhar agus scáth air.

Bhí cáil ar Phádraic Bhaibín Taim Pheige—Pádraig Ó
Coisdealbha mar nach dtugtaí ach go hannamh air—ó Cricklewood
go Gravesend agus ó Shepherd's Bush go Dagenham; in áit ar bith
a mbíodh Éireannaigh ag baint is ag rúscadh nó ag cruinniú le
chéile i hallaí rince nó i dtithe tábhairne bhíodh caint ar mhac
Bhaibín Taim Pheige, a fheabhas agus a bhí sé i mbun na ndorn,
mar nár casadh fear a threascartha air gurbh fhios d'aon duine ó
tháinig sé go Sasana. Bhí an Coisdealbhach ar fhear chomh breá
agus a tháinig aniar ar an mBád Bán riamh, dúradh—fathach
d'fhear nach raibh a shárú i mbun tochailte ná cineál ar bith eile

sclábhaíochta, agus é scafánta, cleasach, tréanbhuailteach i mbun troda. Uair amháin a chonaic Treabhar Ó Nia mac Bhaibín Taim Pheige ag troid; ba thaobh amuigh den *Garraí Eoin* i Hammersmith é breis agus bliain roimhe seo, agus dar leis an oíche sin nár dhóigh go raibh a shárú i Londain ó cheann ceann agus dornálaithe traenáilte a fhágáil as áireamh. Ciarraíoch mór darb ainm Mac Gearailt a bhí mar chéile comhraic ag an gCoisdealbhach an oíche sin agus b'éigean do Threabhar a admháil ina chroí istigh nár chomórtas do ceachtar acu é féin, don Ghearaltach ar buadh air ná don Choisdealbhach a bhuaigh. Má bhí mac Bhaibín Taim Pheige buailte ag an Jeaicín ba cheart nach mbeadh stró ar bith air aon fhear eile a bhualadh ach oiread.

'An bhfuil tú cinnte, a *bhitch?*'

'Ó, *Jazez,* nach raibh mé ag breathnú air, a Threabhair? Chonaic mé uilig é—thug an Jeaicín dúshlán Phádraic Bhaibín taobh amuigh den *Bhanba,* chomh teann agus dá mba mo dhúshlánsa a bheadh á thabhairt aige. Agus gan beann an diabhail aige ar dhuine ar bith eile, cé go raibh na scórtha as Con ann!'

'A Thiarna,' arsa Treabhar, an t-amharc á fheiceáil aige chomh soiléir agus dá mba lena shúile cinn é, an slua bailithe le chéile ar shráid Kilburn is gan aon fhonn abhaile go fóill orthu, ceann agus guaillí ag mac Bhaibín Taim Pheige ar a raibh ann díobh agus an Jeaicín á iarraidh amach ar *fair play.*

'An raibh údar aige leis—lena iarraidh amach?' Bhí oiread ceisteanna ag teacht i mullach a chéile chuig Treabhar agus nach raibh a fhios aige cén cheist a d'fhiafródh sé i dtosach.

'Ní raibh d'údar aige leis ach ag iarraidh ainm a dhéanamh dó féin, chaithfeadh gur airigh sé caint ar mhac Bhaibín agus gur theastaigh uaidh é a thriail.'

'Nach beag an faitíos a bhí ar an mbastard,' a dúirt Treabhar mar ba leis féin a bheadh sé á rá. 'Mura raibh *back* aige?'

'Ní raibh, ná *back,* a dheartháir, ní raibh ann ach é féin. Ní fear é a d'iarrfadh aon *bhack,* tá mé ag ceapadh—tá an bastard *dynamite!*'

Ní chun suaimhnis ag Treabhar a chuaigh an tuairim sin agus chaith sé seile ar bhois a dheasóige gur chuimil a dhá bhois le chéile ansin go doscúch.

'Seo, a mhac Sheáin, bíodh muid ag obair, féadfaidh muid a bheith ag caint linn,' ar seisean agus shac sé an forc go bróigín sa chré thirim bhreacrua a raibh mianach luaithreach nó ábhar éigin dá shórt ina sprúillí dubha tríd.

'Agus ba é an chaoi ar iarr sé Pádraic Bhaibín amach mar sin, plinc pleainc?'

Níor fhéad Treabhar an scéal a chreidiúint i gceart go fóill, dá mba dhuine ar bith eile é ach an Coisdealbhach. Ba chuimhin leis go maith an oíche a raibh mac Bhaibín in éadan fhir Chiarraí, chomh haclaí lúfar is a bhí sé d'fhear a bhí chomh mór is chomh trom leis, chomh paiteanta is mar a chosain sé é féin agus chomh prap is mar a phleainc sé Mac Gearailt. Geábh amháin dár bhuail an Gearaltach caol díreach ar phunt na smige é agus ar gheall le cúltort gluaisteáin é an torann a bhain sé as, ní dhearna Pádraic Bhaibín ach a chloigeann a chroiteadh agus fhiafraí den fhear eile arbh shin é a dhícheall. Agus ansin amhail duine a bheadh tamall ina shuí i ngiorracht fad láimhe do nathair nimhe agus nach mbraithfeadh ina ghaobhar é nó go sleamhnódh an phéist léi chun siúil tuigeadh do Threabhar an ghuais ina raibh sé féin an lá a raibh sé ag spochadh leis an Jeaicín.

' Chuaigh sé suas go dtí é, a mhac, agus dúirt sé mar seo leis— ó nár fhága mé seo murar dhúirt—!" Hí, Culchie," ar seisean, " airím gur fear maith thú le do lámha! " Tá a fhios ag mac dílis Dé, a Threabhair, sin é a dúirt sé anois! '

' As ucht Dé ort! '

' Dúirt, mh'anam.'

' Agus céard a dúirt mac Bhaibín leis sin? '

' Ó níor chuir sé clóic ar bith air, is é an chaoi ar tháinig fonn gáire ar mhac Bhaibín. " Tuige? " ar seisean leis an Jeaicín mar ba le gasúr a bheadh sé ag caint. " An raibh tú ag brath mé a thriail? " '

' Agus céard dúirt an bleitheach? ' arsa Treabhar, ag romhar leis; gheobhadh sé cuntas eile gan mórán achair ar ar tharla agus má bhí mac Sheáin Feistie ag déanamh aibhéile nó ag cur leis an scéal ba dhó ba mheasa.

' " Bhí mé ag brath ar thú a bhualadh," a dúirt an Jeaicín, " má fhaighim *fair play!* " '

' Dúirt, *be Christ!* '

' Ó, ní raibh aon bhlas corraíola ar an diabhal, a Threabhair, ach oiread is dá mba " Dia dhuit! " a bheadh sé a rá. Bí ag caint ar *cool*, a mhac! '

' Agus céard a dúirt mac Bhaibín leis? ' Ba leis an gCoisdeal-bhach an chéad bhuille a bhualadh, dar le Treabhar: ba mhinic gurbh é an chéad bhuille an ceann ab fhearr.

' Ó dúirt sé leis go bhfaigheadh sé *fair play*, gheall sé é sin dó. " Tá tú strainséartha anseo, a Jeaic," ar seisean, " ach ní leagfaidh duine ar bith lámh ort ach mise, ná bíodh faitíos ar bith ort faoi sin! " '

' *By dad*,' arsa Treabhar.

' Bhuel theann an *crowd* siar as a mbealach ansin agus thosaíodar ag greadadh a chéile, agus déanfaidh mé an fhírinne ghlan leat shíl mé ar feadh scaithín go ndéanfadh mac Bhaibín jab de mar chuir sé síos é cúpla geábh. *By Jay*, má chuir féin, a Threabhair, a mhac, d'éirigh an boc aniar aige arís agus chuir sé Pádraic síos uilig i ndeireadh thiar.'

'Cén t-achar a mhair sé?' a d'fhiafraigh Treabhar ag rúscadh leis an bhforc; bheadh an scéal ar fud Londain inniu, ainm an Jeaicín go hard agus idir ionadh agus uafás ar dhaoine gur cuireadh an Coisdealbhach de dhroim seoil tar éis ar casadh leis d'fhir mhaithe agus gan é le rá ag fear ar bith díobh gur chuireadar síos é . . . Pete Wille, Colm Pheaits an Faoite, ná Coimín Shéamuis Labhráis a bhí anall le Treabhar go deireanach, ní bhuailfeadh fear ar bith acu an Coisdealbhach, ná fir ab fhearr ná iad, b'fhéidir—ach bhuail an Jeaicín é!

'Ó mhair sé píosa maith, píosa diabhalta, a Threabhair.'

'Píosa maith, píosa diabhalta! Cén t-achar é sin, a phleota?' Ba mhairg nach raibh ar an láthair leis an troid a fheiceáil, ba bhuntáiste, b'fhéidir, an Jeaicín a fheiceáil i mbun na ndorn sula dtroidfeadh duine féin é. Agus chaithfeadh Treabhar é a throid dá mbeadh sé chomh maith eile, ní raibh dul as aige anois ach chomh beag agus dá mbeadh Christy Power ina sheasamh ansin roimhe.

'Is dóigh gur sheas sé deich nóiméid, a Threabhair, ach diabhal a leithéid de ghreadadh a chonaic mise riamh. Bhíodar meaitseáilte go maith ag a chéile nó go raibh sé i ngar do bheith thart agus ansin scaoil an Jeaicín *haymaker* diabhalta uaidh gur rinne sé steig meig de mhac Bhaibín Taim Pheige.'

'D'fhág sé gan mhothú é?' arsa Treabhar agus alltacht air.

'Gheall le bheith, a Threabhair—b'éigean é a thógáil den bhóthar. Ní raibh oiread iontais i mo shaol orm, déanfaidh mé an fhírinne ghlan leat. Cheap mé nach raibh sé i Londain an fear a bhuailfeadh mac Bhaibín cé is moite díot féin.'

'Cé is moite díomsa?' arsa Treabhar, gan a fhios aige ar feadh ala nach ag iarraidh a bheith ag magadh faoi a bhí an Maolánach. Ach níorbh ea, ba ag breathnú air mar ba é an gaiscíoch fir ba mhó ar dhroim an domhain é a bhí mac Sheáin Feistie, lán dáiríre.

'Óra, bhuailfeása é, a Threabhair, bhuailfeása cinnte é—nach raibh sé mar a bheadh loilíoch bhainne agat an lá sin a raibh sé ag iarraidh teacht amach as an gcarr? Bhí sé ar a bhionda ag iarraidh an doras a bhogadh agus é ag cinneadh air ina dhiaidh sin, níl aon ghair aige ortsa, a Threabhair, déanfaidh tusa citeal de!'

'Tá súil agam gur fíor duit é,' a d'fhreagair Treabhar buille tur.

Agus nach fada go raibh an Jeaicín ag teacht á fhéachaint? Ar an oíche Dé Sathairn agus ar an oíche Dé Domhnaigh roimhe sin rinne Treabhar Bheartla Bhillí turas na dtithe tábhairne i gCamden Town, ón *Mother Black Cap* go dtí an *Brighton* agus as son don *Bedford Arms;* thriail sé an *Crown & Anchor* ina dhiaidh sin agus as sin chuaigh sé go dtí an *Wheatsheaf*, an *Dublin Castle*, an *Hawley*

Arms agus i ndeireadh thiar go dtí an *Laurel Tree,* an teach ba mhó a mbíodh tarraingt ag muintir Chonamara ann sa cheantar. Ní mórán a d'ól Treabhar i gcaitheamh a shiúlta, buidéal beag leanna i ngach teach díobh i dtreo agus nach mbeadh sé faoi chiotaí ar bith dá mba i ndán is go gcasfaí an Jeaicín leis; ach ní raibh an Jeaicín ar na gaobhair, ní fhaca duine ar bith é thart faoi na bólaí sin agus ní baileach go raibh a fhios ag Treabhar féin i ndeireadh na hoíche cé acu arbh fhearr leis chuige ná uaidh Christy Power. Thairis sin b'ait leis an Jeaicín a bheith ag fanacht uaidh comh fada seo mar, an fear a raibh ar a chumas aige Pádraig Bhaibín Taim Pheige a chur ar shlat a dhroma taobh amuigh den *Bhanba* i láthair na gcéadta, níor mhóide gurbh é an chlaidhreacht a choinneodh as Camden Town é. Rud a d'fhág, b'fhéidir, gurbh é a mhalairt de rud ar fad ba chionsiocair le gan driopás ar bith a bheith faoi i gcoinne Threabhair féin—go raibh laghad sin binne aige air agus nárbh fhiú leis teacht á fhéachaint nó go bhfeilfeadh dó féin a theacht. Fearacht, a smaoinigh Treabhar, mar nárbh fhiú leis féin aistear a chur de le dul ag troid le macasamhail mhac Sheáin Feistie. Tháinig idir fhearg agus náire ar Threabhar Bheartla Bhillí ag an smaoineamh agus dhiosc sé na fiacla le holc.

' Tagadh an cunús timpeall am ar bith is maith leis, a mhac Sheáin—beidh mise réidh aige! '

' Beidh tú, a Threabhair, agus maróidh tú an *frigger*—nár dhúirt mé leis é suas lena bhéal? '

Bhain stad do Threabhar, an forc trom romhartha mar a bheadh sleá aige réidh lena chur go feirc i neach fuafar éigin nár chóir dó bheith beo.

' Céard a dúirt tú leis, a phleidhce? '

' Dúirt mé leis má bhí mac Bhaibín buailte aige go raibh fear ann nach mbuailfeadh sé—go raibh a fhios aige go maith cén fear é féin agus go mb'fhéidir go mba shin é an t-údar a raibh sé ag coinneáil as Camden Town! '

' Dúirt, *be heck?* '

' Ó suas lena smut, a dheartháir, ní raibh faitíos ar bith ar mhac Sheáin roimhe, tá mise a rá leat—dá mbeadh sé chomh maith eile! '

' Ní raibh ar ndóigh,' a dúirt Treabhar go leamhghlórach agus thug súil ar an Maolánach a bhí míchéatach go maith. Shac sé an forc i dtalamh, thug rúscadh don ithir dhluth agus stop sé ansin.

' Agus céard a dúirt sé leat, a dhiabhail? '

' Dúirt sé liom nár dhada é a raibh faighte ag Pádraic Bhaibín le hais mar a gheobhfása! '

Lig Treabhar cnead bheag trína fhiacla agus bhuail sé a dhá bhois ar a chéile ansin.

' Beidh le feiceáil, a mhac Sheáin,' ar seisean, ' beidh le feiceáil.'

Nuair a chuaigh Treabhar Bheartla Bhillí abhaile chun a dhinn-
éir an oíche sin bhí litir eile roimhe.

'Tá litir duit, a Threabhair,' a dúirt Madge, Bean Uí Chonaola
leis, agus í ag leagan a dhinnéir roimhe ar an mbord. 'Tá sé
marcáilte "práinneach"—tá súil agam nach aon cheo atá con-
tráilte é.'

'Beidh sé ceart,' a dúirt Treabhar go grod, mallacht á ligean
aige ina chroí istigh leis an litir agus lena bhean a chuir chuige é.
Muran bheag a bhí le déanamh ag an rálach, ag cur litreacha anonn
chuige ar gach uile phointe mar ba leacáin aici iad á scinneadh de
dhroim locha! Agus nár bhocht an rud é nuair nach bhféadfadh
fear a bhéile a ithe ar a shuaimhneas tar éis obair an lae gan meall
litreacha a bheith roimhe mar ba *summons* iad? Níor léir do
Threabhar aon áibhéil a bheith á déanamh aige ansin agus ní móide
go mbeadh aon ghreann dó sa rud dá mba léir féin; chuir sé an
litir glan as a cheann go dtí go raibh a dhinnéar ite aige agus thug
sé leis suas chun a sheomra ansin é gur chaith ar an leaba chuig an
Suibhneach Rua é, go mearaithe.

'Seo, a Shuibhne, léigh an bastard sin *for Christ's sake*, ó tharla
nach bhfuil tú in ann dada eile a dhéanamh!'

A chulaith Dhomhnaigh a bhí ar an Suibhneach Rua; ba léir
nár thaobhaigh sé an obair an lá sin. Ba léir, freisin, go raibh sé
feidheartha arís eile le chomh fonnmhar is mar a rug sé ar litir
Threabhair.

'Léigh leat,' a d'ordaigh Treabhar, á chaitheamh féin ar an
leaba gan na bróga a bhaint de, ná a scaoileadh, fiú.

D'oscail an Suibhneach an litir agus réitigh sé a scornach mar
ba á chruachan féin in aghaidh rud éigin a bheadh sé.

'Ní balbhán thú, tá súil agam,' a dúirt Treabhar leis go bearr-
ánach agus thosaigh an Suibhneach ag léamh.

'A Threabhair dhil, fuaireas do litir agus an t-airgead freisin.
Ní ag casaoid faoi airgead a bhí mé, a Threabhair, chaith tú go
maith liom riamh maidir leis an airgead a chur chugam. Ach ní
shin é, a Threabhair, ach é seo go bhfuilim ag iarraidh a bheith leat,
mé féin agus na páistí. A Threabhair dílis níl mé ag dul a bheith
anonn ná anall leis níos faide, phós tú mé, a Threabhair, agus ó tá
muid pósta i súile Dé níl sé ceart go mbeadh muid scartha ó chéile
mar seo i gcónaí. Níl maith ar bith duit a bheith ag gealladh rudaí,
a Threabhair, nuair nach bhfuil rún ar bith agat iad a dhéanamh,
d'fhéadfainn a bheith anseo nó go mbeadh Dara agus Beartla
tosaithe ag dul ar scoil agus deamhan áit a gheobhfá i Londain
dúinn. *Well*, tá rogha eile anois agat, a Threabhair, tá obair
tosaithe amuigh i nGleann Coimín, *power-station* nó rud éigin mar
sin agus beidh fir á n-iarraidh ann de réir mar a airím. Níl sé
mórán le dhá mhíle dhéag mar atá a fhios agat féin, a Threabhair,

d'fhéadfá dul ann ar an m*bicycle* ach ar aon nós bhí an tAthair Ó Cianáin a rá liom go mbeidh leoraí ag teacht an bealach seo le fir a thabhairt amach ann, gach uile lá. Mairfidh an obair cúpla bliain go réidh, a dúirt an sagart, agus scríobhfaidh sé litir duit ag iarraidh *job* ann. A Threabhair, nach fearr duit a theacht abhaile ó tá an seans anois agat, ní bheidh aithne ar bith ag na gasúir ort mura dtiocfair, a Threabhair, beidh tú in do strainséir acu uilig. As ucht Dé ort, a Threabhair, agus tar abhaile anois nach é is córa duit a dhéanamh, a ghrá?

' Tá scéal eile agam freisin duit, is cosúil go mbeidh biseach orainn sa mbliain nua, cá bhfios nach cailín beag a bheidh ann an iarraidh seo le cúnamh Dé agus a Mháthar Beannaithe. Is minic a chuimhníos, a Threabhair, dá mbeadh iníon agat go mbeifeá níos luite leis an mbaile. Cuir litir chugam, a Threabhair, má tá tú ag brath teacht abhaile. Faoi choimirce na Maighdine tú, ó do bhean, Nóra.'

D'fhill an Suibhneach an litir agus chuir ar ais sa chlúdach é. Ní raibh smid as Treabhar go fóill ach é ag breathnú roimhe suas ar an tsíleáil chomh marbhshúileach le dealbh.

' An bhfuil tú ag iarraidh freagra a chur aici? ' a d'fhiafraigh an Suibhneach i gceann nóiméid ach níor thug Treabhar aird ar bith air. Cén freagra a chuirfeadh sé chuici, ná céard a d'fhéadfadh fear ar bith a rá leis an gclogán streille? Á iarraidh siar abhaile le dul ag obair ar striapach de jab amuigh i nGleann Coimín nár mhóide thar sé phunt sa tseachtain a bheith do dhuine ann! Agus fiú dá mbeadh airgead mór air cén mhaith dó sin, cén saol a bheadh ag duine i nDoire Leathan? Nár charghas leis mórán gach uile lá dár chaith sé ann go deireanach, nárbh fhada leis go bhféadfadh sé bailiú leis arís i dtigh diabhail as? Ba litir i ndiaidh an éaga dó, mar a dúirt an t-amhrán, a bheith thiar ann ó cheann ceann na bliana, san áit nach bhféadfá cor a chur díot i ngan fhios do dhaoine—faoi bhois an chait ag an mbitse de shagart (nár b'fhearr a bheidís agus maith nach dtugfaidís aire dá ngnóthaí féin!) agus tú i mbéal an phobail dá bhfanfá ón Aifreann. Mura mbeadh de rogha aige air sin ach í a thabhairt aniar agus cúpla seomra a fháil in áit éigin ba é sin a dhéanfadh sé, ba é rogha an dá dhíogha é. Ach dar Dia ní dhéanfadh, nó chaillfeadh sé leagan leis! Bíodh an diabhal ag an scubaid, ní chuirfeadh sí buarach ar mhac Bheartla!

' Tá mé ag dul amach de mo bhearradh féin,' a dúirt Treabhar, ag preabadh ina sheasamh. Ghlac sé chuige a thuáille, a rásúr agus a ruainne beag gallúnaí agus chaith sé de a léine; ag dul i dtreo an dorais a bhí sé nuair a chuir an Suibhneach Rua forrán air.

' Ceal nach bhfuil tú dul ag cur freagra aici, a Threabhair? Nach bhfuil sé chomh maith duit scéala a chur aici suas nó síos? '

Sheas Treabhar agus d'fhéach sé ar an Suibhneach mar nach mbeadh a fhios aige é a bheith i láthair i gceart go dtí seo.

' Tá a fhios agam céard atá ag déanamh imní duitse, a mhac— is gearr nach mbeidh daoine sásta broim a ligint gan a bheith ag fáil íoctha air. *Okay*, a mhac—scríobh tusa aici, fágfaidh mé fút é caoi a chur air! Abair léi a bhreith bog uirthi féin agus splaideoigín beag céille a bheith aici—abair léi gur túisce a ghearrfainn mo scornach ná mar a ghabhfainn siar sa mbitse d'áit sin arís—agus féach, a Shuibhne, abair léi a rá leis an *shaggin'* sagart aire a thabhairt dá ghnóthaí féin! Gheobhaidh mé áit anseo di nuair a fheilfeas dom, abair léi, agus fanadh sí aici go dtí sin! '

Chuir sé a lámh i bpóca a threabhsair agus thug sé aníos dhá phíosa dhá scilling gur chaith ar an leaba chuig an Suibhneach iad.

' Déan jab maith de anois, a dhiabhail, agus cuir sa bpost é amárach! '

' *Too true* go ndéanfad,' arsa an Suibhneach, ag bailiú chuige an airgid.

D'imigh seachtain eile thart agus ní raibh aon chor curtha de ag an Jeaicín. Ní raibh an scéal ag dul idir Treabhar agus codladh na hoíche, baileach, ach ní raibh baol ar bith nach raibh sé ag cur as dó, go háirithe ó bhí ráflaí ag sroichint chuige nár chun suaimhnis dó a chuaigh ar bhealach ar bith. Bhí cáil an Jeaicín ag leathnú soir agus siar ó bhuail sé Pádraic Bhaibín agus má b'fhíor na scéalta a bhí ag dul timpeall chomh fairsing le busanna Londain bhí gaisce mór déanta aige anonn is anall sular chas sé leis an gCoisdealbhach ar chor ar bith. Dúirt an Maolánach le Treabhar, lá, gur chas fear as Baile Átha Cliath air i gcaife beag i bhFinsbury Park a d'inis dó nár buaileadh Christy Power riamh ar an tsráid cé gur buaileadh san fháinne é; bhí aithne aige féin ar an Jeaicín nuair a bhíodar beirt ag teacht aníos i mBaile Átha Cliath agus dar leis gurbh é a luas a sheas dó gach uile lá riamh: bheifeá buailte faoi thrí ag Christy Power sula mbeadh stiúir troda curtha ort féin agat, fiú. Agus oíche dá raibh pionta beorach á ól ag Treabhar san *Mother Black Cap* ar a bhealach abhaile chun a dhinnéir aige chuir fear as Dúiche Seoighe múisiam air ag caint ar an Jeaicín. Fear de mhuintir Uí Mháille ar a dtugtaí Cóilín Pheaits Bhobby a bhí ann agus cé nár mhór é a n-aithne ar a chéile rinne sé teanntás ar Threabhar gan puinn moille. Fear mór ceannasach a bhí sa Mháilleach agus an mór-is-fiú sin is dual do dhream rathúil ag gabháil leis: bhí beart agus fuíoll ag Máilligh na Tamhnaí Bige de réir an scéil, stoc agus caoirigh acu, fear díobh ina shagart agus fear eile ag múineadh scoile. Agus mura raibh aon phost mór ag Cóilín Pheaits Bhobby féin bhí a shá den phostúlacht ann, dar le Treabhar.

'Airím, a Nia, go bhfuil Jeaicín Phaidí Mhic Alastair le muintir Chonamara a chniogadh as éadan,' ar seisean sul má bhí sé d'uain ag Treabhar a phionta a bhlaiseadh.

'Mar sin é?' a d'fhiafraigh Treabhar de go tur.

'Sin é atá ráite ar chuma ar bith,' a dúirt an Máilleach gan blas spalpais air, 'thug sé greadadh maith don Choisdealbhach, nár thug?'

'Cá bhfios domsa ar thug nó nár thug, a dhuine? Is agatsa tá an t-eolas uilig de réir cosúlachta. Ar ndóigh má tá sé ag cur imní ort nach bhféadfaidh tú a choinneáil as an mbealach aige?'

'Níl sé ag cur imní ar bith ormsa mar nach mbaineann sé dom,' a dúirt Cóilín Pheaits Bhobby, 'níl a fhios aige an bhfuil mise ar an saol. Tusa a bhéas á iarraidh aige, cluinim, nuair a thiocfaidh sé timpeall na háite seo!'

'Bhuel is cosúil gur mó atá sé ag déanamh imní duitse ná domsa, tá an áit fada fairsing aige má thagann sé, níor thug mise droim le fear ar bith riamh, a Mháilligh.'

'B'fhéidir nár thug ach chuala tú riamh é gur fearr rith maith ná drochsheasamh.' Ní raibh sé le haithint ar ghlór Chóilín Pheaits Bhobby an ag tuairimíocht a bhí sé nó ag iarraidh a bheith ag séideadh faoi Threabhar; chuaigh a chaint in aghaidh stuif ag Treabhar cibé scéal é ach chuir sé stuaim ar an bhfeirg má ba ar éigean a chuir.

'B'fhearr liom féin an drochsheasamh cibé céard fútsa, a mhac Pheaits,' a dúirt sé agus d'ól sé a phionta.

Ba mhinic anois Treabhar Bheartla Bhillí ag cur is ag cúiteamh istigh ina intinn féin agus é ag iarraidh a theacht ar bhreithiúnas éigin faoi cé mar a chruthódh sé in aghaidh an Jeaicín. Bhí luas an diabhail in Christy Power de réir gach uile thuairisc (mar ní taobh le cuntas an Mhaolánaigh a bhí Treabhar ná baol air) agus ar ndóigh bhí iarraidh uafásach aige freisin; ach bhí Treabhar féin sách scafánta, go deimhin ba mhinic gur fritheadh caidéis dá luas le linn troda, agus ba rímhaith ab eol dó go raibh iarraidh den scoth aige. Nár shín sé Bairéadach mór Bhaile Bhiongaim, bodach diabhalta nach bhféadfadh a bheith faoi bhun na sé clocha déag? Ba taobh amuigh den *Round Tower* i mBóthar Holloway, oíche, a chnag sé fear Mhaigh Eo agus thug an Bairéadach féin suas dó, ina dhiaidh sin, gurbh shin é an salamandar ba threise dár buaileadh air riamh. Ní raibh an Jeaicín chomh trom le Paddy Barret ná baol air agus bhí sé ag luí le réasún, dar le Treabhar, go mba dheacra fear a shíneadh dá throime dá mbeadh sé. Ach bhí *science* ag an Jeaicín, ar ndóigh, bhí oiliúint dhornálaí air agus ba dhoiligh an oiliúint a bhualadh. Lena chois sin, má b'fhíor an scéal, níor treascraíodh riamh ar an tsráid é.

Bhíodh Treabhar Bheartla Bhillí ag aislingíocht dó féin anois cuid mhaith den aimsir—an Jeaicín a bheith buailte aige tar éis babhta diabhalta troda agus gártha mhuintir Chonamara mar cheol ina chluasa, fir á bhualadh sa slinneán, ag teacht sa bhealach ar a chéile ag iarraidh lámh a chroitheadh leis, gach aon 'Ó muise buachaill, a mhac Bheartla, nár laga mac Dé thú!' nó 'Mo chuach thú, a mhac báin, is tú an seaimpín orthu uilig!' as a mbéal go moltach acu. Dhéanfaí amhrán faoi, b'fhéidir, amhrán mar a rinneadh faoi Phádraic Beirí agus gaiscigh mhóra eile . . . *Sé Treabhar Bheartla Bhillí an fear is fearr le fáil. . . . Throid sé fear as Baile Bhiongaim agus fear as Dún na nGall.* . . . Ní raibh aon scil aige féin le hamhrán a dhéanamh ach cá bhfios nach ndéanfadh fear éigin eile é, ba ríbhreá an rud amhrán a bheith déanta fút, amhrán den chineál sin a bhuanódh do cháil. Ach ní dhéanfaí aon amhrán faoi dá mba eisean a bhuailfí, dá gcruthódh an Jeaicín rómhaith aige, dá bhfágfadh sé ina chnap é mar a d'fhág sé Pádraic Bhaibín Taim Pheige! Is ag cúlchaint air a bheifí ansin, na fir chéanna a bheadh ag gáire suas leis dá gcniogfadh sé an Jeaicín is ag caitheamh anuas air a bheidís an uair sin. 'Ara a b'é an mac rua é? Go gcuirfe Dia an t-ádh ort, cén ghair a bheadh aige sin ar an Jeaicín? Níl sé sa tsraith chéanna leis beag ná mór, ná ní bheidh go brách!'

Bhuaileadh cantal agus náire Treabhar leis an bhfantaisíocht seo uile agus d'fhograíodh sé uaidh i dtig diabhail í go minic; ach dá dhéine dá n-oibríodh sé i gcaitheamh an lae nó dá thréine dá ndéanfadh sé iarracht a cheann a líonadh le rudaí eile ba ghairid arís go bhfilleadh a chuid smaointe ar an tseanchonair cheannann chéanna, gur ar Christy Power agus ar an troid a bhí rompu a bhíodh sé ag cuimhneamh.

'Tá sé mar a bheadh aicíd agat nach bhféadfá a chur as do chnámha,' a dúirt Treabhar Bheartla Bhillí leis féin maidin amháin agus é ag tabhairt baslach dá éadan sula ngabhfadh sé síos chun a bhricfeasta, 'agus dá luaithe a chasfar an bastard ort is ea is fearr duit féin é!'

A CEATHAIR DÉAG

Bhí meascán mearaí ar Nano Mháire Choilm as sin go hAoine, gan fios a hintinne féin aici aon dá nóiméad i ndiaidh a chéile. Bhí sé mar a bheadh dhá dhuine in earraid le chéile istigh inti agus duine díobh ag buachan ar an duine eile gach ré sea. Ar phointe amháin thagadh a coinsias, a córtas agus a gnaíúlacht i gcabhair uirthi agus líontaí le náire is le huafás í ag a neamhsheasmhacht is ag a héidreoireacht féin; ach ansin arís ar iompú boise shamhlaíodh an cathú chomh mealltach, chomh caithiseach sin agus go mbíodh sí ar thoib géilleadh dó. Mar ní raibh gar á shéanadh anois, theastaigh uaithi casadh le Julius Kuzleikas arís chomh géar sin agus nach raibh smaoineamh ar bith eile ina ceann ó mhaidin go hoíche; agus dá mbeadh gan aon cheangal a bheith uirthi ní ag braiteoireacht mar seo a bheadh sí an meandar féin. Ar phointe amháin shamhlaíodh an scéal chomh réasúnach, nádúrtha sin agus gurbh ionadh léi cad chuige an guairneán aigne go léir nó cad chuige a mbeadh sí á ciapadh féin ar an mbealach seo. Bhí an ceart ag Síle Ní Dhuibhir: cé le haghaidh a ndéanfadh sí bean rialta di féin, cuachta suas sa seomra beag gránna ó Luan go Domhnach i leaba a bheith ag baint ceol éigin as an saol? Nach mbeadh sé chomh maith di píosa d'oíche a chur thart sna pictiúir le Julius, fear a bhí chomh huaigneach léi féin, nó ag súimíneacht ar ghloine sú liomóide san *Tudor Rose?* Comhluadar, ní raibh ann ach é sin, ar ndóigh, bhí comhluadar chomh riachtanach ag duine leis an mbia a d'íosfadh sé, agus nárbh fhearr di geábh siúlóide a dhéanamh amach an bóthar le Julius ná bheith ag imeacht thart ina haonar—mar a bheadh ceann craiceáilte ann, a déarfadh Síle, agus an ceart aici. B'iomaí sin fear agus bean a bhain seal as duine eile ar mhaithe le comhluadar le linn dóibh a bheith i bhfad ó chéile agus níor mheasade sin iad i ndeireadh thiar thall. Ná, dáiríre, ní raibh aon bhuarach mar sin curtha ag Máirtín Bhid Antaine uirthi (ba dhiachta dó, a déarfadh Síle!)—a mhalairt uile, i ndomhnach, lena cheart a thabhairt dó. Nár admhaigh sé i litir dár chuir sé chuici le gairid féin gur bhaolach go raibh a saol á chur ó mhaith aige uirthi agus go mba dhona leis sin? Ní ag iarraidh príosúnach a dhéanamh di a bheadh Máirtín, a d'áitigh Nano uirthi féin, níor iarr sé a dhath mar sin uirthi an lá úd ar scar sé léi i nGaillimh.

Agus ansin mar a bhuailfí baslach uisce fuar san éadan uirthi thuigeadh Nano nach raibh ansin uile ach mugadh magadh aici, gur á mealladh féin ar mhaithe lena mianta a bhí sí. Níorbh é an rud a cheadódh nó nach gceadódh Máirtín in aon chor é, níorbh shin é a bhí i gceist ar chor ar bith, ach an rud a shantaigh sise a dhéanamh. Bhí ceart agus mícheart ann, cóir agus éagóir, agus ní raibh san fhéináiteamh seo a bhí ar bun aici ach cur i gcéill agus mí-ionracas—nach raibh sé chomh maith di a admháil agus a bheith réidh leis? Cén tairbhe di a bheith ag cur dallamullóg uirthi féin? Má bhí sí chun fealladh ar an bhfear a bhí geallta di ná ligeadh sí uirthi go mba rud ar bith eile a bheadh ann ach fealladh. Bhain faoiseamh éigin leis an macántacht seo ach ba rud gearrshaolach go leor a bhí ann mar bhíodh sí faoi léigear arís gan mórán achair ag an tranglam céanna smaointe agus mothúchán; í suaite, corraithe, agus an cathú ag sméideadh uirthi go mealltach, ag maolú a coinsiasa. Ba bheag bídeach, ansin, nach n-éireodh le Nano a chur i gcionn uirthi féin go dtiocfadh léi a bheith dílis do Mháirtín Bhid Antaine agus san am céanna seal a chaitheamh leis an strainséir fionn dathúil seo nár fhéad sí a fheiceáil uaithi anois timpeall na háite gan corraíl a theacht uirthi. Bhí taitneamhacht bhrionglóide ag baint leis an meanma sheachmallach seo, ba é an gruth is an mheadhg i dteannta a chéile aici é, saoirse le só, aoibhneas gan chíos air, an réiteach réidh. Ní raibh ag Nano ach ó ord go hinneoin i gcaitheamh an ama seo agus í ina búbaí ceart ag an scéal, agus níor bhaol dá céile seomra gan rud éigin a thabhairt faoi deara.

' Tá diabhal éigin ortsa, a chailín, na laethanta seo,' a dúirt Síle oíche amháin agus í á réiteach féin le dul ag casadh le Maidhc Ó Siadhail.

' Céard a bheadh orm? ' arsa Nano, ag deargadh. Ar údar éigin nár léir di féin é go beacht níor inis sí do Shíle go raibh sí féin agus Julius san *Tudor Rose* an oíche sin: bhí sí in aithreachas anois nár inis agus ní hamháin le faitíos go dtiocfadh Síle ar an eolas. Ba gheall le bréag é agus ba mhinic bréag amháin mar chúis le bréag eile.

' Níl a fhios agamsa, mura bhfuil agat féin—ach tá rud éigin ort, a Nano, le cúpla lá.'

Bhí Síle os comhair an scatháin, biorán gruaige idir a fiacla agus a cúl dubh uaibhreach á scuabadh aici de bhuillí meara; thug sí súil i ndiaidh a leicinn ar Nano, gáire beag rúnda ar a béal.

' Ó díleá ort, nach bhfuil sé chomh maith dom é inseacht duit— d'iarr Julius orm dul amach leis san oíche Dé hAoine! '

' Julius? ' Bhí an biorán leath bhealaigh chun a gruaige ag Síle ach d'iompaigh sí thart gan é a chur in áit. ' Ba é an garraíodóir é? '

' An fear céanna.'

' Go gcuirfidh Dia an t-ádh ort! Dáiríre? '

Shuigh Síle de phlap ag bun a leapa féin, a gruaig anuas ar a gualainn arís aici agus na súile á gcur trí Nano aici le méid a spéise sa scéal.

'Ní ábhar iontais é, ab ea?' a d'fhiafraigh Nano di agus chroith Síle a cloigeann mar ba cheist dhíchéillí a bheadh ansin.

'Cén uair a labhair sé leat, a Nano? Anois, nach raibh an ceart agam!'

'Bhí sé amuigh ag an ngeata an oíche cheana nuair a bhíos ag dul síos ag postáil litreach agus tháinig sé chomh fada leis an mbosca liom.'

Bhí Nano i ngiorracht anála don scéal uile a inseacht do Shíle ach bhuail sí fiacail air ansin. Bhí sé mall anois aici, gach uile sheans: ba dhúnárasacht a chuirfeadh Síle ina leith, nár labhair sí go dtí seo air.

'Agus an bhfuil tú ag dul á fheiceáil?' a d'fhiafraigh Síle di, í ar bís le fonn feasa.

'Céard a mheasfá féin, a Shíle—céard a déarfá?'

'Dá n-iarrfadh sé mise amach rachainn leis ar nós na gaoithe, ach ní mar a chéile tusa agus mise, níl a fhios agam céard a mholfainn duitse a dhéanamh, a Nano.'

'Bhí tú ag iarraidh mé a chur in éindí le Peadar,' a mheabhraigh Nano di ach chroith Síle a ceann.

'Ní hionann scéal é, a chailín. Is furasta déileáil le leithéid Pheadair ach b'fhéidir nach mbeadh sé chomh furasta sin déileáil le mo dhuine.'

'Tuige?' an cheist a chuir Nano uirthi, buille cosantach. Bhí sí buíoch di féin gur inis sí an méid a bhí inste aici do Shíle, ba ualach á thógáil di a bheith in ann an scéal a phlé le duine eile, ach ba chosúil go raibh amhras éigin ag a cara ar Julius agus chuir sin as di ar shlí.

'Bhuel,' arsa Síle, 'dream iontu féin iad, ar bhealach, nach ea? Greamaíonn siad do bhean, a Nano—ní bheadh sé chomh héasca sin a fháil réidh leis ar ball, b'fhéidir.'

'Níor chuas in éindí leis ar chor ar bith fós,' a dúirt Nano, 'tá sé buille beag luath le bheith ag caint ar a fháil réidh leis, nach bhfuil?'

'Ach rachaidh tú leis?' a d'fhiafraigh Síle di, á grinneadh.

'Sin rud nach bhfuil a fhios agam go fóill, a Shíle.'

'An bhfuil fonn ort dul leis? Bheadh ormsa, a chailín—fonn agus fiche!'

'Tá,' a dúirt Nano i gceann nóiméidín. 'Sin é an rud is measa, ar ndóigh. Ní ghabhfainn le fear ar mhaithe le dul leis, ach tá sé seo—difriúil, mar a déarfá.'

' Ná habair liom go bhfuilir i ngrá leis!' ' Bhí idir ionadh agus fhonn magaidh ar Shíle, ba chosúil, agus bhreathnaigh Nano uirthi pas beag maolchluasach.

' B'fhéidir gur " saobhchán céille " ba cheart a thabhairt air, a dheirfiúir! Tá mé sean go leor le go mbeadh ciall agam, tá a fhios ag Dia.'

' Dhera cén " sean "? Ná bí ag caint mar sin, a chailín, níl tú an seacht mbliana fichead fós! Ach ní shin é an rud.'

' Ní hé,' a d'aontaigh Nano léi; ní raibh ansin, agus i mórán eile idir leithscéalta agus chosaint dár tháinig ina ceann ó d'iarr Julius amach í ach seachaint na fírinne; ba ghairid anois nach n-aithneodh sí an dubh thar an ngeal.

' D'fhéadfá oíche nó dhó a bhaint as, go bhfeicfeá,' a dúirt Síle go héiginnte, ' go mbeadh fios t'aigne níos fearr agat.'

D'fhéadfadh, ar ndóigh, ach céard a réiteodh sé fios a haigne a bheith aici ach oiread? Bheadh cás le réiteach i gcónaí, suas nó síos.

' Dá mbeinn ag iarraidh fanacht aige ansin, a Shíle, chaithfinn scríobh ag Máirtín agus briseadh leis,' arsa Nano agus mar a bheadh sé leath bhealaigh idir a bheith ina ceist agus ina ráiteas aici.

' Ó nach fada romhat atá tú ag breathnú—téirigh leis má thaitníonn sé leat agus feic romhat ansin. Ní mór a bheith stuama ar an saol seo, a Nano, a chailín—déan mar a oirfidh duit féin agus bí cinnte nach mbeidh tusa thíos leis, cibé cé a bheidh. Ba mhairg a bheadh gan Muracha gan Mánas i ndeireadh thiar.'

' Is fuarcheannach an iníon thú,' a dúirt Nano ag gáire.

' Bhuel? An bhfuil tú ag dul á fheiceáil mar sin?' ' Bhí Síle ag an scathán arís, á réiteach féin agus dithneas uirthi.

' Níl a fhios agam, a Shíle, agus sin í an fhírinne. Tá mé bunoscionn ag an scéal, níl a fhios agam céard a dhéanfaidh mé.'

Ach ba ar an Aoine ba mheasa í. Cineál scéine a bhuail í nuair a dhúisigh sí an mhaidin sin agus nuair a chuimhnigh sí gurbh é seo an spriocá agus go gcaithfeadh sí a hintinn a dhéanamh suas roimh oíche. Chuaigh sí síos chun an bhricfeasta agus a ceann ar fuaidreamh agus thug sí faoina cuid oibre ina dhiaidh sin chomh díograiseach agus go ndúirt Máire Nic Dhiarmada léi, ar phointe amháin, a scíth a ghlacadh. Geábh eile, agus uachtar fuinneoige á scaoileadh síos orlach nó dhó aici, chonaic sí Julius uaithi amach ag tabhairt lán barra aoiligh go dtí na ceapacha bláthanna ag binn na gceathrúna cónaithe agus d'fhan sí gan cor aisti ansin á fhaire nó gur ghlaoigh Hilda Jackson i leith uirthi chun seanfhear mór trom a ardú aníos ina leaba léi. Ba é an chéad uair di súil a leagan ar Julius ó scaradar ag an ngeata san oíche De Luain agus in ionad ciall éigin a theacht di (mar a bhí dóchas aici go dtiocfadh dá gcasfaí le chéile faoi sholas an lae iad timpeall an ospidéil) ba é an chaoi gur ghabh fuaiscneamh i gceart í i dtreo agus nár léir di céard a bhí Jackson a Rá léi ach oiread is dá mba Fraincis a bheadh á labhairt aici.

An iarnóin a bhí saor ag Nano an lá sin, óna haon go dtína cúig, agus í ar ais ar diúité ansin arís go dtína hocht; ar a dinnéar a bheith ite aici d'fhill sí ar a seomra agus mar ba shuansiúlaí a bheadh inti, nó duine faoi dhraíocht, nigh agus chóirigh sí a cuid gruaige agus leag sí amach a gúna nua *Marks & Spencer* agus péire stocaí níolóin nach raibh poll ná roiseadh go fóill iontu. Chuaigh sí go dtí an scathán ansin gur chaith sí scaithimhín á breithniú féin, a gruaig dheas dhonnrua in airde aici ina caidhp anois agus síos scaoilte thar a gualainn ansin, a ceann á thiontú deas agus clé aici mar a bheadh sí ag lorg nod beag nó leid éigin a chuirfeadh ar chonair a leasa í. An raibh smacht ná urlámhas uirthi féin aici, ná ar a cúrsaí, níos mó, nó arbh amhlaidh go dtarlódh mar a tharlódh gan chead di? Le duine a bheadh ag féachaint ar scannán, nó ag léamh leabhair, ab insamhail í dar léi—bhí sé mar nach mbeadh a scéal féin á ríomh in aon chor ach scéal mná éigin eile nárbh fheasach go fóill cén chríoch a bheadh leis. Bhí an tinneall agus an éiginnte á sárú, bhí sí ina bambairne ar fad ag an scéal agus b'fhada léi go dtiocfadh an oíche; chaithfeadh sí rud éigin a dhéanamh ansin cibé rud é féin.

Bhí stiall mhaith den lá ar a comhairle féin ag Nano Mháire Choilm sula ngabhfadh sí ar seal an tráthnóna agus i dtobainne shantaigh sí bailiú léi in áit éigin go ceann tamaill; peata lae a bhí ann don tráth sin bliana, an ghrian ag taitneamh agus—rud ab ait le Nano ó nach raibh an geimhreadh i réim i gceart in aon chor go fóill—bhí sanas beag éigin den earrach san aer, ba bheag ná go gceapfá go mbeadh na sabhaircíní agus na nóiníní ag cur a gceann aníos lá ar bith feasta agus na bachlóga beaga glasa ag sceitheadh ar an gcraobh. Bhí a fhios ag Nano go raibh rothar nua ceannaithe ag Máire Nic Dhiarmada agus de thallann chuaigh sí síos ar an aireagal mar a raibh Máire fós ar diúité gur iarr sí iasacht a rothair uirthi i gcomhair na hiarnóna. Ní raibh sí cinnte nach a heiteachtáil a dhéanfadh Máire Nic Dhiarmada cé go rabhadar ag tláthú le chéile le scaitheamh ach le méid a fonn chun píosa rothaíochta a dhéanamh arís chuaigh sí sa seans air.

' Ó croch leat é agus fáilte,' a dúirt Máire Nic Dhiarmada léi mar a bheadh ríméad uirthi an deis a fháil chun leorghníomh beag a dhéanamh sa naimhdeas a bhí i dtús báire aici do Nano—gan aon údar mar ba léir di le tamall dá ligfeadh an cheanndánacht di é a admháil.

Ba é an chéad uair do Nano é ar rothar ó d'fhág sí an baile agus thug sí aghaidh ar an tír amach chomh fonnmhar le héan a ligfí as cliabhán, gan aon bhlas saothair di sa rothaíocht ach oiread agus dá mba as féin a bheadh an *Rudge* breá gléineach ag imeacht.

Chuir sí an t-ard fada réidh ó thuaidh den seanchampa príosúnach cogaidh di gan tuirlingt agus sheol sí síos le fána ansin ar luas, na spócaí geala nua ag seabhrán ar nós caisil agus na boinn ag fuamán i gcoinne an bhóthair ar chuma a thug cuimhní an bhaile chuici chomh líonmhar le sméara san fhómhar. . . . Na laethanta gan áireamh a chuaigh sí isteach go Gaillimh ar a rothar féin nó suas trasna an chriathraigh go hUachtar Ard, corr-Dhomhnach, le Máirtín, agus na hoícheanta go léir a thángadar abhaile ó Chéilí an Spidéil, solas na gealaí ag drithliú go lonrach ar an gcuan nó an dorchadas chomh tiubh ina dtimpeall le ceo dubh veilbhite, an baoi ag spréachadh mar a bheadh réalt tite ar ucht na mara amuigh. Nár chiotach mar a d'éirigh dóibh le hais lánúin eile? Bheidís imithe i mbun an tsaoil anois dá mbeadh aon leadhb den ádh leo, dá mba bhean réasúnach í Bid Antaine nó dá dtiocfadh a mac Peadar abhaile agus fuirtheach cúpla bliain féin; ach ar ndóigh bhí sé fánach aici a bheith ag cuirim-i-gcás mar seo, bhí cúrsaí mar a bhí agus gan gabháil faoi ná thairis mar scéal, ní réiteodh an mhairg-neach dada. Ní raibh aon rud chomh seasc ná chomh haimrid leis an inbhreithniú seo aici, ba mhithid a chaitheamh in aer nó dhéanfaí gealt di.

Dá mbeadh saoire Nollag dlite di mar a bhí do Shíle Ní Dhuibhir (nach raibh á hiarraidh) nó dá mbeadh sí sách fada abhus le go bhféadfadh sí an baile a thaobhú arís gan a bheith mar cheap magaidh ag na comharsana ('Anonn ag breathnú ar an gclog a chuaigh sí!') ba bheag a bhéarfadh ar Nano geábh siar a thabhairt, dá mba go ceann cúpla lá féin é, go bhfeicfeadh sí an dtiocfadh fios a hintinne i gceart chuici. Cá bhfios nach bhfaigheadh sí léargas níba chruinne ar rudaí dá mbeadh a cosa ar a fearann dúchais arís, cá bhfios nach dtiocfadh sé de dhoichte inti briseadh le Máirtín uile dá mba shin a bhí le déanamh—sin nó go dtiocfadh de dhiongbháil chuici a ghealladh dó go bhfanfadh sí cibé fad a chaithfeadh sí fanacht nó go mbeadh cead pósta acu? Bhí na smaointe seo ag teacht chuici chomh flúirseach le míoltóga lá meirbh agus chomh bearránach céanna, gan chuireadh gan iarraidh, agus í ag roth-aíocht léi trí sráidbhailte beaga clochrua a raibh ainmneacha aduaine orthu uile—Manor Knebden, Lillingstone Parva, Abthorpe agus Tingewick—nó ar stialla fada bóthair mar nach gcasfaí coisí ort ach go hannamh. Bhí ciúnas taibhsiúil tagtha sa lá anois agus glinne éigin nach bhfacthas do Nano a bheith de réir trátha; bhí casadh ar an aimsir muran mór é a dearmad agus ar theacht go dtí an chéad chrosbhóthar eile di chas sí ar dheis d'fhonn filleadh ar Norwold bealach eile. Murab ionann agus thiar sa bhaile é ba chosúil go mbíodh na feirmeoirí i mbun oibre gach uile thráth den bhliain mar bhí tarracóirí le feiceáil aici ar fud an bhealaigh ag treabhadh, iad cosúil le feithidí beaga broidiúla ag snámh suas síos

[195]

sna goirt fhairsinge agus an ithir úr dhearg á nochtadh ag a gcéachta socghéara. Tháinig Nano go dtí seaneaglais eidhneánach a raibh reilig chianaosta ina timpeall agus bhuail fiosracht éigin í gur ling sí den rothar is gur leag le piara an gheata é; bhí doras na heaglaise gan ghlas agus chuaigh Nano isteach ann, buille támáilte; ba é an chéad uair riamh di i dteampall Protastúnach agus bhí lán a craicinn scátha uirthi bíodh is gurbh fheasach í nár pheaca an tairseach a thrasnú chomh fada agus nach mbeadh searmanas ar bun. Bhí an eaglais bheag chomh ciúin leis an uaigh ach níorbh é sin ba threise a chuaigh i gcionn ar Nano ach rud ba uaigní go mór ná ciúnas; uireasa dólásach éigin, gan Dia a bheith le brath aici ann mar a bhraithfeadh sí i dteach pobail Caitliceach É. Bhí an teampall cosúil go leor le séipéal ar bith dá raibh sí riamh ann mar bhí altóir ann agus crannóg agus crois mhór lom; ach ní raibh lampa sanctóra, ná turas na croise, coinnle ar lasadh ná comhartha sóirt ar bith eile mar iad dá dtabharfá gean agus aithne láithreach. Ionad tréigthe a chonacthas do Nanó Mháire Choilm a bheith sa seaneaglais bheag, áit a bhain le gnás agus le saol a bhí thart lán chomh mór is mar a bhain oileán beag beannaithe dár thug sí cuairt air fadó nuair a bhí sí ag fanacht ag daoine muinteartha léi thiar i Litir Mealláin. Ní thiocfadh léi an teampall beag a shamhlú lán le daoine mar a bhíodh a séipéal féin thiar i gCois Fharraige ná Eaglais Naomh Bríde i Norwold gach uile Dhomhnach agus ba gheall le fuascailt di teacht amach as arís i gceann nóiméid.

B'fhada ó hadhlachadh aon duine sa reilig bheag amuigh, ba chosúil, mar bhí na huaigheanna ina dtulacha aimhréidhe nó ina logáin bháite agus na scríbhinní ar na staiceanna os a gcionn chomh doiléir agus nárbh fhéidir a leath a dhéanamh amach . . . *Jonathan Tibbs* a léigh Nano ar staic amháin, . . . *dear wife Adeline . . . children Beatrice and Sophie* . . . 1707 an dáta a bhí ar an staic ach bhí cinn eile ann ba shine ná sin, níorbh fholáir, mar nach raibh aon bhlas dá raibh greanta orthu inléite anois. Ní raibh aon allas á chaitheamh ag duine ar bith ag tindeáil na reilige, ba léir, mar bhí luifearnach agus driseacha go rábach ar fud na háite agus bhí tuamba cloiche i gcúinne amháin a raibh an leac uachtair ann briste agus neantóga ag fás aníos tríd an scoilt. I dtobainne bhuail fonn imeachta Nano, nó cén teidhe a sheol isteach anseo in aon chor í, an cheist a chuir sí uirthi féin; níorbh fholáir di a bheith ag cur an bóthar abhaile di ar aon nós mar bhí an ghaoth ag ardú anois agus an spéir ag dorchú ar chuma nár thaitin léi. Ní raibh aon deoir bháistí ag titim go fóill ach bhí a bholadh san aer agus bheadh an t-ádh ina caipín muran ina líob bháite a shroichfeadh sí an t-ospidéal.

Thug Nano faoin rothaíocht chomh maith is a bhí inti agus ba ghairid gur tháinig sí chuig crosbhóthar a raibh Norwold i measc na n-ainmneacha eile ar an gcuaille eolais ann; chas sí faoi dheis anseo arís agus bhí fán maith fada roimpi amach mar uchtach di ansin. D'ORDAIGH DIA CÚNAMH an smaoineamh a tháinig ina ceann ag Nano agus d'oibrigh sí na troitheáin go dtí nár fhéadadar a choinneáil suas le luas an rothair, go dtí go raibh na fálta loma scáinte ag scinneadh thairsti ar thaobh an bhóthair mar ba as fuinneog traenach a bheidís á bhfeiceáil. In ainneoin bhagairt na spéire bhí an fhearthainn ar éill go fóill ach bhí clapsholas bréige ann anois chomh mínádúrtha le gealach nóna agus chuaigh an ghaoth i léig geall le bheith chomh tobann agus mar a d'éirigh sí ar ball beag agus ar feadh píosa ansin bhí téigle ar fud na dúiche a bhí chomh diamhrach sin agus gur dhóbair do Nano scanradh a ghlacadh. Ansin de phlimp, gan oiread agus braon amháin a theacht chun cinn, mar rabhadh, ar bhraon eile, d'oscail an spéir agus tháinig an bháisteach ina riathar síos. Bhí scioból mór ceannstáin laistigh de gheata in aice láimhe ar ámharaí an tsaoil agus phreab Nano den rothar go ndeachaigh de ruide raide i gcoinne an fhoscaidh, sála a bróg ag greamú i mboige an talaimh agus an bháisteach á smísteáil go fíochmhar. Ní tirim a bhí sí ag dul ar an bhfothain di ach ba mheasa míle uair í dá cheal agus theann sí isteach leis an gcruach mhór tuí go buíoch beannachtach, a gruaig ag silt agus a cosa báite. Bhí an bháisteach ag slaodadh anuas anois mar ba as criathar a bheadh sí á doirteadh, ag cnagadh, agus ag clagarnach ar cheann stáin an sciobóil chomh hard le toirneach agus ag madhmadh go glugach callánach thar fhonsa an bhunsoip amach ina caise geal glórach, ina heas coipgheal cáite. Bhí sé chomh dorcha anois agus go mba dhoiligh di an geata nach raibh deich slat uaithi a fheiceáil agus bhí tuargaint na díleann ar cheann stuach an sciobóil chomh bagrach le lámhach gunnaí le linn catha; dhoirt sí den díon rocach anuas ina scaird airgeadta mar a dhoirtfeadh uisce na habhann thar chorra gur leath ina locháin agus ina sruthán thar an talamh pludach. Níor chuimhin le Nano a leithéid de bháisteach a fheiceáil riamh ina saol roimhe agus bhuail faitíos í nach stopfadh sé in aon chor, go mbeadh fuirtheach anseo uirthi, ina hóinseach, i bhfad tar éis an ama ar cheart di dul ar ais ar diúité. Ach ansin, mar ba de mhiorúilt é, bhailigh na scamaill dhubha ramhra den spéir agus bhí an múr thart. Bhí glugaíl agus silteach agus crónán uisce ag déanamh gleo i gcluasa Nano agus í ag dul i dtreo an gheata arís agus bhí an díog bheag le taobh an bhóthair ina sruthán; thriomaigh sí diallait an rothair le binn a cóta agus chuir sí chun bealaigh ansin arís go beo.

Bhí Nano an-ghnóthach an tráthnóna sin agus níorbh fhearr ar bith é dar léi. Thug sí faoi gach dá raibh le déanamh aici mar ba dheis éalaithe a bheadh ann óna smaointe agus óna héiginnteacht féin ach dá dhéine dár oibrigh sí ní raibh ann di ach cairde nóiméid anois is arís agus bhí sí á tástáil ansin chomh géar is a bhí riamh. Bhí dóchas éigin aici ar feadh tamaill nach bhfágfaí an cinneadh fúithi in aon chor as a dheireadh thiar arae i ndiaidh di tosú ag obair tháinig múr trom eile agus dá leanfadh sé sách fada ní bheadh sé in araíocht ag duine ar bith corraí amach an oíche sin. Ach níor sheas an dara múr mórán níba fhaide ná an chéad cheann agus de réir mar a bhí snáthaidí an chloig ag teannadh le ham scoir ghlan an spéir agus tháinig na réalta amach nó go raibh an spéir lán leo. Bhí Nano go fóill idir dhá cheann na meá nuair a tháinig deireadh lena seal oibre don lá sin ach ar an mbealach suas chun a seomra di tháinig Julius ina ceann chomh meallacach sin agus nárbh fheadar í cé mar a d'fhanfadh sí uaidh; mar sin féin bhí sí idir dhá chomhairle nó go ndeachaigh sí isteach chun an tsuipéir agus go bhfuair sí litir a bhí sa raca litreach di ó mhaidin cibé cé mar a chuaigh di é a aimsiú in am lóin. B'fhaide agus ba chaintí mar litir é ná mar ba ghnách le Máirtín a scríobh agus léigh sí le fonn é nó gur tháinig sí d'aguisín a bhí as a dheireadh thíos, agu·sín a bhain biongadh aisti agus a chuaigh i bhfeoil inti chomh géar le dealg. . . . *Tá mo mháthair ag coinneáil go breá, buíochas le Dia, ní fhaca mé chomh maith í le fada.*

D'éirigh Nano gan bhlaiseadh den bhéile beag domlasta agus chuaigh de sciotán síos chun a seomra, a haghaidh chomh bán le sneachta agus a hucht chomh suaite agus dá mbeadh dreas tréan rince déanta aici. Chaith sí di a caipín beag banaltra ar an leaba agus d'fheistigh í féin ina gúna nua orgáinde agus scaoil sí amach a cúl gruaige ansin gur thosaigh á scuabadh agus á cóiriú go fraochta. Chuir sí uirthi a stocaí agus a bróga sálarda ansin agus bhí a cóta á thabhairt den chrochadán nuair a tháinig Síle Ní Dhuibhir isteach tar éis a seal féin a chríochnú. Bhain Síle a caipín di agus scaoil sí uachtar a héide, chiceáil sí di na bróga agus chuir sí na cosa fúithi ar an leaba.

' Tá tú dul á fheiceáil mar sin, a Nano? '

' Tá a dheirfiúir! Nach bhfuil sé chomh maith dom? Dúirt tú féin liom sách minic é, gan a bheith ag déanamh bean rialta díom féin istigh anseo gach uile oíche! '

D'fhéach Síle uirthi ach ní dúirt sí dada; bhí loinnir ina súile ag Nano agus deirge ina leicne nach bhfaca sí cheana iontu agus b'fhéidir gurbh shin é a d'fhág balbh í.

' Túralú, a Shíle, feicfidh mé ar ball thú,' a dúirt Nano de ghlór a bhí teann le mothú éigin agus lasc sí amach chomh fuadrach agus dá mbeadh an áit trí thine.

A CÚIG DÉAG

B'ait mar a thiocfadh gach rud i gceann a chéile scaití. Seachtain na Nollag agus gan aon choinne faoin spéir aige leis fuair Niall Ó Conaill litir ó Chiarán Buitléar agus dhá pháipéar mhóra bhána cúig phunt istigh ann; an mhaidin chéanna, ar an bpost céanna, tháinig litir ó Chléireach na Cathrach chun a mháthar á rá léi go bhféadfadh sí eochair an tí nua a fháil uair ar bith ar mhian léi thíos i Halla an Bhaile.

' Altú le Dia na Glóire,' a dúirt Bean Uí Chonaill agus deora ina súile; chuaigh sí anonn go dtí pictiúr an Chroí Ró-Naofa ansin gur phóg barr a méar agus gur leag ar fhráma an phictiúir iad chomh hurramach agus dá mba thaise bheannaithe a bheadh ann. Ba i ndiaidh teacht as Aifreann a hocht sa Mhainistir Dhubh a bhí Bean Uí Chonaill, bhí Aindriú agus Muiris imithe amach le uair an chloig nó mar sin chun a gcuid oibre agus ní raibh Niall ach ag suí chun a bhricfeasta féin. Maidin gheal sheaca a bhí ann agus bhí screamh thanaí lic oighre ar logáinín beag uisce amuigh sa chlós nuair a chuaigh Niall amach ar an gcéad rud; bhí caoi curtha aige le tamall ar an gclós beag cé go mba shaothar in aisce é dar le Bean Uí Chonaill, níorbh fhiú méar a chrochadh sa chosair shalach, dar léi.

Bhí mearbhall ar Niall i dtús báire ag an dá nóta mhóra airgid mar ba é an chéad uair riamh dó iad a fheiceáil agus ar feadh ala bhig cheap sé gur airgead bréige de shaghas éigin a bhí ann, gur le fonn spraoi a cuireadh chuige iad. Ach ba ghairid gur chuir a mháthair ar a eolas é.

' Dhá chúig phunt Shasanacha iad, a Néill,' a dhearbhaigh a mháthair dó tar éis di an t-airgead a scrúdú. ' Bhí sé cinn acu sin abhaile ag Máirín Flood léi anuraidh, chonaic mé féin aici iad thíos sa siopa. Beidh ort iad a thabhairt chuig an mbanc, sílim, le airgead ceart a fháil orthu.'

Ní mórán le leathanach go leith a bhí i litir an Bhuitléirigh; ghabh sé leithscéal le Niall faoin mbeart tútach a bhí déanta aige féin air agus gheall sé dó go gcuirfeadh sé an chuid eile dá thríocha punt chuige a luaithe is a bheadh ar a chumas. Bhí dul amú air faoin gcarr is faoin gcapall, ní dhéanfá airgead go deo ar an gcuma sin anois, a dúirt sé, bhí an iomarca ina bhun cheana, agus ar aon nós nárbh éigean dó greadadh, é féin agus Máire Fitz, cé go mba gháir bhréige aici ina dhiaidh sin é, ní raibh sí mar a mheas sí í féin a bheith in aon chor. Ní raibh locht ar bith aige féin ar Shasana,

[199]

a dúirt an Buitléarach, bhí dalladh oibre ann pé scéal é, gheobhadh
fear ar leathchois jab ann ná bac leis an bhfear slán; agus, a dúirt
sé mar fhocal scoir, dá mbeadh fonn ar bith ar Niall féin teacht aniar
bhí áit aige féin agus ag Máire Fitz ar cíos, d'fhéadfadh Niall
fuirtheach acu nó go mbeadh obair agus lóistín aige. Bhain Niall
lán na súl go grámhar den dá nóta mhóra bhána, an dá bhilleog
mhóra áille a bhí tagtha isteach an doras chuige chomh miorúilteach
sin nuair ba mhó a bhí gá leis. Bhí sé á dhalladh ag méid agus luach
an dá nóta mhóra agus níor rith sé leis olc ná maith nach raibh ann,
dá mhéad é, ach trian den tsuim a bhí ar an mBuitléarach aige, ní
lú d'fhan aon amhras air ná go bhfaigheadh sé an dá thrian eile
ar ais, gach uile phingin. B'éarlais a bhí anseo aige agus níor bheag
sin. Ach bhí flosc ar Niall le bheith amuigh cheana, chun a bheith
ag seoladh suas an baile mór go mustrach teann, a dheich bpunt
breá i bpóca a thóna aige agus é ag déanamh ar an mbanc chomh
maith leis an duine ab fhearr acu. D'alp sé siar a bhricfeasta agus
d'éirigh ón mbord gan ' sea ' ná ' ní hea ' a chur sa chabaireacht
a bhí ar bun ag a mháthair mar gheall ar an teach nua; an leagan
amach a bheadh aici air, na maidí troscáin nár mhór a fháil ar
cairde Tigh Mhic Ghriaire thíos sa bhaile mór, cearnóg linó don
seomra cónaithe ar dtús, bheadh na seomraí eile luath go leor amach
anseo, cárbh fhios nach ag obair a bheadh Niall féin sa bhliain nua,
bhí ardú geallta ag Aindriú is ag Muiris di le rudaí a cheannach—
agus nach orthu a bheadh an lúcháir nuair a gheobhaidís amach
faoi! *Uimhir a Seacht, Ascaill Mhártain de Porres* . . . dúirt sí an seoladh
arís agus arís eile mar ba shalmaireacht a bheadh ar bun aici, bhí
barúil aici gur teach coirnéil a bhí ann, go raibh bóithrín ag síneadh
leis an mbinn; b'amhlaidh ab fhearr é chomh maith, ba mhó é do
phríobháideachas gan comharsa a bheith ar gach aon taobh díot.
bhí súil le Dia aici go mbeadh comharsana deasa acu freisin—agus
buíochas le Dia, nár mhór an ní é gan glór na gcolúr a bheith á gcur
as a gciall feasta nó an raibh aon fhuaim ar dhroim an tsaoil seo
chomh fuafar leo.

   ' Bhuel, dá mba a dhá oiread é is dóigh go gcaithfidh mé
saighneáil,' a dúirt Niall, ag leagan ceann de na nótaí móra bána ar
an mbord agus ag sacadh an ceann eile i bpóca a threabhsair,
súile a mháthar á seachaint aige mar is béas le duine nuair a
bhraitheann sé é féin faoi iniúchadh agus rud éigin le ceilt aige.

   ' Níl a fhios agam, a Néill,' a dúirt a mháthair, ' cén gnó tá
agat don mhéid sin amach leat, tabharfaidh mise luach feaigs duit
más maith leat.'

   ' Ó, nach bhfuil sé chomh maith dom é a bhriseadh sa mbanc,'
a d'fhreagair Niall chomh neamhchúiseach agus a bhí ann, ' bhíos
ag brath cúpla rud beag a cheannach, péire stocaí agus léine,
b'fhéidir.'

Bhí sé ag an doras, beagnach, nuair a chuir a mháthair allagar aisti.

' Ní bheidh tú i bhfad, an mbeidh—tá lá mór amach romhainn, an stuif uile le haistriú suas, caithfidh muid fios a chur ar Labhrás Ó Dubhchóna go dtabharfaidh sé an troscán suas dúinn sa charr asail, is fearr duitse dul ina choinne láithreach agus an eochair a fháil ansin ar do bhealach abhaile duit! '

Lig Niall mallacht ina intinn féin agus sméid sé a cheann, ach ní raibh a mháthair réidh leis ná baol uirthi.

' Agus cibé rud a dhéanfas tú, a Néill, seachain a ligfeá dada ort féin leis an ngramaisc eile sin faoin airgead a fuair tú nó dheamhan pingin de a bheidh abhaile leat! '

' Ní gasúr mé, a Mhaim,' a dúirt Niall go gairgeach ag dul amach dó.

' Ní hea, ach is pleota thú ar uaire,' an t-urchar a chuir Bean Uí Chonaill amach ina dhiaidh mar nach mbeadh aon mhuinín aici a thuilleadh as.

D'imigh Niall suas an baile mór chomh haerach le lon agus a nóta cúig phunt i bpóca a thóna. Ní áiteodh an saol air nach raibh casadh bisigh curtha ina gcúrsaí anois, nár dhea-thuar é teacht an airgid agus scéal an tí nua le chéile; bhí an saol ag dul i bhfeabhas mar a dúirt an seanfhirín giobanta ar an traein an oíche úd ar tháinig sé abhaile, bheadh teach breá nua anois acu thuas ar an Dromán Féarach, teach nach mbeadh aon náire ort daoine a thabhairt isteach ann, ba chomhartha ann féin é an teach nua go raibh malairt saoil ar na gaobhair, go mbeadh gach rud ar deil feasta. Gheobhadh sé obair chomh maith, bhí sé dearfa de sin ar chaoi éigin agus i dtigh diabhail dó mura bhfaigheadh féin nach bhféadfadh sé bualadh anonn agus bliain a chaitheamh i Londain, má bhí an tír chomh maith lena cáil ba ghearr an mhoill ar dhuine seiftiúil máimín airgid a chur le chéile, teacht abhaile ansin agus tús a chur le gnó beag rafar i ndáiríre an iarraidh seo, níor bhaol do dhuine fanacht thall, diabhal tiomanta baol air. Bhí aeráid bhreá fhéiltiúil ar fud an bhaile féin, chonacthas do Niall, an ghrian ag scalladh go hórga ar an gcoileach gaoithe i mbarr an Tholsel agus an sioc á leá ar shlinnte na dtithe fan na Sráide Airde; bhí sé mar a bheadh gaol agus cairdeas á maoímh ag an gcathair féin leis, chonacthas do Niall, agus gan iarsma ar bith fanta den choimhthíos sin a bhraitheadh sé a bheith ag na clocha féin dó ar uaire ó tháinig sé abhaile ón arm. Ba é an t-airgead an buachaill, ar ndóigh, chuirfeadh an t-airgead bláth ar an saol agus níor dhochar ar bith teist bheag den bhochtanas a fháil a ghinfeadh an tíos agus an bharrainn i nduine.

Ar theacht chomh fada leis an bParáid dó chuaigh Niall suas céimeanna Bhanc na hÉireann de dhá thruslóg agus bhuail sé a

nóta mór bán ar an gcuntar istigh gur iarr cúig phunt shingle ina
éiric; dhealaigh sé nóta díobh ansin gur chuir i bpóca dó féin é
agus shac sé an ceithre phunt eile síos go doimhin i bpóca a bhroll-
aigh. Bhí an ceart ag a mháthair, ar ndóigh: dá gcuirfeadh
Nioclás Ó Maonaigh agus na fir eile a gcrúba ann ní mórán dá
mhám airgid a bheadh abhaile leis. *D'íosfaidís beathach mé, d'íosfaidís
beó! Hicití, micití, bicití, bó!* a chan sé go bog dó féin ag gabháil
síos Sráid an Róisín . . . *Greamú 'nós báirneach is diabhal bogadh go deo!
Nicití, ricití, licití, ló!*

Sheas sé ala beag ar Dhroichead Eoin le breathnú síos ar an
bhFeoir ach bhí sé róchorraithe le haon mhoill a dhéanamh agus
chomáin sé leis trasna; bhí Teach an Droichid ar oscailt agus Niall
ag gabháil thairis agus de thallann d'iompaigh sé thart gur chuaigh
isteach ann. Ní raibh istigh ach Páid Ó Neáraigh agus Siomón
Mac Cárthaigh a bhí ina shuí suas ar stól ard, uillinn leis ar an
gcuntar, a hata anuas ar a shúile agus na cosa i lúb a chéile faoi
runga an stóil aird aige; má bhí an táilliúir ina dhúiseacht ba ar ín
ar éigean é, bhí cuma an fhuachta air, cuma an fhir a chodail
amuigh.

' A Néill! ' a dúirt Páid Ó Neáraigh mar nach mbeadh aon súil
riamh aige le Niall an tráth sin maidine; bhí geamhar féasóige ar
Pháid, rud ab annamh leis.

' Pionta le do thoil, a Pháid, agus deich gcinn de feaigs,' a dúirt
Niall ag caitheamh punt síos, buille poimpéiseach.

' Pionta, a Néill,' a dúirt Páid Ó Neáraigh agus thál steall
pórtair as an luamhán práisfhonsach. Lig sé don leann dubh socrú
agus chuaigh sé go dtí an áit ina raibh na toitíní leagtha amach
ar an seilf.

' *Woodbines* nó *Players*, a Néill? '

' Ara, tabhair dom Fear na Féasóige,' a dúirt Néill le hábhacht,
' tá mé dóite ag na diabhail eile sin! '

Bhí sé ar phionta chomh blasta agus mar a d'ól sé riamh, dar le
Niall, agus bhí an sásamh céanna dó sa toitín. D'fhéach sé ina
thimpeall, ar an tine mhaith chailme a bhí san áit a raibh an tinteán
caoch go deireanach agus ar an dustáil úr mhin sáibh a bhí ar an
urlár; bhí cuma dheas theolaí ar an ósta agus i dtobainne mhothaigh
Niall an gliondar ag at is ag borradh istigh ann, sceitimíní áthais
óna bhonnaí go barr a chinn air. Agus má ba mheidhir an bhacaigh
féin é, nár lá dá shaol a bhí ann?

' An bhfuilir ag saighneáil i gcónaí, a Néill? ' a d'fhiafraigh
Páid Ó Neáraigh, ag claonadh thar an gcuntar amach chuig Niall,
a ghlór íslithe aige mar ba eatarthu féin amháin é pé comhrá a
dhéanfaidís.

' Ó díleá air, táim, a Pháid,' a d'fhreagair Niall. ' Ar scáth is
fiú é! Ach tuige a bhfágfainn ag na diabhail é dá laghad é? '

' Ní fhágfainn, ná leathphingin,' a dúirt Páid, ag sméideadh go críonna ar Niall. ' Nár chuir tú suas stampaí lena aghaidh nuair a bhí tú ag obair? '

' Ó d'fhágas an scoil, is beag ná go bhféadfá a rá! '

' Níl tú ach ag fáil do cheart mar sin,' a dúirt Páid go deamheasúil. Lig sé osna agus chuimil sé lámh dá bhruth féasóige.

' Nollaig chiúin a bhéas ann, a Néill—níl aon airgead thart i mbliana.'

' *By dad*, níl a fhios agam faoi sin, a Pháid,' a dúirt Niall go tromchúiseach.

' Bhíos sa mbanc anois beag agus bhí slua beag deas istigh ann—agus is ag tarraingt amach a bhí a bhformhór, déarfainn.'

' Do dhála féin de? ' a dúirt Páid mar leid dó, meangadh beag comhcheilgeach air le Niall san am céanna.

' Ó nach bhfuil a fhios agat go maith! Ní á chur ann a bheinn an tráth seo bliana, cibé céard a dhéanfaidh an bhliain nua linn.'

Agus má ba chineál bréige ag Niall an cur i gcéill seo níor lig sé ina ghaobhar gurbh ea; go deimhin níor chuimhnigh sé beag ná mór ar an taobh sin den scéal sular oscail sé a bhéal, ba gheall le rud é nach mbeadh neart aige air, le ról a bheadh á aithris aige i neamhchead de féin. Bhí an taobh ba láidre dá nádúr in uachtar agus má d'airigh sé glór beag fánach i gcúl a chinn in áit éigin ag comhairliú dó gan scarúint ar fad lena stuaim ba réidh uaidh neamhaird a dhéanamh de.

' Tá airgead sa tír ceart go leor, a Pháid,' a dúirt Niall, ' ach is airgead díomhaoin é.'

Bhí sé ag cuimhneamh ar an bhfógra a chonaic sé i mBanc na hÉireann, fógra a dhearbhaigh go raibh ochtó milliún punt socmhainní acu, slán sábháilte. . . .

' Táir ag caint anois, a Néill,' a dúirt Páid agus thug sé fáscadh beag muinteartha do rosta Néill. ' Airgead a dhéanann airgead ach é a chur thart—ní dhéanfaidh sé maith ar bith faoin tocht! '

' Ná i siléar an bhainc ach an oiread, a Pháid.'

Chorraigh Siomón Mac Cárthaigh ar an stól ard agus thosaigh sé ag múngailt cainte; bhí cluas le héisteacht air chomh dóichí le rud, dar le Niall, ach ba chuma leis, níor mheáigh tuairimí Shiomóin brobh aige. Díol trua ba ea an táilliúr agus cé a tabharfadh aon aird air? Ach bhí sé in am dó dul i mbun a ghnó, bhí rudaí go leor le déanamh aige tar éis sínithe thall sa Mhalartán Oibre, chaithfeadh sé eochair an tí nua a fháil agus fios a chur ar Leairí Ó Dúchóna má bhí fáil air.

' Tá sé chomh maith dom m'átagraf a thabhairt do nʳ diabhail, a Pháid,' a dúirt Niall, ag críochnú a phionta. ' Tá muid ag aistriú tí inniu freisin, tá rudaí go leor le déanamh agam.'

' Ag aistriú tí? Bhuel guím séan agus sonas oraibh ann, a Néill, agus gach rud mar ba mhian le do chroí é! '

Agus go haibéil, mar a thitfeadh púicín dá shúile ar an ala sin, thuig Niall go raibh fear an ósta é féin tar éis oíche ragairne a dhéanamh. Bhí na comharthaí uile ar Pháid ach iad a aithint, na súile dearga, an fás lae ar a smig, an fonn caidrimh seo. Bhuail scáth beag Niall, ba gheall le scannal aige é, faoi mar a bheadh lorg óil ar shagart go díreach. Ba mhinic a chuala Niall go n-imíodh óstóirí féin le hól nuair a rachadh an saol ina n-aghaidh ach níor rud é sin a shamhlódh sé le Páid Ó Neáraigh go brách agus bhí díomá éigin air anois faoi amhail mar ba loiceadh ag Páid é nó easpa cuibhiúlachta. Dob fhéidir nach raibh mórán den rath ar Pháid féin ar na saolta seo mar ba mhinic nach mbíodh deichniúr istigh aige i gcaitheamh an lae; chuaigh intinn Néill siar go dtí an oíche, bheadh sé cúpla bliain ó shin go láidir, nuair a bhí comhluadar beag díobh anseo 'Tigh an Droichid go deireanach agus Páid ina mbail ag ól cúpla buidéal leo as corp muintearais. Bhí Páid ag cur síos dóibh ar Mheiriceá mar ar chaith sé suim blianta ag tarraingt ar fhiche bliain roimhe seo tar éis do Wall Street a chlis, bhí sé ag cur caoi dóibh ar shaint is ar bhroid na tíre thall, ar chruas agus ar easpa soilíosachta na ndaoine ann le hais mhuintir na hÉireann. Fuadar agus obair gan sos gan scíth ba ea Meiriceá, dar le Páid, agus bheadh slacht ar Éirinn dá n-oibreodh a muintir leath chomh crua anseo ag baile is mar a d'oibrídís thall sna Stáit. Ní dheachaigh duine ar bith den chomhluadar i gcoinne an bhreithiúnais sin ach duine amháin, talmhaí leathólta isteach as Teampall Loiscthe a dúirt go mba mhairg nach bhfaigheadh ligean ar Mheiriceá mar gurbh fhearr a d'íocfaí luach do shaothair leat sa tír sin ná in Éirinn. ' Mar níl sé in Éirinn,' a dúirt an sclábhaí feirme gan fuacht gan faitíos le Páid, ' an siopadóir, an feirmeoir, nó an sagart a bhfuil meas madra aige ar an bhfear oibre, ná a íocfaidh tuarastal cóir leis mar a d'ordaigh Críost! '

Níor dhearna Niall dearmad riamh ar an gcaint sin ná ar an bhfreagra a thug Páid ar an bhfear tuaithe, go réidh socair gan teas gan cantal. ' Tá siopadóir amháin anseo agat, a Johnny,' arsa Páid, ' nach bhfuil in ann tuarastal ceart a íoc leis féin, ní áirím a thabhairt d'fhear eile.'

Thiocfadh dó, dar le Niall agus é ag teannadh leis an Malartán Oibre; dá mbeadh an saol mar ba cheart agus obair a bheith aige féin is ag a leithéid bheadh rath ar lucht gnó agus siopaí chomh maith agus go háirithe ar fhear gnaíúil mar Pháid Ó Neáraigh— nach ar scáth a chéile a mhairfeadh na daoine, níor thairbhe ar bith a bheith ag gor ar an airgead mar a dhéanadh cuid de na feirmeoirí sin a thagadh isteach ón tír, seanchótaí fada ó aimsir Pharnell orthu agus iad lofa le hairgead san am céanna.

Bhí an ciú laghdaithe go maith nuair a shroich Niall an Malartán Oibre ach mar sin féin ba bhearrán leis an mhoill a bhí á cur air anois ag an scuaine seo ainniseoirí amach roimhe. Ba mhinic iarracht de thrua ag Niall do lucht an dóil ach níor bhraith seo leo ach mífhoighne anois, ba gheall le haicíd thógálach aige a ndearóile agus a mbochtanas, ba chosúil le dream iad a bhí daortha chun díomhaointis agus ganntanais, nach raibh dada seachas an déirc i ndán dóibh go deo. Ach ní ghreamódh a ngalar dósan, gheall Niall dó féin agus toitín *Players* á dheargadh aige, chuirfeadh sé stiúir air féin tar éis na Nollag, diabhal baol nach gcuirfeadh!

Bhí Neilí Moffat ag breathnú siar thar a gualainn ar Niall, ag streilleadh leis ar chuma a chuirfeadh le dod é in am ar bith eile, ach ba é a rinne Niall súil a chaochadh ar an tseanbhean chomh deiliúsach sin agus gur fágadh í lena béal ar leathadh. Agus nuair a tháinig ar a sheal istigh ag cuntar an Mhalartáin scríobh sé a ainm ar an mbilleoigín tinnrimh chomh toirtéiseach agus dá mba sheic a bheadh á shíniú aige; sméid sé go giodalach ar Mhac Uí Lionáin ansin agus dheifrigh sé amach le breith suas le Nioclás Ó Maonaigh agus Bosco Ó Súilleabháin a bhí chun tús air go maith sa chiú.

' Tá an-ghiúmar ortsa ar maidin,' a dúirt Nioclás Ó Maonaigh leis, mar ba á mhaíomh ar Niall a bheadh sé, ag gabháil thar gheata na beairice míleata dóibh. Bhí Caipín Dearg ar diúité ag an ngeata agus bhí buíon bheag den F.C.A. ag teacht de leoraí istigh ar an gcearnóg, cuma burlamáin ar gach uile fhear acu ina n-ionair mhíchumtha nár shroich thar chom a mbrístí síos; chuimhnigh Niall ar an am a mbíodh dímheas an tsaighdiúra ghairmiúla aige ar na hamaitéaraigh mhístuama seo ach bhí an saol sin uile chomh fada uaidh anois agus mar nach mbainfeadh sé riamh leis. Saol nua geallúnach a bhí ag sméideadh anois air, bhí an athbhliain mar a bheadh cóipleabhar glan nua ann ina dtiocfadh leis a rogha scéil a scríobh.

' Tá, a Nic! Tá mé le séip éigin a chur orm féin tar éis na Nollag. Mura n-éireoidh dada anseo liom tá fúm triail a bhaint as an tír thall.'

' Déanfaidh tú saibhreas mar a rinne Nic,' a dúirt Bosco Ó Súilleabháin.

' Thug Nic meall mór abhaile leis—meall caca! '

' Níor thugas mórán abhaile liom ach shaothraigh mé rud éigin nuair a bhíos thall ann ní hé t'fhearachtsa nár chuir lámh le sluasaid,' a dúirt Nioclás Ó Maonaigh go seanbhlasta.

Ach níor chuir a gcocaireacht leanbaí blas múisiam ar Niall anois murab ionann agus ócáidí eile, bhí dinglis ann le scleondar agus fonn saoire agus má bhí rudaí le déanamh aige féin, an Dúchónach a fhostú agus eochair an tí nua a fháil i Halla an Bhaile, nach raibh lá go hÁrainn fós ann mar a deirtí sa Chath Gaelach? Ag teannadh le Teach an Droichid dóibh chomhairligh glór beag a stuaime do

Niall gan a bheith ag súgradh mar seo leis an gcathú ach ansin mar ba ag labhairt gan chead dó a bheadh a theanga thug sé cuireadh isteach Tigh Pháid don bheirt eile.

'Cad deir sibh le pionta Tigh Pháid, a fheara?' ar seisean agus sheas sé.

'Téirigh suas i mo thóin,' a d'fhreagair Nioclás Ó Maonaigh go borb, gan aon chuimhne riamh aige nach ag ealaín a bhí Niall leo.

'Béasacht!' a dúirt Niall, ag casadh isteach Tigh Pháid Uí Neáraigh dó. 'Tagaigí isteach má tá deoch uaibh, fanaigí amuigh mura bhfuil!'

Ba bhaolach go mba phleota é ceart go leor a d'admhaigh Niall agus é ag iarraidh eagar éigin a chur ar chúrsaí an lae ina intinn shúgach. Bhí a ucht le balla an droichid aige agus é ag féachaint síos ar an bhFeoir a raibh solas buí an lampa sráide ag drithliú air anois i gcróntráth corcra an tráthnóna.

Bhí gach rud i gceart, ní raibh drochdhealramh ar bith ar chúrsaí go ceann i bhfad i ndiaidh dó an bheirt eile a bhreith leis isteach Tigh an Droichid; ghlaoigh sé trí phionta agus dúirt Páid Ó Neáraigh 'An-fhear' leis go beannachtach, agus thosaigh Bosco Ó Súilleabháin ag bailiú na bhfáinní ruibéir den chlár sciathchruthach mar ba fhonn imeartha agus ní fonn óil a thug isteach é. Bhí an daol cainte ar Pháid i gcónaí: an punt a raibh glas air a dúirt sé, ní raibh sé ag déanamh puinn maitheasa do dhuine ar bith, ní raibh ann i ndáiríre ach ruainne páipéir.

'Is air go díreach a bhíos ag cuimhneamh ar ball,' a dúirt Niall agus sméid an t-óstóir a cheann go tuisceanach.

'Sin é atá ag milleadh na tíre seo,' a dúirt Páid, 'airgead díomhaoin. 'Níl a fhios cén t-airgead tá sa chontae seo, ní áirím an tír, dá mbeadh leas á bhaint as mar ba chóir.'

'Ar ndóigh dá mba mhála óir féin é agus é a bheith curtha i bhfolach cén mhaith a bheadh ann nó go gcaithfí é?' a dúirt Niall, ag blaiseadh dá phionta. Bhí a phionta féin leathólta cheana ag Nioclás Ó Maonaigh agus a bhéal á chuimilt aige le sásamh, gan mórán spéise aige go fóill i gcomhrá Néill agus an óstóra ná sa Súilleabhánach a bhí ag caitheamh fáinní is gan aird ar bith aige ar an bpionta a bhí leagtha ar an gcuntar dó. Ba dhíol trua é Nioclás Ó Maonaigh, dar le Niall, agus fear ar bith eile a bhí i dtuilleamaí an óil, ba chiotaí air an dúil seo a sheolfadh ar an bhfaraoir géar ar fad é i ndeireadh thiar.

'Tá an tÉireannach róscanraithe, ní rachaidh sé i bhfiontar lena chuid airgid,' a dúirt Páid, 'agus sin é a d'fhág thiar orainn. Tá fir amuigh sna Stáit, a Néill,' ar seisean ansin, 'agus is milliúnaithe anois iad, fir nach raibh an oiread is a bheannódh iad lá den saol.

Tá a fhios agamsa fear i Nua-Eabhrac, thosaigh sé amach ag díol páipéirí ar shráideanna Manhattan agus níl teora ar bith lena shaibhreas inniu.'

' An gustal,' a dúirt Niall, ' ní féidir a bhualadh.' Chorraigh Siomón Mac Cárthaigh ar an stól, amhail mar ba fhear bréige é a thiocfadh beatha chuige de dhraíocht.

' Is maith an scéal dó féin, a Pháid,' ar seisean, ' nach ar shráideanna Chill Chainnigh a thosaigh sé á ndíol nó is á ndíol a bheadh sé inniu féin!'

Dá bhuíochas féin rinne Niall leamhgháire beag anois faoin gciúta sin agus scaoil sé bun an toitín a bhí á chaitheamh aige síos san abhainn. Rinneadar uile gáire faoi thráthúlacht Shiomóin ach níorbh shin é a dheireadh, ní ligfeadh Bosco an seans thairis.

' Fíor duit, a Shiomóin,' a dúirt Bosco siar thar a ghualainn, ' agus ní taise don táilliúracht é. Ní raibh ag Montague Burton ach snáthaid agus siosúr nuair a thosaigh seisean amach ach tá siopaí éadaigh ar fud an domhain aige inniu. Bhí snáthaid agus siosúr agatsa freisin, a Shiomóin, nuair a thosaigh tú amach in aimsir na Díleann fadó agus níl an siosúr féin anois agat!'

' Níl,' a d'admhaigh Siomón, ag ardú a chinn, ' ach inseoidh mé rud amháin duit, a Shúilleabhánaigh—an lá ba mheasa mé níor ith mé mairteoil Dev, ní hionann is daoine nach bhfuil céad míle uaim!'

' Sé an trua gan fáil air i gcónaí,' a d'fhreagair Bosco, ' mar is deas a d'íosfainn plaic de anois!'

Lig Páid Ó Neáraigh místá air féin leis an sclamhaireacht seo agus chas sé ar ais ar an ngaois.

' Infheistiú, a Néill—infheistiú an ola a bhealódh na rothaí!'

' I do thír féin,' a dúirt Niall, 'tá an iomarca á infheistiú thar lear.'

' Tá súil agam nach é an cíos atá á infheistiú agat san ól seo,' a dúirt Bosco Ó Súilleabháin, ag blaiseadh dá phionta féin; leath na súile air ansin agus ' Óra, a Chríost, féach isteach!' ar seisean le hionadh.

Ba shin é tús an mhí-áidh, scaoileadh an ime tríd an mbrocán....

Bhí fear isteach an doras chucu agus Peaicí Pugh lena shála mar a bheadh sé á bhuachailleacht, scudalach mílítheach d'ógánach caol díreach as Sasana a bhí tagtha, ar a fheisteas—hata beag trilbí ar chúl a chinn aige, scairf fhada bhán ar sliobarna síos leis, casóg shaor sheicéadach air agus bróga dubh is bán mar a chaithfeadh galfaire. Bhí cás mór nua nach raibh meáchan soip ann, ba léir, á iompar don taistealaí ag Peaicí Pugh; leag Peaicí uaidh ar an urlár é mar ba lán le clocha a bheadh sé agus thosaigh ag suaitheadh caol a láimhe, súil dhoicheallach ar an gcomhluadar eile aige san am céanna mar ab eagal leis go mbeidís ag tnúth a éadáil féin air.

' Bóbó Mac Fhinn anuas as na Cealla,' a dúirt Bosco os íseal,
' níl sé bliain ó d'imigh an pleidhce.'

Bhí Bóbó Mac Fhinn ag an gcuntar faoi seo agus a vailéad
oscailte aige i dtreo is go bhféadfadh gach uile dhuine an tsraith
ramhar nótaí a bhí ann a fheiceáil; d'fhiafraigh sé siar thar a
ghualainn de Pheaicí Pugh céard a d'ólfadh seisean agus ghlaoigh
sé gloine fuisce dó féin. Ansin ar athsmaoineamh—chomh mór sin
ar athsmaoineamh agus go bhfacthas do Niall é a bheith maslach,
beagnach—dúirt sé le Páid deoch a thabhairt do gach dá raibh
sa láthair.

' Dar Dia, tá linn,' a dúirt Nioclás Ó Maonaigh agus d'fholamh-
aigh sé a ghloine d'aon sclog santach amháin.

Ba liom imeacht ansin, a dúirt Niall leis féin agus é ag féachaint
síos ar an abhainn, d'fhéadfainn deoch eile a sheasamh dá raibh
ann acu agus ní bheadh orm an dara páipéar deich scillinge a
bhriseadh. Nó imeacht gan deoch ar bith eile a ghlaoch d'aon
duine, ligean air nach raibh níos mó airgid aige, go raibh rudaí le
déanamh aige—rud ab fhíor, níor chall dó bréag ar bith a insint
ansin; a Chríost, bheadh a mháthair le ceangal, dheamhan a
mbeadh deireadh ráite go deo aici agus cér tógtha uirthi é, nárbh
uafásach an magarlán a bhí ann. . . .

An mustar agus an fonn mórtais a choinnigh i dTigh Pháid é
nuair a d'fhéadfadh sé a bheith bailithe leis i mbun a ghnó, an
eochair faighte aige agus a gcuid mangarae tugtha suas ar an
Dromán Féarach mar a bhí a mháthair ag iarraidh a dhéanamh—
ní ligfeadh an mórtas dó an caifeachas a fhágáil faoin mbobarún eile
sin a tháinig as Sasana, b'éigean dó a bheith céim ar aon leis ag
diomailt airgid, ag dáileadh pórtair ar an ngramaisc a bhailigh
timpeall gan mórán achair mar a bhaileodh creabhair ar chac bó.
An Khyber Ó Braonáin ba thúisce a chuir a shrón isteach Tigh
Pháid cibé cén leid a fuair an stocaire go raibh Bóbó Mac Fhinn
gafa ag Peaicí Pugh, agus bhí an Smaoiseach Deniffe agus Maidhcó
Lionáin isteach le sála Khyber, gach duine beo díobh ag sluasaíocht
chomh tréan is a bhí iontu, ag moladh Bóbó go hard na spéire,
chomh maith is mar a chuaigh Sasana dó, a ghléasta is a bhí sé,
a fheabhas is a d'éirigh leis thall is mar sin de; an bacachas bradach
sin uile a bhíodh i mbarr a ngob ag lucht an choirnéil leis na
hamadáin a thagadh abhaile faoina scairfeanna bána agus a hataí
trilbí agus a gcuid nótaí airgid fillte dubáilte istigh ina vallaití acu
ag déanamh amach go raibh dhá oiread airgid acu is mar a bhí i
ndáiríre.

Chuaigh sé i ngiorracht rud ar bith d'imeacht geábh amháin,
ba faoi mheán lae é ba dhóigh leis cé nach raibh sé an-chinnte de
dhada anois, bhí a ceathair nó a cúig de phionta ólta aige faoin
am sin agus bhuail freang mhaoithnis é i dtobainne nuair a chuimh-

nigh sé ar a mháthair, an lúcháir a bhí ar maidin uirthi faoin teach nua, an tsúil a bheadh abhaile aici leis ar gach uile phointe, í ar cipíní an t-am seo ar fad. B'sin é an uair, níorbh fholáir, ar thóg Bóbó Mac Fhinn na pictiúir amach as a phóca—bhí Páid imithe síos sa siléar, ba sh'n é a thug de mhisneach d'fhear Shasana iad a thaispeáint dóibh, chaithfeadh sé. Trí cinn ar fad a bhí aige agus an bhean chéanna i ngach pictiúr acu, í lomnocht ar fad diomaite de ghairtéar síoda a bhí os cionn na glúine aici agus rós a bhí sactha ina mong rábach gruaige; bhailíodar uile thart ar Bhóbó, gach duine ach Nioclás Ó Maonaigh ar chosúil nár thaitin an obair sin leis, gur bhain lán na súl den nocht, an Smaoiseach Deniffe agus an dá shúil ag preabadh as a cheann agus an Khyber Ó Braonáin ag dearbhú nár dhada iad le hais cinn a chonaic sé féin i bPort Said, fadó, cinn a chuirfeadh an ghruaig ina seasamh ar do cheann, má b'fhíor dó, cinn a raibh mná *agus* fir iontu. Ní macnas ná áilíos a dhúisigh na pictiúir i Niall ar nós mar a dhéanfadh rudaí ba lú ábhair go minic, cos mná ar rothar nó cosa deasa faoi stocaí sleamhaine níolóin, bhí bean na bpictiúr seo ró-lomnocht uile, chonacthas dó, ar laghad cosanta agus dá rúscfaí amach as a leaba í le linn tubaiste éigin, tine nó díshealbhú nó aer-ruathar. Ach bhí rud éigin eile seachas sin ann, bhí sé mar nach mbeadh an cholainn bhaineannach mar a tuairisc, mar nach mbeadh sí ag teacht leis an tsamhail sin a bhí á cothú riamh anall ag an ainbhios—mar nár thrúig chathaithe í pé scéal é leath chomh mór le fáithimlíne sciorta a d'ardódh an ghaoth. . . .

'Chuaigh mé léi sin,' a dúirt Bóbó Mac Fhinn leo go maíteach. 'Tá sí ag obair i gclub oíche i Londain.'

Rinne Niall dradgháire beag tur ag cuimhneamh dó anois air. Bhí sé leathchéad bliain, má bhí sé lá, ó tógadh na pictiúir sin, d'aithneodh amadán ar bith ar dhéanamh na bpictiúr féin é, ar chóiriú gruaige na mná, ar a gairtéar mór síoda agus ar na cuirtíní troma a bhí mar chúlra ann; níor leatrom ar bith ar an mbuachaill pleidhce a ghlaoch air mar a ghlaoigh Bosco!

'Budóg mhaith,' a dúirt Bosco Ó Súilleabháin agus sheas sé ar chois ar Niall d'aonghnó, 'cén t-ainm atá uirthi, a Bhóbó?'

'Cén t-ainm atá uirthi?' a dúirt Bóbó mar ba cheist sheafóideach a bheadh ann.

'*Blimey*, a bhuachaill, ní fhiafraíonn tú a n-ainm de na mná seo nuair a théann tú leo ná ní fhiafraíonn siad san t'ainmsa díot!'

'Agus chuaigh tú leis an dtriúr acu, a Willie?' a dúirt Peaicí Pugh mar ba le formad é. 'Ó is tú an radaí, is tú an stail acu!'

'Ní triúr atá ann ach aon bhean amháin,' a d'inis Bóbó don fhailpéir agus chuir Bosco an clabhsúr air mar áiféis.

'Féach ar a haghaidh, a Pheaicí, is ar a gabhal atá tusa ag féachaint, tá do shúile sáite ann, a bhithiúnaigh!'

[209]

[o]

Níorbh fhéidir go bhfaca Páid Ó Neáraigh na pictiúir féin nuair a tháinig sé ón siléar aníos i ngan fhios dóibh ach níor bhaol dó gan an scéal a thabhairt leis de phreab agus d'ordaigh sé d'fhear Shasana an brocamas sin a chur as amharc láithreach agus gan é a thabhairt amach arís fad is a bheadh sé taobh istigh den doras. Ní cheadódh Niall ar aon rud é, bhí sé dearg le náire agus lena chois sin ní fhéadfadh sé imeacht anois le faitíos go gceapfadh Páid gur olc a bhí glactha aige; bhí sé rómhall ansin, cibé scéal é, bhí an fuíoll beag staidéir á thréigean, agus thréig sé ar fad é nuair a shiúil Ned Puirséal isteach an doras chucu, a sheanveidhlín faoina ascaill aige agus bior ar a shrón le dúil i bpionta.

Dreoilín beag fir a bhí sa Phuirséalach, súile beaga éin ina cheann aige agus é de shíor ag tabhairt sracfhéachaintí faiteacha ina thimpeall amhail mar a bheadh sé i mbaol a ionsaithe; ní fhactas riamh é gan bosca snaoisín agus bhí a pholláirí agus a bhéal uachtair chomh buí le cáis dá thoradh. Ní fhéadfadh an cara ba dhílse le Ned Puirséal a rá go raibh mórán gaisce ann mar veidhleadóir agus deireadh cuid de na buachaillí báire gur túisce a d'íocfá é as fanacht ó chóisir lena scrib screab ná as teacht ann, ach níor bhaol nach raibh fáilte ag lucht an choirnéil roimhe; ghlaoigh Bóbó Mac Fhinn pionta dó láithreach bonn agus cuireadh ina shuí ar an bhforma é go seinnfeadh sé port dóibh. Bhí Bóbó ar meisce faoin am seo, go bogúrach, agus d'impigh sé ar an bPuirséalach amhrán nua, *Good-night Irene*, a sheinm dó. Thabharfadh *Good-night Irene* cuimhní Londain ar ais chuige, an lóistín a bhí aige i Chiswick agus an mhonarcha ina raibh sé ag obair, ba iad muintir Shasana an dream ba chneasta ar dhroim an domhain, a dúirt Bóbó, agus téadh De Valera i mullach an diabhail. Dhearg Niall toitín eile agus tharraing sé anáil fhada. Mallacht dhílis Dé ar Ned Puirséal, ba é thar dhuine ar bith, gach uile sheans, a bhí faoi deara an mí-ádh go léir. Níor chas an Puirséalach dhá nóta riamh gan an-chuid útamála a dhéanamh ar dtús agus níor thaise dó le *Goodnight Irene* é; leag sé air ag teannadh agus ag scaoileadh na sreanganna, á bpiocadh agus á gclingeadh chomh fuadrach agus dá mba bhall den Cheolfhoireann *Hallé* a bheadh ann, ach tar éis a dhíchill an port a bhain sé as a veidhlín ní raibh ach gaol i bhfad amach aige leis an bport a bhí iarrtha ag Bóbó. Ba chuma sin, bhí oiread cosúlachta aige leis an earra ceart agus a shásaigh fear Shasana agus lig sé liú as gur rug ar an Smaoiseach Deniffe is gur thug leis ag válsáil ar fud an urláir é; lig an comhluadar uile glam fonóide astu leis seo, gach duine, is é sin, ach Siomón Mac Cárthaigh a bhí tite ina chodladh arís agus a dhúisigh de gheit anois ag an ngleo gur thug súil tharcaisneach thart ar an lucht ragairne.

'Rangás agus diabhlaíocht, a Pháid, ní cheadóinn istigh i mo theach é!'

Níor thug Páid féin aon aird ar Shiomón ach ní raibh Niall chomh dallta sin agus nár léir dó nach mó ná gur thaitin an obair seo leis; fearacht a mhacasamhail eile (mar bhí bunáite na n-óstóirí ar an gcuma seo) mheas Páid Ó Neáraigh nár mholta an rud é an áilteoireacht seo, nár chun clú a thí a rachadh. Ach bhí a vallait amuigh ag Bóbó Mac Fhinn anois arís agus cur eile óil á ghlaoch aige agus thug Niall faoi deara an iarraidh seo gur fillte isteach ar a chéile a bhí na nótaí punt sa vallait, cleas coitianta ag lucht Shasana nuair a thagaidís abhaile. Ba ansin—nó ar níba dheireanaí a tharla sé, ba dhoiligh do Niall é a thabhairt chun cruinnis ar fad anois—a thit cúpla punt ó Bhóbó agus chomh slítheánta le sionnach leag Maidhcó Lionáin cos ar phunt díobh, á cheilt. Chrom Bóbó go liobarnach leis an airgead a thógáil agus bheadh punt de dhíth air, b'fhéidir, murach gur oscail Nioclás Ó Maonaigh a bhéal.

' Tá punt eile leat ar an urlár, a Willie, is cosúil nach bhfaca tú é,' a dúirt Ó Maonaigh agus bhain Maidhcó Lionáin a bhróg den nóta mar ba sméaróid dhearg a bheadh ann ag dó an bhoinn aige. Bhíodar mar ba dhá fhaicsean iad cheana, an comhluadar a thug Niall isteach agus na fir eile, agus Bóbó Mac Fhinn mar fháiteall eatarthu, faitíos a gcraiceann ar gach aon dream díobh go mbeadh farasbarr ar bith ag an dream eile.

' Sea,' a dúirt Nioclás Ó Maonaigh i leith le Niall, ' is deas an rud airgead ag fear flaithiúil ach ní fhliuchfadh Maidhcó do bhéal dá mbeadh do theanga buailte ar do chléithín agat leis an tart! '

Ba ansin, níorbh fholáir, a chas Ned Puirséal *The Rambling Pitchfork* ar a veidhlín agus cibé gealtachas a spreag an ceol ann, dá dhonacht dá raibh sé, chuaigh Niall de léim i lár an urláir gur bhuail cos ar an bport go preabach, tréamánta, ag greadadh na gclár lena shála, ar nós rince a d'fhoghlaim sé ó bhuachaillí Chonamara san arm. Chnag sé an t-urlár chomh tomhaiste le dromadóir, gach céim damhsa níba dheise ná a chéile aige, chonacthas dó, agus lig sé liú fiáin buacach as ag a dheireadh nuair a thosaigh an comhluadar ag bualadh bos agus ag sianaíl le meidhréis. Níor fhan splaideog ar bith críonnachta ann ansin, dar leis gurbh é ba lú ba ghann dó spailp drabhláis a dhéanamh uair sa bhliain, agus ghlaoigh sé deoch eile do gach duine in ainneoin is go raibh a ngloiní go léir lán go fóill.

Ba thimpeall an ama seo, mheas Niall, a buaileadh an chéad duine acu tinn agus ba é Bóbó Mac Fhinn an fear sin: dul de raid faoin leithreas amuigh a rinne Bóbó agus a lapa lena bhéal aige. Tinneas farraige, níorbh fholáir, a dúirt Bosco Ó Súilleabháin go sultmhar, an sean-*Princess Maude*. Ach bhí Maidhcó Lionáin amach sna sála ag an taistealaí, le himní ina thaobh mar dhóighde, agus bhí Peaicí Pugh amach sna sála ag Maidhcó.

[211]

' Gabh amach, a bhobarúin,' a d'ordaigh Nioclás Ó Maonaigh don Súilleabhánach, ' ar fhaitíos go robáilfeadh na bastaird é, nó an bhfuil braon ola ar bith i do lampa agat?'

Níor mheasa Íosa Críost féin idir dhá ghadaí, a dúirt Ó Maonaigh le Niall nuair a bhí Bosco imithe amach i ndiaidh na beirte eile, ná an breilleachán bocht sin idir Maidhcó Lionáin agus Peaicí Pugh, bheadh sé chomh maith duit a bheith ag súil go dtiocfadh scalltáinín lae slán ó chat.

Bhí lí an bháis ar Bhóbó nuair a tháinig sé ar ais as an leithreas, lámh ag Maidhcó Lionáin faoi agus Peaicí Pugh ag cuimilt ruainne de sheanchirt brocach dá bhéal; chuireadar ina shuí ar an bhforma é agus mhol Maidhcó Lionáin dó braon branda a ól, nach raibh ríochan ar bith le branda le putóga a shuaimhniú. Agus lena cheart féin a thabhairt do Mhac Fhinn bhí teacht aniar ann do scudalach caol cnámhach mar é agus níor thúisce an branda ólta aige ná fonn amhránaíoctha air. Bhí stiall mhaith den lá caite faoi seo agus dá ngeallfaí na flaithis dó anois ní fhéadfadh Niall a rá ar cheannaigh sé cur eile nó nach ndearna nó cé mhéad a bhí ólta aige féin nuair a d'éirigh an raic. An Khyber Ó Braonáin ba chiontach leis sin, rud nárbh annamh leis: an Puirséalach a mhaslú a rinne sé, gan fáth ná údar, dúirt leis a sheanghléas a leagan uaidh ar feadh tamaill, go mba mheasa é ná cait ag screadach de oíche. Ní raibh aon chluas aige do cheol, a dúirt Ned Puirséal ar ais leis agus a shúile beaga éin á gcur soir siar aige, maith nach raibh duine ar bith eile ag clamhsán? Cluas do cheol, a bhéic Khyber, ba cheolmhaire leis cailleach ag múnadh i mbuicéad ná a chuid gioscáin seisean. Bhíodar i gcochall a chéile ansin agus b'éigean a scaradh ach ní raibh ann ach gur scaradh nuair a thit an táilliúir dá stól is gurbh éigean a thabhairt anonn chun an fhorma agus an hata a bhualadh síos ar a phlait. Ní nach ionadh, b'fhéidir, bhí ag briseadh ar an bhfoighne ag Páid Ó Neáraigh faoin am seo ach ba nuair a d'éirigh Maidhcó Lionáin agus Peaicí Pugh amach ag a chéile a d'imigh sé ó smacht air féin gur ordaigh dóibh crapadh leo i dtigh diabhail abhaile as, go mba leor ag fear ar bith a dhóthain. An uair sin féin fuair an t-óstóir cnámh le crinneadh an teach a ghlanadh, d'éirigh Bóbó Mac Fhinn achrannach agus é á streachailt chun bóthair: bhí sé i dtithe ba ghalánta ná Tigh Pháid Uí Neáraigh thall i Londain, a dúirt sé, agus níor bhligeard é le go gcaithfí amach é mar seo.

Bhí dorchacht an tráthnóna ar fud an bhaile anois agus iad ag imeacht as Tigh Pháid, Maidhcó Lionáin ag iompar chás an taistealaí agus Peaicí Pugh chomh soilíseach céanna ag déanamh taca dó; bhí an Smaoiseach Deniffe ar iarraidh, ba dhóigh le Niall gur tinn a bhí sé i leithreas an tábhairne, ach bhí an Khyber Ó Braonáin sa chóisir agus Ned Puirséal, Nioclás Ó Maonaigh,

Bosco Ó Súilleabháin agus Niall féin. Ba thionlacan na n-amadán ag amadán é ach bhí Bóbó breá sásta, bheadh deoch eile acu i Sráid an Róisín, a gheall sé, agus déanadh Páid Ó Neáraigh cleas an mhoncaí lena phórtar.

Ag dul trasna Droichead Eoin dóibh bhí Niall faoi dhraíocht ag cumraíocht ghleoite na Feoire, ruithne órbhuí na soilse sráide agus duibhe na habhann á gcumascadh go mearbhallach ina chéile mar ba le do mheabhair agus do chéadfaí a bhréagadh is a chealgadh a bheidís lena lonracht spiagaí. Scaoil sé leis an gcomhluadar agus bhreathnaigh sé síos ar an bhFeoir ag toiliú do na meanmaí aduaine a bhí á spreagadh ag a gintlíocht rúnda ann; ba mhar seo, agus an t-ól ag géarú na braistinte agat, ab fhearr a shnámhfadh na meanmaí seo chugat—ba mhinic agus braon deas ar bord aige go gcasadh Niall isteach sa seomra níocháin ar fhilleadh ar an mbeairic dó is go seasadh os comhair an scatháin ag stánadh isteach ina shúile féin d'fhonn an tuiscint do-bhraite sin, tuiscint a eisinte, a *bheith ann* mar a thugadh sé féin air, a thabhairt chun cruinnis is chun léire. D'fheictí do Niall le linn na dtallann sin go meallfadh síorstánadh seo a shúile ar a scáil féin an t-eolas diamhrach sin a bhí uaidh; go bhfoilseofaí dó, mar ba trí hiopnóis é, an fhírinne éalaitheach úd a shantaigh sé chomh mór sin. Bhí sé ar an staid seo oíche nuair a tháinig an Ceannaire Ó Dúláinne aniar aduaidh air gur ruaig isteach ag codladh é de bhuillí is de chiceanna is d'íde gharbh béil, ag tabhairt Narcissus gránna air agus ag moladh dó é féin a chur faoi bhráid dochtúra meabharghalair sula gcríochnódh sé suas i mBéal Átha na Sluaighe. Níor thuig an Dúláinneach, ar ndóigh, níor thuig sé mórán ar bith, dáiríre, do dhuine a chuaigh ag coláiste; oideachas gan éirim. Agus é faoi gheis mar sin ag diamhaireacht na Feoire agus ag a smaointe féin ba theannach le Niall an comhluadar a ligean i ndearmad murab ea gur airigh sé, mar ba rud é a shroichfí trína chodladh chuige, na glórtha feargacha ag ceann an droichid; ghoin an chaidéis agus an mana oilc le chéile é agus dheifrigh sé leis go starragánach spadchosach, ag tarraingt ar fhód na raice.

Bhí Bóbó Mac Fhinn ina chnap ar an mbóthar agus bhí Peaicí Pugh agus an Khyber Ó Braonáin ag stracadh leis, ag iarraidh é a chur ar a chosa; bhí Maidhcó Lionáin thall i Sráid an Róisín agus an cás go fóill aige ag glaoch is ag fógairt orthu agus bhí Nioclás Ó Maonaigh agus Bosco Ó Súilleabháin ag argóint go teasaí le beirt Gharda Síochána. Ní raibh amharc ar bith ar Ned Puirséal cibé cá raibh sé.

Ag fiafraí a ainm de Nioclás Ó Maonaigh a bhí duine de na Gardaí; ba é an Garda Ó Muircheartaigh a bhí ann chonaic Niall nuair a theann sé ina leith, ach ní raibh smid as an ngarda eile, bhí sé mar nach mbeadh sé ar a shuaimhneas i bhfianaise na hiomarbhá, mar ab fhearr leis scaoileadh le Ó Maonaigh. Rith sé le Niall anois gur ag freastal a dheis a bhí an Muircheartach agus gurbh fhéidir nach raibh oiread dul amú ar lucht an choirnéil ina thaobh is mar a mheas sé féin ó chianaibh.

' Cé le haghaidh a bhfuil tú ag iarraidh m'ainm a fháil? Ní bhfaighidh tú m'ainmse, a dhuine,' a dúirt Ó Maonaigh, é staidéartha go leor anois, chonacthas do Niall, tar éis is gur tuisleach go maith a bhí sé ag fágáil an ósta dó.

' Bhí tú ag déanamh raice agus tá tú ar meisce, sin é an t-údar,' a dúirt an Garda Ó Muircheartaigh go srianta. ' Inis t'ainm dúinn anois mar a dhéanfadh fear maith, agus do sheoladh.'

' Ní thabharfaidh, ná do chábóg ar bith aniar as tóin poill na hÉireann. Is de bhunadh an bhaile seo mise agus gach dár tháinig romham—téirigh siar ag na naosca, an bheirt agaibh, agus ná bac le daoine groíúla! ' Bhí fíoch ar Ó Maonaigh anois agus bhí an Súilleabhánach ag ligean gothaí air féin, réidh chun troda.

' Ní iarrfaidh mé t'ainm arís ort,' a dúirt an Garda Ó Muircheartaigh go bagrach agus theann sé a chaipín ar a cheann mar ba le fonn gnímh é.

' Ná hiarr mar nach bhfaighidh tú é, is fada go n-iarrfá ar dhuine de na boic mhóra a ainm a thabhairt duit, ní ligfeadh an eagla duit, a scraiste! '

Ba ansin, cibé ar lena shuaimhniú ná lena ghabháil, a leag an Muircheartach lámh ar ghualainn ar Nioclás Ó Maonaigh agus de dhorta dharta bhí an garda buailte faoin ngiall ag Ó Maonaigh d'ámhóg phléascach a chloisfí, chonacthas do Niall, thuas ar an bParáid. D'imigh an Garda Ó Muircheartaigh de bharrthuisle siar i ndiaidh a chúil agus chuaigh a chaipín ag rothlú ar fud an bhóthair ach chomh haibéil céanna bhuail an dara garda Nioclás Ó Maonaigh de sheaniarraidh nimhneach isteach ar an mbéal; lig an Maonach búir as agus bhuail sé an garda ar ais de chuaifeach bloscach dá dheasóg, agus ansin, sula raibh sé de dheis ag an ngarda teacht chuige féin, bhuail Nioclás Ó Maonaigh arís é chomh dalba céanna. Ach bhí an Garda Ó Muircheartaigh chuig Ó Maonaigh arís agus thug sé leis go talamh é de phlab mar ba imreoir rugbaí é ag greamú fear na liathróide; bhí a smachtín amuigh ag an ngarda eile ansin agus tharraing sé leidhce de anuas ar mhullach a chinn ar Ó Maonaigh de ghlanbhuíochas an tSúilleabhánaigh a rinne iarracht é a bhacadh. Lig Ó Maonaigh búir péine as agus d'fhéach sé le héirí ach bhí lámh leis casta siar ar a dhroim anois ag an Muircheartach agus ar eagla nár leor sin bhuail an dara garda grideog eile dá bhata os cionn na cluaise air a d'fhág ag crúbáil béal faoi ar an mbóthar é.

Mar dhuine a mhúsclódh as taibhreamh de phlimp rinne Niall iarracht ar bhreith ar smachtín an gharda ach chaith an garda de

leataobh é mar nach mbeadh toirt soip ann agus ansin, mar ba le
tarcaisne i gcionn na héagóra é, bhuail sé bosóg faoin gcluais ar an
Súilleabhánach a chuir ar a thóin ar chosán an droichid é. Bhí
Nioclás Ó Maonaigh ar a chosa ansin ag na gardaí agus iad á
sracadh leo chun na beairice, a lámh dheas casta suas ar a dhroim
ag an Muircheartach agus an garda eile i ngreim casóige ann mar
ba i ngreim adhastair a bheadh sé ar asal stancach; bhí a chaipín
caillte ag Ó Maonaigh de bharr an choimheascair agus dá dhallta
dá raibh Niall féin chuimhnigh sé nach bhfaca sé Nioclás Ó
Maonaigh gan a cheannbheart riamh go nuige seo—ní nárbh
ionadh, b'fhéidir, mar bhí an fear mór chomh maol le pláta.

Ní raibh amharc ar bith ar an gcuid eile den chomhluadar faoi
seo agus bhí Bosco Ó Súilleabháin caochta ar fad, gan ar a chumas
na cosa a chur faoi—an t-ól a bhí ólta aige agus an leadhb a bhí
buailte air a chniog é i dteannta a chéile, gach uile sheans. Chuir
Niall lámh an tSúilleabhánaigh thart ar a mhuineál féin gur ardaigh
suas é go saothrach agus bhíodar ag longadán ansin ar an gcosán
nuair a bhuail an fonn múisce Bosco, racht ar racht, go céasta
cráite, gur chuir sé aníos gach dá raibh istigh ina bholg. B'shin
uair an chloig ó shin go láidir, thóg sé an fad sin ar Niall an
Súilleabhánach a thabhairt abhaile go Páirc Oirmhumhan, go
doras a thí féin. 'Sea, bhí praiseach déanta den lá aige, cibé cén
saghas útamálaí a bhí in aon chor ann, agus cén chaoi a dtabharfadh
sé aghaidh abhaile chun a mháthar anois? Ba ag Dia amháin a
bhí a fhios cé mhéad dá chúig phunt a bhí caite aige, ní ligfeadh
an faitíos dó dul á chomh ireamh. Nárbh iontach an leibide é dá
mbeadh an saol ag caint!

B'ait le Niall nach raibh aon léaró solais sa teach nuair a bhain
sé Rae Naomh Chainneach amach go stámhailleach, tuisleach, i
ndeireadh thiar; agus nuair a theann sé leis an doras shnámh an
ciúnas chuige chomh dochrach le rud beo. Bhí an doras ar leathadh
agus b'éigean do Niall cipín a lasadh nuair a dhruid sé isteach san
halla; bhladhmaigh an solaisín agus chonaic Niall go raibh an teach
beag tréigthe, gan de throscán fágtha sa chistin ach an raingléis de
sheandriosúr pollphéisteach nárbh fhiú a thabhairt as. Mhúch
an cipín agus las Niall ceann eile gur thug faoin staighre suas. Bhí
a leaba féin ar iarraidh ach bhí seanleaba dhúbailte a bheirte
dearthár ann i gcónaí, an t-éadach striopáilte de agus na sean-
spriongaí mogallacha chomh sleabhcánta le leaba luascáin; bhí a
mháthair gnóthach ó mhaidin, an bhean bhocht, bheadh údar
achasáin aici gan bhréag ar bith ar an iarraidh seo, diabhal baol nach
mbeadh!

Tháinig Niall síos staighre arís agus ba ar an gcéim íochtarach,
níorbh fholáir, a baineadh tuisle as gur thit sé ina phleist ar an

urlár, a rúitín faoi agus é leonta. D'imigh an phian mar ba shleá é trína chois ag Niall agus d'fhan sé ag lúbarnaíl ansin sa dorchacht, ciúnas uaigneach an tí go bagrach ina thimpeall go dtí gur tháinig maolú beag sa bhroidearnach agus gur fhéad sé suí ar an staighre. Thóg sé toitín amach ansin gur dhearg é agus nuair a bhí an toitín caite aige chuir sé na cosa faoi arís go faiteach; tráthúil Dé bhí an rúitín tinn láidir go leor len é a iompar agus d'imigh sé go cosbhacach amach as an teach beag nach gcaithfeadh sé aon oíche eile arís go deo faoina dhíon. Má bhí maoithneas ar Niall ní raibh sé chomh tréan is ba dhual dó arae bhí a rúitín á chiapadh anois agus bhí aistear fada mall air suas chun an tí nua.

A SÉ DÉAG

Ba chosúil, a dúirt Treabhar Bheartla Bhillí leis féin, nach raibh i ndán do dhuine go n-imeodh rudaí mar ba mhian leis, go mbeadh bitse de bhreac éigin sa bhainne i gcónaí! Ó ba ar an Domhnach a tháinig Oíche Nollag agus iad saor go Máirt d'oibrigh an mheitheal go dtí an gnáth am scoir ar an Satharn agus ar theacht abhaile chun a dhinnéir do Threabhar bhí scéal roimhe a chuir i mbarr a chéille é le holc don saol.

'Tháinig sreang duit inniu, a Threabhair,' a dúirt Madge Bean Uí Chonaola go haiféalach leis agus gan é taobh istigh den doras ach ar éigean, 'agus le faitíos go mbeadh drochscéal ann is go gcaithfinn fios a chur ort amach chun na hoibre d'osclaíos é.'

Bhí an sreangscéal taobh istigh de chlúdach stróicthe aici agus mar a bhraithfeadh sí drogall Threabhair roimhe scaoil sí féin an teachtaireacht chuige.

'Tá do bhean agus na páistí ag teacht anall chugat, beidh siad i Euston ar maidin,' ar sise.

'A Chríost,' a dúirt Treabhar go tollghlórach.

Bhí Madge á ghrinneadh mar a bheadh uaithi a intinn a léamh agus ar sise i gceann nóiméid:

'Ní bheadh sé éasca áit a fháil chomh gar seo don Nollaig, a Threabhair, ach beidh seomra díomhaoin agam ó anocht, tá Peadar Breathnach imithe abhaile agus tá John Joe Cloherty ag dul suas go Manchuin go dtí a dheirfiúr anocht. D'fhéadfainn an seomra sin a réiteach daoibh go gcaithfear an Nollaig dá mba mhaith leat?'

Bhí bainte siar chomh millteach sin as Treabhar agus nár chuimhnigh sé 'sea' ná 'ní hea' a rá le bean an lóistín, ná bac le buíochas a ghabháil léi mar ba chóir; d'ith sé a dhinnéar mar nach mbeadh a fhios aige céard a bheadh sé a dhéanamh agus chuaigh sé suas staighre ansin, a cheann ina chíor thuathail. Bhí tuairt chomh mór sin bainte as agus nach raibh ar a chumas glacadh leis in aon chor go fóill, bhí an saol iompaithe bunoscionn air de phlimp, bhí sé san fhaopach má bhí aon fhear riamh.

'Mallacht Dé don raicleach, nó ba é an chaoi ar imigh sí glan as a ceann an iarraidh seo?' an ghuí a chuir sé go fraochta as agus é caite ar a leaba. Bhí sé geall le bheith dochreidte go mbeadh sé de dhíth céille is de cheanndánacht sa bhitse a leithéid de rud a dhéanamh, nó cén mianach óinsí a bhí inti ar chor ar bith? Leandáil aniar mar sin Oíche Nollag leis an dá pháiste, gan fainic ná rabhadh a thabhairt do dhuine ach oiread is dá mba ag bualadh isteach ar cuairt ag comharsa bhéal dorais a bheadh sí! Bhí an ruóg craiceáilte, chaithfeadh sé, ní raibh stuaim sicín ina cloigeann aici, ba soir go Béal Átha na Sluaighe ba chóir í a chur ná bac len í a ligean go Londain. Ach dar Dia, má bhí sí craiceáilte bhí gliceas na geilte inti, nach maith nach litir a chuir sí chuige ag tabhairt spás seachtaine dó sa chaoi is go mbeadh seans aige í a bhacadh? Bhí sí ar a bealach anonn cheana féin, bhí sí ar thraein Bhaile Átha Chliath anois, aon oíche amháin a bhí fágtha dó féin agus bheadh sí ina bhail ansin feasta. Mhothaigh Treabhar mar bheadh téarma fada príosúntachta amach roimhe, ní raibh teannadh ar a aghaidh ná ar a chúl aige, bhí sé gaibhnithe. Gach uile oíche feasta bheadh sí ansin roimhe ar theacht ón obair dó agus gach uile mhaidin bheadh sí lena thaobh sa leaba—agus a Dhia, nárbh fhíor don Mhaigh Eoch úd a dúirt nach raibh áit ar aon philliúr ach do chloigeann amháin! Bheadh gleo agus caoineadh páistí ina chluasa tar éis an lae anois agus cuid speabhraídí Nóra á mhearadh. Agus a Chríost, nár mhór an náire ag fear ar bith a bhean agus a chlann a thabhairt leis isteach i dteach lóistín! Mar chaithfeadh sé tairiscint Mhadge a ghlacadh, ní raibh aon rogha eile aige mura n-iarrfadh sé ar Mhéiní dídean a thabhairt dóibh, rud nach ndéanfadh sé, diabhal tiomanta baol air! Ní bheadh a fhios aige cá gcuirfeadh sé a chloigeann os comhair na bhfear eile dá mbeadh caoineadh gasúr ar fud an tí, bhí sé ina bhaileabhair ag an scéal cheana féin. Chaithfeadh Nóra greim a ithe sa chistin le Madge, nó thuas sa seomra, ní cheadódh sé ar rud ar bith go rachadh an óinseach ag ithe béile i measc na bhfear, bheadh sé ina cheap magaidh aici ar fud na háite dá ndéanfadh. Ach nárbh í an ruibhseach í! Nó cén smál a bhí ar an seandream gur ligeadar anonn chuige í, nár chuireadar comhairle uirthi? Ach cén chomhairle? Staic mná, bheadh sé chomh maith duit a bheith ag iarraidh comhairle a chur ar an ngaoth, mar nuair nach raibh beann aici airsean, agus chomh minic is mar a d'ordaigh sé di fuirtheach aici, níor mhóide mórán binne a bheith aici ar aon duine.

Ar ball d'éirigh Treabhar agus ghlac sé folcadh scioptha ó fuair sé an áit dó féin, rud ab annamh; chuir sé air a chulaith ghorm Domhnaigh ansin agus a léine bhán, shac sé a bhalcaisí oibre isteach in íochtar an chófra éadaigh agus thug sé aghaidh amach. Ar a bhealach síos staighre dó chas Madge air ag déanamh ar a seomra féin; bhí braon beag ólta aici cheana, muran mór é a dhearmad, bhí tús curtha leis an Nollaig aici ó am lóin, gach uile sheans, thíos san *Oxford Arms* nó san *Brighton.*

' Déanfaidh an seomra sin go breá, go raibh maith agat,' a dúirt Treabhar léi, ' ní thógfaidh sé i bhfad orm a fháil, sílim.'

' Tá fáilte romhat, a Threabhair,' a dúirt Madge mar nár dhada é, agus faoi mar a dhéanadh sí ó am go ham thug sí amharc air nár fhéad sé a bharrainn.

' Tá leaba dhúbailte ann cheana agus ceann singil, athróidh mé an t-éadach orthu,' ar sise; agus ansin, mar ba ar athsmaoineamh é: ' Cén t-achar pósta tú, a Threabhair?'

' Rófhada,' a dúirt Treabhar, buille prap. ' Tuige?'

' Ó, tuige ar bith!' Rinne Madge geáitse beag éiginnte. ' Beidh aiféala orm thú a fheiceáil ag imeacht, tá tú anseo píosa maith anois agam.'

Chuir an chaint seo dá threoir é agus ní raibh a fhios aige lena fhreagairt; gurbh fhios dó níor chuir Madge araoid mar sin riamh ar dhuine ar bith dá cuid lóistéirí cé go raibh fir go leor sa teach nach mbeadh uathu ach gaoth an fhocail. . . . Is é sin má b'araoid é ar chor ar bith, b'fhéidir gur á fheiceáil dó féin a bhí sé go mbeadh seans mar sin ar Mhadge. Má bhí riamh bhí mall anois aige agus dáiríre ba chuma—éadáil achrannach chomh dóigh le rud; níorbh fhiú an tairbhe an trioblóid, gach uile sheans. . . .

D'imigh Treabhar síos Bóthar Arlington gur chas isteach Parkway ag déanamh ar an tSráid Ard. Ní raibh teacht Nóra ag déanamh oiread céanna scime dó anois, baileach, ach bhí rud eile, rud ba phráinní leis ar bhealach, ar a chúram. Bhí meanma tagtha chuige a bhí chomh láidir sin agus nár fhan blas amhrais air ná go dtiocfadh sé i gcrích: ba anocht a thabharfadh Christy Power a dhúshlán, ba anocht a bheadh a fhios cé acu den bheirt an fear ab fhearr. Níor dhuine é Treabhar Bheartla Bhillí a ghéillfeadh go réidh do shanas ná do mhana ach bhí a fhios aige anois chomh dearfa agus mar a bhí a fhios aige cén lá den tseachtain é gur anocht, agus nach aon oíche eile, a chaithfeadh sé an Jeaicín a throid. Bheadh buaite aige nó bheadh buaite air ag dul a chodladh dó anocht. . . .

Bhí dorn iarainn (nó *steelknuckles* mar a thug sé féin ar an oirnéis sin) ina phóca ag Treabhar, dorn iarainn a bhain sé de Shasanach a shíl é a oibriú air i mbaile Peterborough, oíche; arm fónta a bhí ann i gcás go mbeifeá faoi ionsaí ag scata, ach ní troid den chineál sin a bheadh leis an Jeaicín aige, chaithfeadh gach rud a bheith cóir agus cothrom i dtreo is nach mbeadh sé le casadh le ceachtar acu i ndeireadh thiar gur bhuaigh sé go fealltach. Ba ar eagla na heagla a bheireadh Treabhar an dorn iarainn thart leis ina phóca ar an gcuma chéanna a mbíodh sceana ag gabháil thart leo ag fir eile, ach bhí sé mar thrófaí aige chomh maith: níor dhóichín ar bith é an Geordie sin a throid sé taobh amuigh den *Bird in Hand*, tábhairne mór na nÉireannach i bPeterborough, an oíche úd; ba chleasach an mac é agus ba scafánta. Bhí sé ráite nach raibh aon mhaith leis an Sasanach ag troid ach oiread is mar a bhí leis ag obair ach níor ghéill Treabhar don chaint sin, bhí go leor acu níba inniúla ná an tÉireannach i mbun na ndorn agus lena gceart a thabhairt dóibh bhíodar níba chóra ná an tAlbanach. Rásúir a bhíodh ag na hAlbanaigh ag troid, rásúir agus buidéil bhriste nó rud ar bith eile dá dtiocfadh chun a lámh, ba gheall le dream iad nár baisteadh riamh, dar le Treabhar bhíodar chomh hainscianta sin. Ná ní raibh aon uireasa aicsin ar na Jeaicíní féin, an chuid ba dhearóile díobh, fiú, ní bhíodh ' Scaoil aige mé, coinnigh uaidh mé! ' ar bun acu mar a bhíodh ag fir tuaithe go minic, ag liú is ag géimneach mar a bheadh bó faoi dháir agus gan fonn troda ar bith orthu i ndáiríre dá n-insítí an fhírinne. Chonaic Treabhar beirt Jeaicín beag nach raibh toirt leipreacháin iontu ag tabhairt léasadh millteach dá chéile taobh amuigh den Teach Rowton, oíche, misneach scáfar na slumanna iontu agus iad chomh hoilte ar na doirn a oibriú is dá mbéidís san fháinne. Bheadh Christy Power níba oilte fós agus é láidir le cois, níor mhór dó a bheith diabhalta láidir le Pádraic Bhaibín a shíneadh, agus ní bheadh aon easpa muiníne air ach oiread—mar ba dhóbair a bheith ar Threabhar féin anois! Bhí cáil a dhúiche agus a mhuintire féin ag brath air, thuig Treabhar go feillbhinn, ní bheadh tógáil a gceann acu dá mbuailfeadh Christy Power é agus b'fhada ina dhiaidh sin, b'fhéidir, go gcasfaí fear a dhiongbhála air. Bhí gráin ar leith ag an Jeaicín ar mhuintir Chonamara má b'fhíor do mhac Sheáin Feistie, bhí gráin aige orthu mar a bhí ag cuid de na daoine ar bhleacannaí agus gan bhréag ar bith ní raibh ag Treabhar ach a mhalairt—ba thúisce leis cine ar bith, an Polannach, an tAlbanach, nó an fear dubh féin dá dheoranta dá raibh sé, ná fear Bhaile Átha Cliath; níor lú air an sioc ná an dream sin, bhí sé mar rud a bheadh ginte san fheoil ann, ba leor dó a gcanúint le gearradh fiacla a theacht air. Agus ba mhó ba ghráin leis Christy Power ná aon duine eile dá chine!

B'fhéidir, a dúirt Treabhar leis féin, gurbh é an ghráin seo a bhuaic, b'fhéidir le Dia go gcuideodh sé leis chun an buachaill a chniogadh. Ba mhinic gur tháinig an fuath i gcabhair ar fhear, gur chuir sé neart ina láimh. Chaithfeadh sé iarracht a dhéanamh an chéad bhuille a bhualadh chomh tréan sin is go gcraithfí an Jeaicín ó chnámh a ghéill go bun a ghimide, bheadh buntáiste in iarraidh den chineál sin, cá bhfios nárbh é a bhuafadh an troid dó? Ba chinnte nár thráth ealaíne ar bith a bheadh ann, gothaí ná eile—dada ach an cunús a phleancadh chomh haibéil is ab fhéidir, salamandar diabhalta as log na gualainne aniar a dhéanfadh praiseach de.

Ghlaoití deoch do Threabhar Bheartla Bhillí agus dá mhacasamhail eile nuair a thaobhaídís teach óil ina mbíodh aithne orthu—le hómós dóibh nó le heagla rompu agus níor dhóichí ceann ná céile. Ba é a ndleacht é, measadh: mír an ghaiscígh—nó breab le fanacht ar thaobh na gréine díobh! Tairgeadh deoch do Threabhar a luaithe agus a chuaigh sé thar throigh an *Camden Stores* isteach ach dhiúltaigh sé di, buille giorraisc; ní fonn comhluadair ná caidrimh a bhí anois air, bhí rudaí eile ar a aird aige. Bhí an *Camden Stores* plódaithe le hÉireannaigh ach ba léir do Threabhar ar an toirt nach raibh an Jeaicín ann, ní raibh teannas ar bith le brath aige faoi mar a bheadh dá mbeadh an buachaill sa láthair. D'ól Treabhar buidéal leanna agus thug sé aghaidh síos ar an *Mother Black Cap* ansin, ósta mór fairsing a raibh pictiúr de chailleach ar chlár os cionn an dorais ann agus *Wenlock Ales* scríofa faoina bhun. Bhí an tsráid lán le daoine agus bhí trácht mór ar an mbóthar, busanna móra dearga agus carranna de gach uile chineál ag snámh thart gan sos; bhí na siopaí uile maisithe agus bhí meanma na Nollag go láidir san aer, ach má bhí ba i ngan fhios do Threabhar Bheartla Bhillí é, bhí a mheanma féin airsean agus ní dheachaigh gile na siopaí ná fuadar na ndaoine a bhí luchtaithe síos le féiríní i bhfeidhm puinn air. Níor rud é ceilúradh na Nollag a chuirfeadh gliondar ar bith ar Threabhar ach d'ólfadh sé streall fuisce ar ball dá mba i ndán is go mbeadh údar ceiliúrtha aige; bhí le feiceáil.

Bhí an *Mother Black Cap* lán go doras, ceol cairdín sa bheár agus an seomra mór cúil ag cur thar maoil; ghuailleáil Treabhar a bhealach go dtí ceann an tseomra chúil, gan aon aird aige ar na fir a bhí ag glaoch is ag fógairt air go muinteartha, agus nuair nach raibh aon amharc ar an bhfear a bhí uaidh tháinig sé amach arís gan aon deoch a ól. Ba é an scéal céanna dó san *Bedford Arms*, san *Brighton* agus san *Eagle*, ach i leaba turnamh a theacht ar an meanma aige b'amhlaidh gur ag dul i dtreis a bhí sé mar ba chú a bheadh ann agus boladh na seilge ag teacht chun a pholláirí. Ar casadh síos Sráid Greenland dó chonaic sé an Maolánach ag teacht ina araicis, a culaith ghorm air agus léine bhán, agus stiúir áibhhéilach faoi mar nach mbeadh an tsráid mór a dhóthain aige. Bhí ruainne beag páipéir fuilsmeartha ar a leiceann ag mac Sheáin Feistie agus bhí stríoca beag fola ar bhóna a léine faoi mar a ghearrfadh sé é féin i mbun bearrtha dó; bhí sé corraithe, freisin, scéal éigin aige a bhí ag pléascadh ina phutóga. . . .

' Tá sé san *Hawley Arms*, a Threabhair,' ar seisean gan frapa gan taca.

' Cé tá, a dhiabhail? ' a d'fhiafraigh Treabhar de bíodh is gur thuig sé go maith cé a bhí i gceist.

' An Jeaicín, a Threabhair! Dod' thóraíocht a bhí mé anois, bhí a fhios agam go mbeifeá timpeall in áit éigin. Anois beag a bhí *lad* as Maigh Eo á rá liom thíos san *Laurel Tree*. "Tá Jeaicín Phaidí Mhic Alastair thíos san *Hawley* ag imirt *darts*," a dúirt sé, "agus bhí sé ag fiafraí cá bhfaigheadh sé an fear rua!" '

' Fág seo síos,' a dúirt Treabhar, agus d'iompaíodar thart.

Bhí an *Hawley Arms* suite in ascaill chluthar sráide a raibh *viaduct* mór iarainn ag a ceann thíos; ba theach tábhairne é, fearacht go leor eile sa cheantar, nár athraigh mórán le leathchéad bliain, roinnte ina dhá chuid, an salún agus an beár poiblí. Bhí seanbhrat scáinte urláir agus pianó drochthiúnta sa salún ach ní raibh sé le haithint, thairis sin, ar an mbeár; cláir loma urláir a bhí sa bheár ach go raibh mata caol ruibéir ann ag síneadh ón gclár dairt siar chomh fada leis an sprioc caite, ní raibh maisiúchán ar bith ann mura gcuirfeá san áireamh seanléaráid bhuí d'fhoireann iománaíochta éigin i bhfad siar a bhí greamaithe den bhalla deatúil ag ceann an chuntair. Bhí sé mar ghnás san *Hawley Arms*, dála mar a bhí i mbunáite na dtábhairní seo, gur sa bheár poiblí a chruinníodh na hÉireannaigh agus gur sa salún a théadh bunadh na háite, ar dhaoine meánaosta nó seandaoine a mórchuid. Oícheanta Sathairn agus Domhnaigh bhíodh seanamhráin na hallaí ceoil á gcanadh sa salún; ag imirt cártaí nó ag caitheamh dairteanna nó ag comhrá faoi chúrsaí achrainn is faoi chúrsaí oibre a bhíodh na Gaeil arbh fhir óga a mbunáite agus gach uile dhuine riamh acu fostaithe ar obair thógála. Nuair a bhuaileadh an fonn ceoil na hÉireannaigh b'iondúil gur amhráin mar *The Valley of Knockanure* nó *Down Erin's Lovely Lee* a chanaidís amhail mar nach mbeadh amhráin cumtha faoi nithe ar bith eile ar an saol ach an imirce agus cogadh na saoirse. Ní bhíodh mórán caidrimh ar bith idir lucht an bheáir agus lucht an tsalúin ach clampar ar bith a tharlaíodh san áit ba idir na hÉireannaigh féin é i gcónaí, níor bhéas leo a chur isteach ná amach ar dhreamanna eile mura mbainfí dóibh.

Bhí an *Hawley Arms* lán go doras nuair a tháinig Treabhar Bheartla Bhillí agus mac Sheáin Feistie ann, an fhoireann fhreastail ar a mine ghéire ag dáileadh óil agus a gcustaiméirí ag fógairt orthu chomh práinneach agus dá mba i bhfogas nóiméid d'am dúnta a bheadh sé. Bhíodh tarraingt mhaith ar an *Hawley Arms* de ghnáth ach ba chrua má bhí áit sheasaimh anois ann; bhí an focal imithe timpeall, níorbh fholáir, agus ní fonn óil ba mhó ba chionsiocair leis an slua mór a bhí anois ann. Sheas Treabhar Bheartla Bhillí agus an Maolánach sa doras agus súile an chomhluadair uile orthu, go tnúthánach beophianta; ach an duine ab fhaide a bhreathnaigh ar Threabhar, go fuarchúiseach míchéatach, ba é an Jeaicín féin é, Christy Power.

Ag imirt dairteanna go fóill a bhí an Jeaicín, bhí na sleánna beaga á nglacadh aige ó dhuine eile de na himreoirí, fear as Baile an Róba a raibh smearaithne ag Treabhar air; mhair an Jeaicín ala nó dhó eile ag féachaint ar Threabhar agus ansin, gan an aithne ba lú corraíola ná feirge air, ar seisean:

' Críochnaímís an cluiche ar dtús.'

Bhí an Maolánach ag an gcuntar cheana, mustar agus mórtas air as a bheith mar chomhluadar ag Treabhar Ó Nia, fear dúshláin an Jeaicín; bhuail sé rap ar an gcuntar agus d'ordaigh dhá phionta leanna agus dhá ghloine fuisce chomh teanntásach agus dá mba é an t-aon duine amháin é sa teach a raibh airgead aige ina phóca. Nuair a rinneadh freastal ar an Maolánach ghlac Treabhar uaidh an ghloine fuisce ach rinne sé neamhaird den leann; bhí a chroí ag eitilt ag Treabhar chomh fuascrach le cág a bheadh i bhfastó i simléar agus bhlais sé den bhiotáille d'fhonn an teannas a mhaolú ann. Bhí an Jeaicín á fhaire aige ar feadh an ama agus dar leis go mba mheargánta an buachaill é go leomhfadh sé teacht san áit nach mbeadh duine ná deoraí ar a shon; ach ar ndóigh, an fear a d'fhág Pádraic Bhaibín ar shlat a dhroma níor mhóide dó scanrú go réidh. Murab é an ghráin seo a bhí ráite a bheith aige ar mhuintir Chonamara faoi deara a dhánacht? Gheobhadh an ghráin an lámh in uachtar ar an gciall, gach uile sheans, agus níor den chríonnacht ag fear ar bith, dá fheabhas é, teacht ar láthair mar seo gan a fhios aige nach a ionsaí go fealltach a dhéanfaí. Níor bhaol do Threabhar féin, a mheabhraigh sé, dul i measc scata Jeaicíní ina aonar.

Ba é an chéad uair do Threabhar an Jeaicín a fheiceáil ar a bhonnaí. Bhí sé níba airde ná mar a mheas Treabhar, i ngiorracht cúpla orlach do bheith chomh hard leis féin agus é níba théagartha fós; bodach cruadhéanta, ceilméartha agus gluaiseacht faoi mar a bheadh faoi lúithnire. Bhog Treabhar Bheartla Bhillí snaidhm a charbhait agus bhain súimín eile as an bhfuisce; bhí an cluiche dairteanna i ndáil le bheith críochnaithe anois, bhí deich ag teastáil ón Jeaicín agus óna chéile imeartha agus iad ag iarraidh an cúig dúbailte a aimsiú chun buachan. Bhí tineall ar fud an bheáir anois a bhí chomh dian sin agus go measfadh duine go gcaithfeadh rud éigin pléascadh ar phointe ar bith ach ní raibh an lorg ba lú foilscidh ná faitíos ar an Jeaicín agus é ina sheasamh ag an sprioc, a shúile sáite aige sa chlár agus é réidh le caitheamh. Chlaon sé ar aghaidh, an tsleá bheag idir méar agus ordóg aige chomh leacanta le peann greanadóra, agus chaith sé ansin. An cúig dúbailte a bhuail sé, cruinn díreach; bhí an cluiche thart agus é buaite aige.

D'imigh osna ar an gcomhluadar uile ach ní raibh aon ghártha ná comhghairdeas ann mar a bheadh in uair eile: ba bhua céalmhaineach ag an Jeaicín é, b'fhéidir.

' Tá súil agam, a leaid,' a dúirt Treabhar Bheartla Bhillí os ard leis an Jeaicín ' nach bhfuil fút cluiche eile a imirt? '

Ag stuáil a chuid dairteanna i dtruaill bheag adhmaid a bhí an Jeaicín, chomh cáiréiseach le máinlia a bheadh ag cur a chuid oirnéise in ord; chuir sé an truaill i bpóca a chasóige ansin agus bhain de an chasóg gur chroch ar chúl cathaoireach é gan chead don fhear a bhí ina shuí ann. Bhí muinchillí a léine fillte suas go hard air agus bhí géaga aige a bhí beagnach chomh fáiscthe, matánach, le géaga Threabhair. Ní raibh aon rian de bholg óil air ach oiread cé nach raibh aon obair chrua á déanamh aige a choinneodh seang é. Beidh mo shá ar m'aire agam, a dúirt Treabhar ina intinn féin.

' An cluiche atá mise ag dul á imirt ní móide go dtaitneoidh sé leat,' a dúirt an Jeaicín agus é ag breathnú go fuarchúiseach ar Threabhar. ' Tá mé réidh, má tá tusa.'

Scaoil Treabhar a charbhat agus bhain de é; bhain sé de a chasóg ansin agus thug sé don Mhaolánach é lena choinneáil dó chomh tiarnúil agus dá mba ghiolla aige a bheadh ann. Bhí a mhuinchillí fillte suas ag Treabhar cheana, ba chuibhreach leis iad faoi mar ba chuibhreach leis an léine féin, déarfá, ar an gcuma a raibh na guaillí á n-aclú aige anois; chaith sé seile ar gach aon bhos leis agus chuimil ar a chéile iad. An sceitheadh sin den droch-mhisneach a bhí ó chianaibh air bhí sé scaipthe anois mar ba ghal soip é ag an bhflosc catha seo, an fonn gleice, a bhí tagtha air. Dhearc sé ina thimpeall ar na haghaidheanna uile a bhí ag féachaint ina threo, go tnúthánach muiníneach; aghaidheanna aitheanta Gaelacha, grua-arda, súilghléineacha arb as a dhúiche sceirdiúil, chlochach féin a mbunáite, arb í an Ghaeilge a dteanga uile nach mór; ba é a gcuradh mór anois é, ba as a bhí a ndóchas agus tháinig misneach chuige agus rún buachana dá réir. Ach buaite aige ná air bhí deireadh leis an bhfeitheamh, ba thráth gnímh anois é faoi dheoidh.

' Fág seo amach! ' a dúirt sé go ceannasach.

Chuaigh an Jeaicín amach ar an gcéad fhear agus Treabhar lena shála agus mhaidhm an slua amach ina ndiaidh ansin go ndearna ciorcal ina dtimpeall faoi sholas an lampa sráide. Bhí scleondar ar an gcuid ab óige díobh mar a bheadh ar ghasúir scoile ach bhí guaim orthu féin ag an dream ba shine in ainneoin a bhfonn.

' Fear thú, a mhac Bheartla, déan ciseach de! ' a bhéic scorach éigin agus ' Up Doire Leathan! ' a scread óganach eile; ach ansin bhí a lámha in airde ag Cóilín Pheaits Bhobby, chomh húdarásach agus dá mba mholtóir a bheadh ann i bhfáinne dornálaíochta.

' Strainséir é seo a tháinig inár measc ag tabhairt dúshlán Uí Nia agus tugaimís fair-play dó, sin a bhfuil sé ag iarraidh orainn! '

' Ó nach muid na hamhais agat, a mhac Pheaits! ' a dúirt glór amháin go neamhbhuíoch ach ní bhfuarthas caidéis d'achainí an Mháilligh seachas sin.

Bhí meill bhogásach ar a bhéal ag an Jeaicín mar nár ní leis córtas an Mháilligh suas ná síos, mar nach mbeadh meon an chomh-luadair ag déanamh puinn scime dó; bhí stiúir chosanta air anois agus a shúile ar a chéile comhraic aige.

' Is fada gur tháinig tú dem iarraidh, a leaid,' a dúirt Treabhar Bheartla Bhillí agus é ag guairdeall timpeall go faicheallach.

' Cúram beag fánach, cá mbeadh mo dheifir? ' a d'fhreagair Christy Power de ghlór a bhí in oiriúint do bhrí na bhfocal. Agus ansin chomh haibéil is gur baineadh cnead as an lucht féachana scaoil Treabhar ámhóg faoin Jeaicín a chroithfeadh gach cnámh ina chorp dá dteagmhódh sé lena ghiall. Scafántacht an Jeaicín a thug slán é, sheachain sé an leiceadar go míorúilteach agus thug amas lena láimh dheas ansin. *Beaing!* Chonacthas do Threabhar Bheartla Bhillí go ndeachaigh an leadóg ó phunt a smige síos go méar a dhá chois mar ba arraing mharfach í. *An clé!* Ba lena chlé a smíoch an Jeaicín é agus ní leis an deasóg sin a shíl Treabhar é a chosc, cleas nár mhór dó a bheith ina aireachas feasta. Agus i leaba a dheis a thapú mar a dhéanfadh Treabhar féin is ag pramsáil timpeall a bhí sé anois, ag sméideadh go maslach ar Threabhar, á mhealladh chuige mar a mheallfadh traenálaí foghlaimeoir chuige, chomh muiníneach céanna. Chroith Treabhar a chloigeann leis an míobhán a bhí ann a dhíbirt as agus theann sé leis an Jeaicín go hairdeallach; níor fhoghlaimeoir ar bith é agus ní raibh faoi seans eile mar sin a thabhairt dá namhaid. Ní raibh gíog as na breathnóirí anois ach chomh beag agus dá mbuailfí balbh iad as éadan, ní raibh le clos ach coisíocht agus análú éadrom na beirte trodaí agus fuaim an tráchta ag teacht go maolaithe anuas ón mbóthar mór. Bhí an Jeaicín ag sméideadh ar Threabhar i gcónaí agus Treabhar ag druidim leis, ag faire a dheis; ach ansin, chomh tobann le hurchar, scaoil an Jeaicín buille den chiteog ó mhaoil na gualainne aniar. Ní dheachaigh leis an iarraidh seo, áfach, mar chosc Treabhar an buille chomh sciobtha céanna agus ansin sula raibh sé d'uain ag an Jeaicín teacht ar a chosaint d'aimsigh Treabhar é d'fháiméatar cumasach a bhain trost as a chnámhghéill mar dá mbuailfí dhá bhois camán le chéile.

'Buachaill, a Threabhair! Déan citeal dó!' a scairt mac Sheáin Feistie agus faoi mar ba leid a bheadh ann dóibh thosaigh glórtha eile ar an ngríosadh.

'Fear thú, a Threabhair, buail arís é!' 'Tabhair dó é, a Nia! Maith an buachaill!' 'Cniog é, a mhac Bheartla!'

Ní raibh cosúlacht ar bith ar an Jeaicín gur chuir an buille dá threoir é mar is ag coisíocht timpeall chomh haclaí le rinceoir a bhí sé, meangadh beag cam ar a bhéal mar a bheadh sé in earraid leis féin faoinar tharla.

'Buille áidh, a *Culchie!*' ar seisean go míchéatach. Scoir sé den rincíocht ansin gur theann sé le Treabhar agus é réidh le cleas na citeoige a imirt in athuair—mar ba dhóigh le Treabhar nó gur bhuail an Jeaicín seaniarraidh dá dheasóg ar chorr na smige air! Ba gheall le speach capaill é agus tháinig cnagaide éachtach eile ar a shála i neamhchead do chosaint Threabhair; ansin, mar ba le barr tarcaisne é d'aimsigh an Jeaicín é de ghreadóg isteach ar an mbéal.

' Níl ansin ach a thús, a *Culchie*,' arsa an Jeaicín trína fhiacla,
' níor airigh tú dada fós! '

' Lig Treabhar an braon gort fola de chúinne a bhéil agus
chroith sé a cheann; bhí fear a dhiongbhála anseo aige mura raibh
ag Dia, fear a sháródh le scil é. Bhí muinín ag Treabhar go fóill
as a iarraidh féin dá bhfaigheadh sé deis a oibrithe ach bhí scafánt-
acht an Jeaicín á bhuaireamh. Chúlaigh sé agus an Jeaicín ag
teannadh leis go buacach, a chosaint ligthe síos aige mar ba chuir-
eadh chun buailte ag Treabhar é dá bhféadfadh sé é a dhéanamh.
Ach níorbh ealaí don Phaorach dul san fhiontar mar sin mar ba é
seo go díreach an t-ionú a bhí de dhíth ar Threabhar agus ar luas
urchair ghread sé an fear eile d'ámhóg thréamanta ar chnámh a
ghéill. Bhí sé ar bhuille chomh cumasach agus mar ba chuimhin
le Treabhar é a bhualadh agus ar feadh meandair cheap sé gur
buille an bhua a bheadh ann aige arae rinneadh staic den Jeaicín
agus lúb na cosa faoi mar a lúbfadh faoi reathaí traochta. Ach má
lúb níor loic, bhí teacht aniar thar na bearta ann, ba chosúil, agus
bhí sé ar a chosaint arís ar an bpointe. Sheachain sé an cuarbhuille
a shíl Treabhar a bhualadh air lena dhorn deas agus bhí sé san
ionsaí ansin arís de dhorta dharta, fíorghoic an dornálaí air, ag
lúbadh, ag cromadh agus ag raideadh buillí uaidh mar a bheadh
dhá phéire lámh air in ionad péire. Bhí sé ina thaispeántas chomh
foirfe agus mar a chonaic an lucht féachana riamh agus ba ag
teitheadh siar i ndiaidh a chúil ón ruathar seo a bhí Treabhar anois,
gan d'aga aige ach é féin a chosaint.

Beaing! Ba é cleas na citeoige ag an Jeaicín arís é, paltóg
mharfach a scaoil tonnadh creathnach péine trí bharr a chinn ag
Treabhar mar a bheadh fiacail leis tar éis a stoitheadh as a log.
Tháinig roithleán air seal meandair ach ba mhaith an buille a
chuirfeadh dá bhonnaí é agus d'fhan a chosaint thuas aige mar ba
gan bhuíochas dá thoil é; chosc sé leiceadar uafásach den deasóg
lena chlé féin agus thug fogha tréipéiseach faoin Jeaicín ansin gur
bhuail cuaifeach faoin ngiall air, blosc coscarthach a d'fhág ag
tuairteáil siar i ndiaidh a mhullaigh é mar ba fhear ólta a bheadh
ann. Ba anois nó go brách é dar le Treabhar agus sula raibh sé
d'uain ag an Jeaicín teacht chuige féin chnag Treabhar é faoi bhun
na cluaise de shádiarraidh pléascach. Lig an Jeaicín cnead as agus
d'imigh síos ar leathghlúin, a lámha leata amach uaidh mar ba dhá
sciathán iad ag gandal mór buile, agus ar fheiceáil seo don slua
d'éirigh gáir áthais orthu as éadan.

' Buail arís é, a mhac Bheartla, ná lig dó éirí! ' a scread an
Maolánach agus ba de mhaoil a mhainge a staon Treabhar óna
dhéanamh. Ba tháir leis anois a bhuntáiste a chur i gcrích ar an
gcuma seo, bhac fuíoll éigin den bhuaileam sciath é ar a áiméar a
fhreastal. Bua b'éachtaí fós ná sin a shantaigh sé—an Jeaicín a

chniogadh agus é ar a dhá chois, é a shíneadh mar a shín seisean Pádraic Bhaibín. Ní fhéadfadh duine ar bith dubh na fríde a bhaint den bhua sin, ní bheadh an dara breith air. Lig sé don Jeaicín éirí in ainneoin na ngártha a bhí ina chluasa ag éilimh fola. Ná níor don Phaorach ab fhaillí, chuir sé na cosa faoi arís gan mhoill agus chuaigh ar a chosaint.

'Chaill tú do sheans, a *Culchie*,' ar seisean de dhradgháire tur, 'beidh tú ina aiféala.'

Lena dheasóg a cheap Treabhar é a smíochadh an babhta seo ach chosc an Jeaicín an buille agus leadair sé Treabhar isteach ar an tsúil de thailm a d'imigh siar isteach go cúl a chinn mar ar phléasc ina chasair dearg solais. Níor phian go dtí é, dalladh gach rud ina thimpeall ar Threabhar agus ansin bhí sé á phleancadh ag an Jeaicín, clé agus deas, tuathal agus deiseal, tuargaint chreathnach a dhíbir siar i ndiaidh a chúil é nó gurbh éigean don chiorcal daonna briseadh faoin ruathar.

'Is gearr uait anois é, a Culchie!' a dúirt an Jeaicín trína fhiacla ach bhí Treabhar ar a chosaint arís, an ceo ag imeacht dá radharc agus fonn díoltais á ghríosú; chuaigh sé san ionsaí ansin chomh fraochta le tarbh, a dhá láimh ag imeacht mar ba dhá shúiste iad agus a ghiall teanntaithe aige le díocas mire. Ach ghlac an Jeaicín ar fad é agus ba chrua má thug sé troigh uaidh; ansin nuair a tháinig turnamh beag ar fhuinneamh Threabhair lasc an Jeaicín faoin tsrón é agus bhuail rap goineach sa bhéal air mar ba le tarcaisne i gceann na héagóra aige é. Chroith Treabhar a chloigeann, é curtha dá bhuille, agus ba chosúil go raibh fonn súgartha ar an Jeaicín anois leis, ag tabhairt amas bréige faoi mar ba le beagmheas air agus á léasadh ansin nuair ba mhian leis. Bhí Treabhar ar a chosaint agus gan ann ach go raibh ach bhí léas beag dochais tar éis lingeadh ina mheabhair. Bhí sé á fheiceáil dó, cibé céard a dhéanfadh an Jeaicín air nach a leagan amach a dhéanfadh sé mar a leag sé an Coisdealbhach thall i gKilburn. Agus i gcás nach bhféadfadh an Jeaicín codladh púicín a chur air ní raibh an cath buaite aige ná baol ar a bheith go fóill: ní comórtas dornálaíochta a bhí ann, ní le healaín ná le hoiliúint a bhuaifí é ach le fulaingt agus le spreacadh coirp. Ach bhí an Jeaicín ag brú air i gcónaí, seitgháire fonóideach air agus fuath ina shúile; chosc Treabhar an chiteog chleasach lena dheasóg féin agus d'aimsigh sé an Jeaicín ar chnámh a ghéill de chrústa gangaideach. Ba bhuille go fómhas é, buille a d'fhágfadh fear ba lú acmhainne ná an Jeaicín ar fhleasc a dhroma—agus dóbair dó! Lean Treabhar Bheartla Bhillí suas é le leiceadar mór ar phlimp shliotair ar bhois chamáin a fhuaim, lom díreach ar a smig. D'imigh cloigeann an Jeaicín siar ar a ghuaillí agus lúb na cosa faoi arís ach ba síos ar leathghlúin a chuaigh sé an iarraidh seo freisin i leaba titim béal faoi ar an mbóthar. Bhí sé réidh anois ach smíste a dhéanamh de.

' Tá leat anois, a Threabhair—déan smionagar de! '

D'airigh Treabhar an chomhairle cé nárbh eol dó cé a thug ach arís eile bhí uaidh barr slachta a chur ar a bhua: ní bheadh sé le rá faoi gur chniog sé fear a bhí thíos nuair a thiocfadh leis é a chniogadh ina sheasamh. Lig sé don Jeaicín éirí agus thug spár beag dó le teacht in inmhe arís—agus dóbair dó a bheith ina aithreacha ar áit na mbonn. Mar bhí claochlú éigin tar éis a theacht ar an Jeaicín faoi seo, bhí an ghalamaisíocht agus an mustar caite uaidh aige agus bhí fuaraigne an trodaí oilte tagtha ina n-áit. Ba cheirdiúlacht agus cleasaíocht na gairme aige feasta é, ní ligfeadh sé an deis ba lú ar cairde. Léigh Treabhar Bheartla Bhillí intinn an fhir eile chomh soiléir agus dá mba a intinn féin í agus bheartaigh sé gan aon chairde a thabhairt uaidh níba mhó; bhí gafa thar fóir aige leis an amaideacht sin agus níor dó ab ealaí, ba bhaolach.

' Chugat, a chunúis! ' a dúirt Treabhar faoina fhiacla agus thug áladh faoin Jeaicín. Ach bhí an Jeaicín ar a sheanléim arís agus sheachain sé an buille a tharraing Treabhar air gur bhuail failm ar Threabhar féin chomh treallúsach is mar a bhí ina chorp. Ba ghlan isteach ar shúil thinn Threabhair a bhuail an Jeaicín é an iarraidh seo, an tsúil sin a bhí dubh, ata cheana féin; lig Treabhar gnúsacht as le neart péine agus scaoil sé buille iomraill uaidh a d'fhág caoi ag an Jeaicín é a phleancadh lena dhorn deis idir béal agus srón. Crústa millteanach a bhí ann agus dhoirt an fhuil ina caise corcradhearg síos ar bhrollach bán léine Threabhair mar ba as créacht é nach bhféadfaí a chosc. Bhí fear Dhoire Leathain i ndroch-chaoi anois, bhí a liopa íochtair gearrtha agus a shrón ag úscadh fola, bhí a shúil dheis dúnta ar fad, geall le bheith, agus an duine a thiocfadh go mall ar an láthair níor thógtha air a cheapadh gur ag an bPaorach a bhí an lámh in uachtar ó thús na troda. Agus ba ag géarú ar a mhaidí a bhí an Jeaicín, bhí Treabhar Bheartla Bhillí á leadradh aige gan trua gan taise, anois deas agus clé, agus Treabhar ag cúbadh roimhe, á chosaint féin chomh maith agus a bhí ar a chumas. Bhí a chuid oiliúna ag dul chun leasa ag an Jeaicín, ba léir, agus bhí boladh an bhua curtha aige, gan d'fhonn air anois ach clabhsúr a chur ar an scéal chomh luath agus a d'fhéadfadh sé. D'aimsigh sé Treabhar faoi bhun an ghéill de shalamandar bloscach a d'fhág ag longadán ar a chosa é chomh guagach le fear breoite, agus bhuail sé failm eile air ansin gur beag bídeach nár chuir dá bhonnaí glan é.

Chroith Treabhar Bheartla Bhillí a chloigeann agus tharraing sé droim láimhe trasna ar a pholláirí fuilsmeartha. Ba pheannaid leis anois nár chuaigh sé go bun an angair ar ball nuair a bhí an Jeaicín thíos aige, ba mhairg a bheadh rótheann as a ghustal féin.

Is ar a chosaint a bhí Treabhar an t-am ar fad anois, gan an fhaill ba lú aige dul san ionsaí le chomh tréan is chomh tiubh agus mar a bhí cith buillí á bhualadh ag an Jeaicín air. Ach dá dhéine ná dá thomhaiste iad mar bhuillí bhí Treabhar ar a chosa go fóill agus níor bheag leis sin d'údar uchtaigh. Chreid Treabhar Bheartla Bhillí go raibh iarraidh aige féin ab fhearr ná an iarraidh ba dhalba dá bhféadfadh an Jeaicín a bhualadh agus cá bhfios nach n-éireodh deis a chruthaithe leis ach a bheith aibéil go leor lena ghlacadh? Ná ní raibh a neart á ídiú aige anois mar a bhí ag an bPaorach gur chosúil air é a bheith á thraochtadh ag an ruathar seo. Ó tá mé i mo sheasamh go fóill in ainneoin a dhíchill tá seans agam, a dúirt Treabhar ina intinn féin. . . . Chrom Treabhar a chloigeann agus i leaba cúlú níba fhaide b'amhlaidh gur theann sé leis an Jeaicín, a dhá láimh mar a bheadh sciath roimhe agus gach dúdóg dá mharfaí á chosc aige chomh maith is a bhí ann. Ba bheart é nár fhág slí oibre ag fear Bhaile Átha Chliath agus dhruid seisean siar coiscéim mar bheadh uaidh seift eile seachas an tuargaint seo gan tiarbhe a cheapadh; ach ba bhotún aige an méid sin féin gan a chosaint a choinneáil in airde—ó fuair Treabhar Bheartla Bhillí an t-aga seo níor dó ab fhaillí agus scaoil sé leiceadar millteanach leis an Jeaicín. Ba éachtbhuille é a raibh gach dár fhéad Treabhar a chruinniú de spreacadh is d'fhuinneamh a choirp mhóir chnámhaigh ann agus ba faoi bhun a ghéill a bhuail sé an Jeaicín leis. D'éirigh liúgháir bhuacach ar an slua agus d'imigh an Jeaicín ag tuisliú siar go spadchosach agus Treabhar Bheartla Bhillí san ionsaí air, á chaochadh le rois ainscianta buillí sa tsrón, sa bhéal, ar an gcliabhrach agus ar an ngiall. Ní raibh de chur i gcoinne na batrála seo ag an Jeaicín ach mar a bheadh ag cráinfhear beag lagbhríoch; bhí a bhéal ag cur fola anois agus súil leis ag dúnadh ach ba é dreach mearbhallach a cheannaithe an rud ba scáfara faoi amhail mar nach mbeadh a fhios aige ó Dhia anuas céard a bhí ag tarlú dó nó cén cor tubaisteach a bhí tar éis a theacht faoin gcoimheascar. Rinne sé iarracht teacht ar a chosaint arís ach níorbh fhiú tráithnín é i bhfianaise na n-ionsaithe mire a bhí ar bun ag fear Dhoire Leathan, á smísteáil agus á chnagadh agus na doirne móra leis á raideadh uaidh aige mar ba loiní traenach iad. Bhí an Jeaicín ar laghad cosanta le mála lócháin agus i dtobainne níor fhan gráin ná droch-chroí a thuilleadh dó ag Treabhar Ó Nia; gliondar agus spleodar na caithréime a bhí anois air, lúcháir fhiáin uallach ba bhinne, ba bhuacaí, ná mothúchán ar bith eile dár tháinig chuige riamh roimhe; ba é seo ardbhuaic a bheatha, níor bhlais sé riamh cheana d'ollghairdeas chomh meanmnach leis.

Bhí an Jeaicín ar forbhás anois, gan éitir linbh ann ná oiread den spriolladh is a ligfeadh dó a lámha a ardú; bhí fionn ar shúil leis agus an tsúil eile dúnta agus bhí a bhéal ar leathadh mar a bheadh sé ar tí séalú ar phointe ar bith. Seal soicind a lig Treabhar Bheartla Bhillí dó agus bheartaigh sé dorn mór a dheasóige ansin mar ba mheall luaidhe é a bheadh á mheá aige.

' Tá sé in am thú a chur síos, a fhir bhoicht,' ar seisean, ' agus ní éireoidh tú an uair seo! '

Bhuail sé cniogbhuille ar Christy Power ansin a d'fhág gan chiall gan chonn ar an mbóthar é faoi sholas lag ómra an lampa sráide.

A SEACHT DÉAG

Oíche Lae Nollag bhí Nano Mháire Choilm agus Síle Ní Dhuibhir ina suí ar a dhá leaba, muga cócó an duine acu. Bhí sé ar an lá ba leadránaí dár airigh Nano riamh é ó chuaigh sí de shiúl na gcos chun an chéad Aifrinn ar maidin nó gur scoir sí den obair in am suipéir. Bhí seal scoilte diúité ar Nano an lá sin, í saor óna naoi go dtí an haon, agus b'fhaide léi an t-eadra seo ná spailp fhada na hiarnóna. Ní raibh a ndinnéar Nollag mórán níos fearr ná mar a bhíodh acu lá ar bith eile den bhliain ach bhí an donas ar fad ; r an suipéar—dab fuar de mharóg Nollag agus praiseach éigin darb ainm seatnaí. Comhluadar beag fuarspreosach a bhí istigh ag an suipéar nuair a tháinig Nano de dhiúité agus go fiú na maisiúcháin Nollag a bhí in airde ar fud an phroinnseomra, na strillíní agus na slabhraí daite páipéir, chonacthas do Nano go mba thruacánta na froigisí iad, gur mó a bhíodar ag cur le gruaim na huaire ná a dhath eile. Níor airigh sí chomh huaigneach ón lá ar fhág sí an baile agus b'fhada léi go mbeadh an chuid eile den fhéile thart.

'Nach deas an bhail orainn é Oíche Lae Nollag agus gan rud ar bith le déanamh againn ná áit ar bith le dul,' a dúirt Síle. ' Dá mbeadh na pubanna féin oscailte. . . .'

' Ní fearr ar bith é,' a dúirt Nano agus d'ardaigh sí a muga féin. ' Sláinte! '

' Is deas an sás sláinte é, muga cócó,' arsa Síle, ag ligean meill uirthi féin lena deoch.

' Tá sé breá milis pé brí é agus neart bainne ann. Cá bhfuair tú é, ar aon nós? '

' Stefan a thug dom é, an cócaire Úcránach sin.'

' Polannach é Stefan, a Shíle.'

' Óra an gcluin tú! " Polannach é Stefan, a Shíle." Nach agat atá an cur amach orthu le tamall! '

' Bhuel, dá dtabharfaí Sasanach ortsa . . .? '

' Ó muise i ndeamhan ar mhiste liom, a dheirfiúir, cad a thugaidís orm. Ach féach—meas tú céard dúirt sé liom, a Nano? '

' Cé hé, a óinsigh? '

' Stefan—an Polannach sin Stefan—cé air a bhfuilimid ag caint? Tomhas céard dúirt sé liom? '

' Cá bhfios dom sa diabhal céard duirt sé leat—go raibh tú dathúil? '

[231]

' Tá a fhios agam féin é sin, ní hea, dúirt an diabhal liom go raibh leathbhuidéal fuisce thíos ina sheomra aige agus an dtiocfainn síos leis go mbeadh deoch againn in ómós na Nollag! '

' Chaill tú é, a Shíle, bheadh an-oíche agat! '

' Táim díchéillí,' a dúirt Síle ag cur pus uirthi féin, ' ach nílim chomh díchéillí sin. Ní thrustfainn duine ar bith de na diabhail sin.'

Dhearg Nano oiread na fríde ach ní dúirt sí a dhath. Ba mhinic le tamall Síle ag caitheamh sáiteáin bheaga léi i dtaobh na ndíláithreach faoi mar a bheadh údar ar bith aici lena dhéanamh. Muran sceiteadh den éad a bhí uirthi mar gheall ar Julius Kuzleikas, ba dhoiligh a rá, ach ar aon chuma ní raibh call ar bith leis. An oíche úd ar rith sí amach as an seomra le casadh ar Julius ní mórán le leathchéad slat a bhí curtha di aici nuair a d'fhill a stuaim agus a coinsias uirthi mar ba as brionglóid náireach a bheadh sí ag dúiseacht agus coiscéim eile ní fhéadfadh sí dul ach iompú timpeall agus filleadh ar a seomra, spalpas agus ceann faoi uirthi ag a hóinsiúlacht féin.

' Is gearr a chuaigh tusa,' a dúirt Síle léi agus lán a craicinn den iontas uirthi. ' Céard a thug abhaile tú arís? '

' Ó muise fuíoll beag céille, is dóigh,' a dúirt Nano go maolchluasach. ' Ní hé céard a thug abhaile mé ach céard a thug amach mé, a dheirfiúir! Níl a fhios agam beirthe ná beo.'

Ag meabhrú di níba fhaide anonn air chonacthas do Nano (muran dul amú a bhí uirthi) go mba údar sásaimh ag Síle nach ndeachaigh sí chun Julius a fheiceáil ina dhiaidh sin agus ní raibh a fhios aici go fóill féin céard é go baileach ba thrúig don sásamh sin, ar cásmhar inti a bhí Síle nó ar á mhaíomh uirthi a bhí. Ar chuma ar bith ba chorrach an oíche aici féin é agus í in earraid léi féin leath an ama nár bhuail sí le Julius agus leath an ama í buíoch di féin nach ndearna. Ba chorrach a chodail sí an oíche sin freisin, gach brionglóid níba chasta ná a chéile ag teacht chuici, agus í ar cipíní ansin ar maidin le heagla go gcasfadh sí le Julius in áit éigin idir an aireagal agus na ceathrúna cónaithe. Ní raibh leithscéal ar bith ag dul dó, thuig Nano go maith ó tharla nár thug sí geallúint ar bith uaithi, ach ar a shon sin is uile bhraith sí go raibh sí faoi oibligeáid aige, amhail mar a bheadh fios a haigne aige agus é ag súil léi dá réir. Ba amach san iarnóin, agus beart cáipéisí leighis á bhreith suas chun oifig an Mhátrúin aici don tSiúr Weston a casadh Julius léi agus dá mbeadh an ceann le baint de Nano ar ala na huaire sin ní thiocfadh léi an fuaiscneamh a spreag sé inti a mhúchadh. Má d'éirigh léi a cheilt ba ar inn ar ea é ach ní raibh corrabhuais ar bith mar sin ar Julius; leag sé uaidh an barra rotha lán slaige a bhí á thabhairt as an Teach Coire agus sheas sé chun labhairt léi.

' Níor thángais ina dhiaidh sin, a Nano,' ar seisean ach ní raibh lorg ar bith den achasán ar a ghlór.

' Níor dhúirt mé go dtiocfainn, a Julius,' a d'fhreagair Nano agus gan a fhios aici ón spéir anuas cén chaoi nár léir dó a trína chéile is a bhí sí.

' Bhíos ag súil leat mar sin féin,' a dúirt Julius, á grinneadh lena súile glasa géara, ' d'fhanas píosa maith, ag ceapadh go mbeifeá chugam ar gach uile phointe.'

' Tá aiféala orm,' a dúirt Nano mar nach mbeadh a fhios aici céard a déarfadh sí; chuimhnigh sí uirthi féin ansin agus dhaingnigh sí an beart páipéirí faoina hascaill.

' Caithfidh mé greadadh, a Julius, beifear ag súil ar ais liom ar an aireagal.'

Rinne Julius miongháire beag doléite agus rug sé ar a bharra arís.

' Sea,' a dúirt sé pas tur, ' ná lig dom tú a choinneáil.'

Bhí sí bunoscionn léi féin an chuid eile den lá sin, gan a fhios aici nár a ghoineadh ar chuma éigin a rinne sí agus múisiam éigin aici leis ina choinne sin faoi nár fhéach sé le í a bhacadh, faoi nár iarr sé uirthi é a fheiceáil oíche éigin eile. Cúpla babhta a casadh le chéile ó shin iad ach cé gur labhair Julius Kuzleikas go béasach léi an dá uair sin níor chuir sé forrán ar bith seachas sin uirthi agus bhí sí ina dhiaidh air nach ndearna, dá mhíle buíochas. Agus ansin, lá, chonaic sí uaithi é ag doras na cistine ag spraoi le duine de na cailíní Iodálacha, iad chomh teann ar a chéile agus chomh gealgháireach agus dá mba lánúin iad, agus gan aon choinne faoin ngrian aici leis d'éirigh an t-éad ina dhomlas aníos inti. Bhí sí go mearaithe an chuid eile den lá, an t-éad á priocadh mar ba neascóid thinn a bheadh ann, agus cantal uirthi léi féin dá bharr; bhí sí ar an gcuma, go ceann scaithimh, nár fhéad sí cos a chur taobh amuigh den doras gan a bheith ar tinneall le súil é a fheiceáil agus gan a fhios aici san am céanna céard a déarfadh sí leis dá bhfeicfeadh. Go deimhin bhraith sí í féin ag baint faid as an aistear gairid óna haireagal féin suas go dtí na ceathrúna cónaithe, geábh nó dhó, le súil go nochtfadh Julius as aird éigin chuici; ní dheacaigh a hintinn thairis sin, níor chuir sí i gcás go n-iarrfadh sé í a fheiceáil oíche éigin eile ná níor mheas sí cén freagra a thabharfadh sí air dá ndéanfadh—ní raibh ann ach gur shantaigh sí casadh leis chomh mór sin agus nár fhan rud ar bith eile, mórán, ina ceann. Agus má ba chúis náire agus aiféala di é—agus gan amhras, dar le Nano gurbh ea—ba mhinice go mór Julius Kuzleikas i seilbh a haithne ná Máirtín Bhid Antaine, an fear ar chóir di a bheith pósta leis cheana.

' Oíche Lae Nollag,' arsa Síle, ' chaithfeadh sé gurb í an oíche is marbhánta den bhliain í. Dá mbeadh cuma ar bith ar an seomra siamsa féin, ná ar an dream a théann ann, d'fhéadfadh duine píosa den oíche a chur thart ann.'

'Tá muid gar go leor dó,' a dúirt Nano. 'Nach gcloiseann tú?'

Chuir Síle cluas le héisteacht uirthi féin agus tháinig fuaim dhólásach *Kevin Barry* go lag-ghlórach aníos an pasáiste chucu.

'A Chríost,' a dúirt Síle, 'nach gceapfá go dtuirseoidís de in am éigin?'

'Is ait liom nach siar abhaile a chuaigh tú agus saoire ag dul duit,' a dúirt Nano tar éis nóiméidín. 'Is ann a bheinnse gafa.'

'Abhaile? Sin í an áit dheireanach a rachainn an tráth seo bliana, a Nano,' a dúirt Síle le searbhas a chuir ionadh ar Nano.

'Ab í? Tuige, a Shíle?'

'Gach uile thuige,' a dúirt Síle mar nach mbeadh aon fhonn uirthi níba mhó a rá faoi. Ach ansin cibé ar malairt aigne a tháinig chuici nó céard, dhírigh sí aniar ar a pilliúr gur bhreathnaigh idir na súile ar Nano.

'Ní fhaca mise aon Nollaig sa mbaile, a Nano, nár dhroch-Nollaig í. Tá sé seo dona go leor ach tá suaimhneas ag duine pé scéal é.'

'Is trua liom sin,' a dúirt Nano go míshocair. B'annamh a dheineadh Síle cur síos ar bith, maith nó olc, ar an mbaile agus ba mhó eolas a bhí ag Nano faoi mhná eile san áit, ar bhealach, ná mar a bhí faoina céile seomra.

'M'athair ba chionsiocair ar fad leis, bastard d'fhear,' a dúirt Síle, 'agus faoi Nollaig ba mheasa é i gcónaí.'

Bhreathnaigh sí ar Nano mar a bheadh sí ag iarraidh rud éigin a shocrú ina hintinn féin.

'Cén sórt fir é t'athair-se?'

'Ó muise fear lách, a Shíle, ní ghortódh sé sliogán.'

'Bhí an t-ádh ort, a chailín,' a d'fhreagair Síle mar ba á mhaíomh uirthi a bheadh sí. 'Ainsprid ina steillbheatha é m'athair-sa!'

'Ní ceart duit é sin a rá, a Shíle—faoi Nollaig ach go háirithe! Tá gach uile dhuine againn mar a chruthaigh Dia é.'

'Bhuel má tá rinne Sé drochjab den seanbhuachaill sin agamsa, a chailín. Ollphéist é agus ní fheileann ainm ar bith eile dó. Féach anois, a Nano,' arsa Síle ansin agus dáiríreacht annamh uirthi, 'bíonn cuid acu sin, na halpairí tuaithe sin, Nic Dhiarmada agus Caitríona Nic Oireachtaigh agus an geaing sin ar fad, bíonn siad ag bitseáil faoi olcas na beatha anseo san ospidéal, nach mbíonn?'

'Bíonn, ar ndóigh,' a dúirt Nano agus gan a fhios aici cén claonadh a bhí faoin gcomhrá anois.

'Bhuel ní rabhas-sa beathaithe chomh maith i mo shaol is mar atáim anois, a chailín! Gach uile phingin beagnach dá saothraíodh mo sheanbhuachaillsa d'óladh an bastard é—agus cén dochar dá mba chun sonais dó a rachadh sé, ach níorbh ea ná riamh. Bhíodh cantal óil air leath an ama agus cantal tarta air an leath eile agus mo mhama bocht ag iarraidh ocht bpingin déag a dhéanamh de gach scilling a thugadh sé di. Níl a fhios agam ó Dhia anuas cén chaoi ar chuir sí greim inár mbolg ná snáth éadaigh ar bith ar ár ndroim, a Nano—is minic a bhí ocras uirthi féin agus í ag iarraidh a bheith ag riaradh orainne agus bhí sí chomh faiteach roimh an mbithiúnach eile sin is nach n-osclódh sí a béal leis.'

Bhí saothar ar Shíle agus thost sí ar feadh nóiméid mar nach ligfeadh an fhearg di a thuilleadh a rá go fóill beag.

' An t-ól, ar ndóigh,' a dúirt Nano go hatruach, ' is iomaí—'

' An t-ól, a deir tú? Sceitheann meisce mírún, a Nano! Is iomaí fear a bhí tugtha don ól nár chéas a bhean agus a chlann dá thoradh, murach an t-oilbhéas a bheith go smior sa mbastard ní thabharfadh an t-ól amach é. Dá mbeinn ag cur síos duit air go ceann bliana, a Nano, ní bheadh a fhios agat a leath!'

Chroith sí a ceann agus theann sí a beola go docht ar a chéile; bhí cár uirthi mar nach raibh riamh cheana gurbh eol do Nano, bhí sí mar a bheadh bean strainséartha sa seomra aici de phlab.

' Bhí tú ag caint ar an Nollaig—an gcreidfeá go bhfacas é ag tabhairt leathmharú ar mo mháthair Lá Nollag, a chailín? Í a bhualadh isteach ar an mbéal le buille dá dhorn mar ba fear aige í! Fuil ar a béal aici agus í caite i ndiaidh a cinn ar an urlár agus na gasúir ag screadaíl. Ní raibh gach uile fhear a d'ól braon faoi Nollaig ag marú a mhná, an raibh, ní dhearna t-athairse é, a Nano, an ndearna?'

Níor fhéad Nano aon fhreagra a thabhairt air sin le haiféaltas agus lean Síle uirthi.

' Thug sí an leathchoróin dheireanach dá raibh sa teach againn dó, lá—an leathchoróin dheireanach dár fhan aici agus gan buillín sa teach aici le slaidhs aráin a thabhairt do na páistí! Ach tomhais céard a dúirt sí, a Nano—ó, ba é sin a mharaigh mise ar fada, a chailín!—tomhais céard a dúirt sí nuair a chuaigh sé amach agus an t-airgead ina chrúb aige? " Bímís ag guí," a dúirt sí, " bímís ag guí go mbeidh aoibh mhaith air nuair a thiocfaidh sé ón tábhairne! " Sin é a dúirt sí anois, a Nano, chomh cinnte is tá mé anseo os do chomhair!'

' An bhean bhocht,' a dúirt Nano.

' Tabhair uirthi é, bhí sí bocht ar gach uile bhealach! Dá mbeadh cion luiche de sprid inti ní déarfadh sí rud mar sin, an ndéarfadh anois? Agus ní fhéadfainn féin é a scaoileadh léi, dá óige dá raibh mé. "Ní hea, a mhaim," a dúras, " ach bímís ag guí go marófar é i mbun a chuid oibre, go dtitfidh ualach éigin air den chrann tochraiste a mharóidh é!"'

D'fhéach sí anonn ar Nano mar a bheadh eagla uirthi nach raibh an scéal ag dul i bhfeidhm mar ba chóir.

' Agus an bhfuil a fhios agat céard a rinne sí ansin, a Nano? '

Chroith Nano a ceann, í go hansóch ag scéal Shíle, agus lean Síle uirthi mar ba faoi éigean a bheadh sí na cuimhní gránna pianmhara uile seo a chartadh aníos.

' Dá seasfadh sí suas dó, a Nano, dá dtroidfeadh sí an bastard, dá bhfairfeadh sí a seans agus oíche éigin nuair a bheadh sé ina chodladh é a bhualadh le casúr ar an gcloigeann—rud ar bith ach ligean dó siúl uirthi mar a rinne sé na blianta sin go léir! Dhéanfainnse é, a Nano—dar Chríost ach is mé a dhéanfadh! Céard a bhí riamh aici—céard atá inniu féin aici, b'fhéidir—ach mar a bheadh sí in íochtar ifrinn? '

' Ní bheidh aon ifreann di féin ná dá macasamhail sa saol eile,'. a dúirt Nano agus bhí sí ina aithreachas ar an bpointe céanna. Céard ab fhiú an chaint sin d'aon duine?

' Bíodh an diabhal ag an saol eile, is é an saol seo is cás liomsa! Ach ní raibh sé de spriolladh i mo mháthair a cosa a chur di—fiú nuair a thagadh an sagart ag an teach againn ag iarraidh réiteach a dhéanamh nach é a chur ó dhoras a dheineadh sí, ag déanamh amach go raibh gach rud i gceart! Fan go n-inseoidh mé duit anois é, a Nano. An uair dheireanach a chuas siar, bliain go Lúnasa seo a chuaigh tharainn é, bhí súil dhubh uirthi. Bhí sí romham ag an stáisiún agus stuif ar a súil aici ag iarraidh é a cheilt. Ní chreidfeá, a Nano, an phreab a bhain sé asam an créatúr a fheiceáil mar sin arís. Bhí a fhios agam nár athraigh sé béasa, ar ndóigh, ach bhí oiread ríméid orm, a dtuigeann tú, faoi dhul abhaile. Is beag nár thit an t-anam asam, a Nano, nuair a chonaiceas an bhail a bhí uirthi, casadh thart a theastaigh uaim a dhéanamh, d'imigh aoibhneas na saoirse agus gach rud eile asam mar a ligfeá an t-aer as balún.'

Lig sí osna agus chroith sí a ceann mar a bheadh an chuimhne i bhfastó istigh ann agus fonn uirthi í a dhíshealbhú.

' Bhí sceitimíní orm ó d'fhágas Gabhal Luimnigh, bhíos ag tabhairt aithne d'ainmneacha na stáisiún a ndeachamar tríothu, Rath Luirc is mar sin—ba é an chéad uair dom dul abhaile as seo, an t-aon uair, céard tá mé a rá!—agus ansin a Nano, tar éis an áthais uile, nuair a chonaic mé mo mhama ansin agus súil dhubh uirthi! '

Chroith Síle a ceann arís agus d'imigh siorradh beag fuachta trí Nano nuair a chonaic sí go raibh deora ina súile ag an mbean eile; ba í Síle Ní Dhuibhir an bhean ba dheireanaí a samhlódh Nano deora léi.

' Thugas mo mháthair isteach i gcafé beag i Sráid Mhic Chuirtín mar thréit di—ní raibh deifir ar bith abhaile orm ansin, nuair a chonaic mé an tsúil a bhí uirthi. Bhí mé chomh mór asam féin, airgead abhaile liom agus m'éadach breá nua.' Rinne sí draothadh beag aiféalach gáire. ' Bhíos ag ligean beagán de chanúint Shasana orm, fiú, le barr uabhair agus díth céille! Bhuel ar chaoi ar bith bhí tae agus cácaí mílse againn agus chuamar abhaile ansin, bhí mo mhama bocht chomh sásta léi féin agus dá mba don *Ritz* thíos i Londain a thabharfainn í chun dinnéir. Bhí m'athair ag éirí le dul go teach an óil agus ba é an chéad rud a rinne sé airgead a iarraidh orm, thugas nóta deich scillinge ní le grá dó, go deimhin, ach le fonn é a bheith as an tslí againn go ceann tamaill. Bhain sé an lá as agus nuair a tháinig sé abhaile tráthnóna bhí fonn spochaidh air, ba ghairid istigh é gur tharraing sé raic—'dul de mo bhualadh a bhí sé, mura miste leat! Ach tá mise á rá leat, a Nano, ní hí mo mháthair a bhí ann aige, bhí an cailín seo réidh ina choinne! " Buail thusa anois, a dheaid," a dúras féin leis, " buail tusa mé nó leag barr méire orm, fiú, agus rachaidh mé síos díreach go dtí beairic na ngardaí ag iarraidh cosanta. Bhuail tú mo mhaim arís agus féach ar a súil, ach ní bhuailfidh tú mise nó duit féin is measa! " ' '

' D'éist sé ansin leat, ar éist? ' Bhí masmas ar Nano ag an scéal, níor airigh sí a leithéid riamh cé go ndeirtí nár rud annamh mná a bheith á mbualadh ag bunadh an bhaile mhóir, an t-ól agus an bochtanas agus an mí-ádh níorbh fholáir. . . .

' D'éist, cé go ndeachaigh sé i bhfogas *Go mbeannaí Dia duit!* dom bhualadh, ach dá mbeadh sé le mo mharú ní fhéadfainn mo bhéal a choinneáil dúnta—is láidre an fuath ná an eagla agus ní raibh fuath agam do dhuine ar bith riamh mar a bhí don bhastard sin agam. Ach ní chreidfeá céard a dúirt sé ansin le mo mháthair! D'iompaigh sé aghaidh a bhéil uirthise ansin—" Is deas an tógáil a thugais di, a Lil," ar seisean, " is mór an chreidiúint duit é! " Agus céard a déarfá leis sin? '

Ní raibh a fhios ag Nano céard a bhí le rá leis agus lean Síle uirthi.

' Bhí sé ar an gcoicís ab fhaide de mo shaol, shíl mé nach dtiocfadh deireadh leis go deo, murach mo mháthair agus na cinn óga ní fhanfainn an dara lá san áit. Agus an lá ar imíos, nuair a d'fhágas slán ag mo mhaim thíos ag an stáisiún, bhí a fhios agam go rabhas réidh leo. Ní rachaidh mé abhaile arís fad is a bhéas an bastard sin beo, a Nano, is é sin mura gcaithfidh mé, mura mbuail-fear mo mhaim tinn nó rud éigin. Níl fágtha thiar anois ach an bheirt is óige, Peait agus Tessa, cúpla bliain eile agus féadfaidh siad sin bóthar a bhualadh. B'fhéidir go dtabharfainn mo mháthair anall anseo an uair sin, gheobhadh sí obair go réidh, bheadh saol éigin aici dá n-imeodh sí ón mbeithíoch sin. Ach ní dhéanfaidh, a Nano, níl oiread sin spoinc inti.'

Lig Síle osna agus rug sí ar an muga cócó a bhí dearmadta aici le tamall.

' Breast air, tá mo chuid cócó fuar ag an mbanrán seo! '

Phreab sí den leaba agus chuaigh anonn chun an scatháin gur rug ar a cúl dubh gruaige is gur chornaigh suas ar a ceann é. D'iompaigh sí a cloigeann ansin, deas agus clé, á breithniú féin go géar.

' Bhíos ag smaoineamh ar mo chúl a chur suas ard mar seo, a Nano—céard a déarfása? '

Ba í an tsean-Síle chéanna ar ais arís í agus ar údar éigin tháinig meall ina scornach ag Nano mar nár tharla in aon chor agus a scéal á ríomh ag Síle di.

' Thiocfadh sé go deas duit, mh'anam.'

' An gceapfá? ' Thiontaigh Síle a ceann soir agus siar, an bhuairt agus an ghruaim imithe glan di anois, ba chosúil.

' Dáiríre píre! A, ní ag magadh a bheinn.'

' Tá súil do stíl agatsa, a Nano, féachann gach uile rud go deas ortsa,' a dúirt Síle beagnach mar a bheadh sí ina dhiaidh sin ar a céile seomra.

' Cheapfadh duine ar bith go raibh lán an chófra de stuif agam,' a dúirt Nano.

' Ach is fíor dom é! Tá go leor acu seo agus níl a fhios acu le gléasadh, is cosúil le rud a d'fheicfeá i siorcas Jackson sin agus dá mbeadh síoda go troigh ar Chaitríona Nic Oireachtaigh ní bhreathnódh sí dada—Nic Dhiarmada féin, níl mórán slachta uirthi. Ach breathnaíonn gach rud go deas ortsa.'

' Go raibh maith agat,' a dúirt Nano ag gáire.

' Nó meas tú an oirfeadh bearrach coirníneach dom, is ea faisean anois é, tá an ghruaig fhada ag dul as.' Rug sí ar shiosúr mar dhóighde agus thosaigh ag lomadh go fraochta. ' Snip, snip! '

' Seachain an ndéanfá, ná mill do chuid gruaige, a óinsigh! Nílir ag iarraidh a bheith in do bhearrachán, an bhfuil? '

Ach níor thug Síle freagra ar bith air sin agus ar an dóigh a raibh sí ag stánadh uirthi féin sa scathán thuig Nano Choilm gurbh é cóiriú a cuid gruaige an rud ab fhaide óna hintinn ar an ala sin. Lig sí dá cúl titim thar a slinneáin agus chas sí thart gur fhéach sí ar Nano.

' Fad is a bheidh anáil i mo chorp, a Áine Ní Chatháin, ní chaithfidh aon fhear leis an gcailín seo mar a chaith m'athair le mo mhaim. An dá nóiméad ní fhanfainn ag bastard mar sin, is cuma céard a déarfadh Cléir ná Eaglais! '

' Ní thógfainn ort é, a dheirfiúir,' a dúirt Nano.

Bhuail Síle fúithi arís ar a leaba agus lig sí osna.

' A Dhia, níl sé an naoi a chlog fós! Nach é an trua gan an raidió féin againn? '

'Bheadh sé go deas, a chailín. Bleaist ceoil!'
'Gheobhadh duine Luxembourg.'
'Teach an Chéilí!'
'*Din Joe*,' arsa Síle ag ligean pus uirthi.
'*The Balladmakers' Saturday Night!*'
'Tráth na gCeist!'
'Fadhbanna Gaeilge!'
'*Hospital Requests!*'
'Clár *Walton's!*'
'Fáilte an Aingil!' a dúirt Síle agus scairt sí amach ag gáire.
'Ó a phágánaigh,' a dúirt Nano, 'ná bí ag magadh mar sin.'
'Bhuel níl a fhios agam fútsa ach tá Síle ag dul ag codladh más í
Oíche Lae Nollag féin í,' arsa Síle agus thosaigh ag caitheamh di.
'Nach bhfuil sé chomh maith againn?' a dúirt Nano.

Bhí a paidrín faoina piliúr ag Nano agus nuair a bhí an solas
múchta ag Síle tharraing sí chuici é agus thosaigh ar dheichniúr a
rá os íseal di féin. Ghuigh sí ar son a muintire sa bhaile agus ar son
Mháirtín Bhid Antaine agus ghuigh sí go bhfaigheadh sí de sheas-
mhacht inti féin an cathú sin a bhí á tástáil chomh mór sin le tamall
a shéanadh. Ag titim ina codladh a bhí sí nuair a labhair Síle
anall óna leaba féin.

'A Nano?'
'Céard é féin, a Shíle?'
'Achainí amháin agam ort, a Nano, agus ná eitigh mé—tar
chuig an rince liom san oíche amárach, an ndéanfair? Ní bheidh
puinn sásaimh ar an oíche agam mura dtiocfair, tá a fhios ag Dia!'
'Ach níl mé ag iarraidh dul ann, a Shíle, nár dhúras leat. . . .'
'As ucht Dé ort, níl aon chara eile anseo agam go mbeadh aon
chraic agam léi!'

Lig Nano osna bheag agus phóg sí an paidrín ansin gur sháigh
faoina piliúr arís é.

'Ceart go leor mar sin, gabhfad.'
'Ó grá mo chroí thú!' Bhí Síle lán ríméid de phreab, fonn
cainte arís uirthi.
'Beidh an-oíche go deo againn, fan go bhfeicfidh tú, a Nano!'
'Téirigh ag codladh, a óinsigh, ní lá saoire amárach againn
ach oiread é.'

Bhí an rince faoi lán seoil agus slua maith mór ann nuair a
thainig Nano Mháire Choilm agus Síle Ní Dhuibhir ar an láthair.
Giomnáisiam a bhí san halla lá den saol nuair ba ospidéal míleata
é Ospidéal Norwold ach ba mhar stór a bhí an áit ag feidhmiú anois
agus é réitithe amach i gcoinne an rince. Ba é an t-áras ba scoite

ar fad é de na foirgnimh éagsúla b'aireagail ann i dtreo agus gur ar éigean a shroichfeadh gleo an cheoil an t-aireagal ba ghiorra dó, fiú. Agus bhí gleo ann gan bhréag ar bith mar bhí ceolbhanna cúigear ar ardán ann agus *In the Mood* á ghleadhradh le fonn acu, tréanbhuillí an druma ag croitheadh na bhfuinneog agus dordán blaoscach an sacsafóin ag baint macalla as na ballaí. Bhí na rinceoirí ag guairdeall thart go fuinneamhach, gúnaí fada sleamhaine ar fhormhór na mban agus cultacha tráthnóna ar an gcuid ba chéimiúla de na fir, na dochtúirí agus fir chéile na mbanaltraí ab airde gráid; ba é an rince bliantúil seo an t-aon chóisir nó ceiliúradh ina dtagadh lucht an ospidéil uile le chéile, ón Mátrún anuas go dtí an cailín aimsire ba dheireanaí a fostaíodh agus ón dochtúir ba ghradamúla síos go dtí fear tindeála na bhfoirnéis. Ba ócáid í an rince bliantúil a bhí in ainm is a bheith gan galamaisíocht ná postúlacht ar bith i dtreo agus go bhféadfadh aon duine den fhoireann oibre an Mátrún féin a iarraidh chun damhsa, agus an duine ba shinsirí de na dochtúirí go bhféadfadh sé cuireadh amach a thabhairt ar an gcaoi chéanna don bhean ghlantacháin; ach níor bhearnú dá laghad é sin ar fad ar an gcéimíocht dhocht a bhí san áit agus ba amhail a chéile a bhailíodh na haicmí difriúla agus na ciníocha éagsúla chomh maith idir gach rince a d'fhógraítí. Ina choinne sin bhí teannas éigin le sonrú ar an gcomhluadar, atmaisféar anacair ar thrúig do dhrogall na n-aicmí agus na ngrúpaí náisiúnta seo go léir roimh a chéile. Bhí Éireannaigh sa láthair, fir óga ar thug a gcomhthírigh féin cuireadh aníos chun an rince dóibh, agus ba léir orthu go raibh na himeachtaí róshéimh, róshrianta dá spleodar dúchais. Béic a ligean, a shantóidís seo, nó céim áibhéileach rince a dhéanamh le corp treallúis, dá mbeidís i gcomhluadar mar a d'aireoidís teann a ndóthain chun ligean lena dteaspach. Ach bhí bac eile seachas sin orthu chomh maith, bhí na mná a thug ann iad san fhaichill le heagla go gcuirfidís aon chorr contráilte astu—an méid díobh a raibh braon istigh acu ach go háirithe—agus go mbeadh sé ina sheamsán ar fud na háite lá ab fhaide anonn acu siúd nach raibh ach an leithscéil ba lú uathu le tosú ag caitheamh anuas ar na hÉireannaigh.

'Tá súil le Dia agam,' a dúirt Máire Nic Dhiarmada an lá céanna sin le Nano agus iad ag cóiriú leapacha le chéile ar an aireagal, 'nach ligfidh duine ar bith de na *lads* síos sinn anocht, a Chathánaigh. Deamhan ar mhiste liom céard a dhéanfaidís thíos ag an gClub ach gan údar cainte a thabhairt do chuid acu seo!' Agus gan amhras bhí aicmí eile fear san áit nach ar a socracht uile a bhí ach oiread le rud, díláithrigh anuas as seanchampa na bpríosúnach cogaidh a raibh steall maith den bhraon crua ar bord acu cheana agus idir shotal agus spalpas orthu le maithe móra an ospidéil de réir a ndual is a ndúchas. De réir mar a rachadh an

oíche chun cinn d'imeodh go leor den támáilteacht is den mhí-
mhuinín den chomhluadar agus faoina bheith slán ní tharlódh
aon chlampar ná aighneas.

Ní caol díreach chun an halla a chuaigh Nano agus Síle ná baol
orthu mar nár bheo do Shíle mura bhfliuchfaidís a mbéal thíos san
Tudor Rose i dtús báire.

' Dhera, a Nano, cén chaoi a siúlfadh muid isteach ina measc
agus gan taoscán beag ólta againn? Níor mhór duit lán méaracháin
le ruainne *jizz* a chur ionat! '

' Is beag an *jizz* a chuirfidh gloine liomanáide ná sú oráiste
ionamsa, ach bíodh agat,' a dúirt Nano agus í á réiteach féin. Agus
dá leomhfadh sí a admháil ní raibh drogall ar bith uirthi roimh an
ósta anois cé nach dúil san ól a thabharfadh ann í go deimhin.
Ba ar éigean ar thug sí cead isteach don smaoineamh ach ina croí
istigh bhí súil bheag aici go mbeadh Julius Kuzleikas san *Tudor Rose*
agus go gcuirfeadh sé caint uirthi arís agus ba é sin ba chúis léi
toiliú chomh réidh sin d'achainí Shíle.

' Mo cheol thú, a Nano, beidh oíche mhór againn! ' a dúirt
Síle go gliondrach agus a cnaipí á bhfeistiú aici os comhair an
scatháin.

Bhí an *Tudor Rose* lán go doras, gach roinn de, agus ba sa
tolglann a chuaigh Nano agus Síle. Lucht an ospidéil agus fir anuas
ón gcampa ba mhó a bhí ann rompu ach fuaireadar áit shuí agus
bhí Síle Ní Dhuibhir imithe suas chun an chuntair i gcoinne na
ndeoch sular chuimhnigh Nano nár chuir sí fainic uirthi gan aon
rud ba láidre ná liomanáid a thabhairt chuici. Agus bhí a shliocht
ar an bhfaillí, ba ghloine bheag seirí a thug Síle ar ais di agus gloine
bheag *gin* di féin; chuaigh sí roimh Nano freisin le heagla a liobartha.

' Lán méaracháin seirí agus dún do bhéal! Ní chuirfeadh sé
míobhán ar naíonán, a chailín! '

' Is maith atá a fhios agat nach n-ólaim, a Shíle, tá a fhios agat
nach mblaisim de.'

' Ó's in ainm Dé, nach í an Nollaig í! Deoirín seirí, ní fheicfeá é
ar chroí do bhoise—dá mba ag iarraidh tú a dhéanamh dallta a
bheinn nach dtabharfainn braon den stuif seo duit atá agam féin?'

Chroith Nano a cloigeann ach níor mhaith léi paidir chapaill
a dhéanamh den scéal.

' Beidh mé chomh dona leat féin gan mórán achair, a scubaid! '

' Seo, Nollaig shona duit, a bhfuil fágtha di, agus bliain nua
mar ba mhian le do chroí í! '

' Go mba hé duit,' a dúirt Nano agus bhlais sí go faicheallach
den seirí. Bliain nua mar ba mhian léi, ba bheag dá chosúlacht a
bhí air, chuimhnigh Nano, ba shúil thar chuid é, ba bhaolach.

' Anois, ní raibh sé chomh dona sin, an raibh? ' a d'fhiafraigh
Síle di, á faire.

'Uafásach!' a dúirt Nano le diabhlaíocht ach dáiríre ní raibh drobhbhlas ar bith ar an bhfíon, bhí sé deas milis, ba gheall le rud é a raibh blasta aici cheana de, nuair a bhí sí ina páiste, b'fhéidir. Bhíodh braoinín pórtair nó fíona á ól as muga ag a Maimeo faoi Nollaig fadó, agus glac snaoisín i mbosca beag a raibh *Colmans Mustard* scríofa air. . . . D'imigh an chuimhne bheag fhánach sin de shíob as a ceann ag Nano agus i dtobainne tháinig eadarluas agus fuaiscneamh uirthi. Mar bhí Julius ag gáire anall ón taobh eile den tolglann léi mar a raibh sé i gcuideachta a mhuintire féin, ochtar nó naonúr ina suí ag bord.

Bhí culaith dhubh ar Julius nárbh í an chulaith chéanna a bhí air an oíche sin ar thug sé anseo don *Tudor Rose* í, agus i leaba gnáthcharbhat a bheith á chaitheamh aige lena léine bhán ba chuachóg bheag dhubh a bhí air chomh galánta le duine mór. Ach níorbh é a feisteas a d'fhág cluaisíní croí ar Nano Mháire Choilm ach an meangadh sin leis agus cumhacht mhealltach a dhá shúil. Bhí griofadach inti óna bonnaí go barr a cinn agus mar a thuigfeadh Julius nach a dhiúltú dó a dhéanfadh sí an iarraidh seo d'éirigh sé den bhord agus tháinig sé anall trasna chucu.

'Aire dhuit,' a dúirt Síle, 'tá Romeo i do choinne!'

Tháinig Julius chomh fada leo agus d'umhlaigh oiread na fríde dóibh mar b'aisteoir sna pictiúirí a bheadh ann go díreach. Agus bhí sé gach uile phioc chomh gléasta agus dá mba ea: ní raibh an chlupaid ba lú riamh ina chuid éadaigh ach é mar ba ó lámha an táilliúra ba dhaoire i Norwold a thiocfadh, agus bhí a léine ar ghile sneachta. Gan chead di féin, ionann agus, thug Nano taitneamh croí agus anama dó mar nár thug sí d'aon fhear eile ina saol go nuige seo; an grá sin a thug sí do Mháirtín Ó Spealáin ó chianaibh ba gheall le dilchairdeas nó gean gaoil féin é i gcomórtas leis an mothú a bhí spreagtha ag Julius inti anois. Bhí sí chomh beophianta agus go bhfacthas di nár fhan anáil ar bith ina corp, bhí sí mar dhuine a bheadh gafa i staid aduain éigin idir a bheith ina codladh is ina dúiseacht.

'*Hello*,' a dúirt Julius leo beirt, é ar a shuaimhneas go hiomlán; ling a amharc ar Shíle Ní Dhuibhir seal soicind agus d'fhéach sé ar Nano ansin ar bhealach a chuir fuadach cuisle uirthi.

'*Hello* thú féin,' a dúirt Síle, ladúsach go leor, 'cén chaoi a bhfuil tú?'

'Go breá, slán a bheidh tú,' a d'fhreagair Julius chomh soibéalta. 'Lig dom rud éigin a fháil daoibh—in ómós na Nollag,' a dúirt sé ansin agus níor bhaol do Shíle an uain a ligean ar cairde.

'Conas a dhiultóinn?' ar sise, ag gáire, 'ólfaidh mise *gin*-agus-oráiste más é do thoil é!'

' Agus tusa, a Nano, céard ólfairse?' ' Chuir sé na súile tríthi ar chuma a rinne ciolar chiot dá stuaim agus chroith sí a ceann mar ba bhalbh a bheadh sí.

' Tá mise ceart,' a dúirt sí i gcion ala, ' ná bac liomsa.'

' Ó faigh gloine bheag eile seirí di,' a dúirt Síle, ' b'fhearr liom an diabhal ná gloine fholamh.'

D'imigh Julius i dtreo an chuntair mar ba leor dó sin agus thug Nano faoi Shíle d'fhonn gan a corrabhuais féin a nochtadh.

' Níor theastaigh deoch eile uaimse, a Shíle, cén fáth ar dhúirt tú dada leis?'

' Dhera seafóid, a chailín! Glac a bhfaighir ar an saol seo, nach maith ann é! Tá aiféala anois orm nár dhúirt mé dhá *gin* agus d'ólfainn féin an péire.' Scrúdaigh sí Nano go caolchúiseach.

' Rachaidh sé crua ort é a chur díot anocht, a chailín. Tá an fear sin splanctha i do dhiaidh.'

' Raiméis, a Shíle!' Dhearg sí le trína chéile ach i gcionn nóiméidín bhí sí ag gáire ag leagan seanfhaiseanta na súile a thug a cara uirthi. ' Téirigh i dtigh diabhail, a Shíle, níl mise ar an margadh.'

' Níl mura dtogróidh tú féin a bheith.'

' Bhuel ní thógraím.'

' Feicimis,' dúirt Síle, á breithniú go grinn ach bhí Julius chucu ansin arís lena dhá ndeoch; leag sé an *gin* agus an seirí ar an mbord rompu agus chuir gothaí imeachta air mar nár mhian leis an iomarca brú a dhéanamh orthu i ainneoin a chineáltais.

' Sláinte agat!' a dúirt Síle, ag ardú a gloine; agus ansin cibé daol nó téidhe a bhuail í, dúirt Nano ' *Sveikas!*' leis.

' *Sveikas!*' a d'fhreagair Julius, a shúile á leá agus chuir sé aguisín beag éigin leis go caoinghlórach sa teanga chéanna.

' B'fhéidir go bhfeicfinn thall ag an rince sibh,' a dúirt sé ansin i mBéarla agus chlaon sé chucu go béasach sular fhill sé ar a chomhluadar féin.

' Bhuel,' a dúirt Síle, ' is minic a chualas gurbh iad na muca ciúine a itheann an mhin—ní de do chur i gcomórtas, a stóir!— ach cár fhoghlaim tusa an lingó sin, a chailín?'

' Níl ann ach focal amháin, a Shíle. Éist liom.' Bhí sí trína chéile arís eile, in earraid léi féin ar a ciotrúntacht béil, breá nár dhún sí a clab mór in am? Ná ní raibh Síle lena scaoileadh léi chomh réidh sin.

' Ní focal é sin a d'fhoghlaimeofá ach sa phub, a chailín!'

' Tá a fhios ag Dia gur measa ná aturnae thú,' a dúirt Nano ag gáire go dóite. ' Tá sé chomh maith dom faoistin a dhéanamh leat nó ní thabharfaidh tú suaimhneas dom—bhí deoch agam anseo leis oíche amháin, chas sé ar an mbóthar liom agus mé ag dul ag postáil litreach. Ní raibh ann ach é sin, leathuair nó mar sin— ba shin í an oíche ar iarr sé orm castáil leis arís.'

' Ó agus nár rúnda an iníon thú nár inis do d'aintín é! ' a dúirt Síle go magúil, cé gur mheas Nano go raibh Síle ina dhiaidh uirthi, blas beag, mar rúndacht.

' Ó muise, a dheirfiúir, bhí náire orm, sin é an fáth! Bhí mé ag dul á rá leat babhta nó dhó ach ní fhéadfainn.'

' Tá sé furasta náire a chur ort,' a dúirt Síle agus bhris an gáire uirthi níba chroíúla ansin.

Ó am go ham nó gur fhág siad an *Tudor Rose* bhreathnaíodh Nano anonn ar an áit ina raibh Julius agus níor éirigh léi a dhéanamh oiread agus uair amháin i ngan fhios dó; sméideadh uirthi go mealltach is ea rinne Julius gach babhta nó gurbh éigean do Nano iallach a chur uirthi féin gan féachaint uaithi níos mó. Ach níor bhaol don mhéid sin, dá laghad é, dul de Shíle Ní Dhuibhir.

' Tá a fhios agat cad deir siad faoi shíorfhéachaint, a Nano? ' ar sise go deiliúsach.

' Níl,' a dhearbhaigh Nano, ag lasadh.

' Tosach grá síorfhéachaint, a chailín.'

' Á, buinneach! ' a dúirt Nano agus phléasc an bheirt acu amach ag gáire ag a míbhéas.

Leagadar a gcótaí uathu laistigh de dhoras an ghiomnáisiam ar theacht don rince dóibh agus chuaigh síos tríd an slua go bolg an halla; bhí Julius ar an láthair cheana féin, ba dhóigh, arae amharc dár thug Nano anonn uaithi ag fágáil an ósta dóibh chonaic sí nach raibh sé féin ná a chomhluadar ag an mbord níba mhó cé nár bhraith sí ag imeacht iad. Bhí anbhainne uirthi le tnúthán gach uair dá smaoineodh sí air ach bhí an halla chomh lán sin anois agus go mba dhoiligh aon duine a phiocadh amach thar a chéile.

' Tá banna acu pé scéal é,' a dúirt Síle, ag féachaint ina timpeall. ' Bhí paca abhlóirí anseo acu anuraidh nach ligfeá amach leis an Dreoilín.'

' Tá sé róghlórach uilig,' a dúirt Nano ach dáiríre ba chuma léi faoi sin; dá mba chlaibíní sáspan ag bualadh faoi chéile a bheadh mar cheol ann ba chuma léi, ní air a bhí a haird anois.

' Óra, a Chríost, féach anall! ' a dúirt Síle ag fáscadh ar uillinn ar Nano. ' Bhí mé ag guí nach dtiocfadh sé anocht.'

Maidhc Ó Siadhail a bhí anall trasna an urláir ina gcoinne, stiúir sheolta faoi agus gáire ar a bhéal, scafaire breá fir dar le Nano an té a thabharfadh taitneamh dó; ach bhí oiread doichill anois aici roimh Mhaidhc is mar a bhí ag Síle cé nárbh ionann údair di. An áit a mbeadh Maidhc níor dhóichí rud ná Peadar Ó Searcaigh ar cheann téide aige agus ní raibh dada níos cinnte ná go mbeadh an ceathrar acu i mbail a chéile ar feadh na hoíche.

Calar air mar stadaire, ba mhairg a chuir aithne riamh air—ba é sin an smaoineamh a tháinig go míchneasta chuici agus a raibh sí ina aithreachas arís ar an meandar céanna. Cén sort scubaide a bhí ar chor ar bith inti go mbeadh sí chomh suaite sin mar gheall ar fhear strainséartha is go gcothódh sí an mhícharthanacht seo?

'Bhuel is maith an scéal é nach ag brath oraibhse a bhí duine le cuireadh a fháil anseo!' an bheannacht a chuir Maidhc Ó Siadhail orthu go gealgháireach faoi mar nár ní leis suas ná síos é. Bhí luisne ar aghaidh mar a bheadh sé i ndiaidh spailp rince a chur de agus bhí fuinneamh spleodrach ag spré uaidh chomh so-bhraite le ceo; thug sé amharc doléite ar Nano agus chaoch sé súil uirthi go muinteartha.

'Dia dhuit, a Nano! Fada an lá nach bhfaca mé thú.'

'Is fada,' a dúirt Nano go leamh.

'Shílfeá go dtabharfadh Síle amach léi thú corruair nó an bhfuil muintearas ar bith inti?'

Bhí barúil aige dó féin gan bhréag ar bith, a dúirt Nano ina hintinn: mustar na nguaillí aige, a gháire réidh, an teanntás a ghabhann le breáthacht coirp agus le deise gné go minic.

'Ní páiste mé ná ní duine breoite go gcaithfeadh Síle mé a thabhairt in áit ar bith! Tá dhá chois fúm, nach bhfuil?' Ba bheag nárbh oth le Nano gur thug sí aisfhreagra chomh borb sin ar Mhaidhc Ó Siadhail ach shil sé de Mhaidhc anuas mar b'uisce de dhroim lachan é.

'Dar m'anam féin go bhfuil, a chailín, agus dhá chois bhreá! Agus nach bhfuil sé chomh maith duit iad a chur fút anois agus teacht amach liom ar an gceann seo?' a dúirt Maidhc gan spalpas ar bith.

Bhí mearchéim á tosú agus bhí Nano ar an urlár sular bhraith sí é, lámha Mhaidhc á stiúradh chomh paiteanta agus dá mba sheanpháirtí rince aige í. D'fhéach Nano siar thar ghualainn Mhaidhc agus chuir Síle barr a teanga amach fúithi, go magúil; bhíodar chun siúil ansin, ag rothlú i measc na ndamhsóirí eile. Bhí gach uile dhuine beo nach raibh ar diúité ná imithe abhaile don Nollaig sa láthair, ba chosúil. Bhí Hilda Jackson agus cóiriú gáifeach gruaige uirthi, banda timpeall ar a clár éadain mar a bheadh ar Rua-Indiach agus gúna nár tháinig thar log na glúine síos ach ar éigean; bhí Fidelma Ní Bhroin ann go péacach faoi ghúna dubh veilbhite; Caitríona Nic Oireachtaigh agus í ag gáire suas le plíoma mór fir a raibh an t-allas ag glioscarnach ar a cheannaghaidh shíondearg; bhí Máire Nic Dhiarmada ann agus Léana Ní Mhuracha, bhíodar uile go léir scaipthe timpeall an halla ag rince nó ag comhrá agus gan oiread agus duine díobh ann i ngan fhios don Mhátrún a bhí ina seasamh i leataobh le duine de na dochtúirí agus súil seabhaic thart ar an gcomhluadar aici i rith

[245]

an ama. Ach ní raibh Nano ag fáil amharc ar Julius go fóill, cibé cá raibh sé.

'Cá bhfuil Peadar uait anocht?' Ba le fonn muintearais mar leorghníomh ar a boirbe anois beag agus le fonn eolais, leath is leath, a chuir Nano Mháire Choilm an cheist ar a páirtí; bhí dóchas tagtha di gurbh fhéidir nach raibh Peadar ar na gaobhair in aon chor agus ba mhian léi a dheimhniú.

'Tá Peadar bailithe siar abhaile don Nollaig,' a d'fhreagair Maidhc; d'fhéach sé ar Nano ansin mar a bheadh sé idir dhá chomhairle faoi rud éigin. 'Dúirt sé nach raibh gnó ar bith anseo aige!'

Ní dúirt Nano faic leis sin agus faoi mar ab eagal léi lean Maidhc den áiteamh i gcionn nóiméid.

'Féach, a Nano,' ar seisean gan frapa gan taca, 'céard déarfá le Peadar a fheiceáil arís?'

'Arís?' Mhearaigh an focal í thar mar ba chóir, b'fhéidir, ach ní raibh neart ar bith aici uirthi féin. Bhíodar tar éis dhá chúrsa den halla a dhéanamh anois, ag luascadh is ag casadh agus an mhearchéim ag teacht chomh réidh di agus mar a bheadh cleachtadh saoil aici air; ach ní raibh Julius le feiceáil thoir ná thiar aici má bhí sé sa láthair in aon chor.

'Thug tú abhaile ón damhsa sa chlub é, nár thug?' a dúirt Maidhc de ghlór meathfhoighneach amhail mar ba "Seo é Lá Fhéile Stiofáin, nach é?" a bheadh á rá aige, amhail mar nárbh fhiú an cheist a chur.

'Níor iarr mise in áit ar bith é, a Mhaidhc.'

Bhí idir chantal agus náire uirthi, cantal ag cunórtas Mhaidhc Uí Shiadhail agus náire uirthi ag a heaspa cuíbhiúlachta féin an oíche úd. Cárbh fhios di céard a bhí ráite ag Peadar lena chomráda, cá bhfios nach ag gáire fúithi a bhíodar? Ach bhí dáiríreacht nár shamhlaigh sí riamh leis ina ghlór ag Maidhc nuair a labhair sé.

'Ba é nach maith leat é, a Nano?'

'Cén sórt ceiste í sin, a Mhaidhc?' a d'fhiafraigh Nano go doichealladh de.

'Ceist shimplí, is maith leat é nó ní maith leat é.'

'D'fhéadfá rá go mba chuma liom faoi,' a dúirt Nano.

Ar á fheiceáil di é nó an ndeachaigh righniú éigin ar Mhaidhc le teann múisiam?

'*Lad* an-lách é Peadar, a Nano, *lad* chomh mánla is a chasfaí de shiúl bliana leat!'

'Bhuel is maith uait stoc a shéideadh dó cibé scéal é,' a dúirt Nano le goimh arbh é a bhunchúis, b'fhéidir, Julius Kuzleikas a fheiceáil uaithi trasna an halla agus é ag caint is ag gáire leis an gcailín aimsire Iodálach céanna sin a bhfaca sí ag spraoi léi cheana é ag doras na cistine, Raefelina nó cibé ainm sa diabhal a bhí uirthi.

[246]

Chuaigh na damhsóirí eile idir í agus amharc ansin agus bhí Maidhc i mbun stocaireachta arís.

'Tá an t-an-rud aige ortsa, a chailín, bíonn sé ag caint ort i gcónaí. Nuair a bhí sé ag dul abhaile an lá cheana, má chastar Nano leat ag an damhsa a dúirt sé, abair léi go raibh mé á fiafraí.'

Ní dúirt Nano smid leis sin, bhí sí in aiféala ar a cancracht féin agus bhí iomrall aimhréiteach mothúchán uirthi mar gheall ar Julius; b'fhada léi go mbeadh an mhearchéim thart agus deis aici a smaointe a cheapadh gan Maidhc a bheith ag spochadh aisti mar seo.

'B'fhéidir go bhfeicfeá mar sin féin é an tseachtain seo chugainn—ba mhaith leis labhairt leat ar aon nós,' a dúirt Maidhc mar ba in aghaidh a thola féin a bheadh an achainí á déanamh aige. An mhearchéim a bheith thart de phlimp a thug bealach éalaithe do Nano ón áiteamh go léir:

'Go raibh maith agat faoin rince, a Mhaidhc,' a dúirt sí go cúisiúil leis agus chuaigh i gcoinne Shíle ansin.

Bhí Síle í féin i ndiaidh teacht den urlár, saothar uirthi agus a súile ar lasadh.

'Ó dá bhfeicfeá an smeasair a thug amach mé, a Nano! Tá sé le m'iarraidh arís, faraoir nár fhan Maidhc uainn anocht.'

'Faraoir nár fhan, tá mé cráite aige,' a dúirt Nano.

Leath na súile ar Shíle agus bhuail sí lámh ar a béal.

'Ní féidir . . . ní raibh sé ag iarraidh . . . ?'

'Ag iarraidh dul liom? Baol air! Ag iarraidh mé a chur in éindí le Peadar a bhí sé ó chuas ar an urlár leis.'

'Ó,' a dúirt Síle mar ba chun leasa di a rachadh an fhaisnéis sin agus thug Nano sonc dá huillinn di.

'Shílfeá go mba chuma leat ó tá an smeasair eile seo ar na bacáin agat!' Rinne Síle gáire a raibh cion beag den dóiteacht ann agus chroith sí a ceann.

'Ar ndóigh chuala tú riamh é, a chailín, gur fearr dhá ruaim ar a shlat ag duine!'

D'oscail Nano a béal ach bhuail sí fiacail chomh tobann céanna ar an gciúta a bhí tagtha chun a teanga: nár mheasa fós í féin agus í ag giollamas mar seo leis an gcathú nuair a bhí fear aici cheana?

'Tá sé chugat anois ar aon nós,' a dúirt sí le Síle nuair a chonaic sí Maidhc ag déanamh orthu. Válts ar an sean-nós a bhí á fhógairt anois agus chonacthas do Nano go ndeachaigh Síle an-fhonnmhar le Maidhc do cheann a bhí in ainm is a bheith ar nós cuma liom faoi ar ball beag; bhí a cuisle féin ag greadadh le tnúthán agus le fuaidreamh agus a súile ag dul ó cheann ceann an halla ag iarraidh amharc a fháil ar Julius. Nárbh ait an scéal é nár tháinig sé á hiarraidh cheana, ní fhéadfadh gan a fhios a bheith aige go raibh sí anseo! Ag féachaint uaithi a bhí sí nuair a d'airigh sí lámh ar a huillinn agus nuair a chas sí timpeall ba bheag bídeach nár nocht sí an díomá a tháinig ar an toirt sin uirthi—ní Julius a bhí ann mar a mheas sí ach scorach goiríneach na gceirníní, straois air le féinsásamh agus a shúile chomh mór le súile liúis taobh thiar dá spéaclaí.

Chuaigh sí leis ar an urlár agus níorbh aithne ar an óganach nár chomaoin uirthi é a bheith mar chéile rince aici, an bhladaráil díchéillí a bhí ar bun aige an t-am ar fad léi faoi mar a mheasfadh sé gur le páiste a bheadh sé ag caint ná le leathcheann éigin arbh fhurasta a bhréagadh; agus ansin chonaic sí Julius, bhí sé i ngiorracht fad láimhe di, agus an ceann Iodálach mar pháirtí aige. Bhí an t-óganach ag plásaíocht léi gan sos ach ní raibh a fhios ag Nano ó Dhia anuas céard a bhí á rá aige leis an rachlas a bhí istigh inti; níor léir di rud ar bith ach an gáire a bhí ar Julius leis an mbean eile agus an taitneamh a bhí go follas san amharc a bhí á thabhairt aicise ar Julius. Ba shin aici an t-údar nár tháinig Julius ina gaobhar, bhí a shá comhluadair aige sa bhean Iodálach, bean dhéadgheal ghruaigdhubh a bhí dathúil a dóthain murach oiread na fríde de fhiarshúil a bheith uirthi. Raefelina; bhí a hainm féin go deas, cailín aerach a gcloistí ar fud na háite í ag canadh agus í ag déanamh a cuid oibre, níor thógtha air a bheith meallta aici, ba bheag bean eile ag an damhsa, b'fhéidir, ba dheise ná í. D'fhógair Nano uaithi an maoithneas seo agus thug uirthi féin ciall éigin a dhéanamh den ghliogarnach a bhí ar bun ag a páirtí, rud éigin faoi chlub nua a bheith le déanamh dá bhféadfaí cead tógála a fháil ó na húdaráis, bhí daoine ag teacht aniar as Éirinn chomh tiubh sin anois agus nár mhór halla nua dóibh. Bhí sí ag iarraidh cuimhneamh ar rud éigin le rá leis an óganach nuair a tháinig Julius agus an cailín Iodálach sa timpeall arís agus an babhta seo bhí Julius ag breathnú lán sa tsúil uirthi amhail mar a bheadh sé ag iarraidh rud éigin a rá léi ar an gcuma sin. Phreab a croí ina scornach ag Nano agus ansin, faoi mar ba uallóigín giodamach a bheadh inti, thosaigh sí ag ligean suáilceas uirthi féin leis an óganach, spéis an tsaoil aici de léim ina chlabaireacht neafaiseach. Bhí a shliocht uirthi, chuaigh fear na gceirníní bog is crua uirthi damhsa eile a choinneáil dó nó gur éalaigh sí uaidh chomh fonnmhar ag deireadh an válts mar a d'éalaigh sí ó Mhaidhc Ó Siadhail roimhe sin.

' Cén chaoi ar lig tú don phleidhce sin breith ort? ' an chéad rud a dúirt Síle Ní Dhuibhir le Nano ach a rabhadar le chéile arís agus Maidhc imithe chun cúpla buidéal sú óráiste á fháil dóibh thuas ag cuntar na ndeochanna.

' Áil den éigean, a dheirfiúir,' a d'fhreagair Nano go magúil. ' Ní raibh duine ar bith eile dom iarraidh! Is fearr liogram lag. . . .'

' Ní chreideann tú focal de,' a dúirt Síle chomh magúil céanna; thug sí spléachadh leataobhach ar Nano ansin. 'An bhfaca tú Julius?'

' Chonaiceas amuigh ar an urlár é,' a dúirt Nano go fuarchúiseach. Bhí sí ag guí go bhfillfeadh Maidhc anois orthu i dtreo is nach bhféadfadh Síle a bheith á broideadh mar seo, ba chéim síos di coimhthíos Julius má ba choimhthíos ná neamhshuim nó cibé rud é féin a bhí á choinneáil uaithi an fad seo.

Níorbh é Maidhc Ó Siadhail ba thúisce a tháinig ach Julius Kuzleikas, aoibh air leis an mbeirt acu ach na súile aige ar Nano.

' Tá súil agam nach bhfuil tú iarrtha don chéad rince eile, bhí mall agam an dá dhamhsa deireanach.'

' Dhera, a bhuachaill, bíonn sciobadh uirthi siúd,' a dúirt Síle, ' níor mhór duit a bheith ag ceann an chiú!'

' Is fearr go deireanach ná go brách,' a dúirt Nano chomh suairc agus mar a ligfeadh an t-eiteallach a bhí faoina croí agus a cuisle di a rá, agus bhí Maidhc ar an láthair ansin, trí bhuidéal sú óráiste ina ghlac aige agus tráithnín céireach i ngach buidéal díobh. Arbh uirthise a bhí sé, a d'fhiafraigh Nano Mháire Choilm di féin, nó ar baineadh siar de Mhaidhc nuair a chonaic sé Julius ansin roimhe? Má baineadh ba mhaith uaidh a cheilt mar rinne sé gáire le Julius chomh cairdiúil agus dá mbeadh seanaithne aige air.

' Thabharfainn deoch anuas duitse chomh maith dá mbeadh a fhios agam in am é,' a dúirt Maidhc, ag dáileadh na mbuidéal. ' Ar scáth is fiú é,' a chuir sé mar aguisín leis agus lig grainc air féin leis an sú óráiste.

' 'Maith nár chuir tú do chloigeann isteach san *Tudor Rose* ar ball beag mar sin?' a dúirt Síle go mísciúil. ' Fuair Julius deoch ceart dúinn, nach bhfuair a Nano?'

' Níl aon locht air seo,' a dúirt Nano go plásánta. Ach oiread leis an oíche úd ar casadh leo i gClub Naomh Bríde é ní raibh aon aithne óil ar Mhaidhc, ní mórán den díth céille a bhain leis, mheas Nano, in ainneoin a spraoiúlachta uile. I dtobainne, agus gan a fhios aici in aon chor an raibh bunús ar bith leis an rud, d'airigh Nano imní éigin faoina cara amhail mar nach mbeadh sí inniúil ar a cúrsaí féin a ionramháil, amhail mar nach mbeadh sí ábalta a dóthain ag Maidhc in ainneoin a cuid gothaí go léir. Bhíodar tamall deas ag gabháil amach le chéile má ba go neamhrialta féin é agus d'fheictí do Nano scaití go raibh Síle níba dhoirte go mór do Mhaidhc ná mar a bhainfeá as a caint; os a choinne sin, agus muran éagórach an breithiúnas air é, bhraith sí nach raibh Maidhc ach ag caitheamh an ama le Síle nó go bhfeilfeadh dó féin seol a ardú.

Ach bhí rince eile á ghlaoch anois agus bhí Julius á hiarraidh ar an urlár; bhreathnaigh Nano ina timpeall ag lorg áit éigin ina leagfadh sí a deoch, ach ghlac Síle uaithi é go soilíosach.

[249]

' Ní ólfaidh mé braon de, a Nano—ar m'anam! '

' Tachtfaidh sé thú má ólann,' a dúirt Nano go gáiritheach.

Válts mall a bhí an babhta seo ann agus mura raibh Julius chomh deas ar na céimeanna is mar a bhí Maidhc Ó Siadhail ba mhíle fearr le Nano mar chéile rince é, ba chaithis léi greim a láimhe ar a láimh féin agus teagmháil a láimhe eile lena droim; bhí gach rud ina cheart anois, mhothaigh sí chomh sásta agus nár theastaigh uaithi focal a labhairt, ba leor léi a bheith ag guairneán timpeall le Julius agus a ghaireacht di ag éirí mar a bheadh meisce ina ceann. Eadarlúid bheag ghleoite a bhí sa bhabhta seo do Nano agus ní raibh uaithi ach toiliú don aoibhneas, a haigne a dhruidim ar an drochamhras a bhí ag éilimh seilbhe inti, a bhí ag iarraidh dul idir í agus taitneamh na huaire. Oíche amháin, aon oíche bheag amháin den bhliain, a dúirt glór cluanach a mianta léi—nach raibh fiú cairde oíche dlite di nó an gcaithfeadh cuibhreach a bheith uirthi i gcónaí?

Bhí leiceann Julius buailte ar a leiceann sise agus bhí dlaoi dá chuid gruaige ar a huisinn chomh mealltach le póg; d'airigh sí a bhéal lena cluais ansin ag achainí uirthi an rince deireanach a choinneáil dó cibé cé leis a dhamhsódh sí i gcaitheamh na hoíche. Agus mar fhreagra air, dá buíochas féin, beagnach, thug Nano Mháire Choilm fáscadh beag geallúnach dá láimh.

Bhí an áit uile chomh ciúin leis an gcill, na soilse múchta sa ghiomnáisiam agus na rinceoirí go léir imithe leo; thall sna ceathrúna cónaithe bhí corrfhuinneog lasta go fóill mar a bheadh drogall ar na cailíní dul a luí tar éis scléip na hoíche, agus ní raibh de sholas sna haireagail máguaird ach breo beag maolaithe na lampaí oíche. Bhí na réalta ina mílte ag drithliú go lonrach i nduibhe na spéire—comhartha seaca—ach má bhí goimh fhuachta san aer ba i ngan fhios do Nano Ní Chatháin a bhí sé ann. Neadaigh sí a ceann ar ghualainn Julius agus lig sí osna le sástacht; bhí lámha Julius ina timpeall agus ó am go ham phógadh sé a béal go caoinbhéasach, dílis, póga a sheol dinglis tríthi chomh hálainn le támhnéal aoibhnis. Bhí sé uair an chloig go láidir ó d'fhágadar an rince ach ní raibh tuiscint ar bith a thuilleadh ag Nano do ghluaiseacht an ama ná ní iarrfadh sí corrú ón gcluanóg fhascúil seo ar chúl an ospidéil go deo. Chuir sí a dhá láimh timpeall ar mhuineál Julius agus tharraing sí chuici é gur thug póg dó in éiric na bpóg eile; dúirt sí a ainm ansin le hurraim, nach mór, agus phóg sí arís agus arís eile é go cíocrach, grámhar. . . .